Inhalt

Erste Hälfte

SV

Theodor W. Adorno

Gesammelte Schriften

Herausgegeben von Rolf Tiedemann
unter Mitwirkung von
Gretel Adorno, Susan Buck-Morss und Klaus Schultz

Band 20·2

Theodor W. Adorno

Vermischte Schriften II

Suhrkamp

Eine Edition des
Theodor W. Adorno Archivs

Erste Auflage 1986

Druck: MZ-Verlagsdruckerei GmbH, Memmingen
Printed in Germany

CIP-Kurztitelaufnahme der Deutschen Bibliothek
Adorno, Theodor W.:
Gesammelte Schriften / Theodor W. Adorno. –
Frankfurt am Main : Suhrkamp
NE: Adorno, Theodor W.: [Sammlung]
Bd. 20. Vermischte Schriften /
[hrsg. von Rolf Tiedemann unter Mitw. von Gretel Adorno ...].
2. – 1. Aufl. – 1986.
ISBN 3-518-57809-X kart. (mit Bd. 20,1);
ISBN 3-518-57810-3 Gewebe (mit Bd. 20,1)

ZWEITE HÄLFTE

III

Aesthetica

[Erste Fassung:]

What National Socialism Has Done to the Arts

By talking about the legacy of National Socialism within the artistic life of Europe I do not intend to dwell on Nazi terror, or the annihilation of many artists and intellectuals in the conquered countries, nor on the administrative measures by which the Nazi regime has put every cultural activity into the service of the totalitarian setup. What we are concerned with is the after-effect of the Fascist era and its significance for America rather than the actions and crimes of the regime itself. Our attention is focussed on those traces of the Nazi spirit which threaten to survive or to resurrect at a given opportunity. In order to understand these traces we have to cope with what might be called the spirit of Fascism, the structural changes which it has brought about throughout European society rather than with administrative measures which may be remedied. It should be said, however, that there is one aspect in crude reality which is beyond repair, namely the mass murder of intellectuals perpetrated by the Nazis, particularly in such countries as Poland. We do not yet know the extent to which intellectual and artistic groups in great parts of Europe have been liquidated. We do know, however, that the systematic drive carried out by the regime against all potential centers of intellectual resistance will leave its imprint upon the future. It is likely to result in a vacuum the impact of which on the whole cultural life cannot be foreseen. Though I am fully conscious, however, that, what National Socialism has done to art, is above all murder, I shall discuss today some less obvious aspects of the situation which seem to me of particular relevance, since they did not result from arbitrary actions of political gangsters but rather from developmental tendencies which are so deep-lying, that we may say that they have not only been brought about by National Socialism but are among its causes as well. In order not to lose ourselves in too vast a field I shall concentrate on the fate of *music* which I had an opportunity to study most closely. I wish to emphasize, however, that music serves here merely as an example for much broader sociological aspects, not as an end in itself.

The idea that there are certain cultural trends which both belong to the presuppositions and to the effects of Fascism dictates the topics with which I have to deal. I shall first say something about the climate for Fascism in Germany as it showed itself throughout musical life in pre-Hitler days and I then shall point to some of the more obstinate effects of Hitlerism throughout the musical sphere. I am under the impression that we shall be able to understand the structural relationship between Fascism and culture the better the more deeply we are aware of the cultural roots of some of the most terrifying anti-cultural phenomena of our time. It would be naive to assume that the indisputable destruction of German musical culture has been brought about solely by a kind of political invasion from the outside, by mere force and violence. A severe crisis, economic no less than spiritual, prevailed before Hitler seized power. Hitler was, in music as well as in innumerable other aspects, merely the final executor of tendencies that had developed within the womb of German society.

However, one can very well differentiate between artistic and philosophical phenomena which tend toward Fascism by themselves, and others which were claimed by the Nazis more or less arbitrarily, mainly on account of their prestige value. Moreover, one can clearly distinguish between names to which the Nazis paid only lip service, such as Goethe and Beethoven, and others who represent ideas which are the lifeblood of the Fascist movement, mostly comparatively obscure figures such as Ernst Moritz Arndt or Paul de la Garde.

Nobody can escape the awareness of the deep interconnection between Richard Wagner and German supra-nationalism in its most destructive form. It may be good to recollect that there is an immediate link between him and official Nazi ideology. Wagner's standard-bearer and son-in-law, the Germanized Englishman Houston Stewart Chamberlain, was one of the first writers who combined aggressive pan-Germanism, racism, the belief in the absolute superiority of German culture, – or you may rather say of German Kultur – and militant anti-Semitism. The Nazi bogus philosopher Alfred Rosenberg has confessedly borrowed most of his theses from Chamberlain's *Grundlagen des 19. Jahrhunderts*. The book had the blessing of the Bayreuth circle and Chamberlain, as an old man, welcomed enthusiastically the National Socialist movement.

The pedigree Wagner-Chamberlain-Rosenberg is more than just historical accident. Not only can we discover many elements of rubber-stamped Nazi doctrine in Wagner's theoretical writings, but we can also spot them, which is more important, throughout Wagner's works in more or less flimsy allegorical disguise. The whole plot of Wagner's *Ring* suggests some kind of a gigantic Nazi frame-up, with Siegfried as an innocent, lovable Teutonic hero who, just by chance, conquers the world and ultimately falls victim to the Jewish conspiracy of the dark dwarfs and those who trust their counsel.

Incidentally, it is ironical enough and not without deeper significance that even the downfall of Hitler is presaged in this metaphysical master plan. We may well say that the whole pan-German movement, consummated by Nazis, bore within itself an inkling of the doom it spelled, not only upon its foes but also upon itself. This inkling is not of an entirely irrational nature, but is tinged with an insight, however inarticulate it may have been, into the ultimate hopelessness of German imperialism within the given constellations of world power politics. No clear-sighted observer of the early days of Nazism in Germany can have failed to notice an element of uncertainty and even despair underneath the drunkenness of victories celebrated before they were won. It is quite possible that the ruthlessness and cruelty of the Nazi regime, so utterly ununderstandable to other nations is partly determined by this deep sense of futility of the whole adventure. The Hitlerian statement that if his regime should ever collapse he would slam the door so that the whole world could hear it, is indicative of something much farther reaching than it seems to express. When we speak of the destructiveness of the German mind we have to understand this not merely psychologically but also politically, in terms of the desperate character of the whole gamble. The Germans permanently anticipated, as it were, the revenge for their own downfall. This may suffice as an example for speculations on the innermost secrets of Nazi mentality and Nazi reality as suggested by the Wagnerian work.

A minute musical analysis of Wagner's works yields insight into the repressive, compulsory, blind and ultimately anti-individual way of his composing in a very concrete and tangible sense. His music itself speaks the language of Fascism, quite apart from plots and bombastic words.

Yet, we should not overrate the importance of Wagner as a formative element of Fascism. Apart from the fact that his work contains forces entirely antagonistic to those which I mentioned, his actual influence in Germany was definitely on the decline. True, he helped to prepare the climate for Fascism with the generation of our parents. The imagery of his works doubtlessly soaked through innumerable channels into the unconscious of most Germans. However, his work itself had largely ceased to be a living force. This holds for the artists as well as for the public. Since about 1910, at the latest, there started a revolt of all composers of any independence and talent against Wagnerism and all it entailed. One may easily regard anti-Wagnerism as the common denominator of all the different schools that have sprung into existence since the beginning of this century. Concomitantly, Wagnerian philosophy lost its hold on the intellectuals. But what happened with the audience at large is perhaps even more significant. The lack of knowledge of the Wagnerian work among the younger generation in Germany was simply astonishing. The spiritual demands of the *Weltanschauungsmusik*, the exacting length of the *Musikdrama*, the spirit of high-fallutin' symbolism so incompatible with the positivist matter-of-factness spreading over the youth of the whole world – all this helped to bring Wagner into almost complete oblivion. His old Germans became associated with the idea of the »beaver« game. I can give you an example.

In the winter term of 1932/33, immediately before Hitler took over, I had to conduct at Frankfurt University a seminar on Hanslick's treatise *On the Musically Beautiful* – which is essentially a defense of musical formalism against the doctrine of Wagner and the programmatic school. Although the seminar was focused on philosophical issues, the participants, about thirty, were mostly musicologists. In the first meeting I asked who was capable of writing the Siegfried motif, the most famous of all Wagnerian *leitmotifs*, on the blackboard. Nobody was.

This little event is symptomatic not only of the oblivion into which Wagner had fallen but of a much broader issue, which has something to do with the rise of Hitlerism and will by no means have been settled by his defeat. You may call it the decultivation of the German middle classes, demonstrated in the field of music but noticeable in every aspect of German life.

During the 19th century there existed certain groups which, without being professional musicians or artists, were in real contact with music and the arts, were moved by the ideas expressed by music, and were capable of a subtle and discriminating understanding. The attitude of writers such as Schopenhauer, Kierkegaard or Nietzsche toward music was not understandable without the existence of such a nucleus of musically truly cultured non-musicians. This nucleus has disappeared. Musical knowledge and understanding has become the privilege of experts and professionals.

I cannot go into the reasons for this process which is deeply connected with certain changes undergone by the whole German middle class. On the basis of their own material interests, they became more and more alienated from the same culture which their fathers and grandfathers had brought about. It is this decultivation, this loss of any life relationship with what is supposed to be the tradition of great German culture, upheld merely as an empty claim that has contributed more to the Fascist climate than the allegiance to even so nationalistic and chauvinistic an author as Richard Wagner.

We should be quite clear with regard to what we mean by this process of decultivation. It is not simply lack of knowledge or erudition, although the processes in question tend also to lower all acquaintance with the manifestations of culture in a most elementary sense. Nor is it the ever-increasing aloofness of artistic products from the empirical life of society, a process that can be dated back to the time when art lost its locus within the order of the all-embracing Catholic Church. I refer to something much more specific. It may be called the neutralization of culture in general and of the arts in particular.

Since philosophy in the broadest sense, the general consciousness of the people, has been brought more and more under the sway of science and technical civilization, the relationship between art and truth has been profoundly affected. There is no longer any unifying common focus between knowledge or science on the one hand and art on the other, as there is no common focus between science and philosophy or religion. Dr. Horkheimer has pointed this out in his lecture. What has been called the »idea« of arts during the age of great speculative philosophy has come to be regarded as an obsolescent metaphysical prejudice. Instead of being a decisive means to express fundamentals about human existence and human society, art has assumed the function of a realm of consumer goods among others, measured only according to what people »can get out of it«, the amount of gratification or pleasure it provides them with or, to a certain extent, its historical or educational value. This does not merely pertain to the products of today's cultural industry which are conceived and produced in terms of consumer goods anyway, but this generally also affects the present attitude towards traditional works. They are, and were long before the rise of Fascism, in a certain way »on exhibition«, things to look at, maybe to admire, maybe to enjoy, perhaps even emotional stimuli, but they became within the general consciousness of the consuming audiences, more or less deprived of any intrinsic and compelling meaning of their own.

This has sucked their life blood away even if their façade was still intact in German opera houses, concert halls and art galleries. Their own essence was gradually lost, and they were experienced in terms of the want of entertainment which they had satisfied only incidentally. While the public apparently became their master who has the choice among the infinite variety of cultural goods, the public actually was the victim of this whole process since the works became mute to the listener and lost any deeper hold on his experience, his development and his philosophy. Ultimately consumption of the art became a mere appendage to the business interests of those who were in command of the market.

We can, therefore, not blame the masses for the process of decultivation, the broadest pattern of which I have tried to indicate. The loss of knowledge and interest in the products of art which may ultimately lead to a completely barbarian severance between serious artistic production and universal tastes in not a matter of degeneration or bad will but is the almost unavoidable consequence of the relegation of art into the realm of pure embellishment brought about by the technological development itself.

This process, however, does not only imply a crisis of the general relationship between arts and audience and concomitantly of art itself which is condemned to an ever more threatening isolation, but it also has much more immediate social consequences. For the idea of compelling and objective truth, however differentiated its artistic and philosophical expression might have been, is inseparably bound up with the idea of humanism. German humanism was the most substantial counter-tendency against violent nationalism. This holds good for music above all. One may say that the cultural impact of music in Germany was the equivalent of the humanistic tradition in great French literature.

Humanistic philosophy permeates Beethoven's whole work and determines even the most subtle details of his musicianship. The lack of experience of this humanistic spirit – and here I mean experience in a deeper sense than the listening over the air to some standard performance of a standard work – reflects, viewed in broad social terms, a vacuum ready to absorb the arbitrarily superimposed doctrines of totalitarianism. The German boy of our age who has no longer heard, as his father might have, the *Kreutzer-sonata* played by friends of his parents, and who never listened passionately and surreptitiously when he was supposed to go to bed, does not merely miss a piece of information or something which might be recognized as being educational. The fact that he has never been swept away emotionally by the tragic forces of this music bereaves him somehow of the very life phenomenon of the humane. It is this lack of experience of the imagery of real art, partly substituted and parodied by the ready-made stereotypes of the amusement industry, which is at least one of the formative elements of that cynicism that has finally transformed the Germans, Beethoven's own people, into Hitler's own people.

This is not to say that musical culture in Germany simply died away. It survived within some artists, and even during the first years of Hitlerism the average level of performance was often astonishingly high. But musical culture became under Hitler what it had started to become long before, a museum piece of an export article, somewhat reminiscent of the cultural function of the Renaissance architecture in today's Italy. The tie between the idea of humanism, of music as an art, and the actual outward and inward life of the people, was definitely broken.

This is the most essential characteristic of the musical climate for Fascism in pre-Hitler Germany. It is certain to increase, not only in Germany, dangerously with the impoverishment of the European continent after the present war.

I wish to emphasize that the process in question does not merely engulf the attitude of the masses toward art, but artistic production per se and its inherent values. If we take a quick glance at the most successful German post-Wagnerian composer – as a matter of fact the only one whose fame is internationally established – Richard Strauss, there is clear evidence that the link with German humanism, in the sense I have discussed it right now, has ceased to exist. The fact that Richard Strauss at one time attempted to translate a philosophical work, Nietzsche's *Zarathustra*, into program music, is no proof to the contrary. One may rather say that philosophy, as well as religion or as the *l'art pour l'art* doctrine of symbolism, is for sale in Strauss' music, and that the very way it is treated as a subject matter destroys it as the true life basis of the works which so glibly deal with all kinds of philosophical ideals and values. Everything becomes a cultural good to be looked at, to be bought, to be enjoyed as a stimulus for the nerves of the big but tired businessman. This holds for the whole range of Strauss' *œuvre*: the Archaic Greece of *Electra* and the smart pervertedness of *Salomé*, the second-hand Goethe edition of the *Frau ohne Schatten*, and the rococo of the *Rosenkavalier* which proved to be so convenient for the taste of the German industrial upper-class who got out of this work a mirrored reflection which made them look as if they were a legitimate aristocracy.

What remains, apart from such stimuli made to order of the quickly changing tastes of those German layers with whom Strauss identified himself, is a kind of cult of the *élan vital*, which has become, in the *Schwung* of this music, almost synonymous with the spirit of success, recklessness and expansionism fitting only too well with imperialist Germany from Emperor Wilhelm to Hitler. If complete cynicism and relativism are among the foremost characteristics of

Fascism, these characteristics come clearly to the fore in an author who is apparently so faithful a child of the liberal era as Richard Strauss. To be sure, his managerial broad-mindedness is quite irreconcilable with the narrow and petty bourgeois fanaticism of the Nazi movement. Yet he only put the seal under the secret text of his life-work when he grudgingly compromised with the Nazi government.

It is this spirit of pseudo-hedonistic complacency and shallow showmanship – in spite of all the virtuosity of the composer – against which everything rebelled that was productive and responsible in German musicianship. But it is also this very rebellion by which the great music which Germany has produced during this century, and of which the life-work of Arnold Schoenberg is representative, became definitely and radically antagonistic to the audience and to the whole sphere of commercialized musical life, of the official German *Musikleben*. It has often been alleged, and also repeated in this country, that it was a kind of guilt or an expression of snobbishness, of the ivory tower idea, that the real musical *avantgarde* in Germany lost more and more its touch with the audience. The work of Schoenberg, Berg, and Webern never became familiar to the non-musicians to any extent comparable with Wagner or even Strauss.

In a deeper sense, however, the *avantgarde* represented the true societal interests against blindness, spite and conventionalism of the actual audience. The musical discord, which became the symbol of so-called *Kulturbolschewismus*, and which is the conspicuous identification mark of the musical *avantgarde*, the supposed spirit of negativism and destruction, kept faith to Beethoven's humanism by expressing in an undiluted way the sufferings, the anguish, the fear, under which we live today long before the political crisis arose, instead of covering it up by idle comfort. It thus has maintained the link between music and philosophical truth. This does not only refer to the expressive sincerity of artists such as Schoenberg, but also to their purely musical qualities, their severe and undisguised construction shunning all ornamentation, embellishment, everything which is not strictly necessary. We know today how deeply the often denounced subjectivism of the so-called atonal *avantgarde* was bound up from the beginning with functionalism, with those tendencies within art which try to regain its real dignity by purifying it from all the remnants of romanticism which today are nothing but empty pretenses.

This is perhaps the appropriate moment to illustrate by a very specific example the danger of a survival of the Nazi spirit after its defeat. I mentioned before the idea of *Kulturbolschewismus* which served as a means to denounce every artistic impulse which threatened to shatter the conventional belief in the good and natural order of things. Today we find the heritage of this denunciatory notion among some of the sincerest foes of the Hitlerian system. The world has become so ugly and terrifying, so runs the argument, that art should no longer dwell upon distorted forms, discords and everything branded as being destructive, but should return to the realm of beauty and harmony. The world of destruction, terror and sadism is the world of Hitler. And art should show its opposition to it by going back to its traditional ideals.

The amazing similarity of such enunciations with those of the jailers would not be a counter-argument in itself, but it is highly indicative of the perseverance of the Nazi frame of mind, a perseverance which is not merely due to the minds of the intellectuals but to the situation as such. What is wrong about the argument is not that it sounds Hitlerian, but that it is infantile and expresses a general reversion of thinking which goes infinitely beyond the sphere of the arts – and hatred of thinking, hostility against the development of independent thought is what makes for Fascism.

The infantile twist is the forthright identification of ugly and beautiful in art with ugly and beautiful in reality, an identification in the style of the Hays Office which regards every unpolished villain on the screen as an encouragement of robbery on the street. Thinking is endangered of losing the power of discriminating between imagery and reality. Goethe, who is supposed to have been a classicist, as well as Hegel, the conservative, knew that speaking out the negative, facing catastrophe and calling it by its name, has something wholesome and helpful in itself which could never be achieved by the pretense of a harmony borrowed from the surface phenomena and leaving the essence untouched.

It is just this taboo of expressing the essence, the depth of things, this compulsion of keeping to the visible, the fact, the datum and accepting it unquestioningly which has survived as one of the most sinister cultural heritages of the Fascist era, and there is real danger of a kind of pink pseudo-realism sweeping the world after this war, which may be more efficient but which is certainly not fundamentally superior to the art exhibitions commandeered by the Nazis.

Art should put against those restorative tendencies, even if they are clothed in terms of Parisian neo-classicism, the word of an Anglo-Saxon philosopher who certainly cannot be blamed for *Kulturbolschewismus*, namely Francis Bradley: »If everything is bad, it may be good to know the worst.«

Simultaneously however, we should not underrate the issue of aloofness and non-conformity of music, and of arts in general, with regard to its political importance. For this aloofness did not only keep it away from the market but also created a kind of resentment which belongs to the most significant phenomena of the German pre-Fascist cultural climate and which has its strong counterpart in anti-intellectualism and anti-highbrowism all over the world.

This resentment as well as the musical decultivation of the German middle classes resulted in certain ill-defined collectivistic tendencies of the pre-Fascist era. They found their quasi-positive expression in the so-called musical folk and youth movement. During the *Third Reich*, this movement came into a certain antagonism with the Party and seems to have been abolished or absorbed by the *Hitler Youth*. Nevertheless, there is no doubt that this movement had a strong affinity to the spirit of Nazism. No need to stress such obvious aspects as the connection between this musical collectivism and the Nazi folk ideology. But there are less obvious features to which I should like to draw your attention.

There is a strong repressive trend throughout this musical collectivism, a hatred against the individual, the supposedly refined and sophisticated. This hatred is an expression of envy of those whose individuality could not truly develop, rather than a desire for a true solidarity of men which would pre-suppose those very individual qualities which are taboo to the agitators of musical collectivism. There is, moreover, the wish for simplicity at any price, the contempt of the *métier*, the unwillingness to learn anything that requires persistent intellectual efforts – a kind of glorification of the supposedly plain, average man which may be transformed into a weapon against anyone and anything that does not conform to his standards.

There is, above all, the display of an aggressive spirit of community as an end in itself, played up artificially so as not to allow any questioning of its real meaning. The idea of collectivity is made a fetish, glorified as such, and only loosely connected with concrete social contents which may easily be changed with every turn of *Realpolitik*. This last element is perhaps the most important one. It bears witness to the calculated, synthetic nature of this supposed folk music. The more it pretends to be the expression of »we the people«, the more certain we may be that it is actually dictated by very particularistic clique interests, intolerant, aggressive and greedy for power.

I have so far discussed underlying tendencies of German culture as manifested in the field of music which prepared the climate for Fascism or rather were indicative of the same social forces which ultimately made for political Fascism too. I dwelt on these aspects because we have reason to believe that it is they which are likely to persist, though in many ways modified, after Hitler's defeat. As far as the actual musical situation under Hitler is concerned, I confine myself to some brief remarks.

It would be erroneous to assume that there ever sprung into life a specific musical Nazi culture. What was profoundly changed by the system was the function of music which now openly became a means to an end, a propagandistic device or an ideological export article among many others. However, any attempts to create a music, intrinsically National Socialist by order, were limited to the most fanatic groups of the Nazi movement and never got hold of any responsible artist, nor of the bulk of the population, just as official Nazi poetry never became really popular.

As to the production of the younger generation of more or less fervent believers in the Nazi ideology a number of new names appeared but what they actually achieved largely amounted to a feeble and diluted imitation of some of the better known composers of the Weimar era, particularly of those collectivist composers who had exercised a certain appeal to larger audiences, such as Hindemith or Kurt Weill. The latter's Jewish decent was no obstacle to one of the more successful Nazi opera composers, Mr. Wagner-

Régeny, who copied Weill's style with all its mannerisms almost entirely.

The most important characteristic of musical life under Hitler seems to me a complete stagnation, a »freezing« of all musical styles of composing and performing and of all standards of criticism, comparable to the freezing of wages under Hitler. Throughout cultural life the Nazis developed a kind of double-edged policy. On the one hand they raged against modernism and *Kulturbolschewismus*, on the other hand they disavowed what they themselves called fellow travellers, *Mitläufer*, that is to say those artists who tried to coordinate themselves quickly to the catchwords of the Nazi ideology without enjoying the privilege of being Party old-timers. Thus the compliant musicians and, above all, the composers, were left somewhat confused. Musical stagnation as well as that of art as a whole did not remain unnoticed by the more intelligent Nazis and even Herr Rosenberg, who generally had to take an attitude of official optimism once suggested the idea that there was no time for great artistic production today and that the energies formerly invested in the arts were now properly absorbed by technical and military ventures. This amounts to a forthright admission of artistic bankruptcy. Subsequently, the restrictions put upon composing were somewhat lifted in order to raise the artistic standards. As soon, however, as the Party allowed any bolder work to make its public appearance, the official Nazi critics spoke threateningly of *Kulturbolschewismus*. Thus an atmosphere of total insecurity was brought about, comparable to the strange amalgamation of strictly enforced laws and arbitrary illegality so characteristic of the Third Reich. It exercized a paralyzing effect. The best a German artist could hope for was escape into what has been properly called *innere Emigration*, internal emigration. Whereas German artistic tradition had evaporated and artistic pioneering had been eliminated at the surface, the Nazis failed completely in building up even a *façade* of a musical culture of their own. The same people who always had blamed intellectual cliques for modernism in the arts, remained themselves a clique whose folk ideas proved to be even more distant from the life of the people than the most esoteric products of expressionism and surrealism. Paradoxical as it sounds, the Germans were more willing to fight Hitler's battles than to listen to the plays and operas of his lackeys. When the war catastrophe put an end to the remnants of public German musical life, it merely executed a judgment that was silently spoken since the Hitler gang had established its dictatorship over culture.

What then are we going to expect as an aftermath of the trends which I tried to point out to you? I do not intend to dwell on the question whether economic conditions in Europe as a whole and particularly in Central Europe will allow any artistic culture or whether the apathy of the population after the war will result in their becoming entirely disinterested in the arts. I do not think that the greatest danger lies here. There is no direct correlation between material wealth and artistic production and one might easily imagine situations where material wealth and the tremendous machinery of cultural industry may be a threat to artistic spontaneity rather than an enhancement of it. The present stage of technical civilization may call for a very ascetic art developed in the loopholes of poverty and isolation, as counter-balance against the business culture which tends to cover the whole world. Instead of dwelling on the crude economic issues, I want to finish this lecture with an attempt to briefly formulate four of the deeper-going tendencies towards a survival of the Fascist spirit in the arts.

(1) The propagandistic aspect of all the arts which has been emphasized by the Nazis and which has destroyed almost completely artistic autonomy is not likely to disappear automatically. To be sure, European art after this war will not be allowed to serve the purpose of Fascist propaganda and the freedom of artistic creation will be restored at least formally. What is likely to remain, however, is the prevailing idea that art is essentially a force of manipulation, something that is to be directed this or the other way, that has to follow a set ideological pattern. The very fact that everything, that carries with itself associations of Fascism, however faint they may be, must be eradicated, is a symptom of an almost inescapable danger of artistic control. What threatens to develop in Europe as well as in the rest of the world may be called the end of the artistic subject. The artist is no longer called upon in order to express independently his experiences, visions and ideas, but has come to understand himself as a sort of a functionary who has to fulfill a social and productive duty. It is possible that this very fact destroys the true

function of the arts. Certainly, the idea of the artist blindly following his intuition without thinking in technical terms and without conscientious work on his material is a romantic notion. Every true work of art has, what one might call malevolently a manipulative element about itself. But it makes all the difference whether this manipulative element remains a means of realizing the essence of the work, or whether it is put into the service of molding public opinion. As an aftermath of Fascism the latter seems to become more and more emphasized, not only because of external pressure put upon the artist but because the artists themselves nourish the illusion that, by surrendering to the calls made upon them and becoming functionaries or employees, they could escape their isolation and regain contact with broad social tendencies. But art does not fulfill its function in society by acting as a social functionary. Everything will depend on whether there will be loopholes enough left to the artists in order to dodge this evermore threatening danger. It should be added, cautiously, that the consciousness of this danger today seems to increase.

(2) The aspect of being a functionary and expressing himself according to the wants and necessities of powerful social groups and tendencies is an aspect mainly affecting the artist. There is a no less dangerous tendency with regard to the attitude of the public. The foremost cultural organization of the Nazis bore the title »*Kraft durch Freude*« (»Strength Through Joy«). This barbarian name, which defines the arts, as Dr. Horkheimer says in one of his studies, in terms of massage, is significant of something which probably will be alive long after the Philistines of *Kraft durch Freude* will no longer command any official organization. Music, art and literature tend to become recreational activities, the means to help the tired masses to gain new strength and to get away from the drudgery of their practical existence. Fascism has taken up consciously this trend which automatically came to the fore all over the world long ago. The misery of the European post-war world as well as the vacuum left after the collapse of Nazi ideology is likely to strengthen rather than to weaken this tendency. What I envisage here is that the arts in Europe as far as they have contact with the broad masses, above all moving pictures, radio and popular literature, will indulge in a kind of streamlining in order to please the customer, a sort of pseudo-Americanization with

poorer means and less efficiency, which even before Hitler could be noticed in European capitals such as Berlin and, to a certain extent, also Paris. The idea of being up-to-date by giving the people what they are supposed to want or rather what amounts to the line of least resistance against big business, is likely to triumph everywhere.

(3) The trend toward collectivism for its own sake so heavily emphasized by the Nazis is likewise apt to survive within their foes. The more sacrifices the resistance forces and underground movements had to make, the more likely there are to arise demands for popular appealing art, intrinsically incompatible with the developmental phase reached by autonomous art itself. We must protect ourselves against the repressive implications of such a call for subordination and obedience of the individual to the demands of the majority and the so-called plain people, if we should not experience a revival of Nazi tendencies under an entirely different political label.

(4) There is a last danger apparently contradicting the ones I so far pointed out, but nevertheless threatening enough. I may call it the danger of the transformation of European culture into a kind of National Park, a realm tolerated and even admired, but mainly in terms of its quaintness, its being different from the general standards of technological civilization, but by this very act of tolerance being subject to its norms. Whereas we have to fear on the one side the danger of standardization and manipulation of European culture, we have to be equally on our guard against the danger of its artificial preservation, its being put on exhibition, its being enjoyed for the sake of its uniqueness rather than for any inherent qualities. What happened to certain artists of the Boulevard Montparnasse, whose colorful appearance made them lovely to look at, but at the same time put upon them the stigma of being fools, may happen to European culture as a whole. It may share the fate of old European style furniture or of European titles.

All these dangers can be met only by a strength of resistance surpassing anything non-conformist artists ever had to muster before. They must guard themselves against the leveling trend of the machinery as well as against adaptation to the market by outdated, and hence fashionable provincialism, and even by spectacular non-adaptation. Who really wants to be an artist today should neither be a commercial designer, in the broadest sense, nor a stubborn, blind specialist. His relationship to technological civilization is utterly complicated. While resisting its standardizing impact, he cannot dodge the deep and shocking experiences brought about by this civilization upon every living being. He must be in complete command of the most advanced means of artistic construction. He thus has to be both an exponent and a sworn enemy of the prevailing historical tendency. There is no recipe how to achieve this. The only thing to stick to are those inherent qualities of the work itself mentioned before. To the artist, they appear mainly in terms of inner consistency, the uncompromising realization of basic intentions. Faithful pursuit of such »realization« is not mere formalism. It works as the only means of maintaining, or regaining, that relationship between essential philosophical truth and art, or science, the abolition of which is at the hub of the Fascist spirit – provided the basic intention itself is true in terms of the underlying essential. An artist who still deserves the name should proclaim nothing, not even humanism. He should not yield to any pressure of the ever more overwhelming social organizations of our time but should express, in full command of meaning and potentialities of today's processes of rationalization, that human existence led under its command is not a human one. The humane survives today only where it is ready to challenge, by its very appearance and its determined irreconcilability, the dictate of the present man-made but merciless world.

März 1945

[Zweite Fassung:]

The Musical Climate for Fascism in Germany

To many Americans who are used to thinking of Germany as the mother country of great music it appears as if Hitler and the barbarian Nazi dictatorship had destroyed, with one stroke, a flourishing musical culture. The brutality with which the Nazi regime clamped down on every unregimented musical expression and brought the entire musical life under complete control is appalling indeed. It would be naive, however, to assume that the indisputable destruction of German musical culture has been brought about solely by a kind of political invasion from outside, by mere force and violence. This culture underwent a severe crisis, economically no less than spiritually, before Hitler seized power. Many elements of the spirit of Fascism crystallized within the sphere of music proper, quite apart from any visible political pressure. Hitler was, in music as well as in many other respects, merely the final executor of tendencies that had developed within the womb of German society. Since we are not interested in a mere description or history of the fascist onslaught on culture, but rather want to learn from the German experience as much as we can in order to avoid a recrudescence of the evil in any other country, it may be good to have a look at some of those fascist tendencies within German music, and musical life, before Hitler. This may help us to understand better the musical climate of Fascism itself.

A more general remark may be pertinent at this point. There can be no doubt that Fascism, as soon as it has conquered, absorbs practically all intellectual trends which are not definitely and articulately opposed to it, even the most contradictory ones. The philosophies of Fichte as well as of his modern antipode Klages, the poetry of populists, such as Gerhart Hauptmann and Hamsun, as well as of esoterics, such as George and Rudolf Alexander Schröder, political theories of hierarchical conservatism and of revolutionary activism have been equally swallowed by totalitarian ideology, undergoing on the way changes which often, as for example with the German mystic Meister Eckhardt, amounted to mutilation and complete falsification. It may thus be said that it is no good looking for fascist symptoms in pre-Hitler culture since no element of that culture was safe from being taken over by the usurper. This objection, however, is too sweeping. One can very well differentiate between artistic and philosophical phenomena which tend towards Fascism by themselves, and others which were claimed by the Nazis more or less arbitrarily, mainly on account of their prestige value. Moreover, one can clearly distinguish between names to which the Nazis did only lip service, such as Goethe and Beethoven, and others who represent ideas which are the lifeblood of the fascist movement, mostly comparatively obscure figures, such as Ernst Moritz Arndt and Paul de Lagarde.

My observations are going to be made with an eye on these reflections. The first name that comes to everybody's mind in connection with pre-Hitler musical Fascism is that of Richard Wagner. It may be good to recollect that there is an immediate link between him and official Nazi ideology. Wagner's philosophical pupil and son-in-law, the Germanized Englishman Houston Stewart Chamberlain, was one of the first writers who combined aggressive pan-Germanism, racism, the belief in the superiority of German culture and militant anti-Semitism. The Nazi bogus philosopher Alfred Rosenberg has confessedly borrowed most of his ideas from Chamberlain's *Grundlagen des 19. Jahrhunderts* and the latter had the blessing of Wagner himself and later of the Bayreuth circle which turned Nazi at an early date. Not only can we discover many elements of rubber-stamped Nazi doctrine in Wagner's theoretical writings but we can also spot them, which is more important, throughout Wagner's works in more or less flimsy allegorical disguise. The whole plot of Wagner's *Ring* suggests some kind of a gigantic frameup, with Siegfried as an innocent and lovable Teutonic hero who, just by chance, conquers the world and ultimately falls victim to the Jewish conspiracy of the dwarfs and those who trust their counsel. Incidentally, it is ironical enough that even the downfall of Hitler is presaged in this metaphysical master plan. Apart from such somewhat crude though legitimate interpretations I should go so far as to venture that a minute musical analysis of Wagner's works yields insight into the fascist nature of his very way of composing, in a very concrete and tangible sense. It is impossible, however, to elaborate this thesis in the present paper.

Yet I should not overrate the importance of Wagner as a formative element of Fascism. Apart from the fact that his work contains also forces entirely antagonistic to those which I mentioned his actual influence in Germany was definitely on the decline. It helped to prepare the climate for Fascism with the generation of our parents and has doubtless soaked through innumerable channels into the unconscious of most Germans. However, Wagner's work itself had largely ceased to be a living force. This holds for the musicians as well as for the public. Since 1910 at the latest there started a revolt of all composers of any independence and talent against Wagnerianism and all it entailed. One may easily regard anti-Wagnerianism as the common denominator of all the different schools that have sprung into existence since the beginning of this century. Concomitantly, Wagnerian philosophy lost its hold on the artists. But what happened with the audience is perhaps even more significant. The lack of knowledge of the Wagnerian work among the younger generation in Germany was simply astonishing. The spiritual demands of the *Weltanschauungsmusik*, the exacting length of the *Musikdrama*, the spirit of high fallutin' symbolism so antagonistic to the positivistic matter-of-factness spreading over the youth of the whole world – all this helped to bring Wagner into almost complete oblivion. His old Germans became associated with the idea of the »beaver«. I can give you an example which, at that time, struck me as most characteristic. In the winter term 1932/33, immediately before Hitler took over, I had to conduct at Frankfurt University a seminar on Hanslick's treatise *Vom musikalisch Schönen*, on the musically beautiful, which is essentially a defense of musical formalism against the doctrines of Wagner and the programmatic school. Although the seminar was focused on philosophical issues, the participants, about thirty, were mostly musicologists. In the first meeting I tried to ascertain to what extent they were familiar with Wagner's works, acquaintance with which is the prerequisite for any understanding of Hanslick's polemics. Since I did not satisfy myself with vague statements about their knowing this or that *Musikdrama*, I asked who was capable of writing the Siegfried motif, the most famous of all Wagnerian *leitmotifs*, on the blackboard. Nobody was.

This little event is symptomatic not only of the oblivion into which Wagner had fallen but of a much broader issue. You may call it the musical decultivation of German middle classes. Of course, I do not want to speak in quantitative terms here. We have no means of measuring statistically musical culture during the nineteenth century and now, and even if we could I don't think the result would amount to much. The millions of people who have been brought into some kind of contact with music by the means of modern technical communication, particularly the radio, have altered the picture so completely that no straightforward comparison would make much sense. By speaking about the decultivation of the middle classes I mean something different. During the nineteenth century there existed certain groups who, without being professional musicians, were in real contact with music, were moved by the ideas expressed by music and were capable of a subtle and discriminating understanding. The attitude of writers, such as Schopenhauer, Kierkegaard, or Nietzsche towards music were not understandable without the existence of such a nucleus of musically truly cultured non-musicians. This nucleus has disappeared. Musical knowledge and understanding has become the privilege of experts and professionals. I cannot go into the reasons for this process which is deeply connected with certain changes undergone by the whole German middle class which, on the basis of its own material interests, was more and more alienated from the same culture which their fathers and grandfathers had brought about. At any rate, it is this decultivation, this loss of any life relationship with what is supposed to be the tradition of great German music that has contributed more to the fascist climate than the allegiance to even a nationalistic and chauvinistic author, such as Richard Wagner. This is hardly exaggerated. For the idea of humanism, the true counter-tendency against violent nationalism throughout modern history was in Germany inseparably bound up with the taking serious of music. One may say that the cultural impact of music in Germany was the equivalent of the humanistic tradition in great French literature. To be sure, Beethoven's greatness is not explained, as our appreciation orators want us to believe, by the fact that he composed *Fidelio*, the opera which glorifies the powers of humanism in their struggle against tyranny, or the IX. Symphony which expresses the promise of joy to all and every human being without any exception to race or creed. The greatness of Beethoven has to be understood in musical concepts first. Yet, the fact that he was bound up with humanistic philosophy permeates his whole work and determines even the most subtle details of his musicianship. The German boy of our era who has no longer heard, as his father might have, the Kreutzer Sonata played by some friends of his parents when he is supposed to go to bed does not merely miss a piece of erudition or information. The fact that he has never been swept away emotionally by the tragic forces of this music bereaves him somehow of one of the strongest experiences of the *humane*. It is this lack of experience, of the imagery of real art, partly substituted by the ready-made stereotypes of the amusement industry, which is at least one of the formative elements of that cynicism which has finally transformed the Germans, Beethoven's own people, into Hitler's own people. Musical culture in Germany had not died away, it survived with the artists and the level of performance was extraordinarily high. But it had largely become a museum piece or an export article, somehow reminiscent of the cultural function of Renaissance architecture in today's Italy. The tie between the idea of humanism, of music as an art, and social reality was definitely broken. This is the most essential characteristic of the musical climate for Fascism in pre-Hitler Germany.

This has been reflected in musical production. If we take a quick glance at the most successful German post-Wagnerian composer – as a matter of fact the only one whose fame is internationally established –, Richard Strauss, there is clear evidence that the link with German humanism, with philosophy in the sense of a basic relationship to truth, has been severed. The fact that Richard Strauss at one time attempted to translate a philosophical work, Nietzsche's *Zarathustra*, into program music, is no proof to the contrary. One rather may say that this philosophy, as well as the estheticism of Oscar Wilde or the religious symbolism of the *Frau ohne Schatten*, the Rococo of the *Rosenkavalier*, or the intimacy of the private life of the modern upper middle class, have been put on exhibition by Strauss in a gigantic sale of all cultural goods. They first have become neutralized, have lost any intrinsic seriousness they ever may have possessed and are then transformed into consumer goods which are enjoyed as stimuli without being related to any ideas transcending the comfort offered by the world as it is. The only spiritual contents that remains is a kind of cult of the *élan vital*, of a spirit of success, recklessness, and expansionism which fits only too well with imperialist Germany from Emperor Wilhelm to Hitler. If complete cynicism and relativism are among the foremost characteristics of Fascism, these characteristics come clearly to the fore in an author who is apparently so faithful a child of the liberal era as Richard Strauss. To be sure, his broadmindedness is quite irreconcilable with the fanaticism of the Nazi movement, and yet, it is not an accident that he compromised with Hitler.

It is his spirit of hedonistic complacency and shallow showmanship against which everything rebelled that was productive and responsible in German musicianship. But it is also this very rebellion by which the truly great music which Germany has produced during this century, and of which the life work of Arnold Schoenberg is representative, became antagonistic to the audience and to the whole sphere of commercialized musical life, of the official German *Musikleben*. It has often been alleged, and also repeated in this country that it was a kind of guilt or an expression of snobbishness and obsolete *l'art pour l'art* ideas that the real musical *avantgarde* in Germany lost more and more its touch with the audience, so that the work of Schoenberg, Berg, and Webern never became familiar to the non-musicians to any extent comparable with Wagner or even Strauss. Whereas the fact as such cannot be denied, I do not think that the blame is justified. It is just this opposition to the conformism of a public to whom music meant nothing more than distraction and entertainment which defended the humanistic tradition of German music against its decay. It is my thesis – which again I cannot expand – that the *avantgarde* represented the true societal interest against blindness, spite, and conventionalism of the actual audience. The discord which became the symbol of so-called *Kulturbolschewismus* and which is the conspicuous identification mark of the musical *avantgarde*, the supposed spirit of negativism and destruction, kept faith to Beethoven's humanism by expressing all the sufferings, the anguish, the fear of the crisis under which we live, long before this crisis actually started, instead of covering it up by idle comfort. It thus has maintained the link between music and philosophical truth. This does not only refer to the expressive sincerity of artists, such as Schoenberg, but also to their purely musical qualities, their severe and undisguised construction shunning all ornamentation, embellishment, everything which is not strictly necessary. We know today how deeply the often denounced subjectivism of the so-called atonal *avantgarde* was bound up from the beginning with functionalism.

Yet it is the very aloofness and non-conformity of this music which did not only keep it away from the market, but also created a kind of resentment which belongs to the most significant phenomena of the German musical climate for Fascism. Only those who know to what extent artistic and especially musical questions are involved with political issues throughout German cultural life can fully understand the emotional role played by the hatred against the music of the *avantgarde* within all reactionary and repressive groups of German society. Fascist cynicism never confessed itself openly as such. It was always cloaked by a net of highly conventional social, moral, and esthetic values which nobody took quite seriously. The more they practised anarchy, lawlessness, and cruelty in reality, the more they professed their belief in traditional orderliness in every respect. The musical *avantgarde*, on the other hand, disavowed by all of its works, by the subject matters chosen no less than by the musical structures themselves, these conventionalized ideas of beauty, harmony, nobleness, heroism, discipline and what not. Just because the Nazis and their fellow travellers never could fully believe in those clichés, or rather in the realization of the true meaning of such values within their own reality they felt an almost maniacal hatred against anything that could remind them of the spuriousness of their own faith. The discords of the musical *ars nova* were not simply disliked, nor does the explanation suffice that the highly complex compositions of the *avantgarde* composers were not properly understood. One may say that in a sense they were understood only too well and therefore provoked a fury among the listeners which is utterly disproportionate to the role played by this music in public life and which proves rather the bad conscience of the infuriated than any intrinsic defect of the objects of their resentment.

This resentment as well as the musical decultivation of the German middle classes, and certain ill-defined collectivistic tendencies of the pre-fascist era found their quasi-positive expression in the so-called musical folk and youth movement. During the *Third Reich* this movement came into a certain antagonism with the party and seems to have been abolished or absorbed by the *Hitler Youth*. Nevertheless, there is no doubt that this movement, represented by people, such as the notorious Fritz Joede, had a strong affinity to the spirit of Fascism. I do not want to stress such obvious aspects as the connection between this musical collectivism and the fascist folk ideology, a connection which is based upon the fact that the idea of collectivity is made a fetish, glorified as such, without any reference to any concrete social content. But there are less obvious features to which I should like to draw your attention. There is a strong repressive trend throughout this musical collectivism, a hatred against the individual, the supposedly refined and sophisticated which is an expression of envy of those whose individuality could not truly develop, rather than the desire for a true solidarity of men which would presuppose those very individual qualities which are taboo to the agitators of musical collectivism. There is, moreover, the wish for barbarian simplicity at any price, the contempt for the *métier*, the unwillingness to learn anything – a kind of glorification of the supposedly plain, average man which may be transformed into a weapon against any minority which does not conform to his standards. There is, furthermore, the display of an aggressive spirit of community as an end in itself, played up artificially so as not to allow any questioning of its real meaning. This last element is perhaps the most important one. It bears witness to the manipulated, calculated nature of this supposed folk music. The more it pretends to be the expression of »we the people«, the more certain we may be that it is actually dictated by very particularistic clique interests, intolerant, aggressive and greedy for power. The *Weimar Republic* was a particularly fertile breeding ground for such pseudo-democratic trends which turned very easily into their opposite. Whoever has gone through the German experience becomes suspicious when he meets with any kind of organized folk art which is conscious of its own folksy character.

I may briefly summarize. We have mentioned, as indicative of a fascist musical climate in Germany before Hitler, the following phenomena which of course gain their true meaning only in a much broader societal context.

(1) The direct and indirect influence of Wagner

(2) The subsequent musical decultivation of the German middle classes

(3) The severing of the link between music and humanistic tradition as exemplified by Richard Strauss

(4) The spitefulness and hatred directed against the serious attempts of the musical *avantgarde*

(5) The artificial creation of a so-called folk art by order.

As to the musical climate during the *Third Reich* itself, I shall confine myself to some very few remarks. We know more about the measures taken by the Nazis than about their actual effect upon the population as a whole. My own experience with music after 1933 in Germany is much too limited as to allow me to give a comprehensive picture. Dr. Rubsamen has pointed out some of the later developments. The following observations, however, may be made:

(1) Musical life in Nazi Germany became above all largely conventionalized. It would be erroneous to assume that there ever sprung into life a specific Nazi musical culture. Any attempts to create it by order were limited to the most fanatic groups of the Nazi movement and never got hold of the bulk of the population, just as official Nazi poetry never became really popular. What actually happened was rather an exaltation of everything established, and particularly, of everything internationally recognized. So-called big shots, supposedly acceptable to everyone, such as Furtwängler, Gieseking, or Backhaus were made the most of. Moreover, a number of older second-rate composers, such as Paul Graener who were full of resentment because they were never taken too seriously by competent musicians, felt that their hour had struck and joined the Nazi movement, in order to get a break. None of their works, however, met with any considerable success.

(2) As to the production of the younger generation, of more or less

fervent believers in the Nazi ideology: a number of new names appeared but what they actually achieved largely amounted to a feeble and diluted imitation of some of the better known composers of the Weimar era, particularly of those who had exercised a certain appeal to larger audiences, such as Hindemith or Kurt Weill. The latter's non-Aryan descent was no obstacle to one of the most successful Nazi opera composers, Mr. Wagner-Régeny, who copied Weill's style with all his mannerisms almost entirely.

(3) The most important characteristic of musical life under Hitler seems to me a complete *stagnation*, a »freezing« of all musical styles of composing and performing and of all critical standards, comparable to the freezing of wages under Hitler. Throughout cultural life the Nazis developed a kind of double-edged policy. On the one hand, they raged against modernism and *Kulturbolschewismus*, on the other hand, they disavowed fellow travellers and all those who tried to coordinate themselves quickly to the catch words of the Nazi ideology. Thus the compliant musicians, and above all the composers, were left somewhat confused and had to tread the mark. Some of them tried to get away with a mixture of popular folk art and techniques derived from neo-classicism. Of course, some talents of the first order, such as Winfried Zillig and Ludwig Zenk, remained in Germany and an opera of Zillig's was actually performed. But these authors were much too deeply involved with modernistic movements to make any headway. They, as well as an older master such as Anton Webern, went artistically underground. It remains to be seen whether they succeeded in salvaging any elements of genuine modern composing. I should like to mention as a curiosity that an elderly Nazi composer, a particularly bad one, Paul Klenau, even tried to adapt the twelve-tone-technique to his trash. The musical stagnation as well as that of art as a whole did not remain unnoticed by the more intelligent Nazis and even Herr Rosenberg who generally had to take an attitude of official optimism once suggested the idea that there was no time for great artistic production and that the energies formerly invested in art were now properly absorbed by technical and military ventures. Consequently, the restrictions put upon composing were somewhat lifted in order to raise the artistic standards. As soon, however, as the party allowed any bolder work to make its public appearance, the

official Nazi critics spoke threateningly of *Kulturbolschewismus*. The atmosphere of insecurity thus created purposely must have exercised a paralysing effect. The best a German composer could hope for was escape into what has properly been called *innere Emigration*, internal emigration.

Whereas the tradition of old musical culture had evaporated and advanced trends had been eliminated at the surface, the Nazis failed completely in building up even a *façade* of a musical culture of their own. The same people who had always blamed intellectual cliques for modernism in music remained musically a clique whose folk ideas proved to be even more distant from the life of the people than advanced modern music. Gradually there developed a musical vacuum. Paradoxical as it sounds, the Germans were more willing to fight Hitler's battles than to listen to the operas and symphonies of his lackeys. When the war catastrophe put an end to the remnants of public German musical life, it merely executed a judgment that was silently spoken since the Hitler gang had established its dictatorship over culture.

Ca. 1945

Toward a Reappraisal of Heine

The position of Heine's lyrical poetry in the history of the German mind has fluctuated between extremes. During the nineteenth century Heine's poetry stood at the height of popularity. There was hardly any German lyrist whose work was as widely read as his. It has been stated with good reason that the *Buch der Lieder* was the last manifestation of the German lyrical spirit which proved to be of European significance and interest – comparable, in this respect, only to Baudelaire's considerably later *Fleurs du Mal* which by themselves, were much more esoteric. The range of Heine's influence was equally strong among artists and intellectuals, on one hand, and middle-class consumers on the other. Equally important is his impact upon music. The history of the German *Kunstlied* is unthinkable without Heine. Those compositions for Heine's verses which Schubert wrote shortly before he died, rank among the boldest and most advanced musical ventures of the period, anticipating with the violence of an explosion the extreme and unchecked expressiveness of later romanticism. Neither the polished *intérieur* songs of Mendelssohn nor the self-forgotten melancholy of those of Schumann would have been possible, were it not for Heine's texts. Even Richard Wagner, the nationalist and rabid anti-Semite, borrowed the scenario of his *Flying Dutchman* from the Jewish refugee in Paris, and Wagner's friend and foe Nietzsche not only expressed his adoration for Heine but shows the latter's influence in the nervous flexibility of his style and the climate of irony as a medium of subjective expression which permeates his whole work. In addition to his success with the elite, however, Heine maintained a tremendous hold over the bulk of the educated and semi-educated. His verses were the last ones which belonged to the sphere of serious artistic production while enjoying mass consumption and stimulating widespread imitation by laymen. It is hardly an exaggeration to say that there was no German business man with cultural ambitions who would not, when he felt compelled to write a birthday poem for his wife or his mother, imitate some established model of Heine's. The results were atrocious and led straight away to advertizing poetry. But they give evidence of an impact going beyond passive reception. Heine affected the last remnants of expressive urges surviving in the area of German commercialism and *Tüchtigkeit* to the coldness of which his unbridled sentimentality afforded a complement if the imitator only was too insensitive to hear the ironical overtones. This need for Heine seems to have been so indestructible that not even the Nazis dared to omit the *Lorelei* from their textbooks, contenting themselves with the note »author unknown«.

It was this cheap popularity and its roots in certain aspects of Heine's work itself which led, since 1900, to a rebellion among those intellectuals who were becoming conscious of the crisis in German culture and saw in Heine a representative of that very *juste milieu* the momentum of which moved rapidly towards barbarism. This rebellion did not stop at any political creed. It reached from Karl Kraus, the radical Viennese critic of cultural liberalism, to the conservative George circle. Yet the very hatred of the George school, whose followers opposed the affable melody of Heine with their artful and detached verses reflects what is avoided, just as modern painting reflects the photographic realism which it excludes.

It is hard to escape the impression that the violent change between attraction and repulsion with regard to Heine and the affect-laden atmosphere in which this change took place, are not merely due to historical trends, such as the increasing allergy to romantic sentimentalism, but to a deep ambivalence toward the intrinsic nature of Heine's poetry itself. Some kind of uneasiness seems to prevail wherever Heine's spirit manifests itself, comparable to the *malaise* that sometimes arises in the presence of people who are resented as aggressive, overly self-conscious and tactless – just because these very qualities strike a chord in the souls of those who react against them. In other words, something disquieting and unsolved remains in the phenomenon Heine, and his supposed obsolescence as a poet is at least partly a means to repress this discomfort rather than to cope with it consciously.

Those qualities of Heine's which account superficially for this uneasiness are generally explained by his Jewishness. But this procedure seems to be dubious. For reference to these qualities suggests all too strongly a number of anti-Semitic stereotypes, which as modern social psychology has established beyond doubt, are due to projective mechanisms on the part of the indignant. Granted that Heine actually possesses some of those qualities, it would be more pertinent to understand what they mean than merely to point them out. This can be done only by an attempt to derive the characteristics of Heine's poetry from those historical dynamics in which he was involved, not by being satisfied with the private and accidental quality of his descent. The role of the latter was probably confined to enabling him to give voice to universal experiences of his epoch, without the restrictions brought to bear upon those more completely identified with German tradition than he was. Moreover, while there is no doubt about the existence of Jewish traits not only in Heine's psychological make-up but also in his poetic imagery, his medium, the German language makes it almost impossible to disentangle them from non-Jewish elements. If one is not satisfied with simply referring to Jewish subject matters like those of the *Hebräische Melodien*, one would have to enter into an interminable process of linguistic analysis in which very frequently what appears to be Jewish may actually be due to that self-alienation of poetic language as such which took place in the era of early industrialism. It would be fallacious to attribute to Heine the Jew what actually characterizes his work as one of the early manifestations of the invasion of poetry by journalistic mass communication.

Hence, a different procedure is suggested. First, some of the major reasons for Heine's tremendous popularity and effectiveness should be pointed out in terms of the relation of the lyrical poet to the particular historical situation from which Heine arose. Secondly, those aspects of Heine which – inseparable from those of his success – made for the violent counter-reaction, should be discussed. Finally, the problem of a re-evaluation of Heine in our own situation should be brought up, quite independent from a mere »appreciation« of his historical merits or their opposite.

Heine was the first German poet who faced squarely the problem: how is lyrical poetry possible at all in the sober, cold, disillusioned world of early industrialism? He became conscious of the crisis of romanticism and gave account of this consciousness in his prose writings. He realized that the tradition of romanticism in which he grew up and of which he himself was in some respects the climax had begun to become hollow and rigid. He felt that this tradition was no longer adequate to the substance of experience, that it deteriorated into the crude cult of the Middle Ages, of Knights and Castles which found its last, ludicrous monuments in the »neo-Gothic« architecture of the second part of the nineteenth century. At the same time, he reacted against the ever-increasing alliance of German romanticism with the forces of political reaction during the *Vormärz*-era between 1815 and 1848.

Incompatibility of the industrial era with romanticism has not to be understood in too naive a sense. It would be fallacious to assume that *reality* in Germany was quaint, »romantic« during earlier romanticism, and that the intrusion of factories and railways destroyed a Germany which looked and was like the Nuremberg later glorified in the stage settings of the *Mastersinger*. In fact, even earlier romanticism was a protest against the disappearance of a supposedly »organic« world which was to be conjured up by imagery rather than it manifested itself straight-forwardly. The works of the greatest German romanticists, such as Hölderlin and Novalis, denounce as strongly what would be called today business culture, as it ever was resented during a much later phase of economic development. What happened in the time span between them and Heine was not so much that romanticism had become no longer adequate to reality (which it never was), but rather that its substance had ceased to be a *protest* against reality and had become, as it were, apologetic. The imagery of earlier romanticism had been symbolic of philosophical motives, such as longing which transcends the world as it is, the infinite, the emancipation of subjectivity from alienated, congealed conventions. Of these motives only the *caput mortuum* remained. They degenerated into mere embellishments of the drabness of life. Heine's position may be characterized as being faithful to the primary impulses of romanticism – represented in his lyrical work by the desire for boundless, exuberant, unbridled love – while he sensed that the old symbols of romanticism did no longer carry those motives, and that just those who did not want to yield to the existent had to recognize its over-whelming impact if the manifestations of romanticism were not to become a piece of furniture in the *Biedermeier* household.

Thus Heine's artistic situation was from the very beginning antagonistic in itself, that of a romantic poet set against romanticism. He expressed, through the material of his art, what the great social theorists of his era formulated on a discursive level: that only those take the Utopian dream seriously who try to make it become real and enter into a dialectical process with reality, while those who maintain the dream world in its aloofness are liable to surrender to the very reality from which they try to get away. All the more conspicuous traits of Heine's work, everything that is, as Louis Untermeyer put it, »paradoxial« in him, reflects this historical antagonism. To be sure, the antagonism itself, and its poetic objectification, are by no means novel. It may be said that there always was just as much romanticism as the awareness of its incompatibility with the world, and the great romantic poets have dwelt on this incompatibility rather than contenting themselves with the pattern of the blessed olden times. Here one has to think primarily of Byron, by whom Heine probably was influenced more strongly than by anybody else and to whom he owes the decisive poetic idea of *Weltschmerz*, the »sorrow of the world«. But the atmosphere of *Weltschmerz* has been reduced, in Heine, from the monumental, from the broad historical sweep of the tragic to much more intimate dimensions of the private individual of his own time, shunning everything grandiose and decorative as extraneous to the concrete world of poetic experience. Heine is, at least in German literature, the first poet who speaks essentially as a city dweller, and even his landscapes, the famous *Nordsee*, can be properly understood only through the contrast of the vastness of the sea to that of the big town. In this respect like in many others he resembles Charles Baudelaire with whom he shares some amazingly specific motives, such as the glorification of lie, the phenomenon of the »crowd« (summoned also by Poe), the »phantom double« – motives which belong essentially to modern urbanism.

Just since Heine's affinity to the Baudelairian romanticism of disillusionment is so striking, the difference between the two, which does not merely consist in Baudelaire's being spiritually »later«, enables us better to understand the problem of Heine. Baudelaire, too, faced a sober and »unpoetic« world which he did not want to escape but rather transfigure into what might be called a negative imagery. The way he chose to achieve this was a heroic one and it is not accidental that the poet styles himself throughout his work as a hero. While surrendering himself unreservedly to the experiences and shocks of the merciless big city, he tries at the same time to absorb those shocks by an extreme emphasis on poetic form and on the distance between poetry and every day life. This is what Paul Claudel described in his statement that Baudelaire represents a mixture between the journalist style of his time and the classicism of Racine.

Heine's resolution of the same situation went to exactly the opposite direction. To be sure, there is no lack of the journalist element in his poetry. As a matter of fact, he introduced this element into German verse. But there is no Racine to counter-balance it, partly because no tradition of equal authenticity was available in Germany, partly because the only literary figure in Germany who truly and substantially represented the idea of a »high style«, Goethe, was the very same against whose authority Heine's school, the writers of the »Young Germany«, were in violent rebellion. Instead of enhancing the distance between poetry and the empirical world, between lyrical language and the ordinary spoken word, Heine tried to cut down this distance radically. If the »great style« had lost its substance, Heine tried to salvage this substance by giving up the great style. As an artistic principle he consciously introduced triteness, banality, the hackneyed and the conventionalized. He attempted to translate the subtlest and most moving experiences into the vernacular of drawing room conversation. His work exploits incessantly the contrast between romantic content, namely boundless sublime love, and sobering, sometimes slovenly, yet often striking and concise expression.

It is this particular configuration which defines Heine's novelty and made for his tremendous effectiveness. By cutting down the distance between poetic and empirical language, he also cut down the distance between the poet and his audience. In doing so he utilized two formal models supplied by German tradition. One of them is Goethe's idea of *Gelegenheitsdichtung*, poetry written for an occasion, which was originally conceived in order to emphasize the spontaneity of subjective experience against the dry pedantry of German Rococo. He followed up this idea to an extreme, delivering himself, as it were, to the senseless contingency of the life of a »man of the crowd« without even attempting to present this life as meaningful but rather expressing its meaninglessness, reflecting the break between the poetic subject and the objective world. Love is conceived as the only bridge between the two: *»Und wäre nicht das bißchen Liebe, man hätte nirgends einen Halt«*, but even this »hold« is precarious, for the substance of love itself is in jeopardy, it is only »that bit of love«, which does not take itself quite seriously in the midst of universal alienation.

The second pattern by which Heine attempted to cut down the distance was the *folksong*. He was close to it both through primary contact in his Rhenish home province, and through the romantic school which had made a cult of the folksong. But he changed the meaning of this pattern. Whereas it was supposed in earlier romanticism to raise poetry beyond the level of the private by constituting a link to what the reactionary romantic philosophers and historians of law called *Volksgeist*, folk spirit, Heine made use of the looseness and flexibility of rhythm and tone of the folk song so as to make it befit highly individualized, differentiated psychological impulses. What was once a device of creating the »semblance of the well-known«, of social objectivity, was put by him into the service of radical subjectivism.

The question could be raised why Heine, determined to cut down the distance between poetry and the prosaic, insisted on writing poetry at all. The answer seems to be that the maintenance of poetic form as such was the only means by which he felt able to keep faith to what might be vulgarly called the »ideal«. Yet the ultimate consequence, the virtual impossibility of poetry itself, entered his poetic horizon, and each verse of his is tinged by this impossibility. This is the objective, non-psychological explanation of the role irony plays in Heine's work. Irony is another element which he took over from earlier romanticism, while changing completely its function. »Romantic irony« meant the triumph of absolute, infinite subjectivity over the element of limitation and reification implied in any artistic form. With Heine, it loses this metaphysical dignity and becomes the medium through which the dawning realization of the impossibility of poetry itself is brought to the fore. While still writing poetry, he puts it under irony, thus indicating that it does no longer take itself quite seriously, that it has resigned to the spirit of a world which continuously humiliates the last traces of the dream. Through irony, the impossibility of poetry becomes its own subject matter. But if Heine ever proved to be a genius, it was in this respect. He did not content himself with the abstract negativism of revoking poetry by poetry itself but forged this revocation into a means of expression. When he ends, as he frequently does, a poem with a joke, a pun or a grimace, he does so not merely in order to suggest that he does not really believe in the poetic anymore but reveals the underlying antagonism of the poetic subject itself. Heine's irony is more than mere sabotage of his own poetry. Rather, this sabotage obtains the meaning of overcoming a problematic state of the mind by giving voice to it. For the poet is not simply set against a world in which all relations are distorted under the impact of a commodity culture: he himself is part and parcel of this world, and yet torn asunder by a romantic longing for transcending it. Heine is the first »modern« German poet in as much as he is the first one expressive of conflict not only with the outer world but also within himself, the first who does not merely bespeak such conflict but gives evidence of it through every nuance of his form.

It is this modernity, and the element of irony in particular which set in motion the tremendous process of identification which is at the hub of Heine's popularity. But it is also this element that accounts for the more negative aspects of his work: the touch of the meretricious, his affinity to the market, his coquettishness and gossip, in brief, his traits of commercial journalism. It should be noted that these traits are to be found in his artistic substance as such rather than in his practical behavior: as a matter of fact, he was a poor businessman, continuously exploited by his Teutonic publisher Campe. But it was his good and bad luck that he, when simply expressing himself, did at the same time *not* express himself, but somehow catered for the tastes and desires of an audience which wants to get »its money's worth« out of poetry: entertainment. He fell victim to a pre-established harmony with alienated society. He may be compared, in this respect, to a hit composer who has not to calculate his effect upon the audience in order to be successful but who simply has, as the phrase goes, to be »sincere« in order to meet them on the line of the least resistance, of sham. It should not be forgotten that the needs and wants of collective identification within a middle class that had lost its hold in religion and philosophy were as alive at Heine's times as they are today when they are the basis of manipulative mass culture, but that media such as the films and radio were not available and that Heine, at least partly, fulfilled their function. We may well spot in Heine some of the standard motives of modern mass culture such as that of the self-conscious and weak male infatuated with the unapproachable glamour girl. He has set the pattern for a »respectable«, conventionalized manifestation of masochism and exhibitionism.

While these features imply an externalization of poetry which begins to »sell out«, it should be stressed that they are not a mere defection from that process of subjectification of which Heine the lyrist is one of the foremost exponents, but are profoundly involved with the progress of subjectification itself. The more art becomes subjectified, that is to say, the more it goes »into itself«, the more subjectivity *reflects* upon itself, and the more it consequently becomes »available« to itself. Concomitantly, poetic technique increases together with this ever-increasing subjective disposal over the subject's own inwardness. Thus, however, the poet learns more and more to manipulate his own human substance. The development of subjectivism is inseparable from a progress of self-reification: the subject becomes the easily accessible, facile content of its own poetry. This reification and availability of inwardness, however, allows the poet to put it on exhibit, as it were, to sell it. Thus, in a certain sense, progress of autonomous art furthers its own deterioration into commercialism. Viewed socially, exhibitionism is the ultimate realization of the fact that inwardness itself has come to be a commodity – a fact of which Nietzsche had an inkling when he said that just the artists who are popularly regarded to be »emotional« really aren't so at all, that increasing artistic sophistication is tantamount to the artist's becoming his own actor. Heine becomes a journalist through the very virtuosity with which he is able to express himself: virtuosity of expression tends towards its ultimate abolition.

Nowhere does this tendency make itself more strongly felt than where Heine takes the poetical for granted, namely, in his metaphors the conventionality of which has attracted most criticism. He unhesitatingly employs all the congealed formulas of the romantic stock, the rose, the lily, the dove, the sun, and what not, in order to convey through continuous exaggeration of his figures of speech fervent and extreme passion. At the same time, however, all these deteriorated metaphors work as devices for »easy listening« and easy remembering. It is not the least among the paradoxes of Heine's poetry that he falls victim to commodity culture at precisely the point where he clings to the most exalted non-prosaic words. Just his conservation of remnants of lyrical language against everyday speech works as a means of communication through automatized effects, ready for imitation by everybody. If the culture of the last few hundred years has neutralized religion and philosophy and transformed both into »cultural goods« merely to be looked at, Heine has extended this process of neutralization over poetry itself. Through achieving an uninhibited and unrestricted disposal over its objects, poetic language loses its life relationship to the very same objects and surrenders its claim of seriousness to the consumer who demands of intellectual efforts that they spare him any intellectual effort.

A decisive re-evaluation of Heine could not content itself with »salvaging« certain phases of his work from the wreckage of a poetry that flirts with mass production. This could amount to no more than half-hearted apologetics and historical appreciation. The ultimate aim should be, instead, to save those very aspects of Heine which lay him open to attack and which are identical with the trauma represented by Heine throughout the history of the modern mind. For the indignation about Heine's brilliant cheapness is always tainted by bad conscience. It is as if Heine, through the unabashed configuration of romanticism and journalism, had revealed basic changes in the presuppositions of responsible lyrical poetry itself which are otherwise not recognized and overcompensated by the passionate and stubborn claim to the monumentality and dignity of poetry. While Heine has betrayed poetry to the market, he has expressed, through the essence of his work, that poetry opposed to the market bears its hallmarks just through this opposition. The *malaise* that emanates from his verses, their somewhat shocklike and scandalous effect is that of an art heralding its own impossibility. And it may well be that his greatness consists in his being the first one who registered such historical experiences through the essence of his production. It is just his abandon to the ephemeral which gives him the ring of authenticity. To find the first words for essential historical experiences is more than a merely historical merit: Heine may well claim for himself that he is able to do what his post-humous arch enemy Karl Kraus once postulated: »to listen to the noises of the day as though they were the chords of eternity«. Heine was a great poet not in spite of his journalism but through conserving, in snapshots, as it were, the moment when poetry was transformed into journalism. His verses preserve an almost archaic freshness in as much as they summon authentically and for the first time archetypes of the modern world. What might be called the eternal in him may be compared to early daguerreotypes rather than to the great painting of his own time, to Delacroix or Ingres.

One more aspect of his relation to historical dynamics may be stressed. It pertains to the political sphere, his relation to liberalism. He was identified with it as the genuine child of Jewish emancipation. But he was one of the first enlighteners at least in Germany who did not naively accept the notion of progress and all the values of the French revolution but was aware of the mechanical, de-humanizing impact of progress, of the drabness and boredom of the middle-class world, particularly as he saw it in England. He has therefore often been blamed for political ambiguity and actually was involved in fights with some of the radicals of the liberal school, the »Young Germany«, such as Börne and Gutzkow. It has even to be admitted that there was a reactionary and nationalistic German streak in him, in spite of his satirical poetic narrative on Germany. While he was anti-feudalistic, he doubtlessly was, on account of his hedonistic individualism, afraid of the rising proletariat. One generation ago, such facets of his ideology looked simply like compromises with the existent, and Heine certainly was not beyond such temptation. However, his supposed lack of political faith and conviction has revealed in the meantime some different implications. His skepticism against what might be called the ideals of Jacobinism was not merely reactionary but he had sensed in these ideals traces of puritanic coldness and regressive egalitarianism. His self-ironical tenacity with regard to the romantic heritage is at least partly due to the fact that he was unwilling to subscribe completely to a trend of civilization the barbaric consummation of which he foresaw. He describes in a very famous passage the coming German revolution in terms which later read, and were interpreted, as prophecies of Hitler.

In one of his poems he has reached full consciousness of the dialectics of progress. It is to be found in the *Nordsee* and is called *The Gods of Greece*, alluding to a poem by Schiller that glorified the lost naivety and unity of Greek antiquity. After stating against Schiller, that he never liked the predatory and domineering Homeric gods, he deplores, in almost Nietzsche-like words, that they were dethroned by Christianism. Then he continues, in Untermeyer's translation, as follows:

> For even though, ye ancient deities,
> When you joined in the furious combats of mortals,
> You always fought on the side of the victor;
> Now you will see that man is greater than you.
> For I stand here in the combat of gods
> And fight on for you, the vanquished.

What survives in Heine seems to be an inherent appeal to continue to fight for the vanquished and to resist the merciless judgment of history.

1949

Die auferstandene Kultur

Der Intellektuelle, der nach langen Jahren der Emigration Deutschland wiedersieht, ist zunächst von dem geistigen Klima überrascht. Draußen hat sich die Vorstellung gebildet, das barbarische Hitler-Regime hätte Barbarei hinterlassen. Unterm Terror nahm jeglicher Geist vorweg etwas Umstürzlerisches an. Er beanspruchte im Angesicht der übermächtigen Ordnung durch sein bloßes Dasein eine Selbständigkeit, die kein totalitäres Regime dulden kann. Weiterhin erwartet man, daß der nackte Zwang zur Selbsterhaltung während des Krieges und der ersten Jahre danach dem Bewußtsein das gleiche antat, was den Städten durch die Bomben widerfuhr. Man setzt Stumpfheit, Unbildung, zynisches Mißtrauen gegen jegliches Geistige voraus. Hat sich doch die offizielle Ideologie des nationalsozialistischen Regimes als Lüge enthüllt; die Weimarer Republik aber bewies ihre Ohnmacht eben damit, daß sie es nicht vermochte, die Massen zu ergreifen und zum Widerstand gegen das heraufziehende Unheil zu erwecken. Es ist nichts da. Man rechnet mit dem Abbau von Kultur, dem Verschwinden der Teilnahme an dem, was über die tägliche Sorge hinausgeht. Kahlschlag lautete die Kulturparole dafür.

Davon kann aber keine Rede sein. Die Beziehung zu geistigen Dingen, im allerweitesten Sinne verstanden, ist intensiv. Mir will sie größer erscheinen als in den Jahren vor der nationalsozialistischen Machtergreifung. Damals verdrängten die machtpolitischen Kämpfe alles andere. Zugleich besetzte eine industriell hergestellte und gelieferte Massenkultur die Freizeit und enteignete das Bewußtsein der einzelnen. 1949 ist das politische Interesse erschlafft, während der verwaltete Kulturbetrieb die Menschen noch nicht wieder ganz eingespannt hat. Sie sind auf sich selbst und die eigene Überlegung zurückgeworfen. Sie stehen gleichsam unter dem Zwang zu einer Art Reprivatisierung. Daher die intellektuelle Leidenschaft.

Wenn ich von dem Erfahrungskreis reden darf, in den ich versetzt wurde, der Arbeit an der Universität, dann darf ich eine passionierte Teilnahme der Studenten an den sachlichen Fragen feststellen, die den Lehrer beglücken muß. Insbesondere hat sich die Meinung, der Typus des auf rasches berufliches Fortkommen bedachten Examensstudenten herrsche vor, als irrig herausgestellt. Die Studenten der Philosophie und der Sozialwissenschaften, mit denen ich umgehe, zeigen das äußerste Interesse an praktisch unverwertbaren Problemen. Die schwere materielle Bedrängnis, in der die meisten leben, hat darauf kaum Einfluß. Unterscheidungen äußerster Subtilität, etwa in der Auslegung des Sinnes der Kantischen Erkenntnistheorie, finden überschwengliche Mitarbeit; übrigens erscheint die geistige Energie durchwegs merkwürdig auf Fragen der Deutung und Auslegung bestehender Gebilde, Dichtungen oder Philosophien, verlagert. Die jungen Menschen wirken durchwegs frei vom Gedanken an die tägliche Misere, selbstvergessen und glückvoll der Möglichkeit sich überlassend, ohne Zwang und Reglementierung, wenn auch ohne viel Hoffnung auf äußeren Erfolg, mit dem sich zu befassen, was ihnen am Herzen liegt. Man kommt zuweilen sich vor, als wäre man 150 Jahre zurückversetzt, in die Zeit der Frühromantik, als man ein so unpopuläres Buch wie die Fichtesche Wissenschaftslehre allgemein zu den großen Tendenzen des Zeitalters rechnete und als die Einzelwissenschaften bis ins Innerste sich bewegt zeigten von den Motiven der großen spekulativen Systeme. Selbst geistige Formen wie das unersättlich sich versenkende Gespräch, die längst vergangen dünkten und in der Welt zu weitem Maße vergangen sind, leben wieder auf. Wenn meine Beobachtung mich nicht trügt, dann beschränkt sich das keineswegs bloß auf die mit Philosophie umgehenden Studenten oder die sogenannte intellektuelle Elite. Die Tendenz macht etwa an technischen Hochschulen ebenso deutlich sich bemerkbar wie in der humanistischen Atmosphäre. Es handelt sich bei solcher angespannten Vergeistigung überhaupt nicht um ein Akademisches oder auf die Jugend Beschränktes, sondern um ein Allgemeines. Der Ernst, mit dem im privaten Kreise literarische Neuerscheinungen besprochen werden, wäre vor 20 Jahren kaum vorstellbar gewesen. Er berührt um so stärker, je weniger oft das Diskutierte, das was gerade da und verfügbar ist, der eigenen Qualität nach auf solchen Ernst Anrecht hätte.

Es fällt so wenig schwer, dergleichen Beobachtungen sich zurechtzulegen, wie es umgekehrt dem gesunden Menschenverstand nicht schwer fiele, intellektuelle Gleichgültigkeit sich auszumalen. Daß die geistige Dürre des Dritten Reiches, das ja gerade in der kulturellen Sphäre niemals die Menschen sich gewann, Heißhunger hervorrief, ist einleuchtend. Und es liegt Notwendigkeit darin, daß die Desorientierung nach dem totalen Zusammenbruch der totalen Herrschaft das Bedürfnis produziert, sich durch Besinnung und Nachdenken wieder zurecht zu finden, nachdem bereits das bloße Nachdenken als Volksfremdheit und Eigenbrötelei eigentlich schon unter Strafe stand. Hinzu kommt, daß der Druck der anbefohlenen Kollektivierung, mit einem Male von den Menschen genommen, die Gegentendenz zum für-sich-Alleinsein oder zur Beschränkung auf selbstgewählte intime Gemeinschaft hervorbrachte. Alles bündische Wesen und Unwesen, wie es gerade die Jugend vor der Hitler-Zeit anzog, hat sich überschlagen. Isolierung wird nicht länger bloß als Bedrohung, sondern auch als Möglichkeit von Glück erfahren. Das bewirkt von sich aus ein Insichgehen, nächstverwandt der Vergeistigung. Schließlich ist ein geschichtliches Moment unverkennbar. Die deutsche Gesellschaft war nicht so durchorganisiert, daß die großen ökonomischen Mächte den Geist in eigene Regie genommen und die Individuen geistig enteignet hätten. In gewissem Sinne stellte der deutsche Faschismus den Versuch dar, solche Enteignung unter dem Namen der Integration ›schlagartig‹, wie das verruchte Wort lautete, nachzuholen. Diese Integration ist mißlungen. Daraus ergibt sich ein Zustand, der hinter dem allgemeinen Zug der hochrationalisierten modernen Gesellschaft zurückgeblieben ist. Zarathustras Frage, ob der Tod Gottes noch nicht bekannt geworden sei, hat in der kulturellen Renaissance des gegenwärtigen Deutschland neue Gestalt angenommen. Es hat noch nicht sich herumgesprochen, daß Kultur in traditionellem Sinn tot ist – daß sie in der Welt zu einer Ansammlung von katalogisiertem, an Verbraucher geliefertem, dem Verschleiß preisgegebenem Bildungsgut ward, dem man eben jenen Ernst verweigert, der ihr in Deutschland heute wie stets gezollt wird. Das Glück des sich selbst genießenden Geistes, dem gerade der Zurückkehrende nur allzu willig sich überläßt, läßt sich dem im Gewinkel altertümlicher Städtchen vergleichen. Es zehrt von dem, was noch übrig, was dem Gang des Fortschritts noch nicht geopfert ist. Der Umgang mit Kultur im Nachkriegsdeutschland hat etwas von dem gefährlichen und zweideutigen Trost der Geborgenheit im Provinziellen. Und wie im Angesicht der zerstörten Städte das Gerade-noch-übrig-sein, das Ausnahmehafte und Anachronistische dessen, was an alter Kulturlandschaft erhalten blieb, ins grelle Licht tritt, so ist es vielleicht mit Kultur insgesamt bestellt.

Bitte, verstehen Sie mich nicht falsch. Ich möchte jenes Glück des prekär Überlebenden nicht verleumden. Es wäre nicht bloß unmenschlich, sondern auch abstrakt und oberflächlich, Geschichtliches nur von der angeblichen großen Tendenz aus zu sehen und zu beurteilen. Die Ungleichzeitigkeit der historischen Entwicklung in den verschiedenen Ländern ist ebensowohl Ausdruck der Beschaffenheit der Gesamtgesellschaft wie jene sich durchsetzende große Tendenz. Gerade je unbarmherziger der Weltgeist triumphiert, um so eher vermag das nach seinem Maße Zurückgebliebene nicht bloß fürs Verlorene, für die romantisch verklärte Vergangenheit einzustehen, sondern als Schlupfwinkel und Zufluchtsstätte eines zukünftigen Besseren sich zu erweisen. Aber man sollte doch mit dieser Hoffnung nicht allzu bequem es sich machen. Sobald das Zurückgebliebene sich verstockt und als das Bessere selbst aufwirft, also gleichsam seine Unschuld verloren hat, nimmt es bereits als handlicher Herzenswärmer ein Element der Unwahrheit an. Dann kommt es gerade jener großen Tendenz zu Hilfe, von der ausgenommen zu sein es beansprucht. Wir alle erinnern uns nur allzu gründlich daran, daß die nationalsozialistische Rede von »Blut und Boden« den bloßen Vorwand bot, die Verwüstungen zuzudecken, welche der zum äußersten Grauen entwickelte, kalkulierende Apparat anzurichten im Begriff war. Wer heute auf die ewigen Werte der Kultur sich berufen wollte, der wäre schon in Gefahr, eine Art von neuem Blut und Boden daraus zu machen. Über solche allgemeinen Erwägungen hinaus jedoch zeigt die kulturelle Renaissance Symptome, die zur kritischen Besinnung nötigen. Sie machen gerade den stutzig, dem es um Erfüllung des Geistes geht, anstatt daß er sich damit zufrieden gäbe, daß so etwas wie Geist überhaupt noch existiert. Dessen Begriff ist ja vieldeutig genug: er läßt der Lüge wie der Wahrheit Raum. Es steht nicht an, den Geist an sich zum letzten Wert zu erheben.

Lassen Sie mich versuchen, einige solcher Momente Ihnen zu bezeichnen. Ich sprach von der auffälligen Neigung zur Deutung und Interpretation vorfindlicher Kulturgüter. Daß es oftmals fruchtbarer ist, in bedeutende Texte sich zu versenken, als frischfröhlich darauflos zu denken, bin ich der letzte zu verkennen. Aber gemessen an jener Notwendigkeit der geistigen Reorientierung, die in der deutschen Situation so unabweislich liegt, hat doch offenbar die geistige Leidenschaft nur wenig mit den eigentlichen Fragen zu tun, an denen eine solche Reorientierung sich bewährte. Wenige kümmern sich darum, ob das fortschreitende Bewußtsein, das unaufhaltsam jeglichen Sinn und jegliche Norm in den Abgrund stößt, gleichwohl fähig sei, dem Grauen Einhalt zu tun, das es selbst entbindet. Wenige bemühen sich um Einsicht in die Gesetze, welche das jüngst vergangene Unheil zeitigten, um den Begriff einer menschenwürdigen Einrichtung der Welt und seine theoretische Begründung oder gar um die Analyse der heute aktuellen Möglichkeiten zur ganzen, inhaltlichen Verwirklichung der Freiheit. Nicht daß die Menschen für solche Fragen unansprechbar wären – im Gegenteil, in den Augenblicken, in denen es einem gelingt, sie sichtbar zu machen und das Bewußtsein darauf zu lenken, glaubt man oftmals, ein Lösendes, Befreiendes wäre gelungen. Aber nur selten wird unmittelbar daran gerührt. Es ist, als ständen die Menschen unter einem geistigen Bann. Unfreiheit und Autoritätsglaube, wäre es auch bloß der an die Autorität dessen, was nun einmal ist, sind ins allgemeine Bewußtsein eingewandert. Niemand traut sich so recht an das Drängende, Brennende heran, von dem in Wahrheit doch alle wissen. Fast empfindet man den Gedanken, der über den Umkreis des Bestehenden und Approbierten hinausgeht, als Frevel. Da hält man sich denn lieber an den verfügbaren Vorrat, diskutiert, was einem zufällig in den Weg kommt, als wäre es gottgewollt, und freut sich im übrigen der Schärfe und Beweglichkeit des eigenen Geistes, ohne Rücksicht darauf, woran er sich wendet. Oftmals kann ich mich in all der Erregtheit und Bewegtheit des Eindrucks eines Schattenhaften, Unwirklichen nicht erwehren, eines Spieles des Geistes mit sich selber, der Gefahr von Sterilität. Offenbar will es dem Geist nur dann recht gelingen, wenn er sich nicht selber als seine eigene Erfüllung setzt, sondern bereit ist, an ein Anderes, außer ihm Seiendes sich zu verlieren: für allen Geist gilt das »Wirf weg, damit du gewinnst!«

Daß die Rede von der Sterilität keine Übertreibung sei, können Sie sich am ehesten verdeutlichen, wenn Sie die Lage jetzt mit der nach dem Ersten Krieg vergleichen. Damals war der Expressionismus gegenwärtig. Er ist seit den Jahren der wirtschaftlichen Stabilisierung, etwa seit 1924, totgesagt worden. Schon damals hatte der Verdacht sein Recht, es wäre die glorreiche Überwindung des Chaos durch neue Ordnung und Objektivität vielfach bloß ein Deckbild der Reaktion, der Aufwärmung des Justemilieu, das sich nun auch noch als fortgeschritten aufspielte. Dabei tut es wenig zur Sache, ob der Expressionismus große, bleibende Kunstwerke hervorbrachte, deren Begriff vielleicht mit seinem eigenen unvereinbar ist. Immerhin wären die Bilder von Paul Klee, die Prosa von Franz Kafka, die produktivste Phase in der Musik Arnold Schönbergs ohne den Impuls des Expressionismus nicht möglich gewesen. Jedenfalls jedoch bedeutete der Expressionismus die großartige Anstrengung des Bewußtseins, aller Fesseln von Konvention und Verdinglichung sich zu entschlagen und dem in der verhärteten Welt vereinsamten Ich zum reinen Laut zu verhelfen. Nichts, was an Kraft und Unbeirrtheit dieser Intention zu vergleichen wäre, ist heute wirksam; weder in Deutschland noch in den anderen europäischen Ländern. Selbst in der Urheimat des Avantgardismus, in Frankreich, regt sich keine Avantgarde. Die dort vorherrschende geistige Bewegung, der sogenannte Existentialismus, wärmt in seinen voluminösen philosophischen Kundgaben eklektisch Motive aus Hegel, Kierkegaard und der jüngsten deutschen Anthropologie auf. Die Dichtungen aber, die von solcher Philosophie gespeist werden, offenbaren sich als recht handfeste und rationalistische Thesenstücke, deren Gestaltungsprinzipien zurückfallen hinter die radikale Kunst der zwanziger und dreißiger Jahre. Das Ganze fügt sich, mit der unverbindlichen Verherrlichung von Entscheidung an sich, dem allgemeinen Kulturverschleiß recht wohl ein. Mag immer dagegen das im tapferen Widerstand gegen die Ordnung sich absolut setzende Ich des Expressionismus vergangen, mag es als nichtig enthüllt sein; verglichen mit dem, was es ausdrücken sollte, erscheint die Kunst, die heute das Vakuum ausfüllt, epigonenhaft oder hilflos oder beides. Es ist ein gespenstischer Traditionalismus ohne bindende Tradition. Begriffe aus dem Vorfaschismus, wie der der Haltung, des Einsatzes, auch etwa des soldatischen Menschen, treten zwar im Augenblick abgelöst von der politischen Zielsetzung auf, der sie ihren fragwürdigen Ursprung verdanken. Dafür aber werden sie zu Fetischen gemacht. Man zelebriert eine Art des Heroismus an sich als Ideal richtigen Menschentums. Aber es wäre doch zu bedenken, wofür eigentlich dieser Heroismus einsteht, oder ob dem Begriff der heroisch auf sich selbst beharrenden Innerlichkeit überhaupt jene Würde und Substantialität zukomme, die er mit herrischer Geste beansprucht. Die jüngste Prosa, der alles sich nachsagen läßt, nur nicht, daß sie jung sei, erinnert zuweilen an einen mit purpurrotem und goldengrünem Laub reich und sorgsam zugeschütteten Kommißstiefel.

Der Stand des Bewußtseins wird bezeichnet durch Mangel an Sprengkraft, Abenteuerlust, selbst Neugier auf der einen Seite, und auf der anderen durch Unsicherheit in der Verfügung über die herkömmlichen Mittel, deren man sich bedient. Die Macht des Daseienden, seiner Einrichtungen nicht anders als seiner Trümmer, über die Menschen ist derart angewachsen, daß sie nicht wagen, ja nicht einmal recht vermögen, aus sich heraus dem Bestehenden das darüber hinausweisende Element entgegenzusetzen. Der Nachkriegsgeist, in allem Rausch des Wiederentdeckens, sucht Schutz beim Herkömmlichen und Gewesenen. Aber es ist in der Tat gewesen. Den traditionellen ästhetischen Formen, der traditionellen Sprache, dem überlieferten Material der Musik, ja selbst der philosophischen Begriffswelt aus der Zeit zwischen den beiden Kriegen, wohnt keine rechte Kraft mehr inne. Sie alle werden Lügen gestraft von der Katastrophe jener Gesellschaft, aus der sie hervorgingen. Darum will das Schutzsuchen so wenig geraten, wie andererseits das verängstigte Bewußtsein solchen Schutzes nicht entbehren möchte. Es ist nicht nur an dem, daß die gemäßigte und gebildete kulturelle Mitte, die so fatal lockt, in sich selber abbröckelt. Sondern es offenbart sich, dem desperaten Kulturwillen zum Trotz, allenthalben ein Bruch zwischen den Produzierenden und der Kultur, der sie nachhängen. Indem sie aus dem Vorrat zehren, vernichten sie, wozu sie sich bekennen. Die vor 30 Jahren geprägten nicht-konformierenden Worte und Gedanken sind selber konventionell und brüchig geworden. Sie reichen nicht mehr an das heran, was sie sagen sollen, sondern klappern. Die Errungenschaften zumal Rilkes und Georges, dessen Schule in den wenigen Jahren seit seinem Tode zerfiel, sind Allgemeingut geworden, aber um ihren Sinn gebracht und der ungeschickten Geschicklichkeit eines jeden Bildungsphilisters überantwortet.

Die Neutralisierung der Kultur, die befördert wird, indem man sie blind bewahrt, ist von dem Schweizer Dichter Max Frisch »Kultur als Alibi« genannt worden. Bildung heute hat nicht zum geringsten die Funktion, das geschehene Grauen und die eigene Verantwortung vergessen zu machen und zu verdrängen. Als isolierte Daseinssphäre, bar eines anderen Bezuges auf die gesellschaftliche Wirklichkeit als etwa des abstrakten einer allgemeinen Not der Zeit oder der nationalistischen Versteifung, taugt Kultur dazu, den Rückfall in die Barbarei zu vertuschen. Es setzt sich darin der Brauch des Nationalsozialismus fort, über die Totenstarre der Herrschaft zu betrügen. Er verherrlichte die einmal arrivierten Kulturprodukte der Vergangenheit ohne Ansehen des Gehalts. Sie wurden lediglich um ihres eigenen Prestiges willen unablässig ausgestellt, sofern sie nicht gar zu offen mit der Diktatur und dem Rassewahn zusammenstießen. Solange Hitler herrschte, gelang es ihm wenigstens nicht, dem Volk die Produkte seiner Kulturvögte anders als auf dem Wege des Zwangskonsums zuzuleiten. Heute aber, da kein solcher Zwang mehr waltet, wird ein ganzes Lager von Begriffen und Bildern aus dem autoritären Bereich freiwillig übernommen. Gewiß ist seine Beziehung zur Diktatur durchschnitten. Ihrer inneren geschichtlichen Voraussetzung nach aber sind jene Begriffe und Bilder gekettet an die Vorstellung der Unvermeidlichkeit und Legitimität von Herrschaft und Not. Sie verraten ihre finstere Herkunft durch Klang und Gestus auch dann, wenn sie sich tragisch-humanistisch gebärden.

Sucht man nach Gründen für all das, so drängt sich der Gedanke an die politische Lage auf. Die expressionistische Phase nach dem Ersten Krieg, von der ich sprach, war der großen politischen Bewegung verbunden. Sie stand im Zeichen der Hoffnung auf den unmittelbar zu verwirklichenden Sozialismus. Die offene Möglichkeit eines radikal veränderten Zustandes legte den Blick frei auf den gegebenen. Man brauchte sich nicht zu fügen, denn man wußte, daß es heute noch ganz anders sein, daß der Spuk der versteinerten Verhältnisse weggefegt werden könnte. Dies Bewußtsein war keineswegs durchwegs artikuliert. Gerade bei den bedeutenden Künstlern, die der Herrschaft des Bestehenden, dem Trug von Harmonie, den Clichés des bloßen Abbildes sich versagten, war das Verhältnis zur Politik latent. Die offen politische Kunst zeigte schon damals Symptome jenes aufgewärmten Realismus, der heute jenseits des eisernen Vorhangs als philiströse Norm aufgerichtet ist. Aber es war damals, als hätte die Oberfläche des gesellschaftlichen Gefüges für eine Sekunde erzittert. Das registrierten die Versuche gerade jener Künstler und Theoretiker, die keiner dinghaften Praxis sich verschrieben. Ohne vielleicht vom gesellschaftlichen Augenblick nur zu wissen, folgten sie ihren Regungen und drückten in diesen den Nonkonformismus, die Aufkündigung des Einverständnisses aus. Das hat nach dem Zweiten Krieg sich nicht wiederholt. Die Gesellschaft spaltet sich in starre Blöcke. Was geschieht, empfinden die Menschen als ihnen angetan, nicht als Anliegen ihrer eigenen Spontaneität. Darum ist das schattenhaft mit sich selber Spielende des Geistes, das ihn verkümmern läßt, keineswegs bloß auf sein eigenes Schuldkonto zu setzen. Es entspringt einer objektiven Notwendigkeit, die solange übermächtig bleibt, bis nicht das Bewußtsein sie in die eigene Reflexion aufnimmt und damit über sie hinaus geht. Die Welt ist aufgeteilt in unmäßige und übermächtige Kraftfelder. Der Geist sieht sich vor dem Zwang, entweder sich anzupassen oder zur Isolierung, zur Ohnmacht, zur Donquixoterie sich verurteilt zu sehen. Die Stärke, deren man bedürfte, um solche Schwäche aus Freiheit zu wählen, und damit vielleicht zu überwinden, ist fast größer, als man sie von irgendeinem Menschen erwarten kann. Die Möglichkeit einer anderen, im Kern ihres Lebensprozesses befreiten Gesellschaft liegt so nahe wie verschüttet. Wer etwa naiv auf sie vertraute, verfiele einer Träumerei, die erst recht den blinden Machtkonstellationen zugute käme. Das macht die geistige Stagnation heute zu einer Sache des objektiven Geistes, nicht zu einer der bloßen Unzulänglichkeit oder des bösen Willens. Die Welt ist aus den Fugen, aber die Fugen sind mit träger Masse ausgefüllt; die Kultur ist in Trümmern, aber die Trümmer sind weggeräumt, – und wo sie noch stehen, sehen sie aus, als wären sie ehrwürdige Ruinen.

Es wäre wohl an der Zeit, über den Begriff des Geistes selbst erneut nachzudenken. Die Vorstellung, daß er ein sich selbst genügendes Leben in sich habe, daß er ein absolut in sich Ruhendes, ja die Wirklichkeit gewissermaßen erst Stiftendes sei, liegt jener Schattenkultur zugrunde, von der ich sprach. Diese Auffassung von Geist gehört zum deutschen Idealismus. Es entbehrt nicht der Paradoxie, daß sie weiterwirkt, ja daß sie bis zum Aberwitz losgelassen ist in einem Augenblick, da gerade die Repräsentanten des Geistes unablässig aufs Ende des Idealismus verweisen. Solche Fortdauer idealistischer Vorstellungen erklärt sich wohl damit, daß es um die jüngste anti-idealistische Bewegung nicht so gar ernst bestellt ist. Jenes Sein, dessen Mächtigkeit sie am Ende bloßem Denken entgegenhält, kommt wohl in der Tat bloß auf das heraus, wofür man es zu Beginn der abendländischen Philosophie, in der eleatischen Spekulation, genommen hat, auf bloßes Denken. Der Geist, der, wenn Sie mir das banale Wort gestatten, als produktiv sich bewährte, hat nie als reinen Geist sich selber verstanden. Noch seine sublimen Kundgaben, noch die zartesten Bilder des Eros, noch die luftigsten Gedankengebilde von der Versöhnung des Geistes mit der entfremdeten Welt haben davon gelebt, daß in ihrem eigenen Sinne der Hinweis auf die Veränderung der gesellschaftlichen Realität lag. Nicht als ob die großen Kunstwerke, die großen Philosophien stets politisch gewesen wären. In den bedeutendsten Augenblicken waren sie es kaum. Aber die Konsequenz ihres eigenen Sinnes zielte auf Politik. Was sie zum Geiste wahrhaft machte, was ihnen Schönheit verlieh, war die wie sehr auch vermittelte Möglichkeit solcher Konsequenz. Goethe hat die Gretchen-Tragödie nicht geschrieben, um die Gesetzgebung gegen den Kindesmord zu reformieren. Wir wissen, daß seine politische Stellung in der Frage dem Gebet zur Mater dolorosa Hohn spricht. Aber die Gewalt von Gretchens Schmerz, dessen Lautwerden uns heute noch mehr bewegt, als alle geronnene Kultur, wäre nicht denkbar, wenn nicht die von der gesellschaftlichen Ordnung geschändete Natur, die da ihre Sprache findet, die Idee eines Zustandes heraufführte, in dem solches Leiden abgeschafft ist. Das Licht des Unzerstörbaren an den großen Kunstwerken und philosophischen Texten ist weniger das Alte und vermeintlich Ewige, das selber der Zerstörung verschworen bleibt, als das der Zukunft. Ein jedes Geistiges hat seine Wahrheit an der Kraft der Utopie, die durch es hindurchleuchtet. Nur wenn die Menschheit, um zu überleben, die Utopie sich nicht länger mehr verbietet, sondern dessen inne wird, daß Überleben selber heute mit der Ver-

wirklichung der Utopie eines Sinnes ward, dann wird auch die Starre des Geistes sich lösen – nicht etwa durch seine bloße Anstrengung oder die Verfeinerung seiner Mittel.
Ich habe absichtlich meine Erwägungen allgemein gehalten, um nicht den Schein zu erwecken, als ginge es mir um die Polemik gegen Einzelleistungen, wo es um die wie sehr auch ungerechte Erfahrung eines Ganzen geht. Ich habe Ihnen auch keine sogenannte konkrete Lösung anzubieten, und kann meine Hinweise nicht mit jenem ›Jedennoch‹ schließen, das heute nur Lächeln fände. Es handelt sich darum, Ihnen jene erste Erfahrung zu vermitteln; nicht darum, einen in sich ruhenden theoretischen Zusammenhang vor Sie hinzustellen. Diese Erfahrung beschränkt sich, wie ich sagte, keineswegs auf Deutschland. Sie betrifft jenes Europa, das dem aus Amerika Zurückkehrenden so rätselhaft zur Einheit sich zusammendrängt. Aber ich möchte doch mit Hinblick auf Deutschland noch etwas bestimmter reden. Politisch-anthropologisch scheint mir für den Zustand des Geistes hier die Ahnung davon bestimmend, daß Deutschland aufgehört hat, politisches Subjekt in jenem nationalstaatlichen Sinne zu sein, wie er für die letzten 150 Jahre maßgebend war. Der deutsche Faschismus war, in weiter historischer Perspektive, der Versuch, als solches politisches Subjekt, nämlich als planetarischer Ausbeuter, ›dranzukommen‹, zu einer Zeit, in der nicht nur die Karten der Welt ausgespielt waren, sondern in der der Begriff der Nation selber angesichts der geistigen und materiellen Produktivkräfte der Menschheit bereits sich überlebt hatte. Jetzt weiß in seinem Innersten ein jeder, daß es zu spät ist. Die Lähmung der geistigen Produktivität wird davon bewirkt, daß man kollektiv kein politisches Subjekt mehr ist und deshalb auch in der geistigen Reflexion nichts Fesselloses mehr unternimmt. Die Abgespaltenheit von der sei's auch impliziten politischen Praxis, die ich als Ursache der Sterilität neuen Stils vermute, rührt wohl daher, daß man realisiert, man habe als Deutscher nichts mehr vor sich. Man richtet sich auf die große Mächtekonstellation ein und meint, nur in der Resignation auf die abgegrenzte Kultursphäre etwas wie Sonderart erretten zu können. Aus der Hölderlinschen Klage über das »Tatenarm und gedankenvoll« wird gleichsam ein Programm, und es ist eben dieses Programm, das den Gedanken selber zum Schaden anschlägt. Wenn irgend Besinnungen über die-

sen Zustand hinausführen können – und ich weiß keineswegs, wie weit sie daran überhaupt heranreichen –, dann könnten es wohl nur solche sein, die den nationalstaatlich definierten Begriff des politischen Subjekts hinter sich lassen. Man müßte den Gedanken ans Drankommen und die Teilhabe an der Macht als veraltet durchschauen. Damit würde auch das sture sich Fügen und nach rückwärts Greifen sein Ende haben. Der böse Wunsch nach schrankenloser Herrschaft, der dahinter steht, erwiese sich als schrankenlose Illusion. Denn die objektive Unwahrheit im gegenwärtigen Stand des Bewußtseins ist wohl nichts anderes, als daß am Traum von Macht und Größe, an der Trauer über sein Mißlingen, festgehalten wird in einer Welt, die solcher Macht und Größe nicht mehr bedarf. Unwahr ist die Vorstellung, daß man Subjekt nur sei als Subjekt gesellschaftlicher Macht, nicht als Subjekt von Freiheit, als Subjekt einer versöhnten Menschheit. Ich muß kaum hervorheben, daß ich dabei nicht an die bloße Beseitigung der europäischen Landesgrenzen denke, so sehr die auch an der Zeit ist. Vielmehr müßten die Menschen, und zumal jene, denen in dieser Ordnung Geist zum Beruf und Privileg geworden ist, am Privileg irre werden. Sie müßten einsehen, daß heute im vollsten Maße ein Zustand der Welt möglich ist, welcher die Menschen nicht mehr als Objekte von über ihren Köpfen weg sich abspielenden Prozessen bestimmt, sondern in dem sie vereint ihr eigenes Schicksal bestimmen und damit erst wahrhaft zu Subjekten werden. Die Starre, die der Geist widerspiegelt, ist keine natur- und schicksalhafte Macht, der man ergeben sich zu beugen hätte. Sie ist ein von Menschen Gemachtes, der Endzustand eines geschichtlichen Prozesses, in dem Menschen Menschen zu Anhängseln der undurchsichtigen Maschinerie machten. Die Maschinerie durchschauen, wissen, daß der Schein des Unmenschlichen menschliche Verhältnisse verbirgt, und dieser Verhältnisse selbst mächtig werden, sind Stufen eines Gegenprozesses, der Heilung. Wenn wirklich der gesellschaftliche Grund der Starre als Schein enthüllt ist, dann mag auch die Starre selber vergehen. Der Geist wird lebendig sein in dem Augenblick, in dem er nicht länger sich bei sich selber verhärtet, sondern der Härte der Welt widersteht.

1949

Hermann Grab

Die ästhetischen Nerven taugen nicht mehr dazu, die Wahrheit zu registrieren. Wer überhaupt noch Sensibilität hinüberrettete, muß dem künstlerischen Ausdruck um dessen eigener Wahrheit willen ein Fremdes, Ätzendes beimischen. Fast ließe die Substanz eines Künstlers heute daran sich erkennen, ob er anderes vermag, als ihm an der Wiege gesungen ward. So geschützt konnte Hermann Grab sich bilden, daß ihm der österreichische Impressionismus noch selbstverständlich war, als längst die spiegelnd glatte Fläche der Gesellschaft zerbrochen lag. Er hat den poetischen Konflikt des zarten Subjekts mit der befestigten Bürgerlichkeit nachgelebt, während schon Kafka die schwarzen Parabeln schrieb, in denen das Subjekt einzig noch als verendendes erscheint. Aber er hat mit einer Zähigkeit, die seiner Zartheit gleichkam, aus dem Anachronismus ein Mittel der Verfremdung gemacht. Der Schauder vor der kalten erwachsenen Welt ist ihm zum Medium geworden, das Monströse, der humanen Erfahrung Entzogene dieser zuzueignen. Wie er gegen den konformistischen Druck des Milieus nicht rebellierte, sondern mit graziöser Schnödigkeit und jüdischen Witzen sich wehrte, so hat er als gepflegter und nüancierter Schriftsteller aufs Anorganische, Brüchige, Unmenschliche zögernd sich eingelassen. Der Autor lyrischer Prosa beugte sich der Last des Grauens, unbekümmert um die eigene Anlage und Vorgeschichte. Seine Stärke war das Bewußtsein der Schwäche.

Epoche hat in seiner literarischen Existenz die Kenntnis Marcel Prousts gemacht. Mit ihm teilte er, außer der Bilderwelt staunender Kindheit, die Hypochondrie, durch die er sich selber zum Meßinstrument erzog, und die Genialität des Gedächtnisses. Der »Stadtpark«, das einzige publizierte Buch, zeigt mit den psychologischen Porträts des zweideutigen Freundes und der ahnungslosen Mutter noch die Schule Prousts und die Thomas Manns. Dann begann er, planvoll beschädigte Novellen zu schreiben wie die von der Angestellten, die zur gleichen Zeit, da der nationalsozialistische Terror über ihre Heimatstadt sich lagert, eine italienische Reise macht, auf der sie nichts mehr erlebt als den toten Abguß approbierter Kultur. Zuletzt dachte er an einen großen Roman, der den hektischen Aufstieg einer jüdischen Bankierfamilie und ihren Untergang in Polen hätte darstellen sollen und etwas wie den Archetypus der Gesellschaft zwischen den beiden Kriegen geben.

Die Ausführung ward ihm versagt. Drei Jahre brachte er im Kampf mit der unheilbaren Krankheit zu, deren Wesen er heroisch sich verschwieg. Sein helles Bewußtsein schien aller rohen Fatalität zu spotten. Daß er starb, ohne zu vollenden was ihm möglich gewesen wäre, bezeugt etwas von der Ohnmacht des Geistes selber.

1949

Imaginäre Begrüßung Thomas Manns

Ein Entwurf für Max Horkheimer*

Hätte uns jemand in den Jahren, da wir als Nachbarn in Pacific Palisades, beim Stillen Ozean lebten, vorhergesagt, daß wir uns in Deutschland in einer offiziellen Situation wiedersehen würden, so hätten wir wohl beide ungläubig gelächelt. Nicht nur wegen des Unwahrscheinlichen der Entwicklung, die es dahin brachte, und wegen der äußerlichen Differenz der Lebensform dort und hier, sondern vor allem auch, weil uns beiden das offizielle Wesen bis ins Innerste fremd ist. Sie haben mit jener Ironie, die den behutsamen Widerstand einer ganzen Generation gegen die etablierten Ordnungen prägte, eine Art von Mythos des Offiziellen entworfen. Keiner, der je die Beschreibung der Predigt des Dr. Wislicenus aus der »Königlichen Hoheit« las, wird Sie feierlich anreden können ohne das Gefühl, auf etwas schwankendem Grunde zu stehen, ganz zu schweigen von der Befürchtung, eine solche Ansprache könne, gebührend modifiziert, in dem Schelmenroman Ihres Alters wiederkehren. Aber es gehört zu den Elementen Ihrer Ironie, daß Sie das offizielle Wesen nicht brüsk, mit dem Gestus selbstherrlicher Ungebundenheit verabschieden, sondern es in Anführungszeichen setzen oder, wie die Philosophen dergleichen genannt haben, einklammern, etwa so, wie Anatole France von seinem Professor Bergeret sagt, er verachte zwar das Kreuz der Ehrenlegion, aber noch schöner wäre es gewesen, es zu besitzen und dann zu verachten. So mögen Sie mir denn verzeihen, wenn ich Sie in Talar und Barett begrüße in der Aula der Universität, die den Namen Goethes trägt.

* *Als Rektor der Frankfurter Universität hatte Horkheimer Thomas Mann anläßlich einer Vorlesung aus dem Felix Krull zu begrüßen; der tatsächlich von Horkheimer verlesene Text hatte mit Adornos Entwurf vom Oktober 1952 kaum noch Ähnlichkeiten.*

Immerhin jedoch ist mein eigenes Verhältnis zu solchen Anlässen zu gebrochen, als daß ich mich damit begnügen könnte, Ihnen für die Ehre zu danken, die Ihr Besuch für die Frankfurter Hochschule bedeutet, und auch nicht damit, Sie als den summus poeta des befreiten Deutschland einer Jugend vorzustellen, die mit Ihrem Werk und Ihrer Gesinnung viel zu vertraut ist, als daß es einer solchen Lobrede bedürfte. Ich möchte vielmehr versuchen, einiges anzudeuten, was über den Bereich des Offiziellen hinausgeht, indem es an das rührt, was aus diesem Bereich sonst sorglich bannend ferngehalten wird, an das Leiden und den Schmerz.

Keinem ist es ein Geheimnis, aber vielleicht hat es doch ein Befreiendes, wenn ich ausspreche, daß dem Verhältnis zwischen Ihnen und der westdeutschen Bundesrepublik ein traumatisches Element beigesellt ist. Während auf Ihrem Namen, als dem einzigen eines heute lebenden deutschen Dichters, aller Glanz der Authentizität ruht, heftet sich an diesen Namen ebensoviel von jener Art Aggressivität und Ressentiment, von der die Psychologen wissen, daß sie zehrt von dem verdrängten Gefühl einer tiefen Schuld. Jeder aber, der Ihnen nahe kommen durfte, hat auch erfahren, wie sehr gerade diese Stimmung Ihnen seit vielen Jahren das Leben verbittert. Es ist meine Hoffnung, daß die Spannungen, die da bestehen und die hierzulande mit solcher Behendigkeit rationalisiert werden, zergehen, sobald sie ins Bewußtsein erhoben werden. Daß Sie, trotz der Rolle des Sündenbocks, die der fortschwelende Nationalismus Ihnen aufbürden möchte, hier erschienen sind, zeigt an, daß die Humanität, welche die Substanz Ihres Daseins ausmacht, sich bewährt auch in der höchsten Kategorie, zu der Humanität sich erheben kann: der der Versöhnung. Sie kann aber nur dann geraten, wenn sie dem Schwierigen ins Angesicht sieht und sich nicht verliert an den festlichen Augenblick.

Wer vertraut ist mit dem, was die Menschen in Deutschland heutzutage reden, der wird sich an die Rolle erinnern, die der Ausdruck Zivilcourage – er stammt, glaube ich, paradoxerweise von Bismarck – spielt. Wenn Deutsche sich selbst und ihre jüngste Vergangenheit kritisieren, so wird man immer wieder dem begegnen, daß sie ihrem Volk Mangel an solcher Zivilcourage vorwerfen, wobei freilich der Redende jeweils sich selber ausnimmt. Ich glaube, die Forderung nach jener seltenen Qualität ist fast allgemein. Sonderbarerweise aber wird die Zivilcourage, wenn einer sie einmal im Ernst an den Tag legt, keineswegs mit dem Enthusiasmus aufgenommen, den die verbreitete Ideologie erwarten ließe. Damit ist wohl das Verhältnis der öffentlichen Meinung zu Ihnen nicht übel bezeichnet. Wenn es einen Menschen in Deutschland gibt, der nicht von Zivilcourage spricht – das Wort steht kaum in Ihrem Vokabular, dazu ist es schwerlich zivil genug –, sondern der in voller, von keiner wie immer gearteten Rücksicht begrenzten Unabhängigkeit existiert, denkt und schreibt, dann sind Sie es, Thomas Mann. Anstatt daß man jedoch an Ihrer milden und exemplarischen Rücksichtslosigkeit sich ein Muster nimmt, läßt man, was sie bekundet, nur ungern an sich herankommen. Man schämt sich nicht, selbst den erbärmlichen Vorwurf der Eitelkeit gegen Sie zu erheben, der es ja immer leicht hat, wenn einer die Anmaßung besitzt, seiner Erkenntnis und seinem Gewissen zu folgen und nicht der kompakten Majorität. Wer Sie kennt und gar wer Sie bei der Arbeit beobachtet hat, weiß, wie frei gerade Sie von Eitelkeit sind; aber offenbar genügt heute bereits die Tatsache, daß einer deutsche Sätze zu formen vermag, um die Wut derer zu entfachen, die mit der eigenen Sprache zerfallen sind und denen sie zerfiel. Ihnen, meine Kommilitoninnen und Kommilitonen, möchte ich den Dichter vor Augen stellen als den, der eben jene Haltung an den Tag legt, die theoretisch jeder einzelne von Ihnen als die menschenwürdige, dem Bann der Massenkultur entronnene wünscht und bejaht und die doch gerade daran sich offenbart, daß sie Ärgernis erregt, sobald es einer Ernst damit meint. Es kommt nicht darauf an, ob man mit jedem Ihrer politischen Urteile übereinstimmt; Sie haben vielleicht eine Zeit lang den kulturellen Mummenschanz jenseits der Zonengrenze für allzu harmlos gehalten. Aber daß Sie, der Repräsentant der großen deutschen Tradition, nicht nur die Kraft sich bewahrt haben, gegen den trüben Strom zu schwimmen, in den diese Tradition am Ende einmündete, sondern auch die Souveränität gegenüber Ihrem eigenen Ursprung und selbst gegenüber der Kontinuität Ihres ideellen Lebens, das ist nicht bloß der Bewunderung wert, sondern der Liebe und der Nacheiferung, und eine Jugend, die überhaupt noch eine ist, sollte Ihnen den Dank dafür bekunden. Dazu ist um so mehr Anlaß, als eben die Qualität, von der ich sprach, nicht nur im gegenwärtigen Deutschland sondern in der deutschen Geschichte,

insgesamt nicht eben häufig sich findet, und weil sie einer anderen als der offiziellen deutschen Tradition angehört, der des Nonkonformismus, des unbeirrten Widerstandes gegen das schlechte Bestehende, wie Ihr wahrer Lehrer Nietzsche ihn vertrat.
Vielen gelten Sie als der letzte Repräsentant der liberalen und individualistischen Ära; manche mögen das wohl als Vorwand benutzen, um dem Maßstab sich zu entziehen, den Sie unwillentlich setzen. Ich meine, diese Vorstellung von Ihnen ist bequem und oberflächlich. Man könnte sie auch geistesgeschichtlich nennen. Keiner wird bestreiten, daß Ihre Kunst wurzelt im Ausdruck der Individuation, der Differenziertheit des je Einzelnen, die seine Schwäche und zugleich seine Stärke ist. Aber es hat sich erwiesen, daß der Begriff des Individuums selber nicht unabänderlich ist, sondern seine Zusammensetzung und sein Gewicht der historischen Konstellation verdankt. Es ist zur Trivialität geworden, daß die Individualität samt der Verfassung der Welt, die sie zeitigte, heute ihre Krisis durchmacht. Von Ihnen aber ist zu lernen – und Sie dürfen es dem Professor nicht verübeln, wenn er an jene jungen Menschen denkt, für die er sich mitverantwortlich weiß –, daß Sie mit derlei Konstatierungen sich nicht begnügt haben, nicht bei der Klage über den Zerfall der Individualität stehengeblieben sind, sondern daß Sie daraus die ganze Konsequenz zogen nicht nur in dem, was so gemeinhin organisch-geistige Entwicklung heißt, sondern gerade in der bewußten, angestrengten und harten Erweiterung Ihrer eigenen Natur. Es scheint aber, daß in dieser Zeit das nur Aussicht hat zu überleben, was nicht bloß bei sich selber verbleibt, denn eben dies ›Selber‹ ist ja ungewiß geworden, sondern was dem Eigenen ein antagonistisches, wenn man will: fremdes und unharmonisches Element beimischt, so wie Sie, dessen Gehör ein Leben lang auf Wagner eingestellt war, am Ende es mit der finsteren und schwarzen neuen Musik voll Liebe und Schrecken aufgenommen haben. Jener Begriff der Entäußerung, den Hegel in der Philosophie geprägt und dem die Entsagung der Goetheschen »Wanderjahre« so tief verbunden ist, hat durch Sie eine Verbindlichkeit gewonnen, die zwar in der Ahnung des deutschen Klassizismus bereits angelegt war, aber erst heute, da es spät geworden ist, sich ganz enthüllt. Daß Sie, vom Stamm des Hanno Buddenbrook und des Tonio Kröger, nicht etwa bloß, wie die nichtig hochtrabende Sprache es

nennt, mit dem Problem des Kollektivismus sich auseinandergesetzt, sondern die Erfahrung eines Zeitalters bis in die innerste Zelle Ihrer Produktion aufgenommen haben, das entweder die Solidarität der Menschheit verwirklicht oder der blinden Mythologie und damit dem Verhängnis aufs neue verfällt, das jedoch sicherlich nicht bei der isolierten einzelmenschlichen Existenz stehen bleibt, bei der Ihre Liebe und Ihr Ursprung ist, das verleiht Ihrem Werk die Größe, die nur dem zuteil wird, der sich verwirklicht kraft der Negation seiner selbst. Nietzsche bekannte sich zu den Untergehenden, die die Übergehenden sind, Sie haben seinen Satz gerechtfertigt in dem schmerzlichen Übergang, dessen innere Geschichtsschreibung Ihre Romane in sich beschließen. Welche Kraft des Vergessens und der Selbstverleugnung dazu gehört, daß der Meister des »Todes in Venedig« heraustrat aus dem Kreis der eigenen Erfahrung und sich an all den heterogenen Sachverhalten maß, die seit dem »Zauberberg« Ihrem œuvre die Schwere verleihen und dadurch erst die Bedingung für die Freiheit Ihres Geistes beistellen, vermag vielleicht nur der richtig einzuschätzen, der selbst um die Formulierung dessen sich bemüht, was alle wissen und keiner.

Damit erinnere ich noch einmal an Nietzsche, und vielleicht vergeben Sie es dem Philosophen, daß er nicht loskommt von dem Gemeinsamen zwischen Ihnen und der Philosophie. Die deutsche Philosophie hat an Nietzsche alles wiedergutzumachen. Auf die Periode der subalternen akademischen Mißachtung dessen, den man einen Dichterphilosophen zu taufen wagte, folgte die kaum tröstlichere seiner Absorption in Schriften, die ihn entweder zum Spießbürger machten und jeglichen Stachel aus seinem Denken entfernten, oder ihn für einen Faschismus reklamierten, vor dem er schon in die Emigration ging, als Hitler noch nicht geboren war. Sie, Thomas Mann, haben viel von diesem Unrecht wiedergutgemacht. Dabei denke ich nicht sowohl an Ihre Würdigung Nietzsches als an das, was Sie als Künstler freisetzten vom Wahrheitsgehalt seiner Gedanken. Sie haben den Abscheu vor der Welt des Tausches, mit der sein Werk erfüllt ist, die Nietzschesche Sehnsucht, daß der Mensch erlöst werde von der Rache, aus der Sache des Protests und der Fanfare in die Innervation, die subtilste Regung übersetzt, und Sie haben damit einem Element der Nietzscheschen Philosophie zu sich selbst verholfen, das er überschrie und entstellte, indem er bei der abstrakten

Negation des Bestehenden und den ohnmächtigen Phantasmen des Jugendstils verharrte. Die Zartheit, die Sympathie, die Kraft der Identifikation, die Nietzsche verleugnete, um nicht lügen zu müssen – Sie haben sie ohne lauten Ton und ohne aufdringliche Predigt in dem Pathos der Distanz wahrgenommen, das Ihren Sätzen nicht weniger als denen Nietzsches eignet, und das kaum bemerkbare Lächeln Ihrer Prosa, das sie von der Nietzsches unterscheidet, hat, vielleicht ohne daß Sie selber stets es wußten, zum Ausdruck gebracht, daß die Kritik des Bürgers, die doch der positiven Worte noch nicht mächtig ist, nicht der vitalen Bestialität dient, die sich dessen rühmt, sondern dem Bilde des nicht länger entstellten und verstümmelten Menschen, das verwirklicht werden muß. Sie haben nicht durch den Inhalt sondern das Wie Ihres œuvres Nietzsche der Humanität gerettet, und das heißt nicht weniger, als daß Sie eine Idee von der Humanität gestaltet haben, die rein ist von der Ideologie und die mit aller Behutsamkeit, ja mit aller Selbstvergessenheit des Artisten hinzielt auf das Reale. Es ist unmöglich, das Werk des großen Künstlers auf eine Formel zu bringen. Aber wenn ich es wage, das, was an Ihnen zu lernen ist, mit Worten zu beschwören, dann hoffe ich, zumindest etwas von Ihrer Intention zu fassen, und hoffe zugleich und von ganzem Herzen, daß es diese Intention ist, in der die Sehnsucht der Jugend sich begegnet mit der Treue, die Sie aller Sehnsucht gehalten haben.

1952

Heinz Krüger zum Gedächtnis

Heinz Krüger, der dem Stab der »Frankfurter Rundschau« angehörte, war einer der wenigen Schüler, mit denen zu arbeiten nicht bloß das Glück des akademischen Lehrers ausmacht, sondern dessen Beruf selber, inmitten der Krise des traditionellen Bildungswesens, noch rechtfertigt. Krüger kam von der Literaturwissenschaft her, war vorwiegend stilanalytisch interessiert und fing über Erwägungen zum Sinn der Prosaformen philosophisch Feuer. Mit erstaunlicher, weit über die bloß fachliche Vorbildung hinausreichender Energie hat er, von der Sache ergriffen, auch die philosophischen Mittel sich angeeignet.

Seine Dissertation lag auf einem jener Grenzgebiete, in denen allenthalben heute wohl die fruchtbarsten Fragen sich verbergen: sie galt dem Aphorismus als philosophischer Form. Während Krüger die stofflichen und methodischen Voraussetzungen der Arbeit der deutschen Philologie verdankte, war es ihr Sinn, den Aphorismus, der – aus Gründen, die selber kritisch zu erhellen wären – als unverbindlich, unverantwortlich, feuilletonistisch schief angesehen, nur widerstrebend geduldet wird, als eine philosophische Form eigener Art und eigenen Rechtes zu erweisen. Er wollte, mit anderen Worten, den Aphorismus und seine spezifischen Qualitäten aus dem Gehalt der Philosophie selber entwickeln, die in dieser Form sich darstellt, insbesondere der Nietzsches. Den Gegensatz offenen und geschlossenen Denkens, das in sich selbst reflektierte ›Nichtwissen‹, die Pointierung der Ausnahme gegen die Regel, die Paradoxie als Medium konventionsfeindlicher Wahrheit hat er hervorgehoben, um die innere Einheit gerade dessen darzutun, was dem banalen Vorurteil disziplinlos an das Viele zu verlieren sich scheint. Überaus originelle Durchblicke, insbesondere auch zur Unterscheidung des romantischen Fragments vom eigentlichen Aphorismus, öffneten sich dabei.

Die Dissertation war als Vorstufe zu einer weit umfassenderen

Deutung aphoristischen Denkens geplant. Dieser Plan ist sinnlos zerschlagen worden. Wenige Wochen nach der Promotion starb Heinz Krüger an einer Krankheit, die längst an ihm muß gezehrt haben, ohne daß er oder irgendein anderer etwas davon gewußt hätte. Vielleicht wäre er zu retten gewesen, wenn er bei den ersten warnenden Symptomen ärztliche Hilfe gesucht hätte. Um seines Berufes willen und um sein Studium zu Ende zu bringen, tat er es nicht. So läßt er die, welche ihm vertrauten und denen er vertraute, gleichwie Schuldige zurück. Nichts ist übrig als das armselige trauernde Wort, das Versprechen, er werde nicht vergessen: als jähe und reine geistige Kraft, als Mensch, dessen Reife daher rührte, daß er vom erwachsenen Leben die Naivetät nicht sich rauben ließ, etwas von jenem kindlichen Es-gut-Meinen hinüberrettete, das allein der geistigen Regung ihre produktive Freiheit schenkt.

1956

Zur Einführung in Heinz Krügers »Studien über den Aphorismus als philosophische Form«*

Der Freude des Lehrers, der Erstlingsarbeit eines Schülers das Geleit geben zu dürfen, gesellt sich die Trauer, daß es seine letzte blieb. Heinz Krüger ist wenige Wochen nach seiner Promotion einer Krankheit erlegen, die längst an ihm muß gezehrt haben und die zur Kenntnis zu nehmen er heroisch sich weigerte, um das Begonnene – und sein Studium – zu Ende zu bringen. Die »Studien über den Aphorismus als philosophische Form« waren als Vorstufe eines weit umfassenderen Werkes konzipiert. Sinnlos ist der Plan zerschlagen worden.

Versucht man, dem Toten die Treue zu halten, indem man etwas von dem umreißt, was ihm vorschwebte, so ist wohl vor allem die spezifische Idee der Dissertation hervorzuheben. Es geht nicht um den Aphorismus als sprachliches Phänomen und literarische Gattung. Was ihn sprachlich bezeichnet: Konzision, Pointiertheit, Antithetik, Kürze, war längst herausgestellt. Krüger aber wollte dartun, daß der Aphorismus ein wesentliches Verhältnis hat zum

* *Vgl. Heinz Krüger, Studien über den Aphorismus als philosophische Form, Frankfurt a. M. 1957.*

philosophischen Gehalt; daß er, nach seinen eigenen Worten, »eine äußerst strenge und autonome Form des Denkens ist, die neben den großen Glaubens- und Wissensordnungen einhergeht, gleichsam als eine Buffonerie des entstellten Lebens, das gegen seine Entstellung im System jener Glaubens- und Wissensordnungen protestiert, und zwar anmaßend und vorsichtig zugleich. Ein Philosophieren neben der Philosophie im engeren Sinne, lebt der Aphorismus aus jener Diskrepanz, die sich dadurch herausstellt, daß Sein und Denken offenbar nie völlig zur Deckung gebracht werden können.«
In Krügers Text folgt auf die Sichtung der vorhandenen Literatur eine Übersicht über die historischen Typen des Aphorismus, von Hippokrates, mit dessen Namen das Wort verbunden ist, über Montaigne, Gracián, Pascal und die französischen Moralisten bis zum romantischen Fragment. Fragmentistisches und eigentlich aphoristisches Denken ist beides »Denken in Brüchen«; das romantische Fragment jedoch lebt vom Einverständnis mit der Sprache, kraft deren es im Endlichen das Unendliche meint beschwören zu können, während im Aphorismus Kritik auf die Sprache selbst übergreift. Denken, das abbricht, möchte mit den Mitteln der Sprache von der Unwahrheit heilen, die unabdingbar der Sprache selbst innewohnt. »Die Intention des Aphorismus ist es, die Sprache für die Einsicht in die Wahrheit durchlässig zu machen – man möchte beinahe sagen: sie wegzusprechen –, ohne die Mittelbarkeit des Gesprochenen zu zerstören.«
Ihren exemplarischen Begriff vom Aphorismus entwickelt die Arbeit an Nietzsche. Weil der Aphorismus, um sich darzustellen und mitzuteilen, notwendig auf die Sprache und ihre Logik verwiesen ist, zugleich aber die logischen Kategorien und Prinzipien, die in der Grammatik sich niedergeschlagen haben, nicht als absolut respektiert, geht er über zum ›parodischen‹ Gebrauch von Sprache und Logik. Der gilt Krüger für das Modell aphoristischen Denkens. Der Aphorismus verwendet Sprache und Wissensprinzipien nicht so, wie sie sich von sich aus meinen: er macht sie uneigentlich und sich selber fremd. Er ist das entfaltete Nichtwissen, das die äußerste Reflexion des Wissens voraussetzt. Dabei nimmt er regelhaft die Form der Ausnahme an, an der Regel und begriffliche Systematik scheitern. Die Ausnahme fungiert als Korrektiv: der Aphorismus »nimmt etwas aus dem Horizont des Bewußtseins heraus«, setzt die

eingeschliffene und auch nützliche Ansicht vom Sachverhalt in Frage. Er möchte etwas von der Deformation wieder gut machen, welche der herrschaftliche Geist dem Gedachten antut. Er zielt auf die Negation abschlußhaften Denkens; er terminiert nicht im Urteil, sondern ist die konkrete Gestalt, in der die Bewegung des Begriffs sich darstellt, der des Systems sich entschlug.

Das aphoristische Denken war von je nichtkonformistisch. Darum ist es bei den Wissenschaften und der offiziellen Philosophie in Verruf geraten, ist als unverbindlich, unverantwortlich, feuilletonistisch diffamiert worden. Und wie das Verfolgte selten durch Verfolgung besser wird, so hat das aphoristische Denken, abgetrennt von geistiger Verantwortlichkeit und bar der Autorität stringenten Vortrags, vielfach etwas von den apokryphen Zügen angenommen, die ihm vorgeworfen werden. Indem Krüger, im Sinne einer philosophischen ›Rettung‹, den philosophischen Sinn der Form entfaltet, stärkt er nicht bloß den Widerstand gegen das Einverständnis mit den traditionellen Bewußtseinsformen, sondern ermutigt auch das aphoristische Denken zu seinem Verfahren und hält ihm den eigenen strengen Maßstab vor.

Die philosophische Arbeit dieses Autors, der kein Philosoph von Fach war, aber, einmal von der Philosophie ergriffen, weit über seine Fachbildung hinausgetrieben wurde und philosophisches Verständnis kraft des eigenen Gedankens sich aneignete, fördert offenes, entfesseltes Denken: sie benennt das Prinzip dessen, was die Prinzipien negiert. Sie bietet mehr als bloß einen wissenschaftlichen Beitrag: ein Stück erfahrener Freiheit. Daran soll so wenig vergessen werden wie an den Menschen, der sich die Wärme und Kraft zu solcher Erfahrung nicht verkümmern ließ.

1956

Gershom G. Scholem

Scholem spricht in den »Loeb Lectures«

Auf die Vorträge von Gershom Gerhard Scholem, Professor der Jüdischen Mystik in Jerusalem, über Kabbala in Safed, die im Philosophischen Seminar der Universität am Freitag, den 12. Juli, von 16 bis 18 Uhr, am Montag, den 15. Juli, von 16 bis 18 Uhr und am Mittwoch, den 17. Juli 1957, von 14 bis 16 Uhr stattfinden, darf die Frankfurter Öffentlichkeit weit über den Kreis der religionshistorisch und judaistisch Interessierten hinaus mit allergrößtem Nachdruck hingewiesen werden. Scholem ist ohne Frage der bedeutendste heute lebende Kenner der Kabbala, nicht nur ein Gelehrter von Weltruf, sondern zugleich eine philosophisch-spekulative Kraft außerordentlichen Ranges. Die Entdeckung des Autors des berühmtesten kabbalistischen Textes, des Buches Sohar, ist ihm zu danken; die Kontinuität zwischen mystischen Tendenzen des Judentums wie des Sabbatianismus, Chassidismus und Frankismus ist von ihm mit größter Evidenz herausgearbeitet worden. Durch sein in englischer Sprache unter dem Titel »Major Trends in Jewish Mysticism« erschienenes Hauptwerk, wurde zum ersten Mal das dem talmudisch-rationalen Wesen entgegengesetzte, gnostisch-spekulative Element der nachchristlichen jüdischen Religionsgeschichte als historische Einheit begriffen und dabei in all seiner Differenziertheit dargestellt.

Dies Werk ist dem Andenken Walter Benjamins gewidmet, mit dem Scholem aufs engste befreundet war. Bei der nachhaltigen Wirkung, welche Benjamins Denken in Deutschland auszuüben beginnt, seitdem der Suhrkamp Verlag die zweibändige Ausgabe seiner Werke vorgelegt hat, dürften Scholems Gedankengänge von besonderem Interesse für die philosophisch Gerichteten sein. Zentrale Positionen theologischer Art, die bei Benjamin kaum je offen ausgesprochen, aber stets latent wirksam geblieben sind, gehören dem Bereich jener Mystik an, die zu ›erzählen‹ zugleich Scholems eigene metaphysische Intention bildet, und die beide in ihrer Jugend gemeinsam erfahren haben.

Es darf angemerkt werden, daß die Vorlesungen Scholems im Rahmen der Loeb Lectures stattfinden, die es der Frankfurter Philosophischen Fakultät ermöglicht haben, Vorlesungen und Vorträge über Geschichte, Religion und Philosophie des Judentums abzuhalten. Diese Vorlesungen, von Max Horkheimer in die Wege geleitet, sind unterdessen zu einer ständigen und weithin beachteten Institution des Frankfurter akademischen Lehrbetriebes geworden, ohne daß die Teilnahme an diesen Veranstaltungen auf den Studenten- und Hörerkreis im mindesten beschränkt wäre. Sie ergänzen die Vorlesungen und Seminare über katholische und protestantische theologische und philosophische Lehren innerhalb der Philosophischen Fakultät. Indem sie die in Deutschland rasch verschüttete Kenntnis jüdischen Geistes wieder ins Bewußtsein heben, erfüllen sie zugleich eine geisteswissenschaftliche und eine im höheren Sinne geistespolitische Funktion. Dozenten wie der verstorbene Leo Baeck, der Oxfordtheologe Daube, H. G. Adler, der Autor des großen deutschen Werkes über Theresienstadt, E. Voegelin, der neue Ordinarius für politische Wissenschaften an der Münchener Universität, jüngst der Scholemschüler I. G. Weiß, haben sich, neben zahlreichen anderen, an den Loeb Lectures beteiligt. Eine Vorlesung von Martin Buber über »Züge des biblischen Gottesbildes« steht unmittelbar bevor.

1957

Gruß an Gershom G. Scholem

Zum 70. Geburtstag: 5. Dezember 1967

Meine älteste Erinnerung an Scholem geht auf die frühen zwanziger Jahre zurück. Mir war wohl schon seine Freundschaft mit Benjamin bekannt. Das würde das Datum später als 1923 fixieren; doch mag ich mich täuschen und ihn ganz unabhängig von Benjamin getroffen haben. Überhaupt dürfte mein Gedächtnis daran viel Rückphantasie enthalten. Jedenfalls war der Schauplatz das Frankfurter Bürgerhospital; mir will scheinen, dessen Garten. Er trug einen Bademantel, wofern ich diesen nicht nachträglich hinzuerfand, in Assoziation zum Eindruck eines Beduinenfürsten, den er mir mit seinen brennenden Augen machte, zu einer Zeit, da mir die Verhältnisse im vorderen Orient selig unbekannt waren. Solcher Ahnungslosigkeit war zuzuschreiben, daß ich ihm naseweis sagte, ich beneidete ihn wegen seiner bevorstehenden palästinensischen Reise – es war nicht weniger als die Auswanderung –; ich stellte mir die arabischen Mädchen, mit kupfernen Ketten um die schlanken Fußgelenke, so reizvoll vor. Scholem antwortete mir, in jenem wahrhaft bodenständigen Berlinisch, das er auch in den fünfundvierzig Jahren Zion sich bewahrte und dem der große Hebraist, einem on-dit zufolge, selbst in seiner hebräischen Aussprache die Treue hält: »Na, dann könnten Sie leicht ein Messer zwischen die Rippen kriegen.« Es war meine erste Information über den Konflikt, von dem heute die Welt widerhallt. Scholem hatte keine Angst vor ihm: Beweis des ebenso unerbittlichen wie unpathetischen Ernstes, mit dem er seine theologisch-politischen Positionen zu denen seines empirischen Daseins machte. Fraglos verzichtete er dabei auf ungezählte Möglichkeiten, die seine glanzvolle Begabung ihm bot. In ihr finden Scharfsinn, abgründig spekulativer Hang und Breite der gelehrten Kenntnis einzigartig sich zusammen. Seine Kenntnisse dürften ihresgleichen suchen; sie erstrecken, über den jüdischen Gesamtbereich hinaus, sich auf die Orientalistik und ebenso auf die Mathematik, übrigens ohne daß er darum am zahlenmystischen Aspekt der jüdischen Esoterik viel Interesse nähme.

Von jenem ersten Treffen brachte ich das Gefühl einer paradoxen Einheit des unbestechlich Sachlichen und des metaphysisch Bewegten mit, das dann immer reicher mir sich entfaltete; nicht weniger aber das eines Menschen von so reinem Willen, wie er mir kaum an einem anderen begegnete. Danach habe ich ihn fünfzehn Jahre nicht gesehen. Wir wechselten keine Briefe; er hatte keinen Anlaß, den blutjungen Studenten zu beachten. Immerhin erfuhr ich stets wieder einiges über ihn durch Benjamin, wohl auch durch Kracauer, der bei jenem ersten Treffen zugegen gewesen war. Während der Emigration schließlich kündigte mir Benjamin aus Paris seinen Besuch in New York an. Über die erste Zusammenkunft dort habe ich Benjamin in einem Brief vom 4. Mai 1938 berichtet, dessen

Schreibmaschinendurchschlag sich erhielt. Aus ihm möchte ich einige Passagen zitieren, die gewiß der wahren und verantwortlichen Kenntnis entraten, gleichwohl indessen etwas von jenem Zum ersten Mal bewahren, das zuweilen über die Geschichte einer Beziehung entscheidet. Wir waren eingeladen bei Paul und Hannah Tillich, zusammen mit Kurt Goldstein und dessen zweiter Frau, und ich wußte das folgende zu sagen:
»Der antinomistische Maggid war zunächst sehr zurückhaltend und sah in mir offenbar eine Art von gefährlichem Erzverführer; ich hatte das seltsame Gefühl, mit Brecht mich identifiziert zu finden. Überflüssig zu sagen, daß von all dem kein Wort fiel, und daß Scholem mit viel schnoddriger Grazie die Fiktion aufrecht erhielt, von mir sozusagen nicht mehr zu wissen, als daß ein Buch von mir im Verlag des seligen Siebeck erschienen ist. Irgendwie ist es mir dann aber gelungen, den spell zu brechen, und er faßte eine Art Zutrauen zu mir, das nach meinem Eindruck anwächst. Wir haben zwei Abende mit einander gehabt, wie Sie vermutlich am Klingen Ihrer Ohren mittlerweile verifiziert haben werden; den einen allein, mit einem Gespräch, das einesteils sich auf unser letztes in San Remo über Theologie bezog, andernteils auf meinen Husserl, den Scholem sehr genau las wie eine Art von intelligence test« (wohlverstanden, ich meinte einen meiner Intelligenz). »Den zweiten Abend verbrachten wir mit Max Horkheimer, und Scholem, in sehr großer Form, berichtete uns zusammenhängend von der sabbatianischen und frankistischen Mystik die erstaunlichsten Dinge. ... Nicht leicht für mich, meinen eigenen Eindruck von Scholem wiederzugeben. Es ergibt sich ein Schulfall des Konflikts von Pflicht und Neigung. Meine Neigung ist aufs stärkste dort im Spiel, wo er sich zum Anwalt des theologischen Motivs Ihrer, und vielleicht darf ich auch sagen meiner, Philosophie macht, und es wird Ihnen nicht entgangen sein, daß eine Reihe seiner Argumente gegen die Aufgabe des theologischen Motivs, wie vor allem jenes, daß es in Wahrheit durch die Methode bei Ihnen so wenig wie bei mir eliminiert sei, mit meinen San Remeser Exkursen übereinkommt; vom Stein der Weisen und des Anstoßes in Dänemark« (ich spielte auf den Einfluß von Brecht auf Benjamin an) »ganz zu schweigen. Sogleich aber tritt die Pflicht in Aktion, und zwingt mich zuzugestehen, daß Ihr Gleichnis vom Löschblatt und Ihre Intention, die Kraft der theologischen

Erfahrung anonym in der Profanität mobil zu machen, mir doch vor den Scholemschen Rettungen alle entscheidende Beweiskraft voraus zu haben scheint, und so habe ich mich denn auf der zwischen uns in San Remo festgestellten Generallinie gehalten, will sagen, ihm zwar das Moment des ›Fremdkörpers‹ zugestanden, das Eindringen des Fremdkörpers jedoch als Notwendigkeit verteidigt. Daran ist nun zum Teil mitschuld die Gestalt, welche die Theologie bei Scholem selber angenommen hat. Einmal ist ihre Rettung sonderbar gradlinig und romantisch: wenn er etwa den Gegensatz von ›Gehalten‹ und deren Genesis in den Vordergrund stellt und dem Marxismus Vorwürfe macht, er käme nur an die letztere, nicht aber an die Gehalte selber heran, so fühle ich mich an Kracauer oder auch Theodor Haecker erinnert. Sieht man sich dann aber die Dinge an, die er selber präsentiert – und ich jedenfalls vermöchte nicht die Gehalte seiner Mystik von ihrem geschichtlichen Schicksal zu trennen, so wie er selber es erzählt –, so scheint es deren wesentlichste Eigentümlichkeit zu sein, daß sie ›explodieren‹. Gerade er insistiert auf einer Art von radioaktivem Zerfall, der von der Mystik, und zwar fensterlos in allen ihren historischen Ausprägungen gleichermaßen, zur Aufklärung treibe. Es scheint mir von der tiefsinnigsten Ironie, daß die Konzeption der Mystik, die er urgiert, sich geschichtsphilosophisch als eben jene Einwanderung in die Profanität darstellt, die er an uns für verderblich hält. Wenn nicht seine Gedanken, dann sind jedenfalls seine Erzählungen eine strikte Rechtfertigung genau der Alterationen Ihres Denkens, an denen er sich stößt. Die geistige Leidenschaft und Kraft ist ungeheuer, und er gehört ohne Frage zu den ganz wenigen Menschen, mit denen über ernsthafte Dinge zu reden sich überhaupt noch verlohnt. Seltsam nur, wie manchmal seine Kraft für bestimmte Strecken aussetzt, und das Vorurteil und die banale Anschauung unangefochten frei gibt. Das gilt etwa auch für seine Art der historischen Interpretation, wenn er die ›Explosionen‹ der jüdischen Mystik in Zwi und vollends Frank ausschließend innertheologisch ableitet und die gesellschaftlichen Zusammenhänge, die sich einem unabweislich aufdrängen, aufs heftigste fortweist. Es wird mit ungeheurer Kunst ein Rettungsboot losgelassen; aber die Kunst besteht hauptsächlich darin, es mit Wasser zu füllen und zum Kentern zu bringen. Ich für meinen Teil halte mit Ihnen dafür, daß bei einem Untergang des ganzen Schiffes mit Mann und Maus die Chancen besser sind, daß wenn schon nicht von der Mannschaft, so von der Fracht einiges übrig bleiben wird. Trotzdem bin ich, und Felicitas« (Gretel, meine Frau) »nicht minder, sehr fasziniert, und es besteht sogar ein wirklicher Kontakt, der zuweilen die Form einer gewissen Zutraulichkeit annimmt, vergleichbar der, die sich auf einer Kaffeevisite eines Ichthyosaurus bei einem Brontosaurus einstellen mag oder, um mehr zur Sache zu sprechen, bei einer, die der Leviathan dem Behemoth abstattet. Mit einem Wort, man ist unter sich. Es wäre noch hinzuzufügen, daß Scholem offenbar affektiv in einem unvorstellbaren Maße an Sie gebunden ist und zunächst einmal alles, was in der Gegend nur auftaucht, ob es nun Bloch, Brecht oder wie immer sonst heißt, unter die Feinde rechnet. Ich glaube, daß er, was mich anlangt, besänftigt ist. ... Max hat sehr positiv reagiert, und ich möchte annehmen, daß die Begegnung, die übrigens in einer New Yorker Bar stattfand, auch insofern ihren guten Sinn hatte, als Max einen neuen Blick auf gewisse Dinge bei Ihnen gewann, die vor seiner Zeit liegen. Dagegen weigert sich Scholem beharrlich, ins Institut zu kommen und hat auch unsere Einladung, dort einen Vortrag zu halten, abgelehnt, was vermutlich damit zusammenhängt, daß er Löwenthal und Fromm noch in ihrer zionistischen Periode kannte.«

Soweit die auf Scholem bezüglichen Sätze des Briefes. Wieviel, durch die Geschichte der Freundschaft zwischen ihm und mir, an dem darin Gesagten sich modifizierte, zumal an meinem eigenen, damals noch sehr rudimentären Verständnis, ist evident. Auffällig jedoch, daß der Brief bereits den Grundriß der späteren Erfahrung an Scholem, wie immer auch in der Form unverbindlicher Impression, aufzeichnet. Er verhält sich zu dem, was dann sich auskristallisierte, vergleichsweise wie die Phase des Mühlespiels, in der die Steine aufgesetzt werden, zu der, in welcher man sie zieht. Da aber von jener ersten Phase so viel abhängt, so wird mir vielleicht der Siebzigjährige das an Irrtum und Vorschnellem verzeihen, was ich damals dem gemeinsamen Freund mitteilte, zu dessen Gedächtnis wir dann zusammen wirkten. Auch das Handicap wird er mir vergeben, an dem nichts sich änderte: meine Unkenntnis nicht nur der Kabbala, der Tradition der jüdischen Mystik, sondern der Hebraistik insgesamt, von der ich nie mehr lernte, als was ich in Scholems

Schriften, insbesondere in dem großen Werk über die Hauptströmungen der jüdischen Mystik, las, und, vorher, aus dem Reflex jener Spekulationen bei Benjamin; Spekulationen freilich, die auf den deutschen Idealismus bedeutenden Einfluß ausgeübt hatten und mir darum philosophisch wiederum vertrauter und näher waren, als es bei meinem Mangel an philologischer und historischer Kenntnis zu erwarten gewesen wäre. Trotz meiner Unzuständigkeit gegenüber dem Kern dessen, was Scholem geleistet hat, mag es darum nicht ganz unbillig sein, wenn ich der ersten Impression spätere Reflexionen hinzufüge, die zwar sachlich gewiß nicht legitimierter sind, aber dem geistigen Phänomen Scholem selbst, und auch der Person, näher kommen mögen als das vor bald dreißig Jahren Wahrgenommene.

Er selbst, sonst keineswegs verschlossen, pflegt von seinen wahren Intentionen mit äußerster Zurückhaltung, allenfalls ein wenig geheimnisvoll zu reden; Momente direkter religiöser Mitteilung sind auch in seinen Schriften, nimmt man etwa die Thesen über Messianismus aus, selten. Das trug ihm gelegentlich den Vorwurf ein, er habe in einem Bereich, der seinem Begriff nach die äußersten Ansprüche an die subjektiven Erfahrungen und Spekulationen dessen stellt, der darin sich bewegt, auf die Position des distanzierten Gelehrten sich zurückgezogen. Wer mit dem œuvre Scholems, und gar mit ihm selbst, vertraut ist, weiß die Ungerechtigkeit jener Vorwürfe. Die Versenkung in eine Literatur, die zu der Zeit, da er mit ihr sich zu beschäftigen begann, weithin, auch innerhalb des Judentums, als apokryph verrufen war, ist nicht anders vorstellbar, als daß ihn die kabbalistischen Texte zentral betrafen. Alles spricht dafür, daß sein eigenes Naturell angelegt war auf die exponiertesten Theologumena hin; der mystische Funke muß in ihm selbst gezündet haben. Daß er nur widerstrebend unmittelbar sich äußert, hat gewiß seinen Grund auch in einer geisteswissenschaftlichen Situation, in der der Existentialismus, zumal dessen jüdische Variante, das subjektive Moment religiöser Erfahrung so sehr betonte. Nachgerade fiel es schwer, Theologie von purer Lebensphilosophie zu unterscheiden. Der objektive Gehalt dessen, woran gerade einem wie Scholem bis ins Innerste Ergriffenen alles liegen mußte, schien gefährdet durch rhetorische Insistenz auf Ergriffenheit. Abneigung gegen das allzu verfügbare existentielle Vokabular, gegen das

Gesalbte der Rede von Ich und Du, mochte ein Übriges dazu beitragen, daß Scholem den kabbalistischen Schriften wie Stoffen gegenübertrat, um nicht ihren Wahrheitsgehalt an Kommunikation und kunstgewerbliche Neureligiosität zu verraten. In seiner Reaktionsweise lebt etwas von der brummigen Keuschheit, die zuweilen Musiker an den Tag legen, wenn sie gezwungen werden, von dem zu sprechen, was sie bewegt und was dem Wort widerstrebt. Diese Haltung steigert sich bei Scholem kraft eines Fonds ursprünglicher, sehr gütiger Unfeierlichkeit. Sie mag zusammenhängen mit seinem parti pris für Heterodoxes gegenüber dem Etablierten, auch gegenüber offizieller Religiosität; politische Impulse seiner Jugend sind wohl in dieser Haltung sublimiert. Darüber hinaus aber waltet in ihr objektiver Zwang. Scholems Werk hat einen seiner Schwerpunkte in der Darstellung des Säkularisationsprozesses der Mystik, ihrer Affinität zur Aufklärung. Sein tiefes Wissen, das nie auf die engste Fühlung mit den Sachgehalten verzichten mochte, konnte nicht gegen die Logik solcher Säkularisation sich verblenden. Der mystische Unterstrom der jüdischen Überlieferung, dem seine gesamte Arbeit gilt, ist vermöge der Konzeption der Gottheit als dessen, was Baader esoterischen Prozeß nannte, in sich selbst eminent geschichtlich. Einem Denken, das gespeist wird von Wahlverwandtschaft mit jenem Strom, hätte es am letzten angestanden, sei es um der Idee unvermittelter Transzendenz, sei es um der der Religiosität der je einzelnen Person willen, Geschichte und Wahrheit als indifferent gegeneinander zu setzen. Darin dürften seine Gedanken bis zum Ende, über alle Differenzen sogenannter Standpunkte hinweg, mit denen Benjamins zusammengestimmt haben. Wie dieser so strengt Scholem gegen den Mythos einen Prozeß an, der ihm untrennbar ist vom historischen Prozeß selbst. In jenem Prozeß wird aber nicht der Mythos verworfen, er ist keiner von ›Entmythologisierung‹, sondern eher einer, der den Mythos versöhnt. Dem unterdrückten Unteren widerfährt jene Gerechtigkeit, die verhindert wird von dem Recht, das die Geschichte hindurch waltet, und solche Gerechtigkeit wird auch dem Mythos zuteil. Irre ich nicht gar zu sehr, so ist Scholem deshalb der Historiker der Kabbala – das Wort selbst heißt Überlieferung, impliziert also Geschichte – geworden, weil er ihren Gehalt als geschichtlichen Wesens verstand und glaubte, von ihr nicht anders reden zu dürfen denn geschichtlich. Solche geschichtliche Wahrheit kann nur in der äußersten Ferne von ihrem Ursprung ergriffen werden, eben in vollendeter Säkularisierung. Ähnlichen Sinnes ist eine chassidische Legende, die Scholem an erhobener Stelle anführt: »Wenn der Baal-schem etwas Schwieriges zu erledigen hatte, irgendein geheimes Werk zum Nutzen der Geschöpfe, so ging er an eine bestimmte Stelle im Walde, zündete ein Feuer an und sprach, in mystische Meditationen versunken, Gebete – und alles geschah, wie er es sich vorgenommen hatte. Wenn eine Generation später der Maggid von Meseritz dasselbe zu tun hatte, ging er an jene Stelle im Walde und sagte: ›Das Feuer können wir nicht mehr machen, aber die Gebete können wir sprechen‹ – und alles ging nach seinem Willen. Wieder eine Generation später sollte Rabbi Mosche Leib aus Sassow jene Tat vollbringen. Auch er ging in den Wald und sagte: ›Wir können kein Feuer mehr anzünden, und wir kennen auch die geheimen Meditationen nicht mehr, die das Gebet beleben; aber wir kennen den Ort im Walde, wo all das hingehört, und das muß genügen.‹ – Und es genügte. Als aber wieder eine Generation später Rabbi Israel von Rischin jene Tat zu vollbringen hatte, da setzte er sich in seinem Schloß auf seinen goldenen Stuhl und sagte: ›Wir können kein Feuer machen, wir können keine Gebete sprechen, wir kennen auch den Ort nicht mehr, aber wir können die Geschichte davon erzählen.‹ Und – so fügt der Erzähler hinzu – seine Erzählung allein hatte dieselbe Wirkung wie die Taten der drei anderen.«[1]

Es ist, als erhoffte Scholems Denken, indem es das Bilderverbot noch auf die Hoffnung, und auf sie vorab, ausdehnt, das Rettende sich allein in äußerster Distanz von jenem Ursprung, der einzig als Ziel vorzustellen bleibt. Medium solcher Bewegung war für Scholem das Judentum; darum wurde er Zionist und zog früh die ganze Konsequenz daraus. Jener Einzug von Mystik in die Profanität jedoch, den ich aus Unkenntnis vor Dezennien gegen Scholem glaubte urgieren zu müssen, berührt sich in dessen Interessenrichtung merkwürdig mit antinomistischen Konzeptionen der Kabbala. Scholem wird denn auch angezogen von der Nachtgeschichte der Juden, im Gegensatz zu all dem, wofür die Philosophie des Maimonides exemplarisch ist; vielmehr von dem, was den Haß und den

1 Gershom Scholem, Die jüdische Mystik in ihren Hauptströmungen, Frankfurt a.M. 1967, S. 384.

Verfolgungswahn der anderen auf sich zog und was innerhalb des Judentums selbst von Orthodoxen wie von Liberalen eifernd verketzert ward. Dem universalen jüdischen Gelehrten, dem Denker des Judentums tut kein Unrecht an, wer ihn in Beziehung setzt zu einer mystischen Lehre des Christentums, die dort nicht minder anathema ist, aber in der Ostkirche, schließlich in der großen russischen Literatur den mächtigsten Einfluß ausübte: zu der von der Apokatastasis, von der endlichen Erlösung auch der absolut Bösen. Die geschichtliche Figur, die Scholem entwirft, ist die eines Messianismus, der um des Namens willen kaum nur den Namen mehr nennt; einem Äußersten sinnt er nach in äußerster Sprödigkeit gegen das, worum es ihm geht.

Scholems würdig ist die Paradoxie seiner Wirkung: heute, da er siebzig Jahre alt wird, hat der Ordinarius der Universität Jerusalem bei allen Menschen, denen nicht nur am Geist des Judentums sondern am Überleben der Juden selbst etwas gelegen ist, die Autorität des Weisen gewonnen. Großartig widerspricht sie dem antiautoritären Zug seines Lebens und des von ihm Interpretierten. Seine Nüchternheit gewinnt heilsame Kraft, nicht nur gegen ideologisches Pathos sondern auch in einer Realität, in der nach wie vor die Juden, unter den schmählichsten Vorwänden, mit Vernichtung bedroht werden. Am Ende ist es Scholems Gewalt, daß er nicht apologetisch die Kräfte der Vernichtung, drinnen und draußen, verleugnete, sondern daß er ihnen seine Erkenntnis vorbehaltlos öffnete, mit einem Mut, den nur die Allerstärksten aufbringen. Wie kein Zweiter hat er die Würde der Idee des mystischen Nihilismus hergestellt.

Vor einiger Zeit träumte ich einen Traum, der mir keine schlechte Parabel scheint für Scholem, dem ich mit unzulänglichen Worten ein langes und glückvolles Leben wünsche. Er hätte mir erzählt: »Es gibt eine alte nordische Sage, in der ein Ritter ein Mädchen über eine seidene Strickleiter entführt; daran schließen allerhand Schwierigkeiten sich an. Diese Sage liegt dem deutschen Volkslied ›Fuchs du hast die Gans gestohlen‹ zugrunde.«

Peter Suhrkamp

Dank an Peter Suhrkamp

Etwas vom Inkommensurablen des Menschen Suhrkamp, von jenem äußerst Bestimmten, das doch schamhaft und widerborstig vor seiner Benennung zurückzuckt, läßt an seinem Werk sich entnehmen. Das war durch keine Schule oder literarische Richtung definiert und dennoch weitab von der Zufälligkeit einer Erfolgschancen zusammenraffenden Verlagspolitik. Erst recht reicht der erbärmlich wichtigtuerische Begriff des Niveaus nicht aus zu bezeichnen, was diese Produktion in der glücklichen Hand zusammenbrachte. Am ehesten war es die Kraft zarten, unausgesprochenen Widerstandes gegen den in allen Ländern und Zonen sich gleichschaltenden, nach Kommunikation begierigen Geist. Was nicht mitspielte, spürte er als Gemeinsames im Unvereinbaren auf, noch in Schröder und Brecht. Der zum unwägbaren Lächeln sublimierte Widerspruchsgeist war aber Suhrkamps eigener Gestus, in jedem Augenblick des Weltlaufs und seines Grauens eingedenk, in keinem willens, davor zu kapitulieren. So tief war das zu seiner spirituellen Verhaltensweise geworden, daß es der Gesinnung spottete; ihrem Abgeschlossenen, dinghaft Fixierten hätte er mißtraut. Daß er gegen die Nationalsozialisten aushielt, war keine Sache von Moral, sondern eine von Charakter im genauesten Sinn: Idiosynkrasie, in seine Natur eingegraben. Er hätte schlechterdings nicht mitmachen können. Das verurteilte ihn zum Konzentrationslager, zur Zerstörung seiner Lunge, zu dem langen, mit klaglosem Unwillen wie eine Belästigung getragenen Siechtum. Er starb als eines der letzten Opfer.

Selten fehlt der Hinweis darauf, daß er ein oldenburgischer Bauer war. Er hat das weder verschwiegen, noch viel Wesens daraus gemacht; doch hätte er jederzeit den väterlichen Hof übernehmen und führen können. Aber wie sehr unterschied er sich von jenen, die aus ihrem Bauernblut ein Verdienst machen, für sich die Stimme des Ursprungs beanspruchen. Er hat von seiner Herkunft sich emanzipiert, sich standhaft losgemacht, ohne die leiseste Konzession an die Ideologie von Blut und Boden, auch nicht an die kulturkonservative der ›höheren Scholle‹, die jene überlebte. In einem schönen Prosastück, dessen Worte lange Strecken von Schweigen mitkomponieren, hat er die Unmöglichkeit der Rückkunft gestaltet. Das Element seines Wesens aber, das man, wenn man große Worte nicht scheut, das chthonische nennen könnte, bewährte sich gerade daran, daß er es stolz verschmähte, jemals, sei es auch mittelbar, darauf zu pochen. Seine Erscheinung strafte alle Stereotypen des Bäuerlichen Lügen: überschlank, von einer Fragilität, die in den letzten Jahren dem Bilde des Todes sich anähnelte, dabei mit abgründigen, steinern blauen Augen wie aus Brunnentiefe. So wie die wahrhaft Nordischen oft wohl gegen den Kult des Nordischen gefeit waren; wie Theodor Storm eine der schönsten Verteidigungen der Juden gegen den Antisemitismus schrieb, so mochte Suhrkamp vor den nationalsozialistischen Versuchungen bewahren, daß in ihm gegenwärtig war, was jene in ohnmächtiger Wut vergebens beschworen. Es überlebte in ihm kraft rückhaltloser Vergeistigung. Gewiß ist es fragwürdig, Eigenschaften aus der Gruppe zu erklären, der ein höchst individuierter Mensch angehört, aber die Erinnerung ans Dorf ließ sich im Umgang mit ihm nicht unterdrücken. War nicht das Mißtrauen, Ferment seines Qualitätssinns, das des Hufenbesitzers gegen windige Leute? Waren nicht der Eigensinn und die Hartnäckigkeit, die ihn schwierige Projekte über Jahre hin verfolgen ließen, gebildet nach dem Modell eines, der im Großrhythmus der Jahre und Generationen empfindet? Ländlich aber war vor allem seine oberste und irrationale Tugend. In einer bedeutenden Novelle von Annemarie Seidel ist er einmal in der leichten Verkleidung des Gärtners dargestellt worden. Er hatte, was in Amerika ein green thumb, ein grüner Daumen, heißt, der wachsen läßt, was er anfaßt. Durch dies hegende Vermögen verband er das Verschiedenste gleichwie zu einem Pflanzenteppich. In ihm wurde Kultur ihrer selbst als eines Naturverhältnisses inne; in seinem Umkreis verlor sie etwas von ihrer Gewaltsamkeit. Dies Versöhnliche hat der sonst heruntergekommenen Idee der Kultur noch einmal sich mitgeteilt, wo er ihr diente.

Er galt für verschlossen, aber er war es kaum im üblichen Sinn: gesellig, gastfrei, mit Freude am Trinken und am Gespräch. Noch als Schwerkranker konnte er, der nur mit äußerster Anstrengung zu einer Verabredung sich geschleppt hatte, über dem Erörterten die Krankheit vergessen; dann hustete er nicht einmal, und er verführte einen dazu, sich einzureden, es sei alles gar nicht so schlimm. Nie verlor seine Spiritualität das Gedächtnis ans sinnliche Glück: das behütete ihn vor der Inhumanität des Geistes. Tröstender Materialismus war seiner schwermütigen Skepsis beigemischt. Frauen gab er genau zu dem Augenblick, auf den es ankam, Blumen oder Pralinés. Nicht anders muß der Holsteiner Liliencron mit Mädchen umgegangen sein: »Und allerlei schenkt ich dem jungen Blut, natürlich zuerst einen neuen Hut.« Sonst ist den Intellektuellen das Schenken zum bloßen Symbol für Inwendiges geworden und darüber verblaßt, so daß sie es schließlich gern vergessen. Bei ihm aber streifte das Schenken noch, auf die subtilste Weise, die Armut des Beschenkten, etwas von der Bedürftigkeit des nackten Lebens. Der außerordentliche Reiz, den er auf Frauen ausübte, entsprang wohl in der Konstellation des Asketischen und der Fülle. Der seinen Verlag betreute wie ein sorgender Hausvater, war bei großen Entwürfen bedenkenlos large. Dabei war seine eigene Lebensform, auch zur Zeit der großen Erfolge und der öffentlichen Anerkennung, ungemein bescheiden; er hat in den letzten Jahren sogar auf eine eigene Wohnung verzichtet. Einmal sagte er, um seines Vaters willen vermöchte er nicht, sehr teure Restaurants zu besuchen. Aber die psychologische Klugheit, welche dafür die rasche Erklärung zur Hand hätte, wäre wohl töricht. Wenn die Kantische Moralphilosophie den Hedonismus verpönt, weil er der Freiheit zuwider sei, das Subjekt abhängig mache von anderem als seinem vernünftigen Willen, dann war etwas von dieser Freiheitsidee in sein Lebensgefühl gedrungen. Zu einer Zeit, da die Gassen und Ätherwellen vom Lob der Bindungen widerhallen, hat er alle verschmäht und, nach Gides Wort, eine Existenz ohne Koffer geführt, eigentlich die eines Studenten. Das verlieh dem fast Siebzigjährigen ein Altersloses, ohne daß doch der Diskrete und Disziplinierte dem versunkenen Typus des Bohemiens sich zugeneigt hätte. Vielmehr bewegte er sich, geisterhaft zuweilen, bei aller Verflochtenheit in vielfache konkrete Verhältnisse unberührt fast und unberührbar, als hätte keine soziale Ordnung Macht über ihn. Von selbstverständlicher Treue und Zuverlässigkeit, war doch der Wandernde nicht zu fassen. Nur Wanderschaft verbürgt die Wahrheit des Chthonischen, die des Heimwehs. Unwiderstehlich war an Peter die Rätselfigur aus dem nicht zu Bannenden und dem Versprechen von Heimat. Allein Hermann Hesse hat wohl, aus Wahlverwandtschaft, den Bann gelöst.

Was hat er nicht alles in seinem Leben getan. Er war Bauer, Schullehrer und Reformpädagog; Dramaturg und Spielleiter, Soziologe – er wirkte wesentlich an einer ungemein wertvollen Berufskunde mit –, Redaktor, Schriftsteller, Verleger. Arbeitsteilung, den Zwang zum Fachmenschentum hat er unwillkürlich und beharrlich sabotiert. Ihn belohnte eine helle Erfahrenheit, um die jeder Romancier ihn hätte beneiden können, und sie ist nicht zuletzt seinen Autoren zugute gekommen. Literarisch höchst sensibel, stand er zugleich quer zu den immanenten Maßstäben der Literatur, zu den Spielregeln, und reagierte darum primär und unabhängig, ohne Rücksicht auf Standards, welche die Qualität deckten. Er ist damit, wie man so sagt, für seine Autoren kein bequemer Verleger gewesen. Unbeirrbar spürte er die Schwäche eines jeden heraus, wandte auch die darin liegende Macht an. Aber er hat sie niemals dazu mißbraucht, zu Konzessionen zu verleiten, zu dämpfen, nie auf welchen Umwegen auch immer der Produktion gegenüber die Partei des Marktes ergriffen. Sondern er hat, schroff zuweilen, gegen den Autor diesen selbst vertreten, ihn veranlaßt, dem eigenen Potential, unabgelenkt von der eigenen Schwäche, nachzukommen. Vielleicht war es sein Geheimnis – niemals sprach er davon –, daß der heute zum äußersten bedrohte Kontakt zwischen dem sich selbst verantwortlichen Buch und seinen Lesern nicht durch Anpassung hergestellt werden kann, einzig durch gesteigerte Verantwortung hindurch. Zwischen dem Buch und dem Leser gibt es, im Zeitalter sogenannter Kommunikationsforschung, keine Kommunikation mehr, sondern bloß noch den Funken zwischen den Extremen, die Berührung im Schock. Suhrkamp, der Verleger, hat in die Praxis übersetzt, daß kein Allgemeines mehr möglich ist, es sei denn inmitten des selbstvergessenen Besonderen.

Peter Suhrkamps Leistung war paradox: Unverkäufliches verkaufen, dem den Erfolg finden, das ihn nicht sucht, das Fremde ins Nahe wenden. Diese Leistung konnte nur gelingen um ihrer verborgenen objektiven Bedingung willen: daß heute, was den Menschen fremd dünkt, das ist, was ihnen zum Laut verhilft, und daß sie das Entfremdete, Verdinglichte, das sie selber zu Dingen herabsetzt, als das Nahe verkennen. Mit List hat er getrachtet, diesen Schein zu durchbrechen und die auf den Kopf gestellte Wahrheit im Verhältnis von Sache und Rezeption wiederherzustellen. Kompromißlos steuerte er hindurch zwischen dem über die ganze Welt sich ausbreitenden Typus des Massenverlags, der das eigene Interesse hinter der Nachfrage des Konsumenten verschanzt, und der Haltung der intransigenten Avantgarde, die vorweg der Öffentlichkeit und Wirkung gegenüber resigniert und damit tendenziell, ohne ihren Willen, der Arbeitsteilung wiederum sich unterwirft, sich zur Branche macht. Der eingefrorenen Alternative hat er nicht pariert; hat bewiesen, daß heute noch die Spontaneität eines Einzelnen gesellschaftlich Unmögliches ermöglichen kann. Das Modell, das er damit aufrichtete, überragt weit alles Einzelne, das selbst er vollbrachte. Gesichert durch den Bestand einiger großen Autorennamen hat er in kalkuliertem Risiko anderen, verlegerisch Exponierten ihre Autorität erwirkt durch Einsatz der eigenen. So dem Werk von Benjamin, das er nach abenteuerreicher Vorgeschichte so publizierte, daß es aus der deutschen Philosophie nicht mehr getilgt werden kann. Auch von dem Unstern, der über den früheren Versuchen stand, Proust in Deutschland durchzusetzen, hat er sich nicht abschrecken lassen, und es ist ihm gelungen.

Am 28. März wurde er achtundsechzig Jahre alt. Er bat die erreichbaren Freunde zu sich, um Abschied zu nehmen. Obwohl die Ärzte ihr Verdikt bereits gesprochen hatten, schien er kein dem Tod Verfallener. Zwar sprach er von furchtbaren Ängsten, wie sie wohl den Chthonischen am Ende ergreifen. Sie hefteten sich vor allem an das helle, angenehme Zimmer, in dem er kaum mehr atmen konnte, aber er berichtete auch, höchst detachiert wie von etwas Bemerkenswertem, daß er sich fühle, wie wenn er lebendig in ein Bild eingelassen wäre und doch er selber. Doch schien er die Versicherung, er sei überm Berg, zu glauben, diskutierte sogar Pläne, darunter einen, der sich auf seine Übersiedlung in ein ihm vertrautes Sanatorium bezog. Wir tranken noch zusammen. Plötzlich, nach vielleicht einer Viertelstunde, bat er uns, unter freundlichen Entschuldigungen, zu gehen. Dann überflutete ihn Güte. Das letzte, was wir von ihm hörten: »Es war gut, euch noch einmal gesehen zu haben.« So klar war er, daß die quälende Krankheit als ein ihm durchaus Äußerliches erschien, das kaum mit ihm selber zu tun hatte. Unvorstellbar, daß er, an den der eigene Tod nicht heranreichte und der ihn in seinen Geist noch aufnahm, nicht mehr da sein soll. Daß man aber den Tod des gänzlich Bewußten nicht nachzuvollziehen vermag, sagt wohl, daß man überhaupt nicht den eines sehr nahen Menschen realisieren kann. Nichts anderes ist Treue.

1959

Zum 11. Oktober 1959

Lassen Sie mich in Ihrem Kreis ein paar Worte zum Gedächtnis von Peter Suhrkamp sagen. An dem Tag, den er mit Ihnen, den Buchhändlern, verbrachte, war ich stets eingeladen, und ich habe bei diesen Gelegenheiten einen Kontakt gewonnen, der uns Autoren vielfach abgeht; Kontakt mit Ihnen, die, was wir uns aushecken, in die Hände der Menschen bringen, in die derer, die es wollen, und derer – das ist für uns beinahe wichtiger –, die es nicht wollen. An diesen Zusammenkünften hat unser gestorbener Freund große Freude gehabt; sie machten ihm aber auch, wie ich Ihnen heute verraten darf, physisch die größte Mühe; er fand es schon seit Jahren fast unmöglich, inmitten des Rauchs zu atmen. Wir haben uns dann regelmäßig in irgendein Zimmerchen zurückgezogen und einen Kognak, oder mehrere, miteinander getrunken. Das Opfer, das der Schwerkranke auf sich nahm, um mit Ihnen zusammensein zu können, mag Ihnen beweisen, wie sehr er sich mit Ihrem Kreis verbunden fühlte, weit über das bloße Geschäftsinteresse hinaus. Ich zweifle nicht daran, daß auch Sie alle an dem Toten etwas gespürt

haben, was anders war und mehr als die praktischen Interessen. Er hat in Ihnen die geistigen Menschen gesucht, und gefunden.
Der Beruf des Buchhändlers hat ja etwas Paradoxes: das als Ware zu vertreiben, was, als Geist, der sich nicht einfügt, es nicht ist, und es doch ist. Nur als geistige Menschen sind Sie zu dieser Paradoxie befähigt. Auch die Autoren haben an ihr teil, die ja beides in eins sind, nach Benjamins Wort: Produzenten, nämlich für den Markt, und solche, die versuchen, ohne Konzession auszudrücken, wozu sie sich bestimmt fühlen. In dem Verleger Suhrkamp nun, der zwischen Ihnen und uns Autoren stand, hat diese Paradoxie zum Äußersten sich verdichtet. Er wollte den Erfolg auf dem Markt nicht durch Anpassung an ihn sondern durch Widerstand; und anders ist wohl heute eine menschenwürdige Beziehung zwischen dem Geist und dem Konsum überhaupt nicht vorzustellen. Er wußte sehr wohl, daß der Schornstein rauchen muß, aber der Rauch war ihm lieber als der Schornstein. Mit einem Realitätssinn ohnegleichen hat er die Chancen dessen wahrgenommen, was keine Chancen hat; mit einem Starrsinn, den nur der recht zu lieben vermag, der weiß, welcher bedeutenden Intention er diente, hat er zu der Integrität des Werkes, im Widerspruch zu seiner Marktgängigkeit, gestanden. Es gab aber eine Qualität in ihm, in der solche Widersprüche sich versöhnen ließen. Das war die handwerkliche, die Sorge um die schöne, gediegene und sachgerechte Gestaltung der Bücher, die er herausbrachte. Ihre Form hat er jeweils, soweit es ihm nur möglich war, aus dem Buch selbst heraus zu entwickeln getrachtet. Das physisch, materiell Wohlgeratene seiner Bücher hat sicherlich nicht wenig zu ihrem Erfolg beigetragen. Mit Recht. Denn heute hat das Buch, gegenüber all den anderen Erscheinungsformen des Geistes, die sich Medien der Kommunikation nennen, für sich als Form, auch als innere, eben jenen Gedanken des handwerklich Dauernden anzumelden, der sonst in der Welt abstirbt. Er ist aber dem Buch nicht äußerlich, keine kunstgewerbliche Zutat, sondern ihm selbst wesentlich. In den Essays über Kunst von Valéry, die in der Bibliothek Suhrkamp gerade herausgekommen sind, findet sich eine Art ästhetischer Interpretation des graphischen Bildes von Büchern; und so gehört alles, was am Buch sinnliche Erscheinung ist, zur Sache selbst, die ja Wesen wird nur als erscheinende. Vom Verleger Suhrkamp ist ein Moment nicht weg-

zudenken, das ihn auch als Schriftsteller bezeichnet. Der Maßstab der Konkretion, eine leidenschaftliche Verfallenheit an den Stoff und seine Disziplin. Man könnte wohl darüber spekulieren, ob nicht eben diese schwer zu fassende Idee der Konkretion das ist, was die divergenten Autoren vereint, die Suhrkamp unter einen Hut zu bringen vermochte. Niemand aber hat mit solcher Konkretion mehr Tuchfühlung als Sie, die Sie die Bücher in Ihren Händen halten, sie nicht nur mit den Augen sondern mit dem Tastsinn kennen, die Konsistenz der Einbände, die Dauerhaftigkeit der Rückenschilder, die Qualität des Papiers prüfen. Kaum ein Verleger hätte mit Ihnen darin so gut und wortlos sich verstanden wie Suhrkamp. Von dieser zarten Sorge für den Stoff haben aber wir Schreibenden erst recht alles zu lernen. Wenn wir jetzt an den Toten denken, ohne den wir uns heute nicht zusammenfänden, so geschieht es im Namen jener Konkretion. Denn nirgendwo als in ihr hat die Utopie, welche der Geist meint, eine Zuflucht.

Über H. G. Adler

Was mich an Adler am meisten beeindruckt, ist die Kraft, mit der er Bedingungen, die es schlechterdings unmöglich erscheinen ließen, sein Werk über Theresienstadt* abzwang. Es übersteigt das Maß des Vorstellbaren, daß ein zarter und sensibler Mensch seiner selbst geistig mächtig bleibt und zur Objektivation fähig in der organisierten Hölle, deren eingestandener Zweck die Zerstörung des Selbst, noch vor der physischen Vernichtung, ist. Solche Kraft ist von jeder krud vitalen, vom plumpen Selbsterhaltungswillen überaus verschieden. Vielleicht setzt sie sogar eben die Zartheit voraus, die, nach oberflächlicher Meinung, am ehesten erliegen müßte; ein Sensorium, dem Brutalität und Unrecht so unerträglich sind, daß es noch in extremis die Verpflichtung spürt, dort, wo nichts mehr sich ändern läßt, wenigstens das Gedächtnis zu bewahren, das Unsägliche zu sagen, und damit den Opfern die Treue zu halten. Es mag aber auch in Adler etwas vom jüdisch-brüderlichen Widerspruchsgeist zu einer Reaktionsform geworden sein, die sich weigert, das Unausweichliche zu akzeptieren, und aus dieser Weigerung das Vermögen zieht, nicht nur doch auszuweichen, sondern auch von dem zu zeugen, was ohne solchen Widerspruchsgeist wahrhaft total triumphierte. Die Konstellation des Zarten und des Resistenten ist bei Adler zum moralischen Agens, zur Kantischen ›Nötigung‹ geworden, und dafür gebührt ihm nicht nur die Dankbarkeit derer, für die er stellvertretend geschrieben hat, sondern auch die ungetrübte Bewunderung solcher, die glauben, daß sie es ihm darin nicht gleichtun könnten.

1965

* *Vgl. H. G. Adler, Theresienstadt 1941-1945. Das Antlitz einer Zwangsgemeinschaft. Geschichte, Soziologie, Psychologie. Tübingen 1955.*

Gegen den Muff*

Auf Grund einer genauen Kenntnis des Werkes von Elias Canetti, und zwar des sehr bedeutenden wissenschaftlichen (»Masse und Macht«) ebenso wie des dichterischen (das Hauptwerk ist »Die Blendung«) halte ich jede lüsterne, auf Verletzung der Scham abzielende oder auf Geschäfte mit Obszönität gerichtete Absicht bei Canetti für so völlig ausgeschlossen, daß der bloße Versuch, der ihn mit derartigen Dingen in Zusammenhang bringt, den Charakter des Lächerlichen trägt. Ich bin in dieser Überzeugung durch meine gründliche, wiederholte Lektüre des Dramas »Hochzeit« bestärkt worden. Das vor mehr als dreißig Jahren entstandene Stück, das allein schon als ein literarhistorisches Mittelglied zwischen dem damals abgeklungenen deutschen Expressionismus und dem gegenwärtigen sogenannten absurden Theater größtes Interesse verdient, ist, wenn irgendetwas anderes als ein reines Kunstwerk, dann von einer fast moralisierenden, im übrigen gänzlich unzweideutig hervortretenden Absicht. Der Inhalt der Handlung ist eine Hochzeitsfeier, in der nicht nur die Personen in offenbarem Widerspruch zu ihren offiziellen Gefühlen handeln, sondern von Gier, der nach Eigentum (einem Haus) und der sexuellen, die weder eine Schwachsinnige noch ein Kind respektiert, blind beherrscht werden. Das Treiben zwischen ihnen wird als ein Pandämonium vorgestellt, das gleichsam von innen her nach außen Gestalt gewinnt in dem physischen Zusammenbruch des Hauses, das alle in den Schuldzusammenhang Verstrickten unter sich begräbt. Gerade auf den sogenannten naiven Zuschauer, an den ja bei derlei Beschwerden

* *Nach der Uraufführung von Canettis »Hochzeit« am 3. 11. 1965 in Braunschweig erstattete ein Anonymus Strafanzeige »wegen Erregung geschlechtlichen Ärgernisses« gegen den Intendanten des Staatstheaters Braunschweig und gegen den Regisseur der Aufführung; Adorno wurde von der Dramaturgie des Theaters um eine Stellungnahme gebeten. – Der Wortlaut der Anzeige, auf den Adorno sich bezieht, findet sich in der »Neuen Braunschweiger« vom 12./13. 11. 1965 abgedruckt.*

gedacht wird, kann das Stück schlechterdings keinen anderen Eindruck hervorrufen als den, daß über eine Art Sodom und Gomorrha ein Strafgericht ergeht. Es finden sich auch nicht die entferntesten Züge, die auf eine Identifikation, sei's des Autors, sei's der Zuschauer, mit den dargestellten Vorgängen hindeuten; diese sind in den abschreckendsten Farben gehalten. Selbstverständlich muß das auch in der Aufführung unmißverständlich sich gezeigt haben. Wer an diesem Stück Ärgernis genommen hat, der muß schon gekommen sein, um Ärgernis zu nehmen.
In diesem Zusammenhang mögen einige Worte über den Brief des anonymen Denunzianten angemessen sein. Mit der Unterstellung, daß eine Kulturdiktatur – im Sinn der Moderne – bei uns herrsche, während doch gerade künstlerisch nicht konformistische Stücke immer wieder der Diffamierung begegnen, läßt er jenen Projektionsmechanismus erkennen, der für Rechtsradikale, für autoritätsgebundene Persönlichkeiten so überaus bezeichnend ist. Ebenso ist die Unterstellung, daß der Denunziant, wenn er seinen Namen nennte, »Repressalien« zu befürchten hätte, die seine »körperliche Integrität unmittelbar gefährden könnten«, eine unverkennbare Verkehrung des Sachverhalts. Repressalien haben im allgemeinen Menschen zu befürchten, die den konventionellen Anschauungen zuwider handeln, so wie jüngst Grass oder Silex, zu schweigen von den Düsseldorfer Bücherverbrennungen. Wer sich so verhält wie der Anonymus, wird des Beifalls gerade derer sicher sein, die zum Terrorismus neigen. Dieser Zusammenhang verweist auf den Kern der Angelegenheit: hier geht es, mit der Moral als nichtigem Vorwand (weil nämlich keinerlei Verletzung der Moral, nicht einmal der konventionellen, vorliegt), in Wahrheit um die moderne Kunst. Wem es mit dem Grundgesetz ernst ist, das die Freiheit der Kunst ausdrücklich garantiert, müßte mit aller Energie derartigen Versuchen widerstehen. Es wäre ein unerträglicher Zustand, wenn in kleineren deutschen Städten in ästhetischen Fragen Grundsätze proklamiert würden, die, als zurückgeblieben und unwahrhaftig durchschaut, in großen Städten zwar keine Repressalien, aber Gelächter provozieren müßten.

1965

Gleichwohl

In der Wochenzeitschrift »TV Hören und Sehen« vom 20. August 1966 stehen, aus Anlaß einer Stuttgarter Rundfunksendung, ein paar Sätze über García Lorca. Darüber könnte man sich, eben erst einigen »Klatsch und Musik« überschriebenen Spalten entronnen, in denen das Wort Texter nicht fehlt, freuen, wofern einem nicht die Freude durch die Nachbarschaft mit jenen Spalten verekelt wird. Dann aber liest man: »Obgleich Lorca sich nie aktiv politisch betätigte, war sein politisches Engagement doch für ihn verhängnisvoll. Nach Beginn des spanischen Bürgerkrieges wurde er verhaftet und in Viznar 1936 von der falangefreundlichen ›Guardia Civil‹ erschossen. Gleichwohl gilt er als einer der bedeutendsten spanischen Dichter.« Die Logik, nach der aktive politische Betätigung verleugnet und politisches Engagement bestätigt wird, ist allenfalls ein Nachbild des Denkbereichs »Klatsch und Musik«. Ein Ende jedoch hat die Toleranz dort, wo berichtet wird, der als politisch-unpolitisch Bezeichnete sei von den Falangisten oder ihren Helfershelfern erschossen worden, und, unmittelbar im Anschluß daran, konstatiert, *gleichwohl* gelte Lorca als einer der bedeutendsten spanischen Dichter. Man könnte glauben, es sei an Spanien gedacht, wo das Regime, dessen Banden den Dichter ermordeten, immer noch amtiert und ein Interesse daran haben mag, den weltweiten Ruhm Lorcas zu unterdrücken. Aber es ist nicht von Spanien die Rede, sondern von Lorcas Geltung schlechthin, wohl auch der hierzulande. Man muß also annehmen, die Tatsache, daß einer der bedeutendsten Künstler der Epoche von Faschisten umgebracht wurde, und zwar selbst nach den Maßstäben jenes Berichtes unschuldigerweise, reiche aus, ihn so verdächtig zu machen, daß man nur verlogen, entschuldigend gleichsam, seine Bedeutung zugestehen darf, indem man seinen Erfolg als Maßstab anerkennt. Dergleichen darf in einer ungemein verbreiteten Programmzeitschrift erscheinen, und offenbar stößt niemand sich daran. Das sagt womöglich noch mehr über das in Deutschland sich ausbreitende politische Klima als die undurchsichtigsten Vorgänge der hohen Politik. An Opfer des Faschismus darf nur so gedacht werden, als wären sie die Verbrecher, von denen sie getötet wurden; sonst wäre nicht nur Herr Franco beleidigt sondern auch das bedrohlich gesundende einheimische Volksempfinden. Wahrhaft bedarf es keiner gefälschten Photographien, um einen Ungeist zu denunzieren, dem, besorgt um ihre Auflage, gutbürgerliche Halbillustrierte sich beugen.

1966

Zu Ludwig von Fickers Aufsätzen und Reden*

Den Aufsätzen und Reden Ludwig von Fickers eigene Worte voranzustellen, kommt mir nicht recht zu. Ich durfte den im höchsten Alter Verstorbenen nicht mehr selbst kennenlernen, obwohl während der letzten Jahre, dank einer gemeinsamen Freundin, brieflicher Kontakt sich hergestellt hatte. Seine und meine Position – ein recht kruder Begriff – waren weit voneinander entfernt. Fickers Katholizismus, der wie ein selbstverständlicher Äther jeden Satz durchdringt, den er geschrieben hat, ist mit dem, was ich zu denken suche, unvereinbar. Trotzdem fühlte ich zu Ficker so viel Sympathie, daß ich vielleicht keine Grenze überschreite, wenn ich etwas über ihn sage. Sein Name, und der »Brenner«, sind mir seit frühester Jugend vertraut; ich habe gewußt, daß er einer der wenigen Freunde Trakls war, ohne den ich mir meine geistige Existenz nicht vorstellen kann; auch sein Verhältnis zu Karl Kraus war mir gegenwärtig. Vor allem jedoch habe ich in jeder Äußerung von ihm, und in seiner gesamten Haltung, etwas gespürt, auf das ich ansprach, ohne daß dadurch die Gegensätze sich verwischt hätten. Gerade das, eine Gemeinsamkeit von Extremen, die keiner mittleren Toleranz bedarf, ja sie ausschließt, zog mich zu ihm hin. Es läßt sich das kaum auf einen allgemeinen und vagen Begriff von Humanität abdestillieren.

Bemüht, es auszudrücken, erinnere ich mich an eine Formulierung Benjamins über Nietzsches Freund Overbeck: »Solche Männer, in denen man oft nur eine Art wohlmeinender Helfer, wenn nicht gar Interessenvertreter gesehen hat, sind unendlich viel mehr: Repräsentanten einer einsichtsvolleren Nachwelt. Sooft sie auch die primitivste Sorge für jene übernehmen, deren Rang sie ein für alle Mal erkannten, niemals übertreten sie die Schranken, die sie als Stellver-

* *Vgl. Ludwig von Ficker, Denkzettel und Danksagungen. Aufsätze, Reden. Hrsg. von Franz Seyr. München 1967.*

treter zu wahren haben.« Zu diesen Gestalten rechnet Ficker. Er hat mit einer Hellsicht und Unbeirrtheit, die ihresgleichen sucht, Menschen sich ausgewählt, deren Wesen mit dem Bestehenden zusammenstieß und deren Kraft darüber hinauswies; Stärkere und Schwächere in eins. Zu ihren Lebzeiten hat er an ihnen etwas von dem gutgemacht, was das Bestehende, und die Unversöhnlichkeit ihres Naturells mit dessen Spielregeln, ihnen antat. So tief ließ er davon sich leiten, daß er unbekümmert ums eigene Schicksal, vermöge seiner gegenwärtigen Hingabe ans Potential von Zukunft, selbst die Härte und Kälte des Bestehenden auf sich nahm; der Vornehme hat darüber kein Wort verloren. Inspiriert war er von dem, wofür Kraus die Verse fand: »Nichts ist wahr / und möglich, daß sich Anderes ereignet.« Das trug ihn über alle Enge und Armseligkeit, über allen Provinzialismus hinweg. Ein utopischer Impuls lebte in ihm, um so großartiger, als er inmitten einer Ordnung sich regte, die seiner Entfaltung nicht günstig zu sein pflegt, und die er gleichwohl als substantiell empfand. Er hatte die Fähigkeit der Erweiterung inmitten seiner Bestimmtheit. Vieles an dem Protestanten Trakl, in dessen Lyrik die katholische Kulturlandschaft gleichwie nach einer Explosion sich darstellt, muß ihm fremd gewesen sein und vollends die Strenge von Kraus, die kein gestuft Vermittelndes duldet. Aber Ficker hat das ihm Konträre um seiner Wahrheit willen unwillkürlich sich zugeeignet.

Mir wurde das mich selbst erstaunende und tröstliche Glück zuteil, stets wieder nahe Berührung zu Trägern jener Überlieferung zu finden, die ich aus innerem Zwang kündigen mußte. Am Namen Fickers haftet eine der spätesten und eindringlichsten Erfahrungen dieser Art: die eines traditional fühlenden Menschen, der, weil ihm verbindlich ist, was die Tradition an Formen und Normen ihm zuträgt, darüber sich erhebt und in vielem einem erst sich bildenden Besseren reiner hilft als der unverdrossene, seiner selbst sichere Fortschritt. Wenige wüßte ich, in denen Gewesenes und Hoffnung so innig sich durchdrungen hätten; wer will, daß es anders werde, muß wollen, daß es weiter seinesgleichen gebe. Darum ist die Herausgabe seiner Aufsätze und Reden mehr als der Dank an den Selbstvergessenen: ein Stück emphatischer Erinnerung im Zeitalter universalen Erinnerungsverlusts. Er bringt dem gegenwärtigen Bewußtsein ein Moment zu, dessen es erst recht bedarf angesichts der Unwiederbringlichkeit des Vergangenen: aktuell um seiner Unaktualität willen.

1967

Keine Würdigung

Mich drängt es, zum fünfzigsten Geburtstag Heinrich Bölls Eines zu sagen – mehr zu sagen vermag ich, leider, im Augenblick nicht. Böll ist einer der erfolgreichsten deutschen Prosaschriftsteller seiner Generation, von internationalem Ruf. Er gilt zugleich, seit seinen Anfängen, als fortschrittlich; keiner wird ihn retrospektiv-kulturkonservativer Gesinnung bezichtigt haben. Und er ist aktiver, praktizierender Katholik. Die Konstellation dieser nicht leicht versöhnbaren Momente hätte ihn vorbestimmt zum offiziellen deutschen Dichter, zu dem, was man repräsentativ nennt. Man hätte ihn beschlagnahmt als Zeugen für den bestehenden Zustand, ohne daß er sich als dessen Ideologen verdächtig gemacht hätte und damit wiederum der herrschenden Ideologie Abtrag getan. Die allgemeine Billigung hätte, bei seiner Modernität, nicht dem Verdacht des Reaktionären sich ausgesetzt; man hätte an seinem Engagement ethisch sich wärmen können und hätte dennoch, angesichts seiner Kirchentreue, wenig riskiert. Ihn feierlich zu approbieren, wäre von Festrednern mit Tiraden über die echte Bindung zu vereinen gewesen. Der Lockung alles dessen zu widerstehen, bedarf es, wie sehr sie auch Ironie herausfordert, außerordentlicher geistig-moralischer Kraft. Böll hat sie aufgebracht. Die Trauben hingen ihm nicht zu hoch: er hat sie ausgespuckt. Mit einer in Deutschland wahrhaft beispiellosen Freiheit hat er den Stand des Ungedeckten und Einsamen dem jubelnden Einverständnis vorgezogen, das schmähliches Mißverständnis wäre. Dabei hat er sich mit allgemeinen Deklarationen über die Schlechtigkeit der Welt, oder mit der Bekundung jener Reinheit, welche keinen Schmutz anfaßt, nicht begnügt. Er hat dort zugeschlagen, wo es weh tut: dem Schlechten, das er mit den krassesten Namen bedachte, und ihm selbst, der solche Namen für das wählen mußte, womit er ursprünglich identifiziert war. So ist er wirklich zum geistigen Repräsentanten des Volkes geworden, in dessen Sprache er schreibt, während er, hätte er solche Repräsentanz von sich aus übernommen, sie verraten hätte. Kein Jasager und Apologet wird sich auf ihn als leuchtendes Beispiel berufen dürfen; deshalb ist er Beispiel. Es hätte nur einer Geste, nur eines unmerklichen Tons sogenannter Positivität bedurft, und er wäre der poeta laureatus geworden. Vielleicht hat er nicht einmal mit ganzem Bewußtsein dem sich versagt sondern, weit triftiger, kraft seiner Weise des Reagierens, aus purem Ekel, unfähig zum Mitspielen, wenn dazu ein Mindestmaß an Konzilianz, auch nur edler Tonfall ausgereicht hätte. Indem er nicht zum offiziellen Dichter sich hergab, ist er das geworden, was durchs offizielle Lob bloß erniedrigt wird. Ausgebrochen ist er aus jener abscheulichen deutschen Tradition, welche die geistige Leistung ihrem affirmativen Wesen gleichsetzt. Meine Phantasie ist exakt genug, daß ich mir vorstellen kann, welches Maß an Feindschaft und Rancune er damit auf sich lenkte; einem Menschen seiner Empfindlichkeit muß es kaum erträglich sein. Seit Karl Kraus hat es nichts dergleichen unter deutschen Schriftstellern gegeben. Dem Ausdruck dankbarer Bewunderung füge ich den Wunsch hinzu, die Kraft, die ihn inspirierte, möchte ihn auch vor dem Leiden beschützen, das sein Handeln ihm einträgt, und ihm soviel Glück verschaffen, wie es möglich ist in einem Gesamtzustand, in dem alles individuelle Glück zum Hohn wurde. Hätte einer ein Anrecht darauf, so wäre es Heinrich Böll.

1967

Othmar H. Sterzinger, Grundlinien der Kunstpsychologie. Band I: Die Sinnenwelt. Graz, Wien, Leipzig: Lyckham-Verlag 1938.

Der Ausdruck »Kunstgenuß« hat heute den Klang des rührend Philiströsen und schrullenhaft Behaglichen angenommen: man kann sich ihn kaum anders mehr denn als Reimwort aus Wilhelm Busch vorstellen. Die kontemplative Beziehung zwischen dem Kunstwerk und seinem seßhaften Betrachter ist so von Grund auf verstört, daß ihre begriffliche Erörterung der Komik verfällt; einer Komik, der der Ärger beigemischt sein mag darüber, daß Kunst eben nicht mehr sich genießen läßt. Das Buch von Sterzinger, »den Freunden der Künste« gewidmet, ist von solchem Schlage. Alles, was der bürgerliche Haushalt des Schönen an Gütern von der Küche bis zum Salon enthält, wird darin durchprobiert und durchgemustert. Die leersten formalistischen Aussagen konvenieren mit den blindesten Anschauungen vom konkreten Kunstwerk. Zu jenen rechnet etwa eine psychologische Charakterisierung der musikalischen Intervalle als solcher, von der Art: »Die Quart ist die Gebärde des Willens«, oder ein Exkurs über die »anschauliche Zahl«: »Mit der Eins sind aber auch allerhand Gefühlswerte und Vorstellungen verknüpft. Was nur in einem Exemplar vorhanden ist oder vorgezeigt wird, gewinnt an Interesse und Bedeutung, kann die Aufmerksamkeit ungeteilt auf sich ziehen und absorbieren; oft ist das, was gewöhnlich nur in einem Stück erblickt wird, auch groß, und infolgedessen sprechen dann auch die mit dem Größeneindruck verbundenen Gefühle und Wertungen leicht an.« – Sterzingers künstlerische Erfahrung manifestiert sich in Weisheiten wie dieser: »Daß auch die Erwachsenen weißer Rasse die ästhetischen Werte der Kleinheit zu schätzen wissen, zeigen nicht nur die verschiedenen Miniaturen der bildenden Kunst, die Nippes, sondern auch die Pflege der Skizze, des Aphorismus, der Ballade in der Literatur, des Melodramas, der Suite in der Musik.« Daß in der Kunst das Phänomen und die Geschichte etwas Wesentliches miteinander zu tun haben könnten, kommt dieser Art Ästhetik nicht bei: »Michelangelo forciert die Sache nicht so wie die Modernen, aber seine plastische Veranlagung bricht überall durch.« Von den »Geschlechtsempfindungen« heißt es tiefsinnig: »Sie können verhältnismäßig isoliert auftreten, etwa bei den Selbstbefriedigungen.« Man glaubt danach dem Autor gern das Bekenntnis: »So tat ich während meiner Hochschulzeit den Ausspruch, man könnte mir von 8 bis 10 Uhr abends ohne Unterbrechung den Marsch ›Auf, in den Kampf, Torero!‹ vorspielen, ich könnte mich daran nicht satt genug hören. Diese Art des Genusses an der Wiederholung verlangt die identische.« Jetzt ist er, der Angabe des Titelblattes zufolge, außerordentlicher Professor an der Universität Graz.

1938

Donald Brinkmann, Natur und Kunst. Zürich, Leipzig: Rascher 1938.

Brinkmann erhebt den Anspruch, den »ästhetischen Gegenstand« als einen sui generis, als »intentionales Objekt eines ästhetischen Erlebens« aufzuweisen. Die Methode bezeichnet sich als phänomenologisch und ist an Husserl orientiert. Das eigentümlich Phänomenologische wird in der Wendung gegen die Immanenzphilosophie (»Bewußtseinsinhaltstheorie«) und in der angeblich durch diese Wendung bezeugten antimechanistischen Gesinnung gesehen. Wenn dem mechanistischen Denken wie der Hydra die abgeschlagenen Köpfe nachwachsen, so wachsen zugleich der gepflegten Philosophie stets wieder die stumpfen Schwerter nach, mit denen sie jenen Köpfen zuleibe rücken kann, um ihre eigene Daseinsnotwendigkeit zu demonstrieren. Immerhin ist sie nicht mehr gepflegt genug, um in der selbstgewählten Ausgangsposition sich auszukennen. Husserl hatte die phänomenologische Einstellung »widernatürlich« genannt und im ausdrücklichen Gegensatz zur »natürlichen« entwickelt. Bei Brinkmann wird daraus das Gegenteil. Er übernimmt von Husserl in Wahrheit bloß die Gestik des »Zu den Sachen« und die Akt-Gegenstand-Theorie und ersetzt im übrigen die phänomenologische ἐποχή durch zugestandenen naiven Realismus. Die Haltung des Phänomenologen selber wird »natürlich«: sie wird leger. Es ist ein Denken, das vorab den Ehrgeiz hat, Anstrengungen zu vermeiden. Das Husserlsche Sich-weich-machen degeneriert zu jener Art des Entspannten und Gelockerten, die aus der rhythmischen Gymnastik geläufig ist.

Das Ideal dieser Haltung wird von Brinkmanns Auffassung vom ästhetischen Gegenstand selber reflektiert. Er wird herauspräpariert durch Abgrenzungen von den jeweiligen »Gegenständen« des praktischen Verhaltens, der Wahrnehmung und der Erkenntnis. Diese Abgrenzungen lassen sich auf die These reduzieren, der ästhetische Gegenstand sei der, welcher in dem Akt, in dem er zur

Gegebenheit kommt, keinen Widerstand setzt. So mag ein Bildungsreisender die Kunst sich vorstellen, der, den Cicerone in der Hand, die Uffizien erledigt. Jede eingreifende Erfahrung widerspricht ihm. Von Schönbergs Werken aus der expressionistischen Phase schrieb 1912 Karl Linke, daß sie »sich sträuben, wenn man sie anfassen will«. Ihr Stachel ist ihre Wahrheit; das widerstandslose Werk aber ist das akzeptierte in seiner Ohnmacht. Die angebliche Unvoreingenommenheit enthüllt sich als die des Einverstandenen. Der essentiell kritische Gehalt des Kunstwerks als Kunstwerk bliebe bei Brinkmann von dessen universaler Charakteristik ausgeschlossen.

Die positiven Thesen, die über jene von der Widerstandslosigkeit hinausgehen, sind äußerst dünn. In probat akademischer Manier wird die traditionelle Lehre vom ästhetischen Schein umständlich kritisiert und dann substituiert durch den mit ihr wesentlich übereinkommenden Satz, der ästhetische Gegenstand sei »kein leibhaftig wirklicher, sondern ein bildhaftiger Gegenstand«. Echte Schwierigkeiten werden der Unvoreingenommenheit bequem zu »Scheinproblemen«: »Stellt man sich jedoch entschieden auf den Boden der kritisch phänomenologischen Reflexion, so löst sich das Problem zwanglos: Der ästhetische Gegenstand ursprünglichen ästhetischen Erlebens besitzt weder Form noch Inhalt, sondern ist eben von vornherein Gegenstand«. Von je hat sentimentale Ohnmacht in der ästhetischen Theorie ihr Glück daran gefunden, die Dialektik von Form und Inhalt zu verleugnen. Früher bemühte man dazu spekulativ das Symbolische. Heute bescheidet man sich dabei, mit der Tautologie, Gegenstand sei Gegenstand, die Überlegung abzuschneiden.

Ein Schlußabschnitt, »die ästhetischen Gegenstände«, sucht die magere Charakteristik des ästhetischen Gegenstandes aufzufüllen, indem dieser vom Kunstwerk unterschieden wird, dem einige der Bestimmungen zufallen, die dem ästhetischen Gegenstand zwecks höherer Reinheit entzogen waren. Hier bietet sich dann, nach hundert Seiten, endlich Gelegenheit zu jener Identifikation mit Heidegger oder wenigstens einigen seiner Termini, die kein vorsichtiger Philosoph mit Sinn fürs Höhere zu unterlassen für ratsam hält.

Am Ende resigniert die ganze kritische Phänomenologie. Sie will nichts mit Kritik zu tun haben. Zwar, traurig genug: »Auch eine phänomenologische Ästhetik wird sich selbstverständlich mit dem

Kunstwerk beschäftigen müssen. Im Gegensatz zu aller traditionellen Ästhetik wird sie aber von vorneherein betonen, daß sie gegenüber dem Kunstschaffen des Künstlers keinerlei Ansprüche erhebt«.

Das Buch kann als Anzeichen dafür genommen werden, daß die Verarmung und Deformierung des Denkens sich nicht in den Landesgrenzen des Reiches hält, die offenbar den draußen Lebenden intellektuell so wenig Sicherheit mehr bieten wie politisch. Das Denken wird nicht bloß von oben verboten. Sondern die Berufsdenker müssen Instanzen ausbilden, mit denen sie es sich selber verbieten. Die gemeinsame Sprache ist nicht länger ein Medium der Kommunikation, sondern eines der Ansteckung.

1940

Physiognomik der Stimme

Das Buch von Paul Moses[1] hält mehr, als es verspricht. Es tritt auf als eine fachärztliche Untersuchung über den Zusammenhang zwischen den Stimmfunktionen beim Sprechen und Singen und seelischen Erkrankungen, den Neurosen und Psychosen, die übrigens Moses, seinen spezifischen Beobachtungen vertrauend, strikter auseinanderhält, als es sonst in der heutigen Psychopathologie üblich ist. Er deutet Stimmphänomene als Ausdruck unbewußter Konflikte und betrachtet Stimmschwierigkeiten vom Schlage der Heiserkeit oder des Flüsterns mehr oder minder psychotherapeutisch, hofft aber auch umgekehrt dem Psychischen durch Stimmbehandlung beizukommen. Absehbar jedoch wird nicht weniger als die Konzeption einer Physiognomik der Stimme. Das Verständnis von Krankheit hilft wie insgesamt in der Psychoanalyse, deren Methode Moses am nächsten sich fühlt, das zu begreifen, was unterm Namen des Normalen geht.
Moses ist in ein bislang, mit ganz wenigen Ausnahmen wie Karl Bühler und Otto Iro, auffällig vernachlässigtes Bereich der Ausdruckswissenschaft eingedrungen. Vor analogen Bestrebungen wie der Graphologie hat die Physiognomik der Stimme nicht nur den Vorzug, daß sie eine noch nicht mit Interpretationskategorien überbesetzte, abgegraste und abgegriffene Schicht trifft, sondern auch den weit größerer Unmittelbarkeit der zu erschließenden Phänomene selber und ihres von Moses (S. 92) hervorgehobenen dynamischen Charakters. Mag immer die Stimme ähnlich eine Resultante aus Sprech- oder Singkonventionen und individuellen psychischen Impulsen sein wie die Schrift eine aus Schreibvorlage und Ausdrucksimpuls: die Stimm-Modelle sind kaum ebenso vergegenständlicht wie die Schreibvorlagen, die jede Generation in der Schule erlernt. Dadurch macht die Stimmphysiognomik an psycho-

1 Vgl. Paul Moses, Die Stimme der Neurose, Stuttgart 1956.

dynamischem Erkenntniswert wett, was sie durch die Flüchtigkeit des Lautes einbüßt. Insgesamt dürfte die Stimme, wie es der frühen romantischen Ausdruckstheorie nicht fremd war, ein Mittleres zwischen Schrift und Gestus bilden.

Das zu enträtseln, ist Moses besonders qualifiziert. Er verbindet präzise klinische Kenntnis der Stimme und psychologische Übersicht mit einem primären physiognomischen Gehör, dessen Erfahrungsreichtum sich nur mühsam hinter der offiziellen wissenschaftlichen Apparatur versteckt. Er weiß etwas von der Urgeschichte der Stimme und dem Preis, den auch diese für den Fortschritt zu zahlen hat: »Sinnliche Tonphänomene waren Vorgänger der Wort- und Satzfügung. Die Menschheit lernte, sich nicht nur durch Gesten auszudrücken, durch nachahmende Laute, durch Schreie des Leides und des Jubels, sondern durch Wortbildung. Dabei begann jedoch der Stimmumfang in einem Maß zu schrumpfen, daß heutzutage Sprachmelodie nichts weiter darstellt als eine Tonleiter des Gefühlsausdrucks, als Begleitmusik der vernunftbedingten Artikulation. Nur wenn die Kontrollen versagen wie in der Erregung oder im Trunk, dann wird die Urstimme wieder hörbar.« (46) Daran schließt eine Aussage sich an, deren Fruchtbarkeit für die Dechiffrierung von Musik schwer zu überschätzen ist: »Singen ist eigentlich ein Kompromiß, ein Zurückrufen eines Echos des reinen Glücksgefühls aus der Zeit der primitiven Vokalisierung.« (46) Hinter solchen Einsichten bleiben die einzelnen physiognomischen Einsichten nicht zurück. Etwa diese: »›Kindersprache‹ aus dem Mund des Erwachsenen kann für das Kind lächerlich, wenn nicht furchterregend sein. Pseudoväterliche, gönnerhafte Stimmen des Weihnachtsmannes oder des befangenen Arztes sind in gleicher Weise verwirrend. Unbewußte Verstoßung von seiten eines oder beider Eltern wird mehr aus der Stimme als vom Inhalt des Gesagten herausgehört, und so entsteht ein Konflikt, obwohl die Erwachsenen denken, ›alles wäre in bester Ordnung‹.« (27) Oder eine, die sich auf die »Koketterie der Schwäche« beim Sprechen vieler Frauen bezieht: »Eine andere Möglichkeit besteht im Gebrauch infantiler Artikulationsformen, die bedeuten sollen: ›Hört ihr, wie klein ich noch bin? Ich brauche also Schutz.‹ Extreme Reaktion besteht in der Weigerung zu sprechen, im ›beredten Schweigen‹.« (27f.) Nicht minder genau vernimmt Moses die »Stimme der Versagung« oder die der Depression: »Das depressive Individuum ist nicht geneigt, der unfreundlichen Welt eine große Oberfläche entgegenzuhalten. Der Patient ›schrumpft‹.« (102) Sehr schön wird das bezogen auf die mimetische Anpassung ans Tote, den »unterbewußten Wunsch, völlig zu verschwinden«: »Der Ausdruck des Schreckens ist immer ›verhaucht‹. Das Wort ›Horror‹ drückt dies im Lateinischen und Englischen onomatopoetisch aus.« (42)

Der Stimmphysiognomik gilt indessen keineswegs Schwäche für pathisch und Stärke für gesund. Moses entdeckt, an einer der produktivsten Stellen des Buchs, den Mechanismus der Reaktionsbildung in der Stimme: »Die Stimme der Autorität ist tief. Die Lehrer, Anwälte, Richter, Priester brauchen oft eine tiefe Stimme, um autoritativ zu wirken, wobei sie den tiefsten Teil des potentiellen Umfangs anwenden und das Brustregister vermehren. Innerhalb dieser Stimme der Autorität gibt es wieder Variationen, zum Beispiel die ermahnende Stimme, das stimmliche Gegenstück zum erhobenen Zeigefinger. Diese Stimme ist nicht tief, aber begrenzt im Umfang und in der Melodie.« (49) Das wird weiter verfolgt: »Wenn aber der Stimmumfang des Individuums relativ kleiner ist als der üblicherweise gebrauchte, dann handelt es sich um den Ausdruck von Hemmungen. Die ermahnende Stimme möchte die schon niedergezwungenen Emotionen noch weiter eindämmen und versucht, den Hörer dazu zu überreden, dasselbe zu tun. Das ist die Stimme des Puritaners.« (49) Zusammengefaßt: »Autorität hat die Nebenbedeutung der Sicherheit, besonders für das Kind und für den Schwachen. In unserer Kultur ist das Gewähren von Schutz und Mitgefühl ausgedrückt durch tiefe, beruhigende Töne mit dem Brustton der Aufrichtigkeit. Lehrer und Priester, sofern sie nicht zum ermahnenden Typ gehören, haben einen weiteren Umfang und ein betontes Brustregister. Die Stimme des Arztes am Krankenbett ist nur zu oft stereotyp, jedenfalls hat sie eine beschränktere Melodie als die des Lehrers und Priesters. Jede Art von Überkompensierung oder Unsicherheit in autoritativen Stellungen kann an der tiefen Stimme und der übertriebenen Melodie leicht erkannt werden.« (49)

Die zentrale Kategorie zur Erklärung irgend beschädigter Stimmen ist die der *mißglückten Identifikation*, etwa nach dem Modell: »Es ist, als ob das Individuum gewisse Schwächen zu verbergen wünscht hinter einem allgemein akzeptierten stereotypen Ausdruck. Wegen dieses Mangels an Echtheit kann man Original und Parodie oft so schwer unterscheiden. Diese Stereotypien kann man unter manchen neurotischen Vorstellungsformen finden. Wenn das Imitieren der Stimme so leicht ist, dann wird es gebraucht für Introjektion, für neurotischen ›geliehenen‹ Ausdruck des Wunschtraumideals. Auf diese Weise wird es stimmliche Uniform, Stimmtyp von Gruppen, Orden, Studentenverbindungen, von Banden und Gangstern. Wer immer ›dazugehören‹ möchte und sich immer noch außerhalb fühlt, wird zuerst diese Melodiestereotypien annehmen.« (66) Das wird dann später (96) auf den nicht unproblematischen Begriff eines Mangels an sozialer Anpassung gebracht, wie denn überhaupt das Buch individuelle Konflikte allzu bereitwillig an der herrschenden Norm mißt und das nicht ›Normale‹ als neurotisch verwirft, ohne dem Moment des Widerstands der Stimme gegen die Konformität gerecht zu werden. Die Stimme der Neurose, die der mißglückten Identifikation, muß nicht durchaus die Stimme der Unwahrheit sein; Narben der Stimme sind keine Schande.

Daß es der Pionierarbeit gegenüber insgesamt nicht an Einwänden fehlt, versteht sich. Musikalische Begriffe wie der des Rhythmus, der Melodie und vollends der von Dur und Moll scheinen allzu umstandslos auf die Sprechstimme übertragen, für deren Bereich sie nicht wörtlich, sondern allenfalls metaphorisch gelten; ohnehin ist der Begriff Rhythmus vieldeutig, insofern er einerseits alle sukzessiven Lautverhältnisse, andererseits nur mehr oder minder regelhafte, symmetrische unter sich faßt. Fragwürdig ist auch die Trennung des rein physiognomischen Stimmcharakters vom Inhalt des Gesagten: darin folgt Moses, trotz obligater Anerkennung der ›Ganzheit‹, der wissenschaftsüblichen Tendenz des Isolierens verschiedener Dimensionen. Seine methodische Absicht geht auf die Stimme als Inbegriff formaler Charakteristiken der Person, etwa wie der Rorschachtest. Aber die Sache treibt ihn allenthalben darüber hinaus. Die schlagendsten Formulierungen gelingen ihm dort, wo er den Zusammenhang zwischen Stimme und konkreten Situationen und Inhalten, zuweilen selbst gesellschaftlichen, herstellt, wie in der erstaunlichen Perspektive: »Wagner nahm die weibliche Emanzipierung für dreißig Jahre vorweg, indem er die dramatischen Sopranpartien schuf.« (48)

Ein leiser Widerspruch von Methodologie und Durchführung charakterisiert das ganze Buch: es schließt sich, etwas ängstlich, an etablierte Spielregeln an, redet beispielsweise über die angebliche Intuition und ihre Unzulänglichkeit im herkömmlichen, forciert akademischen Ton. Die erklärenden psychologischen Aussagen sind nicht ebenso subtil wie die primären Innervationen am Material. Stichhaltig jedoch werden die Gedanken überall dort, wo sie sich jeglicher Gedankenkontrolle auch solcher Begriffe wie des der Anpassung oder des heute besonders fatalen der Kommunikation entschlagen. Gewiß will Moses mit gutem Grund in einem Bezirk, der nach den verschiedensten Richtungen der Scharlatanerie offen ist, die Zuverlässigkeit seiner Befunde schützen. Aber diese Zuverlässigkeit, die Erfahrung, welche seine Thesen inspiriert, ist so offenkundig, daß er der Vorsicht wahrhaft nicht bedürfte. Er könnte sich getrost dem eigenen Kompaß anvertrauen und alles aussprechen, was er wahrgenommen hat; die emsige ›Verifizierung‹ sollte er ohne Sorge anderen überlassen. Verfolgte er seine Intentionen rücksichtslos weiter, so würden sie, über die Stimmphysiognomik hinaus, der Musik zugute kommen und helfen, musikalische Tonfälle, den ›Ton‹ der Komponisten zu verstehen.

1957

Karl Korn, Die Sprache in der verwalteten Welt. Frankfurt a. M.: Verlag Heinrich Scheffler 1958.

Seit auf den Gebrauch der deutschen Sprache kritisch reflektiert wird – mit nachdrücklichem polemischen Anspruch geschah das erstmals wohl bei Schopenhauer –, stellt die geschriebene, dann auch die gesprochene Sprache als unaufhaltsam zerfallend sich dar. Indem das Unheil stets das gleiche bleibt, schreitet es zugleich fort. Das Unveränderliche selber droht mit dem Untergang; jeder Augenblick scheint der letzte, und das nötigt zu jenem Gedanken an den Zerfall, der wahr bleibt gegen die verlogene Apologie, schlimmer ginge es schon gar nicht. Hineingerissen ist die Sprache in die Dynamik des anwachsenden Widerspruchs zwischen der Wahrheit, die zu sagen wäre, und dem Gebrauch der Mittel, der es verhindert, sie zu sagen. Um dieser Dynamik willen aber darf die Reflexion auf die Sprache sich nicht in eintönigen Jeremiaden erschöpfen, sondern muß ihren Gegenstand je in seinem historisch-konkreten Stand ergreifen. Karl Kraus, der wie ein leibhaftiger Dante noch die Hölle als kunstvollen Stufenbau anschaute, hat dieser Forderung aufs strengste genügt. Seine Sprachkritik war wesentlich eine an der liberalen Rede; dem Fluch, daß das gleiche Recht aller auf die Kommunikation zum Unrecht an der Sache und dem Ausdruck wurde. Gewiß hat er darauf so wenig sich beschränkt, wie die Gesellschaft, in der er lebte, noch rein liberal war. Er hat nicht nur den Fäulnisprozeß unter der totalen Herrschaft und den ihr nachgeahmten Formen des objektiven Geistes gewahrt; in der »Dritten Walpurgisnacht« kommt schon »Geht in Ordnung« vor, eine selbstzufrieden unmenschliche Form der Meldung, die heute erst, nach dem Untergang des Hitler, in Volksgut sich verwandelte.

Das Buch von Karl Korn über »Sprache in der verwalteten Welt«, das 1958 im Heinrich Scheffler-Verlag in Frankfurt am Main herauskam, bringt nun die Diagnose auf den jüngsten Stand. Das Werk von Kraus ist implizit vorausgesetzt; was aber dort erst als neuer Höllenkreis unter dem vorigen, der aus Dummheit und Gemeinheit gezeugten Schlamperei, sich abzeichnete, wird nun unerschrocken betreten. Wahrhaft unerschrocken. Denn da dient weit und breit kein Vergil als Mentor: keinen Kanon des Richtigen oder Falschen gibt es mehr, an dem die Sprache sich messen ließe, und dem kritischen Ohr bleibt nichts übrig, als der Erfahrung ihrer Unwahrheit schutzlos sich zu überlassen. Ein bedeutender Philologe sagte mir vor einiger Zeit, noch die scheußlichsten Mißbildungen der Sprache der verwalteten Welt seien historisch zu belegen. Ich will ihm das glauben, aber die Mißbildungen werden durch ihren Ahnenpaß so wenig besser wie irgend etwas in der Welt durch den Verweis auf seinen Ursprung; nicht auf die Herkunft der Worte kommt es an, sondern auf den Ausdruck, der geschichtlich ihnen zuwuchs, und auf ihren Stellenwert in der sprachlichen Konstellation. Zur Physiognomik solchen Ausdrucks trägt Korns Buch Unschätzbares bei.

Sprache in der verwalteten Welt: das ist nicht länger, was die von Kraus demaskierte wesentlich noch war, das ebenso prompte wie verwahrloste Geschwätz des Vermittlers und seiner Kumpane im Betrieb der öffentlichen Meinung. Sondern der Unterschied von Unmittelbarkeit und Vermittlung, von der Rede der Menschen und dem Jargon des Betriebs, ist liquidiert; falsche Einheit von Subjekt und Objekt erreicht, Hohngelächter auf die reale Versöhnung, die versäumt ward. Leicht, frei und freudig sprechen die Menschen, wie sie glauben, daß die übermächtigen Institutionen sprächen, um sich diesen, Gott und den Menschen angenehm zu machen; und die Institutionen selber wiederum tun es den Menschen gleich, deren jeder zum Sprachorgan seiner selbst als einer eigenen Kleinstinstitution geworden ist. Hat Karl Kraus gelegentlich diejenigen aufgespießt, die sich wichtig machen, indem sie persönlich wie Zeitungen tönen, so wurde das mittlerweile sozialisiert: così fan tutti. Ich habe einmal auf der Straße erlebt, daß eine leibhaftige Frau zu einem leibhaftigen Mann »Auf Wiederhören« sagte, und kein Blitz aus dem Himmel hat das Monstrum getroffen. Das ist die metaphysische Situation von Korns Buch. Ihr Entsetzen zu bannen, fehlen die Worte selber; das rechtfertigt die Gelassenheit, die Korn, nicht ohne strategische Klugheit, sich wahrte.

Die Sprache der verwalteten Welt ist aber auch nicht zu verwechseln mit der Verwaltungssprache alten Stils, wie sie heute rührend noch in Kanzleien fortwest. Diese hat der lebendig gesprochenen Sprache gerade durch ihren feindseligen Gegensatz zu ihr wider Willen Ehre angetan: in der Distanz von dem Aktendeutsch, das zu reden keinem Menschen einfiele, wird das Menschliche einigermaßen unberührt erhalten. Damit ist es vorbei. Die Distanz wird eingezogen. Der Jargon der verwalteten Welt kennt Züge der Verwaltungssprache neben zahlreichen anderen, Residuen aus dem Kommiß, dem Dritten Reich, der Schnoddrigkeit von Halbwüchsigen und der Zungenfertigkeit von Vertretern, aber all das ist eingeschmolzen in einen präparierten Wismutbrei, der den Menschen aus dem Mund rinnt, metallen und konturlos. Nicht länger greift, was sie, wenn überhaupt noch irgend etwas, ausdrücken wollen, und die Sprache ineinander; dennoch aber ist diese geläufig, als wäre es ihre eigene Stimme. Das Auswendige wird zum Inwendigen, ohne doch verinnerlicht zu sein, durch einen bloßen Prozeß der Anpassung an die Macht, der die Ohnmächtigen dazu nötigt, als ihre Delegierten sich zu gerieren.

Von den historischen Ursprüngen solcher Sprache dürfte Korn einen der erstaunlichsten entdeckt haben. Bestätigt findet sich der Satz, daß, sobald etwas planend für die Kultur geschieht, es dieser erst recht zum Unheil anschlägt. Der Deutsche Sprachverein, an den man sich vorweg um seiner Fremdwörter-Razzien willen erinnert, hat sich auch, wie man das so nennt, ums Positive bemüht und im Jahre 1890 Verdeutschungsvorschläge gemacht. Unter den Wörtern der gewiß wohlgemeinten Liste, die Korn wiedergibt, kommen nun zahlreiche vor, die erst im Schatz der verwalteten Welt ihre wahre Physiognomie entblößten. So etwa das grauslige Suffix »-mäßig«, das es erlaubt, aus jedem Substantiv ein Adjektiv zu machen und dadurch den Unterschied von Substanz und Qualität, auf den die nichtreglementierte Sprache sich besann, plattzuwalzen. Der Sprachverein empfahl schon ordnungsmäßig, würdemäßig, vertragsmäßig und listenmäßig. Auch Ausdrücke wie Großgewerbe begegnen da; ebenso die heute nicht länger nur von den sensibelsten Ohren bemängelte Umschreibung verbaler Inhalte durch substantivische Konstruktionen, wie »eine Kundgebung veranstalten« an Stelle von demonstrieren. Man kann da einen kleinen Kursus in Dialektik nehmen: der Versuch, die Sprache von Fremdwörtern, dinghaften Einschiebseln zu befreien, führt dazu, daß die deutschen Stämme, welche jene ersetzen, dabei selber von der Totenstarre befallen werden, von der sie kurieren sollen, bis dann schließlich die Quantität in die Qualität umschlägt und die ganze Sprache ordnungsmäßig wird.

Unmöglich, von der Fülle nicht bloß der Beispiele, sondern vor allem der sprachtheoretischen Kategorien in Korns Buch in einer kurzen Anzeige eine zureichende Vorstellung zu geben. Das muß man schon selbst lesen, übrigens ohne Illusion, es würden nur die anderen getroffen und man selber sei ohne Fehl. Ohne Respekt vor dem, was die Sprache der verwalteten Welt vermutlich mit höchster Ebene des Geistes bezeichnete, sucht Korn seine Beispiele sich auch bei berühmten Soziologen, bei Philosophen wie Lukács und Heidegger, bei dem der Widerspruch zwischen seinem Haß gegen das verdinglichende Subjekt-Objekt-Denken und seiner Teilhabe an der Sprache der verwalteten Welt besonders eklatant ist: in »Sein und Zeit« steht »daseinsmäßig«. Zu den originellsten Funden Korns aber gehört, was er die Sprache des Angebers nennt. Er definiert: »Unter Angabe versteht man heute allgemein eine Aktivität und Haltung, die sich und die eigene Leistung, das eigene Prestige und Gewicht mit Erfolg zur Schau stellt« (52), und erläutert das: »Angabe ist das, was der kleine Mann aus der Rolle der Werbung im wirtschaftlichen Leben lernen zu sollen glaubt« (53). Identifikation also, aber eine vorweg hoffnungslose. Damit rückt Korns Darstellung ihrem Gegenstand beängstigend nah: »Typisch sind Wortwitze wie ›in keinster Weise‹ oder ›bei allem Frivolwollen‹. Der sie zuerst gebrauchte, besaß einen gewissen Sprachwitz. Die Wiederholung macht die Wendungen zur armseligen Schablone. Eine gewisse Kleinbürgeridyllik, die sich mit großer Welt grotesk verbindet, kann sich im Angeberjargon nicht verleugnen« (57). Nur eben angemerkt sei, daß es in diesem Kapitel an Belegen für Ausdrücke von jüdischem Kolorit nicht fehlt: die Geister der Ermordeten gehen um in der Sprache, die den Mord befahl, und in der einmal »Über allen Gipfeln ist Ruh'« geschrieben ward.

Nicht weniger Bestürzendes steht im folgenden Kapitel, mit dem unschuldig klingenden Titel »Die Sprache der Domestikation«. Gemeint sind damit die Spuren, die der brutal übermächtige Anpassungsprozeß in der Sprache derer hinterließ, die der vorwaltenden Tendenz sich gleichmachen müssen; Male der sich ausbreitenden Unfreiheit, mit jener Ambivalenz zwischen eifrigem Mitmachen und hämischem Blinzeln, die einem Prozeß entspricht, der vom Innern der Menschen zugeeignet wird und von dem ihr Inneres doch spürt, daß er ihnen Gewalt antut. »Die Wendung ›auf Draht‹ wird so lange vorhalten, als es eine allgemeine Prosperität gibt, die jedem einzelnen die Illusion läßt, er könne dem Massenschicksal durch Information entgehen« (78). Oder: »Aus der Bemerkung, einer habe nicht richtig gelegen, ist die Schadenfreude der Subalternität herauszuhören, die sich dafür rächt, daß sie sich eine eigene Meinung nicht leisten kann« (79). Mit Gusto rückt Korn dem Kulturgeschwätz zu Leibe: »Am scheußlichsten ist kulturvoll, weil man Kultur nicht füllen kann. Die so sprechen, verraten, daß sie mit den verfügbaren Worten kultiviert oder gebildet die Kultur längst über Bord geworfen haben« (82f.). Daß Korn soziologische Mißbildungen, etwa Vokabeln aus der Sprache der Domestikation wie »Beziehung«, aus dem Konkurrenzmechanismus erklärt, während dieser in der Epoche, in der jene Vokabeln triumphieren, schon nicht mehr entscheidet, verschlägt wenig. Denn vielfach sind die Sigel der verwalteten Welt erstarrte Endprodukte der liberalen. Was gesellschaftlich in der Rede von Beziehungen sich ankündigt, ist wahrscheinlich eher, daß in der jüngsten Phase der Markt gerade nicht mehr das Schicksal der Menschen bestimmt, sondern unmittelbare Machtkonstellationen. Darum werden die alten Vermittlungsuntugenden in ganz verändertem Sinn Bedingungen der Selbsterhaltung: man glaubt raschestens, ohne objektiven Maßstab, gewissermaßen als Person, mit Leib und Seele bei den Mächten sich empfehlen zu müssen. Nichts vielleicht bezeugt besser die Legitimität von Korns Sprachkritik, als daß er solche gesellschaftlichen Nuancen genau dort trifft, wo er nicht auf Gesellschaft reflektiert, sondern einfach seinen Innervationen sich überläßt. So heißt es sehr exakt: »Beziehungen – so meint es das neue Wort – sollen einem Interessenten dazu verhelfen, die erdrückende, anonyme, nicht faßbare und unzugängliche Apparatur der normalen Instanzen zu überspringen.« Und kurz danach, in einer Formulierung, die genau die so charakteristische Liquidation selbständiger gesellschaftlicher Zwischeninstanzen benennt: »Durch die Beziehung sucht man die

Kette kürzer zu machen, Zwischenglieder auszulassen, an jene Stelle in der Apparatur heranzukommen, wo die Scharniere oder die Schalthebel sind« (87).

Wieviel die Lektüre hilft, kann ich mit einem Detail bezeugen. Ich fühlte längst Ekel vor dem Ausdruck »Zum Zuge kommen« und suchte ihn einigermaßen zu präzisieren. Erst durch Korns Domestikationskapitel ist mir das Unwesen ganz durchsichtig geworden: daß die Welt in diesem Ausdruck als geschlossen, wie eine Schach- oder Damepartie vorgestellt wird, in der jedem die Figuren gegeben, die Züge weitgehend vorgezeichnet sind und in der das Leben des Individuums wesentlich nur noch davon abhängt, ob es überhaupt dran kommt; die minimale Chance hat, ohnehin Unvermeidliches auszuführen, nicht aber von seinem Willen, seiner Freiheit und Spontaneität. Insofern der Ausdruck »zum Zuge kommen« damit einen realen, in weitem Maß verwirklichten Zustand kodifiziert, hat er seine Wahrheit, widerwärtig aber bleibt der Sprachgestus, der diesen Zustand womöglich noch billigt und, indem er souveränen Überblick über jene prästabilierte Partie beansprucht, in der die Theorie der Eröffnung oder des Endspiels alle Züge vorsieht, bekundet, es gehe in Ordnung, je nachdem, ob einer zum Zuge kommt oder nicht.

Nichts an Wünschen wüßte ich dem Buch hinzuzufügen als den bescheidenen, daß es in einer neuen Auflage Notiz nehme von einigen meiner sprachlichen Steckenpferde, wie dem angeberischen Rätselwort »in etwa«; dem »Vorgang«, der das Gegenteil eines solchen, nämlich das zur Information für eine Entscheidung angeblich erforderliche Aktenbündel bedeutet, oder daß es eingehe auf die Physiognomik hexenhaft freundlicher Wendungen wie »auf Sie zukommen« oder »Sie ansprechen«. In dem ordo der Unordnung, der negativen Sprachontologie, die Korn entwirft, ist ohne Frage all dies ebenfalls eingeplant.

1958

Abstrakt oder konkav?

Allgemein bekannt dürfte der Satz sein, daß der Unterschied zwischen konvex und konkret der gleiche ist wie der zwischen Pettenkofer und Patentkoffer; daß aber andererseits die Abstraktheit sich von der großen Powerté entstammt, das hat doch wohl erst jener denkgewaltige Anonymus entdeckt, der, mißtrauisch gegen die geistige Kapazität der anderen, aber voll Vertrauen zur eigenen, einer ernsten Ausstellung die Gebrauchsanweisung beigab: *»Abstrakte Kunst?«* Er scheint ein Mann der radikalen Frage zu sein, die ja heute jeder an alles stellt. Er fragt zunächst ganz radikal: »Was ist Kunst?« Und antwortet lapidar: »Kunst ist wahrnehmbare Schöpfung eines *Menschen seiner Zeit* unter größtmöglicher Anwendung des *Könnens* seiner Zeit. Wer sich nicht das Äußerste an Erreichbarem des Könnens seiner Zeit« – auch des grammatischen? – »anzueignen bereit ist, wer mit dem bereits länger Erreichten vorlieb nimmt, wird herausgeschleudert aus der Bahn des vorwärtsstrebenden Lebens.« Wenn Sie danach noch nicht wissen, was Kunst ist, so werden Sie sich wenigstens daran erinnern, daß sie vom Können herkomme. Aber mit diesem Resultat ist der Frager nicht zufrieden und wird darum trotz größtmöglichen Könnens sogleich herausgeschleudert aus der Bahn. Er fragt nämlich weiter: »Was ist abstrakt?« Und da gelingt ihm, einem Onkel Bräsig des Konstruktivismus, das Kunststück der Antwort per exclusionem: »Alles, was nicht konkret ist.«

Der gordische Knoten ist zerhauen; nun macht er sich auf, das restliche Asien zu erobern: »Was ist abstrakte Kunst?« Als ein Mann des vorwärtsstrebenden Lebens summiert er nicht etwa die beiden ersten Thesen, in der Form: »Abstrakte Kunst ist wahrnehmbare Schöpfung eines Menschen seiner Zeit, die nicht konkret ist« – sondern bedrängt von der Fülle der Gesichte spinnt er sogleich einen neuen Faden an, diesmal nun einen konkreten: »Ein, vielleicht journalistisch entstandener Fehlbegriff!« Damit sollte die Sache zu Ende

sein, und man bedauert schon die Denkkraft, die sich in den voraufgehenden subtilen Distinktionen vergeudete. Jedoch der Frager hat einen langen Atem und holt zu einer Schlußformel aus, deren Fehlbegriffe wenigstens nicht journalistisch entstanden, sondern für alle Ewigkeit gewonnen sind: »Was will die so benannte Kunstrichtung? Sie erstrebt einen zwar durchaus konkreten (– natürlich greifbaren), optisch aber eigengesetzlichen Bildbau, für ein abstraktes Thema.« Ob das nun abstrakt oder konkret ist, weiß ich nicht; aber mir wird konkav vor den Augen. Ich sehe den Frager vor mir, wie er von den Bildern die Ölfarbe mit den Fingernägeln abkratzt, um sich der Konkretion zu versichern, die er danach wieder bestreitet, offenbar weil nunmehr die greifbare Farbe abgekratzt ist. Eigengesetzlich bleibt, wenn schon nicht der Bild-, wenigstens ein, vielleicht journalistisch entstandener Satzbau.
Dabei wäre es kein Kunststück, einigermaßen klar zu sagen, was hätte gesagt sein sollen und vielleicht auch vom Frager gemeint war. Nämlich: daß der Begriff des Abstrakten in der ästhetischen Sprache mehrdeutig gebraucht wird. Daß ein Kunstwerk schlecht abstrakt ist, wenn es nicht bei sich selber zur einmaligen und verbindlichen Gestalt gedieh; daß abstrakte Gegenstände nicht mit abstrakter Gestaltung zusammenfallen; daß die Tendenzen, die seit Kandinsky unter dem Namen der abstrakten Malerei zusammengefaßt werden, abstrakt nur insoweit sind, als sie von vorgegebenen Gegenständen absehen; als künstlerische Gestaltungen aber dem gleichen Maßstab der ›Konkretion‹ unterliegen wie jede Kunst. All das hat der Frager unter Zuhilfenahme eines verblasenen Zeit- und Lebensbegriffs vernebelt, anstatt zu klären. Man brauchte kein Wort darüber zu verlieren, hätte die Sache nicht ihre kunstpolitische Seite. Gerade die ernsthaften Repräsentanten der neuen Kunst sind es gewohnt, mit Phrasen wie der vom ›Abstrakten‹ von Dummköpfen und Reaktionären aller Art gescholten zu werden. Es ist darum im Interesse der Künstler, daß den Reaktionären die Phrasen demoliert und die Tatsachen ausgesagt werden. Nimmt aber eine verschwommene Apologie die Phrasen der Reaktion auf, dann setzt sie sich ins Unrecht und jene ins Recht: ihre Sache erscheint dann so schlecht wie die Feinde sie sich vorstellen. Es wäre darum sehr zu befürworten, daß die radikalen Frager ihre Eigengesetzlichkeit besser kontrollierten. Jedenfalls sollten sie erst einmal

»das Äußerste an Erreichbarem des Könnens ihrer Zeit« sich anzueignen bereit sein.

1932

Auf die Frage: Mögen Sie Picasso

Die Frage »Mögen Sie Picasso?« mit ja zu beantworten, wäre viel zu wenig. Künstlern des obersten Ranges gegenüber kommt es nicht auf die Zufälligkeit des Geschmacksurteils an, das freilich als ein Element in die Erfahrung eingeht, sondern auf Erkenntnis, die der Sache gerecht wird, ihr standzuhalten vermag. Seitdem ich meines Verhältnisses zur bildenden Kunst mir bewußt bin, hat Picasso darin eine zentrale Rolle gespielt. Ich vermöchte nicht zu unterscheiden zwischen dem Zauber und dem Schock, den die wildbemalten und strenggefügten Konstruktionen auf mich ausübten, als ich zum erstenmal auf Abbildungen stieß, und der Einsicht in die Notwendigkeit dieses œuvres, das dem Zwang der innermalerischen Entwicklung ebenso gehorcht wie dem der geschichtlichen Katastrophe. Bedeuten mir dabei die Bilder aus der Phase des analytischen Kubismus und dann die lädierten Figuren aus den vierziger Jahren am meisten, so ist das aus der Zufälligkeit des Blickes eines Musikers zu erklären; auch daß mir die neoklassizistische Phase am fernsten steht, wird man dem zugute halten müssen, der erleben mußte, welches Unheil die Übertragung jenes Stils auf sein eigenes Bereich anrichtete; doch ist die Analogie zwischen Strawinsky und Picasso wohl sehr oberflächlich.
Daß dessen Kunst dauere, wenn überhaupt Kunstwerke noch eine Chance dazu haben, ist selbstverständlich; unvergeßlich bleibt mir der Fachmann, der um 1920 Picasso einen Schwindler nannte und Thoma für einen Maler hielt. Doch hat Picasso, in gewissen Versuchen seiner Spätzeit, den Begriff der Dauer des Werkes selbst herausgefordert mit optischen Improvisationen, die mit ihrem Augenblick vergehen wie nur musikalische Improvisationen. Er hat in sein Werk noch die Erschütterung hineingenommen, die der Idee überdauernder Kunst selbst widerfuhr. Das hängt zusammen mit dem permanenten Skandalon, das er bereitet, dem Wechsel der Masken, der die Apostel der Eigentlichkeit zur Wut aufreizt. Aber die Mas-

ken, in denen die Krisis der Subjektivität sich ausdrückt, sind wahrer als die Lüge der kernigen Wahrheit. Unter den Leistungen Picassos wiegt schwer, daß er, rein durch den Gehalt seiner Kunst, ohne alles reflektierende Wort, den Existentialismus desavouierte und das tautologische Leitbild zerstörte, einer sei dann schon etwas, wenn er nichts ist als er selbst. Persönlichkeit wird zur Negation von Persönlichkeit. Auch um die Einheit seiner Kunst und seiner Politik schert er sich nicht. So verhält sich kein Totaler, und eine Taube bringt noch keinen Winter. Picasso: das ist Malerei als Tanz. Seine Substantialität liegt im Gestus des Wegwerfens eben dessen, was schon falsch ist, sobald es als substantiell sich selbst behauptet. Auch die Philosophie hätte Entscheidendes von ihm zu lernen.

1961

Zu Arbeiten von Hans Glauber

Ohne daß ich mir spezifisch fachmännische Kompetenz zusprechen darf, möchte ich sagen, daß die Arbeiten von Hans Glauber mich ganz ungemein interessiert haben. Sie balancieren mit großem künstlerischen Takt auf einem schmalen Grat. Auf der einen Seite erheben sie sich über die bloße Reportage technischer Dinge, die subjektiv unreflektierte Fotografie von Maschinen. Auf der anderen sind sie gänzlich frei von jeder technologischen Romantik; von der nicht seltenen kunstgewerblichen Neigung, den Maschinen eine Aura anzuhexen und, durch fotografische Stimmungsmache, ihnen subjektiv Bedeutungen zu entlocken. Sie sind ebenso frei von dem Fatalen, das vom deutschen Wort Gestaltung bezeichnet wird, wie vom sturen positivistischen Respekt vor den Fakten. Der Versuch, Maschinen durch nichts anderes als einen Abstraktionsvorgang zum Sprechen zu bringen, der sie gleichsam auf ihre reine Funktion, unter Weglassung allen Beiwerks, reduziert, scheint mir fruchtbar auch für die autonome Kunst. Ich hoffe, daß diese höchst originellen Arbeiten die starke Wirkung auch auf andere ausüben, die sie auf mich ausgeübt haben.

1965

Von der Musik her

Im privaten Umgang habe ich, in Dingen der Bildhauerei nicht zuständig, Fritz Wotruba als einen mit der neuen Musik, zumal der der zweiten Wiener Schule, ungemein Vertrauten kennengelernt. Er war mit Berg befreundet, verwaltet das künstlerische Erbe des Malers Gerstl, dessen Schicksal mit dem Schönbergs und seiner ersten Frau so verhängnisvoll zusammenhing. Wie wenige andere heute übersieht er das Geflecht, das die großen Wiener Musiker mit der vorigen Generation verknüpft. Vor allem aber verfügt er über die subtilste Einsicht in die Beschaffenheit ihrer Musik, zumal die psychologische Dimension, die dort zwischen den Komponisten und ihren Werken vermittelte. Überraschen mußte mich danach, im ersten Augenblick, wie wenig nach außen hin das œuvre Wotrubas dem analog ist, was man den Stil der zweiten Wiener Schule nennen mag. Ähnlichkeiten zwischen den Porträts des jungen Kokoschka und manchen wie von leidvollen Tränen angefleckten Stücken Schönbergs lagen seinerzeit ebenso zutage wie die Affinität des Schönbergschen Konstruktivismus zu Kandinsky. Nichts dergleichen bei Wotruba. Von der unendlich verzweigten, bis in den einzelnen Ton hinabreichenden Motivarbeit; von dem Prinzip der ›entwickelnden Variation‹; von dem quasi-organischen Gewusel insbesondere der Partituren Bergs ist hier nichts zu finden. Keinem käme es bei, die Plastiken Wotrubas irgend in die Nachbarschaft von Psychologie zu rücken; was für Wiener Nuanciertheit gilt, wird von ihm fast allergisch ferngehalten. Das unvorbereitete Auge des Musikers wird leicht dazu sich verleiten lassen, jene Plastiken archaistisch zu sehen.

Mag man jedoch noch so gründlich zweifeln an der Identität von Künstler und Sache: so weit können Geist und Gesinnung und das Vollbrachte nicht divergieren, wie ein solcher Eindruck es vortäuscht. Die Schuld liegt beim Betrachter, nicht beim Betrachteten. Zunächst ist daran zu denken, daß das Eigengewicht der künstlerischen Materialien stets noch viel größer ist, als die Unifizierungstendenzen der zeitgenössischen Kunst es erwarten lassen. Selbst wer der Gewohnheit sich entäußert hat, das Plastische dem Monumentalen gleichzusetzen, wird nicht darüber sich betrügen können, daß der Stein, der von sich aus Undurchdringlichkeit, eine Grenze der subjektiven Intention bekundet, nicht ebenso unmittelbar in ein Medium des Individuums sich umformen läßt wie der klingende Ton und wahrscheinlich die Farbe auf dem Bild. Versuche in dieser Richtung wie die Skulpturen Rodins, die das impressionistische Prinzip auf die Plastik auszudehnen suchten, sind eines Ungemäßen, der Pseudomorphose an ein plastik-fremdes Material, verdächtig. Wo Plastik des obersten Ranges in ferner Vergangenheit Ausdruck war, blieb dieser wesentlich der dargestellter Menschen. Durch sie teilte die expressive Energie des Bildhauers sich mit. Seitdem die Plastik von Abbildlichkeit sich emanzipierte, sind solche Möglichkeiten unwiederbringlich. Lehmbruck sogar, der expressionistische Bildhauer par excellence, scheint seine Ausdruckskraft auf Kosten der autonomen Durchbildung seiner Figuren erlangt zu haben, trotz der heroischen Anstrengung, beides zusammenzuzwingen. Wer Skulpturen machen wollte, die, in handgreiflichem Sinn, so sind wie die Musik der zweiten Wiener Schule, verleugnet den Stein, anstatt ihn zu durchdringen. Wotruba ist ein viel zu elementares Temperament, auch viel zu klug, als daß er jener Versuchung nachgegeben hätte.

Aber damit ist die außerordentliche Differenziertheit seiner Reaktionsweise den Gebilden nicht verloren. An ihnen läßt sich lernen, daß man anders nuanciert sein kann, heute vielleicht sein muß, als durch die offenbare Nuance. Differenzierte Reaktionsweise vermag sich zu verwandeln in ein System von Allergien, in unersättliche Empfindlichkeit all dem gegenüber, was nicht mehr geht. Die Nuanciertheit Wotrubas ist eine des Verschwindens: durch die refus, durch das, was ein Künstler sich verweigert, wird das Verweigerte zugleich festgehalten. Wotruba spricht von seinen Arbeiten als von Reduktionen. Tatsächlich zeigen verschiedene Stufen desselben Gegenstandes – analog übrigens zu gewissen Vorgängen in der Graphik Picassos – fortschreitenden Verzicht auf die noch von Ähnlichkeit genährte Ausgangsvorstellung. Dieser Prozeß, nicht das Nettoresultat, ist der Ort von Wotrubas Differenziertheit. Der Ausdruck seiner Gebilde, das, wodurch die Rechnung nicht aufgeht, ist, was im Prozeß aus ihnen ausgeschieden ward und gleichwohl, in der Arbeit und Anstrengung des Eliminierens, seine Spur hinterließ. Von seinen extremen Polen her charakterisiert, wäre jener Prozeß wohl der vom Akt zur Architektur. Le Corbusier hat seine architektonischen Entwürfe auf Menschenmodelle abgestellt; bei Wotruba wandern diese Menschenmodelle gleichsam in die tektonischen Gebilde ein, Bauten ohne Zweck, Chiffren des nicht länger nachahmbaren Menschen.

Wotruba, wie vor fünfzig Jahren manche der bedeutendsten Expressionisten, lehrt im Begriff des Archaischen zu differenzieren. Schlecht ist alles Archaisierende: was auf die Restitution vorgeblicher Urbilder, sei's der Vorvergangenheit, sei's des abstrakten Seins, hinauswill und dabei doch, unwillentlich, im Umkreis des zivilisatorisch Approbierten verbleibt. Man braucht nur die angeblich urtümlichen, in Wahrheit nur simplen rhythmischen Wiederholungen bei Orff, die mit unangefochten tonalen Akkorden haushalten, mit den komplexen Produkten Wotrubas zu vergleichen, um zu erkennen, wie wenig die gewonnene und kunstvolle Einfachheit, die ihm vorschwebt, mit den gängigen und fatalen archaisierenden Neigungen zu tun hat. Wie die Reduktionen, in denen seine Arbeit besteht, Prozeß, ein Geschichtliches sind, so ist ihre Idee kein Vorgeschichtliches, sondern Konsequenz des umfassenden historischen Prozesses, der mikrokosmisch in jeder seiner Plastiken sich verschließt. Sie erborgen sich weder die verlorene sinnvolle Monumentalität, noch geben sie sich zur Sprache eines individuellen Seelenlebens her, das, unter der Übermacht der objektiven Bedingungen, kaum mehr ohne Lüge und falschen Anspruch sich manifestieren darf. Was eine solche Plastik sei, wo sie ihren Ort habe, das ist ihr, in doppeltem Sinn, verhängt. Die Skulpturen Wotrubas sind Architektur ins Unbekannte hinein.

1967

IV

Miscellanea

Notiz über Namen

»Name ist Schall und Rauch.« Aber ist das nicht sehr viel? Ist nicht in die Figuren von Schall und Rauch eingezeichnet, was vergänglich der dichten Körperwelt entweicht und als deren kaum lesbare Chiffre in flüchtiger Spur durch die Luft entschwebt? Sind nicht Namen, ob auch zufällig nach dem Maße dessen, was jeweils benannt wird, nach anderem Maße wie Schrift ihm einbeschrieben? Dialekt und Folklore bewahren das Gedächtnis daran. In den »Pionieren« der Fleißer sagt die eine Dienstmagd auf die Frage, wie sie heiße: »Eine Berta bin ich worden«; als wären die Dienstmädchen im dichten Teich der Vorzeit, daraus der Storch sie ausgewachsen und angezogen nach Ingolstadt bringt, eingeteilt durch Namen, die ihnen als Zettel angeklebt sind und über ihren Weg entscheiden. Wohl reißt der Storch den Zettel ab; allein noch im wachen Leben erinnerte sie sich der prähistorischen Ordnung. Allen Bertas weiß sie sich verschwistert; das Gespräch mit dem Liebhaber geht dann nicht über dessen frühere Freundinnen schlechthin, sondern darum, ob sie seine erste Berta sei, die erste aus dem Reiche der Bertas; ist sie's, mag er andersnamige gehabt haben, soviel ihm beliebte. Nicht anders waren die Proletarier in große gerade Reihen von Georg, Willy, Fritz und Franz eingeteilt, die das Schema späterer Verlustlisten in sich enthielten. Minder zufällig für den einzelnen und daher minder notwendig fürs Kollektiv sind die Namen in den herrschenden Schichten. Aber auch sie entweichen dem Zwang der Namen nicht. Denn ihre Angehörigen sind im Laufe ihres entwickelten individuellen Lebens derart mit ihren Namen verwachsen, daß es keiner Macht der Welt mehr gelingen könnte, sie von den Namen loszureißen. Schriftsteller, die sich die Darstellung jener Schichten zur Aufgabe gesetzt haben, können daran lernen, wie wenig Phantasie einer Fähigkeit des Erfindens gleichkommt. Arbeiten sie nach Modellen und suchen sie denen Namen zu erfinden, die ihr Wesen oder selbst nur ihre gesellschaftliche Lage genauer ausdrücken als die, welche die Modelle in Wirklichkeit tragen, so müssen sie rasch einsehen, daß kein Name an Evidenz je den erreicht, den das Modell trägt; entweder es auflöst in die abstrakte Einheit seiner Klasse oder einer privaten Zufälligkeit überantwortet, die gerade die Darstellung bannen wollte. Leicht könnte man vermuten, daß so jeder erfundene Zug nicht an ›Treue‹, wohl aber damit hinter dem Wirklichen zurückbleibe, daß er die Versenkung der Intentionen in den Stoff der Wirklichkeit minder tief erfaßt: Rettung des Realismus nicht nach dem Kriterium der auswendigen Realität, sondern der Stimmigkeit des Gebildes in sich, das der Bedeutungen nur in der unvermittelten Konkretheit der Stoffe habhaft wird. So jedenfalls ließe sich das leidenschaftliche Bemühen verstehen, das Proust an die Namen seiner Figuren wandte, indem er sie bald dem Klang der Modellnamen gänzlich annäherte, bald skurril, scheinbar sinnlos davon losriß. Er hat nicht die Charaktere der Personen durch Namen symbolisieren wollen, sondern die Aura erretten, die die wirklichen Namen umgab und die oft genug über den Personen herrschte; das mochte ihm zuweilen im entlegensten Klang gelingen. Wenn die Linien unseres Schicksals zum unentwirrbaren Netz sich verstricken, dann sind Namen je und je die Siegel, die der Lineatur aufgeprägt werden; die sie vor unserem Zugriff schützen und uns behüten, darin uns zu verfangen, indem sie uns Initialen vorhalten, die wir nicht verstehen, aber denen wir gehorchen.

1930

Wiener Memorial

Beginn. Am ersten Abend in der Stadt, deren Straßenlinien im Taxi unlesbar blieben, allein schon wegen dessen stoßweiser Fahrt, nahm ich spät noch den Tee bei einem jungen Russen in der Laudongasse. Gegen Mitternacht erst brachte er mich aus den viel zu großen, gähnend offenen Fenstern mit dem schmal zur Wand gedrückten Ameublement zurück ins nahe Hotel. Die Laudongasse ist schlecht beleuchtet wie die ganze Josefstadt und vielleicht die Mehrzahl der äußeren Quartiere. Im regnerischen Märzschnee stand das Zeughaus aus dem Barock und ein gastropfendes Caféhaus trüb und ohne Unterschied an den Ecken. Die Straßen, die folgten, schienen dunkler noch mit ihrer planlosen Gedehntheit. Eine Kreuzung mit einer breiteren endlich glich einer Lichtung, ohne die Leere der gleichsam versperrten Seitengänge zu beheben. Auf der breiten Straße kam uns ein Trupp von fünf oder sechs jungen Männern entgegen. Sie waren betrunken; noch ihrer mächtig zwar, aber sichtlich jeder beeinträchtigt in seiner körperlichen Selbständigkeit, einer Halt suchend beim anderen. So gingen sie verbunden über die Breite der Straße und mochten willens sein, uns vom Bürgersteig zu verdrängen. Als wir nach wenigen Sekunden nahe genug waren, traten sie in zwei Reihen auseinander, bildeten Spalier vor uns. Einer von ihnen sprach uns laut an im Tone des Führers: »Meine Herrn! Es geschieht absolut gar nix!« Dann ließen sie uns durch und zogen stumm weiter.

Bild. Am folgenden Nachmittag um fünf Uhr etwa ging ich aus, um mich zu orientieren. Es führte mich eine junge Dame, die sich auskannte. Weil sie sich auskannte, versäumte sie, mich zu unterweisen. Besorgt und unermüdlich nannte sie mir die Namen aller Gebäude und Plätze. Sie verschwieg mir, wie jene sich zueinander verhielten, im Dämmer konnte ich selber es nicht ausmachen. Wir standen vor dem Stephansdom, als ich mich noch im achten Bezirk meinte. Ich verzichtete, ihn zu betreten. Danach folgte ich der jungen Dame in das Café Herrenhof, wo sie mit einer Freundin verabredet war. Dort saßen in mehreren Räumen zahlreiche ältere Herren von durchwegs gleichem, abgeschiedenem Aussehen, spielend an Schachtischchen oder größeren Tischen. Wir mußten sie alle erst passieren, ehe wir die Freundin fanden. Die Freundin hatte lange spitze Hände, eine klagende Stimme und hieß Elsie. Nachdem wir den süßen und gewichtigen weißen Kaffee getrunken, beschlossen zögernd die beiden Mädchen, es sei gut, mir mehr noch von der Stadt zu zeigen.

Ca. 1930

Worte ohne Lieder

... Du hättest zu tun mit der Eisenbahn,
und nicht zu tun mit der See.
Bert Brecht

Wie wenig wissen doch Liebende. Da meint einer, der tief abends im Winter auf den verspäteten Zug angestrengt wartet; der an der Sperre beobachtet, ob das Licht über der fernen Einfahrt sich entzündet, von dem er nicht einmal weiß, ob es das rechte ist; der stets wieder den Beamten nach der Größe der Verspätung fragt, der ihm unfreundlich antwortet, er habe es bereits gesagt, fünfundzwanzig Minuten – da meint einer, diese sei es nun ganz und gar und wirklich, die als letzte fast das Abteil verläßt; die schlank im Pelzmantel auf die Sperre zukommt, an der noch dampfenden Lokomotive vorbei, den kleinen schwarzen Hutkoffer in der Hand, gefolgt vom grünen Gepäckträger mit dem größeren Lederkoffer: diese sei es nun selber. Sobald sie Arm in Arm die Bahnhofshalle verlassen und redend den Platz überqueren, hat er, umschlossen von ihrer Gegenwart, bereits wieder vergessen, daß es bloß die Ankunft war, auf die er wartete. Im Bilde der Ankunft aber war sie nur die leichte Staffage, den wartenden Blick ins Dunkel zu geleiten. Dort lag die Eisenbahn als Spielzeug, Modell jeder künftigen, und kleine flachgepreßte Figürchen bevölkerten den rosa Blechbahnhof, die Dame im Mantel samt dem Gepäckträger. Damals waren allein die Kofferstücke rund und zum Greifen; die Leute aber, von vorn gesehen, bildeten bloß eine zackige Kante. Seitdem hat er nichts anderes sich gewünscht, als einmal wieder Figuren so zu halten und hin und her zu schieben, wie die Passagiere es waren, die umfielen, wenn die Lokomotive gegen den Bahnhof fuhr, falls der zu dicht an die Schienen gerückt war; aber jetzt welche, so plastisch und beredt wie damals allein die Koffer, die sie nun gleichsam ergänzen. Die Ankommende liebte er als eine vollständige Figur, die ihm damals fehlte und die jetzt kein langes Leben retten könnte, sondern einzig der jähe Augenblick ihres Erscheinens. Längst ist es in der Nacht vergessen. Jedoch wenn beide am nächsten Tag, gegen Mittag schon, das Hotel verlassen, dann erkennt er: die kleine rotweiße Fahne, die über dem Hotel flattert, ist die gleiche, die er damals mit der hohlen Fahnenstange aus Blech über dem allerersten Bahnhof aufpflanzte.

Es ist erstaunlich und kaum wohl von Psychologen offen ausgesprochen worden: wie selten unsere Gefühle, zumindest die offiziellen unter ihnen, Konsequenzen haben. Sie bleiben, auch wenn sie echt sind, bei sich selber und gehen nur verzerrt ins Verhalten der Menschen ein. Kaum daß sie mehr dort ihre Macht oder Ohnmacht erproben dürfen; von Anbeginn bescheiden sie sich im Monolog, und unsere Handlungen werden eben noch von ihren Reflexen gestreift. Der hat seine Geliebte, seine wahrhaft und einzig Geliebte an den Irrsinn verloren; und während er um sie trauert, jeden ihrer Briefe nachliest, Spuren der Krankheit darin zu finden; den Klang ihres Namens festhält und beschwörend wiederholt: hat er eine andere sich genommen; nicht weil er die erste vergessen hätte, auch nicht um sich zu trösten oder in der Gleichgültigkeit der Verzweiflung, sondern darum allein, weil sein befangenes Gefühl den Gang eines Lebens nicht mehr zu erreichen vermag, das nach dem Rhythmus von Gelegenheit und Zugriff unerbittlich abläuft. Wenn dann später sich herausstellt, daß die erste nicht irrsinnig war, sondern bloß taktvoll den Geliebten verlassen wollte, so rechtfertigt ihn höhnisch das gleiche Leben, das ihn zur Untreue verführte. – Oder die Frau, die einen liebt und mit ihm von sich selber redet; die weint, sobald er sie angreift, und unter seinen Worten gänzlich sich zu verändern meint, indem sie sich zu erkennen beginnt: am nächsten Tage wird sie vor ihren Eltern leugnen, daß sie ihn kennt, obwohl die Mutter kein Recht hätte, ihr Vorhaltungen zu machen, und die Veränderung ihres Lebens, mag sie selbst als eine der Gesinnung vollständig sein, wird nicht hinreichen, sie zu bewegen, morgen dort den Tee mit ihm zu nehmen, wo sie gesehen werden könnte. Darüber jedoch wird ihm alles wirkliche und vergebens erwartete Zeichen ihrer Zugehörigkeit so wichtig, daß er sie zu lieben vergißt. Die Übermacht der gesellschaftlichen Mächte über unsere Existenz kommt mehr als an den Konflikten daran zutage, daß sie die Konflikte überhaupt nicht mehr zulassen, sondern ersticken; daß der einzelne sie verschluckt. Es sind schon die besten und glücklichsten Beziehungen, die es überhaupt zu Konflikten bringen. Darum: weil vom einzelnen Menschen aus die Realität kaum mehr ergriffen, nie mehr verändert werden kann, haben heute Gefühle allemal etwas Tröstliches; bei ihnen hält man sich schadlos. Aber sie sind trügerisch; sobald das leiseste von ihnen in unser Leben eindränge, genügte es, alle sichere Ordnung darin zu zerstören.

Schon der Husten spricht fürs Klassenbewußtsein. Dem Husten von Leuten aus den herrschenden Schichten ist die Wichtigkeit anzuhören, die er wenigstens für die Hustenden besitzt: die pure Krankheit oder den zufälligen Reiz kann er nicht zugestehen, sondern gibt sich allemal so, als handle es sich um die Vorbereitung zu einer Ansprache, die nicht unterlassen werden dürfe, ohne die objektiv notwendige Durchführung der Ansprache zu gefährden. Der Husten von Kleinbürgern kennt nicht die Wichtigkeit der Sache, für die er einsteht; er ist sich selber wichtig, lang und umständlich; wird um der Gesundheit willen gehustet, die zur Ordnung gehört und der das Leben untersteht; prüfend hört er sich zu. Der proletarische Husten klingt gepreßt und aggressiv, immer unreflektiert und ohne daß er eine Bedeutung sich setzte. Er wird nicht für die kommende Rede oder die gegenwärtige Gesundheit gehustet, sondern um die Lunge vom Staub zu reinigen. – So sind noch die animalischen Äußerungen unseres Lebens Zeichen von gesellschaftlichen Differenzen. Man möchte fragen, wo eigentlich das Wesen Mensch erfragbar sein soll, das vielleicht noch in der Geste des Todes eingeschlossen ist von einer geschichtlichen Figur, von der es sich nicht losreißen läßt.

Mutiger als das gewagteste Verbrechen mitten im überfüllten Opernraum; mutiger als die tollkühnste Verfolgung durch den Amateur-Kriminalisten, der sich unmenschlichen Gegnern in die Hand gibt und dem sicheren Martertod ins Auge sieht, getröstet allein von der größeren Sicherheit des guten Endes: mutiger als all dies erschien mir von jeher in Detektivromanen die Art, in der alle

Menschen hier ihre Namen tragen. Sie treten mit ihnen, den echten und den falschen, auf, als seien sie ihnen vom Beginn der Zeiten her zum Augenblick ihrer Geburt zugesprochen, und nicht der leiseste Zweifel beirrt sie, wenn sie sich sogleich im vollen Schmuck des Namens präsentieren. Wieviel Mut gehört doch dazu, überhaupt zu heißen. Während die ernsten Romanschriftsteller alles erdenklichen Taktes bedürfen, damit ihre Figuren von der Rüstung des Namens nicht erstickt werden – zu Anfang der Wahlverwandtschaften entschuldigt Goethe sich gleichsam, daß der Held Eduard heißt, obwohl der Name des reichen Barons in den besten Jahren doch unauffällig und diskret bleibt und nicht einmal den Nachnamen herbeizieht –: tragen sie in Detektivromanen stark und frei die Schwere der Namen, wie wenn es von selbst sich verstünde; wie mythische Helden der Vorzeit, deren Ruhm zum Himmel ansteigt und im Echo des Namens von dort auf sie zurückfällt, ohne sie zu zerschmettern. Brentheim und Racoszy, Maxime Kalff und der Wucherer Jaerven, Miß Winterslip und Jennyson – indem sie schlankweg also heißen, ist jeder Name ein Versprechen, denn allein die Größe des Schicksals vermag nachträglich die Gewißheit der Namen zu legitimieren. Der Detektivroman selber aber ist dann nichts anderes als die Geschichte von solchen, die ihren Namen Ehre gemacht haben.

Auch solche Darstellungen, die sich realistisch oder naturalistisch glauben, stecken in Form und Konstruktion voll unaufgelöster Mythologie; während andere, die scheinbar die gesellschaftliche Wirklichkeit artistisch verändern, gerade durch die Technik der Veränderung die mythischen Chiffren auflösen. So ist im Roman seit Balzac trotz aller sozialen Kritik eines fraglos geblieben: daß die Menschen in Beziehung zueinander treten können. Wohl verbiegt die Gesellschaft die Beziehungen, wohl erhebt aus der Unerreichbarkeit der Liebenden unerbittlich am Ende sich Einsamkeit. Aber es ist eine abstrakte und vorgegebene Einsamkeit; eine der Seelen, die von seelischem Trost erleuchtet und gemildert werden kann. Wann aber hätten Romane es sich zum Vorwurf genommen, daß es zu Beziehungen überhaupt nicht kommt; daß die Menschen deshalb sich nicht erkennen, weil sie sich nicht einmal kennenlernen? Jack London etwa hat die Klassendifferenzen als Grenzen der menschlichen Beziehungen dargestellt. Aber im Raume einer homogenen Klasse, der proletarischen, nimmt er Beziehungen an. Die Unmittelbarkeit, die er hier vermutet, ist romantisch. Die Verhältnisse lassen den Menschen weder die Freiheit des Wählens noch einen zureichenden freien Lebensraum, in dem sie kommunizieren könnten; sie ›haben wenig Verkehr‹. Die Qual der kleinbürgerlichen Neugier, des Vereinswesens, des ›Ausgehens‹ am Sonntag sind isoliert beschrieben worden, noch nicht aber gänzlich als Produkte der Klassenherrschaft durchschaut. Die politische Organisation ist die einzige tragfähige zwischenmenschliche Beziehung, die hier übrigbleibt. – Romane aber, die sich ernstlich um solche reale Einsamkeit mühen, wie Kafka oder Greens Adrienne Mesurat, fallen sogleich aus dem Realismus des sozialen Romans heraus; weil sie nicht die Oberflächengestalt der gegenwärtigen Gesellschaft respektieren, in der sie sich selber gibt, sondern eben den Abgrund der Absurdität aufreißen, den sie verdeckt und überspielt: den Abgrund des Wahnsinns, in den die Einsamen einstürzen. Es wäre ernstlich zu fragen, ob realistische Romane überhaupt noch realistisch sind: ob nicht die getreue Abbildung des Erscheinenden ungewollt all das mit übernimmt, was am Erscheinenden Schein ist, und vergißt, was es verhüllt; während erst eine Durchbrechung des geschlossenen Erscheinungszusammenhanges – die auch den Kausalmechanismus nicht umstandslos anerkennt, den er darbietet – die eigentliche, verhüllte Realität erreichen und enthüllen könnte, indem in der frisch zusammengesetzten Figur der Erscheinungszusammenhang plötzlich als Widersinn kenntlich wird. Dies Verfahren rechtfertigt sich freilich erst, indem es sich der gesellschaftlichen Theorie einfügt.

Es ist die eigentümliche Faszination bemerkt worden, die die Phänomene des Snobismus auf den ausüben, der sie beschreibt; derart, daß er dem Snobismus selber verfällt. Bei Sternheim wußte jeder Skribent davon zu erzählen; bei Proust bedarf es nicht einmal der Kenntnis der Briefe, den Snobismus einer Gesinnung aufzuspüren, die zugleich die unerbittlichste Analyse des Snobismus leistet, die je unternommen ward. Andererseits ist gerade im Snob-Milieu, das Proust darstellt, Snobismus eines der ärgsten und entehrendsten Schimpfwörter; bezeichnet den Eindringling, der sich mit einer

Sphäre identifiziert, in die er nicht hineingehört. Ebenso steht das Wort in Hofmannsthals »Schwierigem«. Es wechselt überhaupt sein Profil so vollständig nach dem gesellschaftlichen Standort, von dem aus es gesprochen wird, wie manche alpine Gipfel nach dem Tal, aus welchem man sie visiert. Von oben ist der Snob der ambitionierte Streber, der die Aristokratie nachahmt, ohne zu ihr zu zählen; von unten erscheint snobistisch jede Haltung gesellschaftlicher Exklusivität – besonders den selbst Ambitionierten. Gemeinsam ist alldem: daß der gesellschaftliche Rang selber unerfragbar, der Diskussion enthoben sein soll; wie Proust in jenem Brief es andeutet, in dem er davon redet, er erblicke noch im Unsinn der menschlichen Stufenleiter Spuren der Gestalt einer wahren Ideenwelt. Der Snob aber ist der, der solcher Unerfragbarkeit sich unterwirft und in ihr erlischt; nach der Definition eines nicht feststellbaren Autors das »Kenotaph seiner selbst«. Die Aura des Unerfragbaren, die ihn verzehrt, ist so stark, daß sie selbst den noch in sich hineinzieht, der ihr von außen naht, um sie zu sprengen. Im Schutzkreise des Snobismus werden alle Gesten ohnmächtig, die nach ihm tasten. Solange nicht die Politik das eine Wort findet, das allen Snobismus verschwinden ließe, gibt es dagegen keine Auskunft als die Feindschaft der nächsten Nähe. Nur dem vermag die Aura sich zu lösen, der bis in die leere Zelle ihres innersten Geheimnisses gedrungen ist. Das mag auch der Grund für die rätselhafte Sympathie zwischen Snobismus und Avantgarde abgeben.

Gegen die Schreibmaschine wird stets noch von Schriftstellern eingewandt: weil sie den Innervationen der Hand nicht gehorche mit ihrer Mechanik, sei sie unfähig, den leibhaften Kontakt zwischen Gedanken und Schrift herzustellen; Schriftsteller, denen es um solchen Kontakt zu tun ist, sollten darum beim Füllfederhalter bleiben. O romantischer und unerfahrener Einwand, der dort noch das Mißtrauen gegen die Technik bewahrt, wo der Gedanke längst der Technik zuhilfe kam. Denn nirgends ist der Kontakt zwischen Gedanken und Wort enger als auf der Schreibmaschine. Freilich nicht zwischen Gedanken und Schrift. Die Hand, die ins Material der Tasten schlägt, kümmert sich nicht um das geschriebene Resultat, das weit dort oben am Horizont der Maschine vorüberschwebt. Sondern sie meißelt aus den Tasten Wortleiber, so deutlich, daß man sie oftmals in den Fingern zu halten meint, unter deren Druck sie sich plastisch aus der Tastenfläche ausformen. Der Prozeß des Schreibens ist auf der Maschine aus einem zweidimensionalen wieder dreidimensional geworden. Die Worte, so viele Jahrhunderte hindurch bloß gelesen, lassen sich wieder abtasten; so bekommen wir sie vielleicht endlich in die Gewalt, nachdem wir allzulange ihrer fremden Herrschaft ausgeliefert waren.

Der Glaube, daß den großen und erhabenen Gegenständen große und erhabene Worte zugeordnet seien, ist unausrottbar. Allemal noch dünkt sich ein Idealist, er sei schwärmender Primaner oder rechtgläubiger Philosoph, edler als ein Materialist; und wenn einer etwa bezweifelt, die Welt, in der wir existieren, sei sinnvoll, so wirft das zunächst nicht auf die Welt, sondern auf ihn ein schlechtes Licht. Die im Besitz der erhabenen Worte sich befinden, werden geneigt sein, denen die Gnade abzusprechen, die sie nicht zu gebrauchen wagen. Aber könnte es sich nicht so verhalten, daß die gemeinten Gehalte längst aus jenen Worten abgewandert sind, weil es ihnen nicht mehr darin gefiel oder weil ihnen offenbar wurde, daß sie in den Worten entstellt und zu falschem Ende eingesetzt sind? Könnten nicht die großen Worte ohnmächtig und verlassen zurückgeblieben sein, während die Gehalte bei den niedrigsten, vergriffensten und unscheinbarsten Schutz gesucht haben, die sie am wenigsten mit Schein verfälschen? Hier ist nun ihr Ort, und so tief sind sie den niedrigen Begriffen eingesenkt, daß sie nicht einmal mehr als deren geheimer ›Sinn‹ herausgehoben und in ihre Ursprungsregion zurückgebracht werden können. Sie bewähren sich allein daran, daß aller Schein vor ihnen zerfällt, während jene niedrigsten Begriffe, die der materiellen Realität, des untersten Trieblebens, der kleinsten konkreten Einsicht standhalten und nicht zerfallen. Nur noch an der Konsistenz der Worte, die sie umschließen, sind die Gehalte meßbar; ihr An sich ist unaussprechlich geworden. Indem sie aber unbenannt sich darstellen, gehen vielleicht ihre Namen unter in einer Wirklichkeit, in der sie selber sich durchsetzen.

1931

An Stelle eines Tagebuches

Die zärtlichen Namen, die Liebende füreinander erfinden, haben ihren wahren Ursprung in der Scham, den Namen des geliebten anderen selber zu nennen. So groß ist die Gewalt des Namens, daß kaum einer es ertrüge, ihn von Angesicht zu Angesicht zu erblikken, der ihn einmal als dem Geliebten unabtrennbar zugehörig erfuhr. Gleichwie der nackte Leib verhüllt sich der nackte Name für den, der ihn kennt. Die flüchtigen zärtlichen Namen vermögen nicht, auf der Flucht ihm auszuweichen. Vielmehr umstellen sie ihn wider Willen als sein Akrostichon und melden ihn schweigend. Während sie ihn vermeiden, staut in ihnen allen sich der wahre und wird aus ihnen reiner hervorgehen, als er jemals unmittelbar gegenwärtig war. Wie das Sonnenspektrum seine bunten Farben bloß aufbietet, um sie doch zu verschmelzen: so versammeln sich die Worte der Zärtlichkeit, um endlich in der Weiße des Namens zu erlöschen, der aus ihnen aufstrahlt, wäre es auch erst mit dem Tode.

Bis dem Liebenden die Geliebte vollends angehörte, vermag er nicht, sie entkleidet sich vorzustellen. Der Kern, aus dessen Kraft alle Bilder seiner Phantasie leben, liegt im Dunkeln, und nur aus dem Dunkel, ohne Anschauung, erzeugt er die Bilder, die bestimmt sind, in seiner Wirklichkeit unterzugehen. Ja, es wehrt die Phantasie mit dem Vorwand von Scheu und Verehrung ihren eigentlichen Gegenstand sorgsam von sich ab, als fürchte sie sein leibhaftes Erscheinen durch die Vorwegnahme im Bilde zu gefährden, während Phantasie als Blinde ihn ereilt und festhält solange, bis der erfüllte Augenblick zu ihm sich aufschlägt, dessen Treue er sich gibt: denn wie muß nicht Treue den Augen innewohnen, die solange geschlossen sich hielten, bis keine Flucht der Bilder ihr wahres ihnen mehr rauben darf. Im Blickfeld unserer ahnenden Sehnsucht erscheint Glück allemal bloß als der blinde Fleck.

Es ist die traurigste und zärtlichste Auskunft von Liebenden, anderen Unrecht zu tun. Wo jegliche Geste verwehrt ist, die das alte Ritual bezeugen könnte: daß einer dem anderen zugehöre – dort bleibt als letzte die, welche das Opfer bezeichnet, das für die Liebe sterben soll und auf ihren grellen Scheiten verbrennen; sonst verzehrte die Liebe sich selber. Da steht das arme Lamm, von freundlichen Menschen unverhofft an Haartracht und Kleidung gescholten, und wie es nichts versteht, beginnt es zu weinen.

Zur Gegenwart der Geliebten, die Liebe erfüllt, bildet das genaue Gegenstück das persönliche Erscheinen dessen, mit dem sie einen betrog und das nun die Liebe wegnimmt. Vielleicht ist es die Angst um die Liebe selber, die Liebende oftmals verblendet, daß sie nicht merken, was geschieht, oder die sie zwingt, bei einer vagen und allgemeinen Vorstellung von Untreue sich zu bescheiden. Zeigt sich nun aber die Geliebte neben dem anderen, dann muß Phantasie wie unterm Zauber eines bösen Wortes sie so vorstellen, wie sie es sonst mit der sichersten Vorsicht vermeidet, und das Bild, dies arge Bild, wie es dem Bergeret bei Anatole France unablässig sich wiederholt, dies Bild saugt den unbildlichen Gegenstand der Liebe in sich ein, daß sie nichts mehr besitzt, wovon sie leben könnte, und aufhören muß.

Ich träumte, mit der Geliebten sei ich bei einer Beerdigung. Wenige Menschen standen ums offene Grab. Da erschien ein Mann und verteilte Zettel: zitronengelb, wie die Programme eines Vorstadtkinos. Mit vielen Ausrufungszeichen war der Text geschmückt. Als Schlagzeile stand zu lesen: *Beerdigungskonzert*, und darunter in kleineren Lettern: Vorsicht! Kritik anwesend! Vorsicht! Beide begannen wir, krampfhaft laut zu lachen. Davon wachte ich auf.

Ca. 1932

Karlsbader Souvenirs

Wenn manche Leute meinen, die Politik werde von der Geographie bestimmt, dann ist umgekehrt Geographie hier von Politik abhängig. Draußen der schöne Kaiserpark, mit Masten und Segel die glückbringende Brigg, beladen mit köstlichen Kurfrühstücken, heißt nun Geysirpark, weil es keinen Kaiser mehr gibt. So hat sich im grünen Nordwesten der Tschechoslowakei Island angesiedelt, und im Glanze seines Namens verwandeln sich die Hotels, vorab das mächtige Impérial, in Felsengebirge mit den Fjorden der Autoeinfahrten. Die wasserscheuen Gäste aber, die promenieren, gleichen wilden Wikingern, die mit Becher und Saugrohr die Insel der Gesundheit ungestüm erobern.

Nicht stets mit der Waffe: auch im Spiel. Beim Sprudel, jenem hohen und heißen Sprudel, zu welchem der Hirsch herabsprang, welcher dem Hirschsprung den Namen gibt – bei diesem Sprudel und sozusagen im Kurherzen gibt Karlsbad sich als Monte Carlo. Gleich den Croupiers handhaben Mädchen – arme Karlsbader Mädchen, steht im Reiseführer – schwierige Rechen, deren Funktion unkontrollierbar bleibt. Als Einsatz reicht man ihnen den Becher. Spannend ist der Augenblick, da der Becher im Rechen verschwindet. Rien ne va plus. Aber man kann nicht verlieren. Nach einer Minute voll rätselhafter Vorgänge kredenzt allemal die Croupière den Gewinn: warmes Wasser im wiedergefundenen Becher.

Kein Ort für Hitler. Ihn besetzt mit allen Schattierungen, was in der extremen also sich darstellt: abends gegen sechs ziehen schwarz und schweigsam ansehnliche Kaftanjuden die Straße dahin. Mit archaischen Bärten, rätselhaft und unergründlich. Nie allein, stets zu mehreren, die einander gleichen, magische Boten. Einen dicken Alten stützt ehrerbietig ein weniger dicker, jüngerer, beim Arm. Selten tauschen sie mit kargem Wort und vielsagender Gebärde ihre

Weisheit. Es ist gut, daß man sie nicht versteht. Denn hoffte man, es könnte sich durch ihre Anleitung das verborgene Buch Sohar enthüllen – man vernähme Tröstliches nur von den digestiven Wirkungen von Mühlbrunn und Schloßbrunn.

Selbst Goethe, den ein unergründliches Schicksal hierher verschlug, kann sich der Atmosphäre nicht entziehen. Sein Denkmal, im Park des klassischen Karlsbader Etablissements errichtet, blickt mit unverkennbar ostischen Zügen auf eine offenbar vertraute Umwelt. Das Monument macht verständlich, was zwei Besuchern widerfuhr, die es, offenbar der Antiqualettern unkundig, betrachteten. Wer das bloß sein mag, fragte der eine. Das weißt du nicht, antwortete indigniert der andere: das ist der alte Pupp.

Pupp: das ist Zauberwort und klassisches Etablissement zugleich. Der Kannitverstan von Karlsbad. Ihm gehört nicht nur das Hotel Pupp, das Café, das Parkhotel, sondern auch, auf der anderen Seite die Tepl, deren Name nicht von Pallenberg erfunden ist, Quisisana und Quirinal, die die Silbe Qui als liebendes Paar vereint. Ganz Karlsbad dünkt ein Etablissement Pupp. Etablissements stammen aus dem neunzehnten Jahrhundert. Sie sind die frischen Siedlungen, die die Zivilisation im Urwald der Kultur anlegte, in dem sie sich etablierte, niederließ, abzuwarten, was um sie anschießen mochte. So hat es der alte Pupp im Felsental der Tepl gehalten. Auch die unzähligen Freundschaftstempel, Hirschsprünge, Stefaniewarten sollte man ihm zuschreiben. Von jedem genießt man die Aussicht auf alle anderen, an vielen sind Drahtseilbahnen befestigt, altehrwürdiges mechanisches Spielzeug; alle aber kreisen um den lichten Schwerpunkt des Etablissements, das da ein Felsental zur Promenade sänftigte und sein Goethedenkmal im Mignon-Potpourri mit der Kurkapelle versöhnte.

Ca. 1932

Im Flug erhascht

Man kann Erfahrungen zu spät machen. Nicht nur, wenn ein Lebensalter sie bringt, in dem die Reaktionsweisen abgestorben oder verhärtet sind, die darauf ansprächen, oder wenn man gar ins Kindische sich zurückbilden muß, um jene Reaktionsweisen wachzurufen. Sondern sobald einmal Zahllose gewisse Erfahrungen gemacht haben, ist diesen, so scheint es, selber das Beste ausgesogen. Der Blick, der endlich auch sieht, was zuvor Millionen sahen, und unwillkürlich wiederholt, was ihre Organe bereits vollzogen, hat nicht bloß etwas Anachronistisches, sondern etwas Kraftloses. So ergeht es dem, der heute zum ersten Mal fliegt, da doch, was das Fliegen gewährt, wesentlich Ausdruck ist von einem Zum ersten Mal. Die Rede vom zum zweiten Mal entdeckten Nordpol erfüllt sich. Aber dem Emigranten ist ohnehin die Zeitordnung zur Unordnung geworden. Die Jahre der faschistischen Diktatur sind aus der Kontinuität seines Lebens herausgesprengt; was in ihnen sich zutrug, fügt dem anderen kaum sich ein. Kehrt er zurück, so ist er gealtert zugleich und so jung geblieben, wie er im Augenblick der Verbannung war, ein wenig wie Tote für immer das Alter behalten, in dem man zuletzt sie kannte. Er wähnt dort fortsetzen zu dürfen, wo er aufhörte; die heute so alt sind wie er 1933, scheinen ihm Gleichaltrige, und doch hat er sein reales Alter, das mit dem anderen sich verschränkt, es durchbricht, ihm Hintersinn verleiht, es Lügen straft. Es ist, als hätte das Schicksal jene, denen es widerfuhr und die es überleben durften, in eine zugleich mehrdimensionale und durchlöcherte Zeit versetzt. So mag es dem verspätet Fliegenden erlaubt sein, einiges von dem aufzuzeichnen, was er zu beobachten glaubte.

Beim Tagflug über den amerikanischen Kontinent von Los Angeles nach New York, der etwa zehn Stunden währt, scheinen alle gänzlich an das gewöhnt, was sich abspielt. Vom Fliegen überhaupt zu reden, hält man für unter seiner Würde; es wird auch kaum hinausgeblickt. Viele Kinder sind in dem Passagierraum, der vom Inneren eines modernen amerikanischen Schnellzugs kaum sich unterscheidet: auch dieser enthält Abteile, die der Aussicht vorbehalten sind. Die Kinder nehmen wenig Notiz von dem, was vorgeht, sie sind still, spielen oder schlafen, als wären sie damit aufgewachsen, nicht einmal die technische Apparatur, der überreich ausgestattete Steuerungsraum, scheint sie zu interessieren. Die Reisenden sind keineswegs mondänes Publikum; Geschäftsleute, bescheidene Mütter herrschen vor. Nichts von Luxus und Ausnahme. Es geht rascher. Kein Schauder: das Bild des Fluges ist stumpf, einfarbig geworden.

Daß nicht mehr herausgeblickt wird, liegt ein wenig auch an der Sache. Die Sicht ist größtenteils blockiert von den Seitenflügeln mit den vier riesigen Motoren, die das Vehikel paläontologisch erscheinen lassen wie den dreigehörnten Dinosaurier Triceratops, den letzten von allen. Freilich ist wie in den transkontinentalen Schnellzügen eine Art Salon vorgesehen, ein ovaler gefensterter Teil am Ende, aber es wird nicht allzuviel Gebrauch davon gemacht. Das Ganze erinnert an die Eisenbahnen neuesten Stils, auch an Autobusse, metallglitzernd, abgedichtet, gleichsam plombiert. Man ist der Institution überantwortet; was man zu tun oder lassen habe, wird einem jeweils durch Transparente kundgegeben. Manchmal besagen sie, man solle sich mit einem Leibgurt festschnallen. Da nichts erfolgt, was einen aus dem Sitz aufstört, so schöpft man den Verdacht, es werde durch den Gurt dafür gesorgt, daß keiner im Fall einer Katastrophe auf eigene Faust entkommen könne; doch ist das Innere des Flugzeugs so dicht verschlossen, daß ohnehin die Gefahr der eigenmächtigen Rettung schwerlich besteht. Weniger durch die Höhe als durch die Isolierschicht der Organisation ist man von den Eindrücken getrennt, die man sich verspricht. Vielleicht erklärt das etwas von der Gleichgültigkeit der Passagiere. Die erregendste Erfahrung ist derart reguliert, daß es kaum zur Erfahrung kommt.

Gelingt es, die Erde zu erkennen – man fliegt über den Wolken, stolpert manchmal über sie, wie über ein holperiges Pflaster, und sie tragen das Ihre zur Isolierung bei –, so ähnelt sie den Landkarten, Gebirge den physikalischen, Ebenen den politischen. Die Rocky Mountains erscheinen als graugetöntes Relief, der mittlere Westen, in schwachem ungewissen Grün, zeigt gerade geschnittene Linien. Man meint, rechteckig folgten die Staaten aufeinander nach ihrem Bilde aus dem Atlas der Kindheit. Manchmal aber bildet der hastige Blick sich ein, er werde der fernen enteilenden Erde gewahr als einer Kugel. So ist sie, aus Raketen, bereits photographiert worden.

Auch der lange zu fliegen zögerte, bleibt frei von Angst. Der Luftdruck in den riesigen Aeroplanen ist ausgeglichen; Luftkrankheit gibt es in ihnen nicht mehr. Die Luftlöcher, von denen gefabelt wird, sind nicht zu merken. Nicht einmal der Augenblick, in dem man die Erde verläßt, läßt mit Sicherheit sich angeben. Vielleicht ist er übertönt von dem unmäßigen Tosen der Motoren, die unmittelbar vorher entfesselt werden, und denen man sich ausgeliefert fühlt so ohne alles Verhältnis zum eigenen Körper, daß man sich fügt, ohne recht fürchten zu können. Nur: sieht man senkrecht herunter, so hat man den Eindruck des ominösen Stillstandes. Das Flugzeug hängt reglos im Leeren, und man begreift nicht, daß es nicht in die Senkrechte stürzt, in der es da innehält. Bei der Landung aber ist die Berührung des Bodens nichts als ein sanfter Stoß.

Wenn Träume sich erfüllen, ist es anders, als geträumt ward. So auch beim Fliegen. Wenig, wenn irgend etwas, hat es mit dem Flugtraum gemein. Denn man wird nicht seiner selber als des Fliegenden inne. Man tut nichts dazu, ist ganz Gegenstand, sei es eines vom eigenen Willen schlechterdings unabhängigen Vollzugs, sei es der verwaltenden Betreuung. Was der Flugtraum meinte, schwerelose Freiheit, ist abwesend: man fühlt sich deutlich schwerer als die Luft. Nicht einmal an den fliegenden Teppich denkt man in der Metallhülle. Aber ein ganz Anderes wird wahr. Wer hätte nicht schon von Gebirgen geträumt, so hoch, daß es erst die rechten Gebirge wären, hinter denen die Alpen zu Zwergen schrumpfen; wer nicht von Portalen, so mächtig, daß eine Menschheit von Riesen sie durchschreiten könnte. Diese Dimension erschließt sich dem Flug. Die blasse entschwindende Erde ist nicht länger die Mitte der Welt, sondern ein Element des Kosmos. Man findet sich in jener

Größenordnung, die der Traum verspricht und die Erde versagt. Erst jetzt wird die kopernikanische Wendung, jahrhundertelang bloß abstraktes Wissen, das nichts darüber vermochte, daß uns die Sonne auf- und untergeht, lebendig eingeholt. In der abenteuerlichen Verkürzung des Fluges, als verkleinerte, wird die Erde zu dem Himmelskörper, den der Wunsch sich ausmalt, Stern unter Sternen, und entbindet die Hoffnung auf solche, die ihr nicht gleichen. Indem sie unter uns zurückbleibt und verschwindet, regt sich das zaghafte Vertrauen, es möchten die anderen Gestirne von Glücklicheren bewohnt sein als wir es sind.

1954

Kleiner Dank an Wien

Als einer der vermutlich nicht eben zahlreichen Reichsdeutschen, die während der zwanziger Jahre nach Wien gingen und dort Entscheidendes ihrer künstlerischen Bildung empfingen, darf ich vielleicht an eine spezifische Erfahrung erinnern, über deren Tragweite ich mir erst sehr viel später klar wurde, die aber etwas von dem berühren mag, was das österreichische Element einem Deutschen bedeuten konnte.

Nach Wien bin ich gegangen, weil ich bereits ganz früh die Musik der Schönberg-Schule kennengelernt und eine ursprüngliche Wahlverwandtschaft zu ihr entdeckt hatte. Komposition studierte ich bei Alban Berg und Klavier bei Eduard Steuermann. Meine Absicht war nicht nur, meine musikalische Ausbildung derart weiter zu treiben, wie ich es als mir vorgezeichnet empfand, und gewissermaßen in Wien das zu lernen, was als das mir künstlerisch Gemäße mir längst vor Augen stand. Sondern mich trieb die Solidarität mit einer musikalischen Avantgarde, deren konzessionsloser Radikalismus weit hinter sich ließ, was sich im Deutschland derselben Jahre – etwa beim frühen Hindemith – fand. Aber mich überraschte in Wien, und zwar eben inmitten jenes strengen und avantgardistischen Kreises, eine Stärke der Tradition, künstlerisch und in der Lebensführung, die den doch weit weniger exponierten deutschen jungen Musikern ganz fremd war. Das Moderne, das war zugleich das Artistischere, Gewähltere, Empfindlichere; kurz das, was mehr an Geschichte und Diskriminierungsvermögen in sich trug. Rasch genug entdeckte ich, daß diese furchtlosen und zur Auflösung alles Vorgegebenen bereiten Künstler zugleich mit einer gewissen Naivetät und Selbstverständlichkeit in ihrer selbst nach dem Sturz der Monarchie noch halb geschlossenen, halb feudalen Gesellschaft existierten und daß sie gerade ihr jene sinnliche Kultur und unduldsame Subtilität verdankten, die sie mit dem geistigen Konformismus in Konflikt brachte. Oft habe ich damals gestaunt über das, was meiner Unreife ein Widerspruch schien zwischen der Kühnheit der Innovation und der hochmütigen Lässigkeit, mit der zahllose Kategorien eines fest gefügten gesellschaftlichen und auch geistigen Gefüges hingenommen wurden. Die Reichsdeutschen galten der Wiener Avantgarde vielfach als eine Art geschichtsfremder und plumper Provinzialen, und nie werde ich vergessen, wie Alban Berg im Dezember 1925 in Berlin mir in vollem Ernst auseinandersetzte, die Deutschen äßen allesamt nur Dreck.

Allmählich lernte ich verstehen, daß gerade diese halb naive Befangenheit im Traditionellen die Voraussetzung zum Kühnen, unbotmäßig Zarten abgab. Man mußte gleichsam gesättigt sein mit der ganzen Tradition, um sie wirksam negieren, um ihre eigene lebendige Kraft gegen die Erstarrung wenden zu können. Nur wo eine Tradition so überwältigend ist, daß sie die Kräfte des Subjekts bis ins Innerste formt und zugleich ihnen sich entgegensetzt, scheint etwas wie ästhetischer Avantgardismus überhaupt möglich zu sein; ganz ähnlich wie offenbar die großen Maler des Pariser Kubismus ohne ein Moment bürgerlichen Behagens sich nicht denken ließen. In Berlin, der Metropole als tabula rasa, hat es denn auch eine eigentliche Avantgarde damals kaum gegeben; Figuren wie Brecht, die deren Begriff am nächsten kamen, hatten selber etwas von jenem Süddeutsch-Traditionellen, das in Wien die Atmosphäre bildete, in der die große produktive Opposition von Schönberg und Loos, von Karl Kraus und, in den heroischen Zeiten, auch von Freud gedieh.

Nicht als ob die Wiener Moderne mit denen paktiert hätte, die sich selbst als Hüter der Tradition deklarierten. Man hätte es damit nicht reiner halten können, als es im Kreis Schönbergs geschah, und unbeschreiblich war die Autorität, die von Kraus ausging. Aber oft dünkt es mir heute noch, als hinge das Nachlassen der inneren Spannung in der neuen Musik wesentlich damit zusammen, daß sie an keiner verbindlichen Tradition mehr kritisch sich zu erproben gezwungen ist wie damals in Wien. Der Verfall des technischen Standards ist davon kaum zu trennen.

Ich weiß nicht, was heute, nach zwei Katastrophen und nach bald vierzig Jahren einer ökonomisch höchst prekären Existenz, von jener Spannung in Wien übriggeblieben ist; ich weiß vor allem nicht, ob es heute noch etwas wie eine substantielle, aus Tradition gespeiste Opposition gegen die Tradition gibt oder ob diese aus sich selber ein Monopol macht. Ich bin mir auch dessen bewußt, daß der Zusammenhang, auf den ich anspielte, nicht gewollt werden kann. Zu Recht besteht der Verdacht, daß er schon in dem Augenblick zu zerfallen droht, in dem er sich enthüllt und bei Namen angeredet wird. Aber ich kann mir doch nicht verbieten auszusprechen, warum ich leidenschaftliche Dankbarkeit fühle für eine Stadt, gegen die meine Freunde aufbegehrten und von der keiner loskam. Ohne sie wäre der Impuls zu jener neuen Kunst nicht möglich gewesen, die in Wien selber so wenig beliebt war. Ich kann mir kaum vorstellen, daß von den paradox nährenden Kräften Wiens nichts mehr übrig sein soll.

1955

Beitrag zur Geistesgeschichte

Daß es der Forschung sollte entgangen sein, läßt sich kaum annehmen; fraglos aber ist es dem allgemeinen Bewußtsein nicht gegenwärtig, und man tut recht daran, das denkwürdige geistesgeschichtliche Motiv zur Erinnerung zu bringen. Kant hat seinem Testament vom 28. Februar 1798 am 4. Dezember 1801 ein Kodizill angehängt und unter § 2 vermacht: »Meiner Köchin Louise Nietschin, wenn sie bei meinem Tode (noch im Dienst ist), sonst aber nichts, die Summe von zweitausend Gulden. Es sind aber alle in meinem Testament meiner Köchin etwa bestimmte Legate in diesem enthalten.« Es kann danach keinem Zweifel unterliegen, daß Kants Köchin Nietzsche hieß; denn das z, das ihrem Namen fehlt, und den des Philosophen gleich einem martialischen Schnurrbart schmückt, mag erst mit der Heroisierung des siegreichen Bürgertums in die Orthographie gedrungen sein und damit Zeugnis von einer Entwicklung geben, die man im übrigen auch an den Differenzen der Kantischen und Nietzscheschen Gedanken zu studieren vermag. Wenn aber dem wirklich so ist, dann erscheint der Haß Nietzsches gegen Kant und die idealistischen Systeme in ganz neuem Licht, und es eröffnet sich andererseits ein höchst unerwarteter Zusammenhang zwischen beiden Denkern. Denn von der Königsberger Köchin ist der Weg nicht weit zu jener polnischen Aristokratie, aus deren Blut Nietzsche sich herzuleiten liebte. Aber auch zum Ressentiment. Selbst dem freiesten Geist könnte es begegnen, daß er des eigenen Ursprunges überdrüssig wird, sofern ihm die Möglichkeit sich auftut, das Beste, Echteste seiner Natur – das Adlige habe der Vermittlung einer kleinen Bürgerseele und armseligen Köchin bedurft. Wie also, wenn der Haß gegen Kant nichts anderes bedeutete als den gegen die Köchin in ihm selber? Wenn die Unredlichkeit des Systems, der der gute Europäer mißtraut, als Unredlichkeit der Ahnfrau im Ausgabenbuch sich erwiese? Wenn gar, letzte, entfernteste Möglichkeit, die Herrenmoral selber auch nur eine Art höherer Sklavenmoral wäre, in der der Bedienten Louise ihr spätes, ob auch fragwürdiges Recht über den kategorischen Imperativ des Unterdrückers widerfährt? Man sollte ernsthaft erwägen, das Problem als Gegenstand einer Preisfrage zur Erörterung zu stellen.

1930

»Was lieben Sie eigentlich an Ihrem Mann?«

Ein großes Magazin, das seine Leser kennt, hat die Umfrage veranstaltet, anonym leider, um durch den Schutz der Unverantwortlichkeit den Mut zur Offenheit wirksam zu steigern. Man weiß diesmal also nicht, ob es sich um Tonfilm-Prominenzen, um die Besitzerinnen der schönsten Kleinautos, der schönsten Beine oder schlechtweg um Damen der Gesellschaft handelt. Aber gesetzt selbst, es wäre nichts von alledem; die Zeitschrift hätte die anonymen Antworten allesamt erfunden: ihr Wert wäre darum nicht geringer. Vielleicht sogar größer. Das Magazin kennt ja seine Leser; was es für sie erfindet, kann ihre Träume genauer erfüllen, als die Unbeholfenen selber es vermöchten. Man erfährt also, was sie eigentlich lieben.
Ein Motiv geht durch die Antworten hindurch. Man soll es nicht voreilig den Hang zum Kindlichen nennen. Man muß genau zusehen, wie es sich gibt. Die erste meint: »Ich habe ihn gern, weil er mir so oft sehr kindlich vorkommt, ein ganz kleiner naiver Junge, weil er mich so notwendig braucht, weil er ohne mich in jede Grube fallen und von jedem Ziegelstein erschlagen würde. Dann habe ich ihn gern wegen vieler Kleinigkeiten: seine Leidenschaft für Wasser, Schwimmen, Duschen, Plantschen. Seine Art, mit großen gesunden Zähnen in Obst zu beißen.« Die nächste hat es anstatt mit den großen Zähnen mit der »reizenden Knabenstirn« zu tun: »Ich liebe seine Hilflosigkeit, den Seelenfrieden, mit dem er sie zu bemänteln versucht, und am meisten liebe ich, wenn er die Odyssee griechisch mit hochbayrischer Aussprache rezitiert. Außerdem liebe ich hauptsächlich noch am meisten« – so tautologisch spricht die gnädige Frau – »daß er nichts lernt und nichts vergißt und genauso klein ist wie auf seinem Erstlingsbild mit dem Holzpferdchen. Innen und außen ...« Weniger ungeschickt ist der folgende; aber seine Geschicklichkeit scheint allein die Kehrseite des Ungeschicks der anderen: »Ich könnte Ihnen auf Ihre Frage sagen: ›Weil er Nägel in Wände einschlagen und elektrische Sicherungen ansetzen kann,

Autoreifen auswechseln kann, und auch weil er einige Varietétricks beherrscht‹ – aber das sind, so schwerwiegend sie auch für ein weibliches Gemüt sein mögen, nicht die wahren Gründe.« Was aber sind die wahren? »Der Grund ist die Tatsache, daß er ein ›Bub‹ ist! Ein Siebenunddreißigjähriger, der den Lausbuben nie abgestreift hat, der mich mit großen, und wenn Sie's auch nicht glauben, reinen Kinderaugen ansieht ...« Auf den Traum-Monteur folgt das Maurerbaby: »Wo gebaut und gebuddelt wird, da steht er mit dem Eifer und mit den Fachkenntnissen eines Sextaners, Hände auf dem Rükken, und findet erregt, daß da alles ›wieder ganz falsch‹ gemacht wird.« Die nächste beschäftigt sich abermals mit dem Gurgeln und Plantschen, diesmal mit umgekehrtem Vorzeichen: »Wenn er morgens die gepolsterte Verbindungstür zwischen dem Schlaf- und Badezimmer zumacht und nebenan plantscht und gurgelt – ohne daß ich es höre. Wenn er dann frisch rasiert, im gebügelten Anzug, tipptopp ›Adieu, mein Liebes‹ sagt und fortgeht.« Über Gurgeln, Nageln, Mauern kommt freilich auch die Psychologie nicht zu kurz. Die sieht dann so aus: »... daß er einfacher ist als ich – obwohl er klüger ist. Es rührt mich immer wieder, daß er sich restlos über mich ärgert oder mich restlos bewundert. Daß er nicht ein bißchen Frau ist. Denn Frau bin ich selber genug.« Die Formel aber, die für alle gilt, lautet: »Das Siegerlächeln. Ein glückliches, stolzes, ein klein bißchen brutales Lächeln. Das Lächeln, das das Bewußtsein ausstrahlt, Herr zu sein, die liebende Frau zu vollkommener Willfährigkeit gebracht zu haben. Das Lächeln, das trotz aller Versprechungen von Gleichberechtigung offen zugibt, daß er sich als der Gebende, der Freude Spendende fühlt.« So sieht er aus, der liebe Junge.

Man wende nicht ein, hier sei es die mütterliche Natur, die rede. Keiner wird ihr das Recht bestreiten und keiner wird aus dem wachen Leben allen Kindertraum vertreiben wollen, der allein es treibend zu bewegen vermag. Aber die Form, unter welcher der Erwachsene Kindheit legitim mitnimmt, ist einzig die der Erinnerung; nicht die der unverwandelten Fixierung. Das Bild des Kindes im Manne aber, das die Antworten der Damen entwerfen, ist in Wahrheit ein Bild des Infantilen. Infantil ist die Bewunderung, die Erwachsenen gezollt wird, weil sie patente Sextaner sind, die elektrische Leitungen legen und buddeln können, als ob die Menschen nicht seit einiger Zeit die Arbeitsteilung erfunden hätten. Infantil ist die Verherrlichung des Leibes, die, erotisch gründlich neutralisiert, sich auf Gurgeln und Plantschen beschränkt. Was es damit tieferhin auf sich hat, dafür mag die Psychoanalyse zuständig sein. Aber vor aller analytischen Deutung: daß Menschen, die die Möglichkeit haben, baden und sich die Zähne putzen, sollte sich von selbst verstehen. Wird darauf, oder auf den ›gebügelten Anzug‹, Affektives übertragen, so bloß darum, weil es dem realen Menschen entzogen ward, den keine der Antworten auch bloß erreicht. Infantil ist endlich der *neurotische Mechanismus der Dummheit*, der wahllos beim anderen alles Zurückgebliebene, schlecht Unbewußte, stumm Naturbefangene liebenswert macht, sei es, weil die Enquête-Damen selber so angelegt sind, daß Besseres nicht mehr in den Raum ihrer Neigung fällt, sei es, daß es bei ihren Partnern nichts anderes zu lieben gibt: diesen kessen Jungen mit der Querschleife und jenem ›Siegerlächeln‹, das gar nicht so ein klein bißchen brutal, sondern bereit ist, das Spielzeug, in das ihre Welt sich verwandelt hat, im nächsten Augenblick entzweizuschlagen, nachdem der Held eben noch als der Freude Spendende in Aktion trat, bis er endlich gurgelnd im Meer der Dummheit versank.

Vielleicht tut man den Antworten Unrecht. Alle haben es nicht so gemeint und sind bloß neckisch gewesen. Nur, ihre Neckerei ist ihr Ernst, weil sie keinen Ernst sonst haben. Es ist zu vermuten, daß ihnen nichts anderes übrigbleibt als die Flucht in die Kindheit des anderen: die rationalisierte Wirklichkeit, in der sie leben, läßt ihnen keinen Traum als diesen dürftigen, und wären sie nicht selber so dumm, wie sie es am Gatten lieben, sie hielten es mit ihm nicht aus und auch nicht in einer Welt, die alle Erkenntnis mit wachsendem Leiden für den Erkennenden vergilt. Aber die Festung der Dummheit müßte in ihren infantilen Fundamenten gesprengt werden, wenn diese Welt verändert werden sollte.

1931

Fütterung der Toten

Das Schicksal der Kinder, denen man in Lübeck an Stelle des helfenden Serums die Bazillen geboten hat, vor welchen das Serum sie hätte schützen sollen, ist mit ihrem Untergang noch nicht versöhnt. Die Sprache, die zu lernen sie im Leben keine Zeit mehr fanden, verweigert ihnen das Mitleid, das von den Menschen ohnehin nicht zu erwarten steht: sie heftet sich an ihre Schatten und schändet sie. Angeklagte, Gericht und Presse scheinen übereinzustimmen in der Selbstverständlichkeit der Aussage, die Säuglinge seien mit dem Calmette-Präparat, dem richtigen oder dem falschen, was liegt schon daran, *gefüttert* worden. Die bestialische Dummheit, die den Mord beging, vermag die sprachlose Klage ihrer Opfer anders nicht zu ertragen, als indem sie die toten Menschenkinder in ihresgleichen verwandelt; in Tiere, die man füttert, um sie zu schlachten. So hat Flaubert die Karthagischen Molochpriester gesehen, wie nun ernste Männer der Wissenschaft sich bewähren: »Jedesmal, wenn man wieder ein Kind darauf legte, streckten die Molochpriester die Hände darüber, um es mit den Sünden des Volkes zu belasten, und schrieen: Es sind keine Menschen, sondern Tiere! Und die Menge ringsum wiederholte: Tiere! Tiere!« Freilich, selbst die Molochpriester, die die Kinder Tiere nannten, hätten sich besonnen, von ihrer Fütterung zu reden, die der Schändung des Menschen noch den Hohn einer Fürsorge hinzufügt, die den Mord, den sie entschuldigen möchte, selber erst hervorbringt. Hätten die Toten ihre Fütterung überlebt, sie wären fraglos einer Organisation zur Aufzucht des Kleinkindes überwiesen worden, die sie ihrerseits an einen Verband zur Pflege zwar nicht der Kinder, aber der Leibesübungen weitergeleitet hätte. Wären sie trotz alledem alt genug geworden, um zu erkennen, womit man sie gefüttert hat, so hätten sie zugleich auch die nötige Reife erreicht, um beim nächsten Krieg als Menschenmaterial eingesetzt zu werden. Trostloser als die Trauer um die Ermordeten ist der Trost, der allein sie erträglich macht: daß es ihnen erspart blieb, mit Menschen zu leben, die sie fürsorglich töten, und eine Sprache zu sprechen, die sie füttert, nachdem die Menschen gesunde Nahrung ihnen verweigerten. Es wäre ratsamer, sich der Barmherzigkeit von Hyänen anzuvertrauen, die die Ermordeten fressen, als von Mördern, die sich mit der Fütterung der Leichen abgeben, solange sie nur selber zu essen haben.

Ca. 1931

Der Ur

In einer Zeitschrift, die auf gute Manieren hält, steht ein Aufsatz eines Herrn, der zum Nachdenken anregt; nicht sowohl wegen der These, die man uns lange genug in die Ohren und womöglich auch auf die Köpfe gehämmert hat, als vielmehr, weil die These, ganz schwach nur zur Synthese verdünnt, plötzlich durchs Gebot des genius loci, an dem sie erscheint, mit den gleichen guten Manieren vereinbar sein soll, gegen welche sie sich richtet. Es handelt sich schlicht gesagt um die Sorge, daß der Urmensch in uns fortbestehen möge, und um die Freude, daß er sich so kräftig regt. Da nun der Urmensch mit guten Manieren doch kein richtiger Urmensch ist, so weiß sein Apologet sich anders nicht zu helfen als durch einen Tanz, den er um den goldenen Ur aufführt, ohne Unterlaß dessen Namen wiederholend. Indem aber in der Sprache des gebildeten Herrn der Ur und die guten Manieren sich nicht recht vertragen, wird nicht bloß genug über den Ur bewiesen, der ja keiner Gegenbeweise mehr bedürfte, sondern mehr noch über die guten Manieren, eine Wohlerzogenheit, die so konziliant ist, daß sie sich heute metaphysisch mit der Barbarei einläßt, um sie morgen physisch auszuüben – aus Konzilianz.

Wo der Ur grast, ist der Aufbruch nicht weit, der, vom guten alten Expressionismus einmal ganz anders gedacht, längst als Schablone der heiligen Frühe in Anwendung steht: »Um den urtümlichen Aufbruch im gesamtabendländischen Zusammenhang zu verstehen, bedarf es einer kurzen Darstellung der abendländischen Geschichte im Hinblick auf dieses Ereignis.« Die fällt denn wohl kurz genug aus, läßt jedoch Raum für eine vorsichtig-deutliche Sympathieerklärung mit der Barbarei, die zwar in den ausgeleiertsten Clichés der Lebensphilosophie erfolgt, aber in der Feindschaft gegen alle Aufklärung um so bündiger dasteht: »Die Aufklärung ... hat keinen Platz mehr für die Urtümlichkeit. Sie leugnet sie oder setzt sie gleich mit Dummheit, Aberglaube, künstlicher Niederhaltung der Geisteskräfte. Immer mehr wird zum angestrebten Ideal, alles Barbarische zu veredeln, alles ›Natürliche‹ zu kultivieren, alles Rohe zu humanisieren. Verächtlich schaut man zurück und herab auf ein finsteres, bedenklich zur Barbarei neigendes Mittelalter.«

Dagegen haben wir es nun herrlich weit gebracht: zur Barbarei neigen wir unbedenklich. »Nun erbebte« – zum wievielten Male? – »Europa in seinen Grundfesten. Die Oberfläche der Erde wurde zerfurcht und unterwühlt. Risse und Klüfte taten sich auf. Nie war ein Pflug so tief gedrungen in zwei Jahrtausenden. Die Menschen gruben sich in die Erde ein.« Das Schöpfungswunder, das hier in den chthonischen Tiefen sich zuträgt, wird wegen der guten Manieren nicht mit seinem barbarischen Namen genannt. Gemeint ist der Krieg. Die Risse und Klüfte sind nicht aus der mythischen Tiefe erzeugt. Es sind überhaupt keine Risse, gewiß keine Klüfte, sondern schlechterdings Granatlöcher. Sie werden durch Geschosse verursacht, die von oben einschlagen. Aber wie es sich damit auch verhalte: »Die urtümliche Welt, der urtümliche Mensch sind aus ihrem Schlafe erwacht.« Man weiß endlich, worum es geht: »Die zwei Mächte, die einander in dem entfachten ›Kulturkampfe‹ entgegenstehen, sind, *im ganzen gesehen*, das zivilisatorische, technisierte Alteuropa, das ›Überreich‹, und das urtümliche, barbarische Jungeuropa, ... der barbarische, vorwissenschaftliche, irrationale, magische Mensch.«

Nun wird allerdings die Sache bedenklich: denn was soll aus der Kultur werden, als welche doch einmal die Garantin der guten Manieren ist? Es hilft ein neues Urzeugungswunder: der Ur vermehrt sich durch Spaltung: »Nun ist einzuräumen, daß die Urtümlichkeit unserer Gegenwart weniger urtümlich ist als die vor 1500 Jahren.« Also mehrere Urtümlichkeiten. Die zweite aber ist die mit den guten Manieren und sie bringt es zur Synthese: »Der Typus des *Fliegers* zeigt, welch reichen *anziehenden* Menschen die Vereinigung der beiden Welten schaffen kann.« Der Urmensch und Flieger wird zum Kulturmenschen und hat nur noch die bescheidene Aufgabe, Amerikanismus und Bolschewismus zu bekämpfen, die, natürlich, auf einen Nenner gebracht werden: »Und der urtümliche Mensch lebt *selbstverständlich* im Formgehäuse, das ihm unsere Technik und Zivilisation errichtet hat. Er

wehrt sich im Grunde nur, darin ein Heiligtum zu sehen. Wie das der Amerikanismus und der Bolschewismus verlangen.«
So weit sind wir gekommen. Gedanken, um welche Nietzsche noch wahnsinnig werden mußte, sind so wohlfeil, so platt, so handlich zivilisiert geworden, daß demnächst soignierte junge Herren bei ihren Cocktail-Parties, falls sich Differenzen ergeben sollten, im Namen der Synthese von Ur und Zivilisation mit ihren Rasiermessern sich die Skalpe abschneiden werden.
Da gibt es nur einen Trost: den der Inkonsequenz. »Der Barbar ist nicht nur roh, sondern auch bildsam. Der Rationalist ist glatt und ohne Angriffsfläche.« – Wenn aber schließlich der Ur nur aufbricht, um ein Ochs zu werden – wollen wir dann nicht lieber Menschen bleiben?

1932

Zerrbild

Eine der virulentesten illustrierten Zeitungen hat wieder einmal ein Preisausschreiben erlassen: da soll man, nach gesetzmäßig und bescheiden verzerrten Photographien, die Originale wiedererkennen, fünf unserer Lieblinge, die Weltmeister in Boxen, in Tenorsingen, in Herzenbrechen und in Luftschiffahren und dazwischen das Stammütterchen allen blonden Glückes, die ehrwürdige Henny Porten. Das Resultat ist sehr erfreulich; sei es, daß die Gesichter zu taktvoll verzerrt waren oder daß die Zerrbilder den Originalen ähnlicher sahen als die regulären Photos, es rieten es alle, alle; in Eisenach, in Stettin und in Friedenau, so daß unter den Glücklichen nochmals das Los entscheiden mußte, wer der Glücklichste sei; nur die verzerrte Henny wurde zuweilen mit der lächelnden Gitta Alpar – immer sitzt sie, wenn nicht in ihrem geschmackvoll eingerichteten Heim, so am Volant ihres neuen XYZ-Wagens und lächelt; wann sie nur singen mag? – verwechselt, aber das läßt sich verstehen und verschmerzen. Sonach wäre alles in der besten Ordnung, in der wir ohnehin leben, enthielte nicht die Mitteilung des Ergebnisses unserer Ferienpreisaufgabe »Wer sind die fünf vor dem Fenster?« einen Satz, der zum Einhalten zwingt, so gern man auch weitergehen möchte, um endlich den Namen Hans Albers zu lesen. Denn »an unserer *heiteren* Ferien-Preisfrage ›Wer steht vor dem Fenster?‹ haben unsere Leser wieder ihren Scharfblick und ihre Personenkenntnis bewährt«, obwohl doch die Bewährungsfrist nur kurz bemessen war. Was nun den Scharfblick anlangt, so ist der ja nicht gar so groß gewesen; um so eigener aber ist es um die Personenkenntnis bestellt. Denn wie? Ist es ein Verdienst, das seinen Lohn verdient, wenn man Physiognomien wiedererkennt, die einem von der unerbittlichen Apparatur der Prominentenreklame Tag um Tag und womöglich stündlich in die Augen gebrannt werden? Ist es nicht vielmehr eine Schande und müßte nicht der belohnt werden, dem der Ekel nicht schon in der Kehle stecken bleibt, sondern in die

Augen steigt, die sich endlich weigern, vor dem Antlitz des Herrn Max Schmeling ehrfürchtig auf- und zuzuklappen? Nicht der Detektiv hat mehr Personenkenntnis, der wie in alten ehrlichen Schundromanen den Verbrecher im Gewühl der Untergrundbahn wiedererkennt, dessen Schatten er eine Sekunde lang auf der Schiffsbrücke des Ostindiendampfers gewahrte; nicht der Liebende, der das entgleitende Profil der Passantin für immer und niemals festhält; aber wenn ich, vom Wort Denteco mürbe gemacht, mir die Zähne mit Denteco putze, so freut sich darüber nicht bloß der Dentecomann, was sein gutes Recht wäre, sondern objektive, unabhängige Instanzen werden mir meine Wortkenntnis und meinen Scharfsinn bestätigen und mir eine Reise ins Dentecoland, 14 Tage erster Klasse, spendieren. Oder sollten Zweifel an ihrer Unabhängigkeit erlaubt sein? Sollten unterdessen der Dentecomann, der Herr der Illustrierten und die Prominenzen sich geeinigt haben und uns gemeinsam beherrschen, so gesetzmäßig, wie sie die Photographien verzerren, wenn es ihnen paßt, uns raten zu lassen, wer wer sei? So ist es; und nun setzen sie gemeinsam Belohnungen aus, die mit oder ohne Bewährungsfrist noch schlimmer sind als die Strafe, die die bloße Existenz der Geber ohnehin bedeutet.

1932

Fast zu ernst

Die Frage »Wann hätten Sie am liebsten gelebt?«, die von der »Neuen Zeitung« an einen Kreis literarischer Mitarbeiter gerichtet wurde, war als Silvesterscherz gedacht und verstanden, als eine Art geistiger Maskenball, der den Menschen die Narrheit des Wünschens freigibt, die sonst im erwachsenen Dasein verpönt ist. Flüchtig wird die Buntheit der Qualitäten beschworen, die in der entzauberten Welt für verloren gilt, und dabei freilich auch einiges vom Zustand der Menschen selber zutage gefördert, so wie nun einmal die zeitgenössische Psychologie lehrt, daß Tagträume, seien sie noch so sublimiert, etwas vom Unbewußten durchlassen. Das Ergebnis der Umfrage jedoch ist derart, daß es eine Besinnung provoziert, die dem Wunsch widerspricht, dem die Umfrage entsprang, und das Spiel verdirbt, wofür dann wiederum die Besinnung bei allen, den Fragenden und den Antwortenden, sich zu entschuldigen hat, oder auch vielleicht nicht zu entschuldigen, da ja die Mehrheit der Antwortenden selber beim Kostümfest nicht recht mitspielte und, anstatt in andere Zeiten und Stilepochen sich hineinzuwünschen, ihren Willen erklärte, das zu bleiben, was man ist. Solches Ergebnis überrascht in einem Augenblick, da das Sein zum Nichts, die Existenzangst und die Erwartung des Unterganges ähnliche Popularität erlangt haben, wie einmal das Bekenntnis zu Thron und Altar an Kaisers Geburtstag sie besaß. Sonderbar, daß Menschen, die das Grauen der Hitlerdiktatur und des Zweiten Krieges durchgemacht haben und nicht sicher sind, ob der dritte nicht bereits über ihren Köpfen sich zusammenzieht, trotzdem sich weigern, auch nur in der Phantasie aus dem Zustand herauszuspringen, in den sie, wie das Cliché des selbstzufriedenen Nihilismus ihnen versichert, geworfen sind, obwohl an dieser Weigerung selber eben die Erfahrung des Preisgegebenseins ihren Anteil hat.

Allzu bequem wäre es, wenn man als Motiv einen Rückfall in jene Gewohnheit von Kaisers Geburtstag, die offizielle Bejahung des

Daseins, das Je-Dennoch vermuten wollte, das womöglich noch ausgelaugter ist als der Heroismus um seiner selbst willen, und auf einen Optimismus schlösse, von dem bereits Nietzsche, der doch gegen einen Schopenhauer aufbegehrte, sagte, er gehöre samt seinem Gegenbegriff, dem des Pessimismus, weggefegt. Auch ließe das Ergebnis der Umfrage sich nicht gar zu rasch auf die Zeitstimmung, das allgemeine Bewußtsein ausdehnen. Die Befragten waren Intellektuelle. Sie alle haben gelernt, was einige offen aussprechen: daß sich Romantik unter gebildeten Leuten nicht gezieme. Sie alle sind mit den Spielregeln der Sachlichkeit aufgewachsen. Selbst wenn ihre Reaktionsform sich gegen die verwaltete Welt sträubt, so werden sie, wie Kadidja Wedekind im Spaß, im Ernst sich wohl hüten, durch das Zugeständnis ohnmächtiger Unzufriedenheit dem Verdacht sich auszusetzen, sie seien Weltverbesserer, einem Verdacht, der offenbar um so unerträglicher wird, je gründlicher die Welt der Verbesserung bedarf.
Obwohl jedoch die befragte Gruppe ganz gewiß nicht das ist, was die empirische Sozialforschung einen repräsentativen Querschnitt nennt, führte die Befragung eines solchen kaum zu wesentlich anderen Ergebnissen. Nur will das nicht beweisen, daß die Menschen mit der Welt, die aus ihnen besteht, und über die sie so wenig zu vermögen glauben, zufrieden wären. Vielmehr: sie haben das Wünschen verlernt, und das ist vielleicht selber mit daran schuld, daß es so bleibt, wie es ist. Erschiene heute einem die Fee und gäbe ihm drei Wünsche frei, so geschähe das Unglück nicht mehr, indem er sich eine Bratwurst und dann diese an die Nase seines Eheweibes wünschte, sondern indem er die Fee für eine Interviewerin hielte, ihr entgegnete, weder hätte er Zeit, noch fiele er auf derlei Tricks herein, die Tür zuschlüge und seine Chance versäumte, ohne ihr auch nur die Lust der Verschwendung abzugewinnen. Gäbe es, an Stelle von Meditationen über das Sein des Menschen an sich, etwas wie eine konkrete Anthropologie des Zeitalters, so wäre nicht der letzte unter ihren diagnostischen Befunden die Erkrankung der Phantasie. Der Zwang zur Anpassung ans übermächtig Gegebene ist derart angewachsen, das Bewußtsein selber wird zu solchem Maße von den gesellschaftlichen Mechanismen vorgeformt, gemodelt und manipuliert, daß es, selbst wenn es zum Wunsch noch kommt, diesem kaum mehr möglich ist, über die Wiederholung des

Immergleichen sich zu erheben. Er muß gar nicht mehr ausdrücklich verboten werden, weil er von der Funktion abziehe, die jeder im Getriebe des Bestehenden zu erfüllen hat: bereits die Regung des Ausbruchs ist zu schwach. Man braucht nur einen jener Farbfilme zu besuchen, die durch ihre Buntheit sich selber als Wunscherfüllung deklarieren, und man wird unter dem armen Flitter von Seeräuber- und Orientgeschichten alsogleich der Schemata des eingeschliffenen Lebens gewahr. Wer glaubte, davon ausgenommen zu sein, verfiele der eitlen Illusion. Das Ersehnte bleibt bloßes Reversbild des herrschenden Zustandes, matt, stumpf, kunstgewerblich. Alle Feste sind heute davon geschlagen. So ist denn den Befragten am letzten ein Vorwurf daraus zu machen, daß sie sich nichts gewünscht, sondern sich über sich selbst, den Wunsch, die Verfassung der Welt gleichermaßen mokiert haben. Indem sie es verschmähen, den Traum zum Stilkleid zu erniedrigen, halten sie ihm bessere Treue, als wenn sie die Utopie als Freizeitgestaltung bejahten.

Sie sind nicht bloß aus Schwäche, aus der Schwäche aller heute Lebenden im Recht gewesen. Wenn oft Antworten ironisch darauf anspielen, daß man aus der eigenen Zeit sich gar nicht fortwünschen kann, so besagt das nicht nur die Trivialität, daß das Individuum trotz allem Wünschen an seine Zeit gekettet bleibt, sondern bekundet, daß es selber seiner inneren Zusammensetzung nach sie in sich enthält: daß die Imagination darum nichts darüber vermag, weil die Bilder des Wünschens selber aus der Zeit gespeist sind, der sie sich entgegensetzen. Der Begriff des Individuums, als bloßer Widerspruch zu seiner Zeit, ist abstrakt, Reflex des individualistischen Zeitalters, und das innervieren die Schriftsteller, auch wenn sie keinen Hegel studiert haben. Noch der Haß gegen die Zeit verdankt sich dieser. Die Abneigung gegen Wünschen stammt nicht daher, daß man es so herrlich weit gebracht hätte, und auch nicht daher allein, daß man nicht mehr recht zu wünschen vermag, sondern weist auf die Selbstbesinnung. Man argwöhnt, daß in der innersten Zelle der eigenen Individualität eben jene kollektiven Kräfte wirken, von denen das Ich im Glauben an seine Absolutheit sich emanzipieren möchte. Das neunzehnte Jahrhundert, das übrigens mit Recht in den Wunschzetteln nicht mehr mit der hämischen Verachtung genannt wird, deren man sich befleißigte, als die Eltern noch

zu fürchten waren – dieses neunzehnte Jahrhundert hatte den Wunsch, sich selbst zu entrinnen, unbefangen nach außen projiziert. Was aber gleicht ihm mehr als die Ritterburgen und Renaissancepaläste, die es den Enkeln hinterließ? Scheut man sich, auch nur im Spaß und flüchtig nochmals die Fiktionen zu begehen, die da als Stil sich zu verewigen gedachten, so ist dafür nicht bloß der bessere Geschmack verantwortlich. Die Antwortenden wollen nicht den Traum zu früh ausplaudern und ihm damit etwas von der Macht der Verwirklichung entziehen, die ihm innewohnt. Untrennbar ist das Grauen dieser Jahre von der Möglichkeit der schrankenlosen Erfüllung. Nur um sie zu hintertreiben, hat man den äußersten Schrecken aufgehoben, und das wissen eigentlich alle. Wer aber den Wunsch in die Ferne wirft, ist der Defaitist des greifbar nahen Glücks. Man schämt sich der Utopie, weil es keine mehr zu sein brauchte. Die stoisch verbissene Schicksalsliebe, die auf dem Unabwendbaren besteht, verbindet sich mit der Ahnung, daß es einzig von uns abhängt, ob alles sich wende.
Zu solchen Perspektiven wollten nun freilich weder die Frage noch die Antworten verführen, und wer von ihnen redet, kann nicht umhin, sich das Schumannsche »Fast zu ernst« vorzuhalten. Mit Recht erinnern die Damen unter den Antwortenden ans Tanzen, dem die Umfrage verwandt ist. Nur sollte gerade, wer damit sympathisiert, aber sich nicht aufs Tanzen versteht, lieber darauf verzichten, als sich auf unbeholfene Sprünge einzulassen. Selten hat das Tanzen den Philosophen angestanden, und am schlechtesten denen, die eine Philosophie daraus machten. So mag man denn die schwerfällige Besinnung verzeihen und nicht von ihr das Fest sich verkümmern lassen, mit dem sie es gut meint.

1951

Uromi

In der Todesanzeige für eine sehr alte Dame las ich das Wort Uromi. Innehaltend, dachte ich zuerst, sie sei einer Krankheit, die so heißt, erlegen, einer Art Urämie. Die beschädigte Orthographie brachte mich darauf, daß es sich um etwas anderes handelte. Uromi war die Urgroßmutter. Man hatte das idiomatische Omi, für Großmama, um eine Generation erweitert. Dabei geriet es ins barbarisch Wilde oder in industrielle Reklame, beides gleich grausig und schwer voneinander zu unterscheiden. Das Wort, das Nähe bedeuten sollte, wurde zur Grimasse. Sie wollten standardisierte Intimitäten, denen allemal etwas Peinliches, Abstoßendes anhaftet, auch noch in die Schriftsprache versetzen, und behelligten die Öffentlichkeit damit, als wäre die verblichene Omi, weil ihre trauernden Hinterbliebenen wie Millionen die ihre nannten, die des ganzen Volkes. Die Wirkung überschlägt sich. Der infantile Kosename wird zur Maske von Unheil. Indem er Unmittelbarkeit vergebens beschwört, erstarrt er zum Fetisch. Die Formel für die Liebe, ihrem Sinn entfremdet und losgelassen wie eine Firmenabkürzung, entwürdigt schmählich die Tote. Der vergebliche Versuch, sie ins fragwürdige Leben der Familie zurückzurufen, verwandelt sie in ein Totes schon zu ihren Lebzeiten. Das Uromi ist ein prähistorisches Monstrum. Am trostlosesten aber: daß möglicherweise die subjektiv guten Willens waren, welche die Uromi in die Todesanzeige rückten. Der Geist einer kommunikativen Sprache, die, indem sie alle Distanzen herabsetzt, auch die Ehrfurcht vorm Tod verletzt, verleitet sie dazu, dort, wo sie, die Sprachfremden, ihr Gefühl mitteilen möchten durchs erste Beste, das ihnen in den Sinn kommt, jenes Gefühl zu beflecken. Weil die Sprache die Scham verlernt hat, versagt sie sich der Trauer.

1967

Traumprotokolle

Die Traumprotokolle, aus einem umfangreichen Bestand ausgewählt, sind authentisch. Ich habe sie jeweils gleich beim Erwachen niedergeschrieben und für die Publikation nur die empfindlichsten sprachlichen Mängel korrigiert.

T. W. A.

London 1937 (während der Arbeit am »Versuch über Wagner«)

Der Traum hatte einen Titel: ›Siegfrieds letztes Abenteuer‹, oder ›Siegfrieds letzter Tod‹. Er spielte auf einer außerordentlich großen Bühne, die eine Landschaft nicht sowohl darstellte, als vielmehr wirklich war: kleine Felsen und viel Vegetation, etwa wie im Hochgebirge unterhalb der Almen. Durch diese Bühnenlandschaft schritt Siegfried dem Hintergrund zu, von jemand begleitet, an den ich mich nicht mehr erinnern kann. Seine Kleidung war halb die mythische, halb modern, vielleicht wie auf einer Probe. Endlich fand er als Ziel seinen Widersacher, eine Gestalt im Reitkostüm: graugrüner Leinenanzug, Reithose und braune Schaftstiefel. Er begann mit diesem einen Kampf, der deutlich den Charakter von Spaß hatte und wesentlich darin bestand, daß er den Gegner, den er schon auf dem Boden liegend antraf, wie beim Ringen herumwälzte, worauf jener sich gern einzulassen schien. Bald gelang es Siegfried, ihn so hinzulegen, daß er mit beiden Schultern die Erde berührte und als besiegt sei's erklärt wurde, sei's sich erklärte. Unerwartet aber zog Siegfried aus seiner Jackentasche einen kleinen Dolch, den er darin wie einen Füllfederhalter mit einer kleinen Klammer trug. Er warf den Dolch aus nächster Nähe, wie im Spiel dem Gegner in die Brust. Dieser stöhnte laut, und es wurde offenbar, daß es eine Frau war. Sie lief rasch weg und erklärte, nun müsse sie allein in ihrem kleinen Häuschen sterben, das sei das Allerschwerste. Sie verschwand in einem Gebäude, das denen der Darmstädter Künstlerkolonie glich. Siegfried schickte ihr seinen Begleiter nach mit der Anweisung, ihre Schätze sich anzueignen. Da erschien Brünhilde im Hintergrund, in Gestalt der New Yorker Freiheitsstatue. Sie rief im Ton einer keifenden Ehefrau: »Ich möchte einen Ring haben, ich möchte einen schönen Ring haben, vergiß nicht, ihr den Ring abzunehmen.« So gewann Siegfried den Ring des Nibelungen.

New York, 30. Dezember 1940
Kurz vorm Erwachen: ich wohnte der Szene bei, die Baudelaires Gedicht »Don Juan aux Enfers« – wohl nach einem Bilde Delacroix' – festhält. Aber es war nicht stygische Nacht sondern heller Tag und ein amerikanisches Volksfest am Wasser. Dort stand ein großes weißes Schild – das einer Dampferstation – mit der grell roten Inschrift ›ALABAMT‹. Don Juans Barke hatte einen langen, schmalen Schornstein – ein ferry boat (»Ferry Boat Serenade«). Anders als bei Baudelaire verhielt der Held sich nicht schweigend. In seinem spanischen Kostüm – schwarz und violett – sprach er unablässig und marktschreierisch wie ein Vertreter. Ich dachte: ein stellenloser Schauspieler. Aber er gab sich mit den heftigen Reden und Gesten nicht zufrieden, sondern begann Charon – der undeutlich blieb – aufs erbarmungsloseste zu verprügeln. Er erklärte dazu, er sei Amerikaner und lasse sich das alles überhaupt nicht gefallen, man dürfe ihn nicht in eine Box sperren. Ihn grüßte ungeheurer Beifall wie einen Champion. Dann schritt er am Publikum vorbei, das durch einen Cordon von ihm getrennt war. Ich schauderte, fand das Ganze lächerlich, hatte aber vor allem Angst, die Volksmenge gegen uns aufzubringen. Als er zu uns kam, sagte A. ihm etwas Anerkennendes über die sehr begabte Leistung. Seine Antwort, die nicht freundlich war, habe ich vergessen. Darauf begannen wir uns nach dem Schicksal der Personen aus Carmen im Jenseits zu erkundigen. »Micaela – sieht sie gut aus?« fragte A. »Schlecht«, antwortete Don Juan wütend. »Aber Carmen geht es doch gut«, redete ich ihm zu. »Nein«, sagte er nur, aber es schien, als lasse seine Wut nach. Da tutete es acht Uhr vom Hudson, und ich wachte auf.

Los Angeles, 1. Februar 1942
Am Untermainkai in Frankfurt geriet ich in den Aufmarsch einer arabischen Armee. Ich bat den König Ali Feisal mich durchzulassen und er willfahrte. Ich betrat ein schönes Haus. Nach undeutlichen Vorgängen wurde ich in einen anderen Stock gewiesen, zum Präsidenten Roosevelt, der da sein kleines Privatbüro hatte. Er nahm mich aufs herzlichste auf. Aber wie man zu Kindern redet, sagte er mir, ich müsse nicht die ganze Zeit aufpassen und dürfe mir ruhig ein Buch nehmen. Es kam allerlei Besuch, kaum daß ich aufmerkte. Endlich erschien ein großer sonnverbrannter Mann, dem Roosevelt mich vorstellte. Es war Knudsen. Der Präsident erklärte, nun handle es sich um Defense-Angelegenheiten, und er müsse mich bitten hinauszugehen. Ich müsse ihn aber unbedingt wieder aufsuchen. Auf einen kleinen schon beschriebenen Zettel kritzelte er seinen Namen, seine Adresse und seine Telefonnummer. – Der Lift brachte mich nicht ins Parterre zum Ausgang, sondern ins Souterrain. Dort drohte die größte Gefahr. Blieb ich im Schacht, mußte der Lift mich zermalmen; rettete ich mich auf die Erhöhung, die ihn umgab – ich reichte kaum hinauf – so verfing ich mich in Drahtseilen und Stricken. Jemand riet mir, ich solle es auf einer anderen, wer weiß wo gelegenen Erhöhung versuchen. Ich sagte etwas von Krokodilen, aber folgte dem Rat. Da kamen auch schon die Krokodile. Sie hatten die Köpfe außerordentlich hübscher Frauen. Eine redete mir gut zu. Gefressenwerden tue nicht weh. Um es mir leichter zu machen, verhieß sie mir zuvor noch die schönsten Dinge.

Los Angeles, 22. Mai 1942
Wir gingen, Agathe, meine Mutter und ich, auf einem Höhenweg von rötlicher Sandsteinfarbe, wie sie mir von Amorbach vertraut ist. Aber wir befanden uns an der Westküste Amerikas. Links in der Tiefe lag der Stille Ozean. An einer Stelle schien der Fußweg steiler zu werden oder nicht weiterzugehen. Ich machte mich daran, rechts durch Felsen und Gestrüpp einen besseren zu suchen. Nach wenigen Schritten kam ich auf ein großes Plateau. Ich dachte, nun hätte ich den Weg gefunden. Aber bald entdeckte ich, daß überall die Vegetation die steilsten Abstürze verdeckte und daß keine Möglichkeit war, auf die Ebene zu kommen, die sich landeinwärts erstreckte und die ich irrtümlich für einen Teil des Plateaus gehalten hatte.

Dort sah ich, beängstigend regelmäßig, Gruppen von Menschen mit Apparaten verteilt, Geometer vielleicht. Ich suchte den Pfad zurück auf den ersten Weg, fand ihn auch. Als ich bei meiner Mutter und Agathe ankam, kreuzte lachend ein Negerpaar unseren Weg, er in breit karierten Hosen, sie in grauem Sportkostüm. Wir gingen weiter. Bald begegnete uns ein Negerkind. Wir müssen nahe bei einer Siedlung sein, sagte ich. Da waren einige Hütten oder Höhlen aus Sand oder in den Berg eingesprengt. Durch eine führte ein Torweg. Wir schritten hindurch und standen, vor Glück erschüttert, auf dem Platz der Residenz zu Bamberg. – Das Miltenberger Schnatterloch.

Los Angeles, Anfang Dezember 1942
Ich nahm an einem großen, ungemein anspruchsvollen Bankett teil. Es spielte sich in einem mächtigen Gebäude ab, wohl im Frankfurter Palmengarten. Die Räume und Tische waren einzig von Kerzen beleuchtet, und es bereitete große Schwierigkeit, zur Tafel oder den Tischen, an denen für manche gedeckt war, zu finden. Durch endlose Gänge machte ich mich allein auf die Suche. An einer Tafel, an der ich vorbeikam, fand eine heftige, sehr affektive Diskussion zwischen zwei männlichen Mitgliedern einer berühmten Bankierfamilie statt. Sie bezog sich auf eine eigentümliche Art ganz junger, kleiner Hummern, die auf eine solche Weise zubereitet waren, daß man – wie bei den amerikanischen soft crabs – die Schalen mitessen konnte. Es wurde ausdrücklich erklärt, das geschehe, um den Geschmack der Schalen, das Feinste, zu erhalten. Der eine Bankier, zuredend, machte das Argument sich zu eigen, der andere dachte an seine Gesundheit und beschimpfte seinen Verwandten wegen der Zumutung. Ich wußte nicht recht, was ich im Traum aus der Sache machen sollte. Einesteils fand ich den Streit übers Essen unwürdig, andererseits konnte ich mich der Bewunderung nicht entschlagen, daß so mächtige Leute souverän und rücksichtslos zu ihrem vulgären Materialismus sich bekannten. Übrigens kam das ganze Bankett nie über die Vorgerichte hinaus. Endlich fand ich, wie von selbst, meinen Platz. Bei meinem Couvert lag eine Karte mit meinem Namen, und ich staunte darüber, daß der Platz mich gleichsam erwartete. Noch mehr staunte ich, als ich entdeckte, daß eine mir wohlbekannte, protzenhafte Frau, von einer ganz anderen Seite

kommend, meine Tischdame war. Nun wurden die eigentlichen Vorspeisen aufgetragen. Sie waren verschieden für Damen und Herren. Diese erhielten sehr kräftige, würzige, schmackhafte. Ich erinnere mich, daß winzige kalte Koteletten mit einer roten Sauce sich darunter befanden. Die Vorspeisen der Damen waren vegetarisch, doch von der erlesensten Art: Palmenmark, Lauch, gebratener Chicorée – es schien mir der Inbegriff von Raffinement. Da rief, zu meinem namenlosen Schrecken und unter der Aufmerksamkeit der Gesellschaft, meine Tischdame laut den Kellner wie in einem Restaurant, während es für ausgemacht galt, daß man bei der üppigen Einladung nichts sich fordern dürfe. Sie wolle nicht nur die Vorspeisen für Damen sondern auch die für Herren haben, es passe ihr nicht, benachteiligt zu werden. Ohne das Ergebnis ihrer Beschwerde abzuwarten, wachte ich auf.

Los Angeles, 15. Februar 1943
Agathe erschien mir im Traum und sagte etwa: »Karl Kraus war doch der witzigste und geistreichste aller Schriftsteller. Das kann man erst ermessen anhand der Notizbücher, die sich in seinem Nachlaß gefunden haben und die unbeschreiblichsten Bonmots enthalten. Ich will dir ein Beispiel geben. Eines Tages erhielt er von einem anonymen Verehrer einen riesigen Reisauflauf geschickt. Die Gabe war aber ziemlich schlecht, die Form quoll über, die Reiskörner bildeten ein Chaos. Kraus ärgerte sich und schrieb: ›Dieser Volksauflauf von einem Reisauflauf.‹« Laut lachend über den vermeintlich genialen Witz aufgewacht (morgens).

Los Angeles, 18. Februar 1948
Ich besäße ein voluminöses illustriertes Prachtwerk über den Surrealismus, und der Traum war nichts anderes als die genaue Vorstellung einer der Illustrationen. Sie stellte einen großen Saal dar. Dessen linke hintere Seitenwand – weit vom Beschauer – nahm ein unförmiges Wandgemälde ein, das ich sogleich als ›Deutsches Jagdstück‹ erkannte. Grün, wie bei Trübner, herrschte vor. Das Objekt war ein riesiger Auerochs, der, auf den Hinterbeinen aufgerichtet, zu tanzen schien. Die Länge des Saales aber war von einer Reihe genau ausgerichteter Objekte besetzt. Dem Bilde zunächst ein ausgestopfter Auerochs, etwa ebenso groß wie der auf dem Bild und

ebenfalls auf den Hinterbeinen. Dann ein lebender, gleichfalls sehr großer, doch schon etwas kleinerer Auerochs, in der gleichen Pose. In dieser befanden sich auch die folgenden Tiere, erst zwei nicht ganz deutliche, braune, vermutlich Bären, dann zwei kleinere lebende Auerochsen und schließlich zwei Stück gewöhnliches Rindvieh. Das Ganze schien unter dem Befehl eines Kindes, eines sehr graziösen Mädchens in ganz kurzem grauen Seidenkleidchen und langen grauen Seidenstrümpfen. Es leitete die Parade wie ein Dirigent. Als Unterschrift aber stand unter dem Tableau: Claude Debussy.

Frankfurt, 24. Januar 1954
Ferdinand Kramer habe sich ganz der Malerei zugewandt und eine neue Gattung erfunden, die ›praktikable Malerei‹. Die sei derart, daß man einzelne gemalte Figuren herausziehen könnte, eine Kuh, oder ein Nilpferd. Die könne man dann streicheln, und das fühle sich an wie das weiche Fell oder die dicke Haut. Eine weitere Art wären Städtebilder, die aus architektonischen Aufrissen entwickelt waren, sowohl kubistisch wie infantilistisch aussahen und überdies an Cézanne erinnerten, rosa getönt wie in wirklicher Morgensonne – deutlich sah ich so ein Gemälde. Benno Reifenberg habe über die praktikable Malerei einen Aufsatz veröffentlicht unter dem Titel: »Die Versöhnung mit dem Objekt«.

Frankfurt, Januar 1954
Ich hörte Hitlers unverkennbare Stimme aus Lautsprechern tönen mit einer Ansprache: »Da gestern meine einzige Tochter einem tragischen Unglücksfall zum Opfer gefallen ist, so ordne ich zur Sühne an, daß heute sämtliche Züge entgleisen.« Laut lachend aufgewacht.

Frankfurt, Ende Oktober 1955
Ich sollte – wohl als Schauspieler – an einer Aufführung des Wallenstein mitwirken, nicht auf der Bühne, aber in einem Film- oder Fernsehprogramm. Meine Aufgabe war, mit Personen des Stücks zu telefonieren; etwa mit Max Piccolomini, Questenberg, Isolani. Ich rief an und verlangte den jungen Fürsten Piccolomini – obwohl erst am Schluß, als Max schon tot ist, sein Vater Fürst wird. Er kam,

eine Figur wie St. Loup, äußerst reizend und liebenswürdig. Ich fragte ihn, ob er der Einfachheit halber in meine Pension – in Berlin – herüberkommen und mit mir Lunch haben wollte. Er sagte sofort zu. Äußerst zufrieden mit mir selbst setzte ich mich in einen Lehnstuhl: »Das hast du gut gemacht.« Sogleich jedoch überfiel mich die peinigende Sorge: nun weiß ich nicht, wie es weitergehen soll.

Frankfurt, 12. November 1955
Ich träumte, ich müsse das soziologische Diplomexamen machen. Es ging sehr schlecht in empirischer Sozialforschung. Man fragte mich, wieviele Spalten eine Lochkarte habe, und ich antwortete auf gut Glück: zwanzig. Das war natürlich falsch. Noch schlimmer stand es um die Begriffe. Es wurden mir eine Reihe englischer Termini vorgelegt, deren exakte Bedeutung in der empirischen Sozialforschung ich angeben sollte. Einer lautete: supportive. Ich übersetzte ganz brav: stützend, Hilfe gewährend. Aber in der statistischen Wissenschaft sollte es das genaue Gegenteil, etwas durchaus Negatives bedeuten. Aus Mitleid mit meiner Ignoranz erklärte der Prüfende, nun mich in Kulturgeschichte drannehmen zu wollen. Er hielt mir einen deutschen Reisepaß von 1879 vor. An dessen Ende stand als Abschiedsgruß: »Nun auf in die Welt, kleines Wölfchen!« Dies Motto war aus Blattgold gebildet. Ich wurde gefragt, was es damit für eine Bewandtnis habe. Langatmig setzte ich auseinander, der Gebrauch des Goldes zu dergleichen Zwecken gehe auf russische oder byzantinische Ikonen zurück. Man habe es dort mit dem Bilderverbot sehr ernst genommen: nur für das Gold, als das reinste Metall, habe es nicht gegolten. Sein Gebrauch zu bildlichen Darstellungen wäre von dort auf Barockdecken, dann auf Möbelintarsien übergegangen, und die Goldschrift in dem Paß wäre das letzte Rudiment jener großen Tradition. Man war begeistert von meinem profunden Wissen, und ich hatte das Examen bestanden.

Frankfurt, 18. November 1956
Ich träumte von einer fürchterlichen Hitzekatastrophe. In der Glut – einer kosmischen – flammten in ihrer ehemaligen Gestalt sekundenlang alle Toten nochmals auf, und ich wußte: jetzt erst sind sie ganz tot.

Frankfurt, 9. Mai 1957
Mit G. hörte ich in einem Konzert ein großes Vokalwerk – wohl mit Chor. Darin spielte ein Affe eine hervorragende Rolle. Ich erklärte ihr, das sei der Affe aus dem Lied von der Erde, der dort weggegangen sei und nun hier gastiere, nach allgemeiner Praxis.

Frankfurt, 10. Oktober 1960
Kracauer erschien mir: Mein Lieber, ob wir Bücher schreiben, ob sie gut oder schlecht sind, ist doch ganz gleichgültig. Gelesen werden sie ein Jahr. Dann kommen sie in die Bibliothek. Dann kommt der Rektor und verteilt sie an die Kinner.

Frankfurt, 13. April 1962
Ich sollte ein Examen machen, mündliche Prüfung in Geographie, allein aus einer großen Zahl von Examinanden; wohl in der Universität. Mir wurde bedeutet, das sei eine große Vergünstigung auf Grund meiner anderen Leistungen. Geprüft wurde ich von Leu Kaschnitz. Sie stellte mir das Thema. Ich sollte genau bestimmen, welches Areal ein bestimmter, durch Bleistiftzeichen genau eingegrenzter Bezirk in einer älteren Beschreibung der Stadt Rom einnahm, einem grau broschierten, vergilbten Heft in Oktav. An Hilfsmitteln wurden mir an die Hand gegeben: ein gelber, zusammenklappbarer Zollstock, ein großer und ein kleiner Papierblock, Bleistifte. Irgendwie befand sich auch eine Landkarte dabei, doch belehrte mich ein erster Blick darüber, daß sie nicht Rom sondern Paris darstellte. Auf ihr war mit Bleistift ein gleichschenkliges Dreieck eingezeichnet, vaguement mit der Seine als Basis und Montmartre als Scheitel. Ich hatte das Gefühl, das Dreieck sei der Bezirk der Aufgabe. Leu wollte, während ich diese erledigte, die Aufsicht führen, bat mich aber, mich zu sputen, da sie nicht viel Zeit habe. Auf den ersten Blick erschien mir die Aufgabe lächerlich leicht, etwa so, als hätte man, um mir nur ja nichts meine Fähigkeiten und Kenntnisse Übersteigendes zuzumuten, etwas gegeben, das ich durch Fleiß und Akribie unbedingt bewältigen könnte. Ich begab mich sogleich daran, so rational, als wäre ich wach. Da stieß ich auf gewisse Schwierigkeiten. Einmal war es mir nicht klar, ob ich nur den Raum errechnen sollte, den die gedruckte Beschreibung einnahm – so wie es freilich zunächst, beim Stellen der Aufgabe, außer

jedem Zweifel schien; oder ob ich, wie es mir vernünftiger dünkte, die Größe des Bezirks selbst errechnen sollte. Doch entschied ich mich, nach dem Grundsatz, mich an den Wortlaut zu halten, vielleicht auch weil mir die Möglichkeit der Alternative gar zu problematisch dünkte, fürs erstere. Das hieß, daß ich mit dem Zollstock ganz genau Höhe und Breite des Gedruckten ausmessen und die Maßzahlen multiplizieren sollte. Ich zweifelte, ob mir das bei meiner Kurzsichtigkeit so exakt gelänge wie verlangt war. Überdies fing das Bezeichnete mitten in einer Zeile an und hörte mitten in einer Zeile auf; ich mußte also die winzig kleinen überschüssigen Räume ausmessen und subtrahieren; das schien mir das Allergefährlichste. Auf dem Titel der Broschüre stand, unter dem Namen des Autors, der mir entging, »Student«, darüber glaubte ich mit Leu sprechen zu dürfen, die ich, nachdem sie mir die Aufgabe einmal erklärt hatte, sonst nichts fragen durfte. »Das hat offenbar ein armer Student gemacht«, sagte ich, als ob das für die Sache ungemein wichtig wäre. »Ja, rührend«, antwortete Leu; wir waren des Einverständnisses froh. Ich las weiter, unter dem »Student«, das Wort »altkatholisch«. Mir fiel ein, daß die Altkatholiken jene Gruppe waren, die sich abgespalten hatte, als Pio Nono die Unfehlbarkeit verkündete. Die Schrift war also antipapistisch und der behandelte Bezirk der vatikanische. Jetzt verstand ich auch die Pariser Karte: Sündenbabel. Das Ganze hatte demnach eine esoterische Bedeutung, deren Dechiffrierung man mir wohl zutraute: wie groß ist die Hölle. Ich verriet Leu etwas von meiner Entdeckung, und sie schien über diesen Schritt vorwärts sehr glücklich. Frohgemut wollte ich daraufhin an die Arbeit gehen. Ich befand mich jetzt in einer überhohen Ruine, vielleicht den Thermen des Caracalla. Mit gesundem Menschenverstand machte ich mich erst an eine grobe Überschlagsrechnung, um in den Maßzahlen nicht mich zu täuschen sondern vorweg zu wissen, welchen Umfang das Ding etwa haben könne. Da wurde ich gestört. Es befand sich da nämlich ein zweiter Kandidat, ein hochberühmter Gelehrter. Er machte sich über mich lustig, und zwar indem er einerseits über die Leichtigkeit der Aufgabe spottete, andererseits mich darauf hinwies, daß sie Fußangeln enthalte, über die ich stolpern müßte. Mich brachte das keineswegs aus der Fassung: er meine es nicht böse, das sei so seine Weise, aber es irritierte mich doch soweit, daß ich darüber aufwachte. Es bedurfte geraumer Zeit, bis ich einsah, daß das ganze ein Traum gewesen war.

Frankfurt, 18. September 1962
Ich hielt ein Exemplar der gedruckten Passagenarbeit von Benjamin in Händen, sei es, daß er sie doch vollendet, sei es, daß ich sie aus den Entwürfen rekonstruiert hatte. Liebevoll las ich darin. Eine Überschrift lautete ›Zweiter Teil‹ oder ›Zweites Kapitel‹. Darunter stand das Motto:

»Welcher Trambahnwagen wäre so frech, zu behaupten, daß er nur um des knirschenden Sandes willen fahre?
Robert August Lange, 1839.«

Frankfurt, Dezember 1964
Die Welt sollte untergehen. Ich befand mich in frühester Morgendämmerung, in grauem Halbdunkel, unter einer größeren Menschenmenge auf einer Art Rampe, am Horizont Hügel. Alles starrte auf den Himmel. Halb im Bewußtsein zu träumen, fragte ich, ob denn nun die Welt *wirklich* untergehen werde. Das wurde mir bestätigt, so wie technisch versierte Leute reden, alle waren Fachleute. Am Himmel standen drei fürchterlich große, unmittelbar drohende Sterne, die ein gleichschenkliges Dreieck bildeten. Sie sollten kurz nach elf Uhr vormittags auf die Erde stoßen. Da ertönte aus Lautsprechern eine Stimme: um 8.20 wird noch einmal Werner Heisenberg sprechen. Ich dachte: das ist gar nicht er selbst, der den Weltuntergang kommentiert, nur die Wiederholung einer bereits mehrfach abgespielten Bandaufnahme. Mit dem Gefühl: genau so wäre es, wenn es wirklich geschähe, wachte ich auf.

Frankfurt, 22. März 1966
Ich träumte, Peter Suhrkamp habe ein großes kulturkritisches Buch geschrieben – auf plattdeutsch. Titel: Pa Sürkups sin Kultur. (Pa = Peter und Papa; Sürkup = Suhrkamp und der französische Admiral Surcouf; sin = sein und lateinisch sine.)

Frankfurt, Februar 1967
Ich wollte meinen juristischen Doktor machen, hatte mir auch ein Thema ausgedacht, von dem mir schien, daß es mir gemäß sei. Es

lautete: Der Übergang vom lebendigen Menschen zur juristischen Person. Auch über die Methode bildete ich mir meine Vorstellungen. Sie sollte möglichst in Einklang mit der offiziell wissenschaftlichen sein. Ich wollte alle in der Literatur erreichbaren Bestimmungen der juristischen Person sammeln, ihre Differenzen von der lebendigen feststellen und daraus den Übergang konstruieren.

1937-1967

Der Fischer Spadaro

Das Urbild des Fischers Spadaro sind die hundertfünfundsiebenzig Abbilder, die, auf Capri, hundertfünfundsiebenzig Maler nach dem Original gefertigt haben. Vorher war er nur da, der schlichte Mann, und half abends auf der Barchetta das Meer und dessen Fische mit seiner Laterne beleuchten wie ein Stern, weil es andernfalls zu dunkel gewesen wäre; nun ist er selber symbolisch durchhellt ganz und gar. Er hat Meer und Sterne gleichsam überflüssig gemacht.

Daß Massaniello ein neapolitanischer Revolutionär war und eine rote Mütze trug, weiß jeder Deutsche, und daß zum Andenken daran seine kleidsame Tracht bis auf den jüngsten Tag bewahrt bleibe, ist gewiß wünschenswert. Gleichwohl ließe sich nicht absehen, was aus der Historia im Laufe der Geschichte geworden wäre, hätten nicht die Maler zahlreich ihrer sich angenommen im Interesse der Ewigkeit. Und auch das Schicksal jener Maler und jener Ewigkeit läge im Ungewissen, wenn nicht der Fischer Spadaro beide zu retten vermöchte. An den Malern, die ihn formten, hat er sich geformt; ihren Untergang in Postkarten verschönte er, indem er ihn überlebte; den Zauber, mit dem sie so mächtig seine unwirkliche Gestalt der Wirklichkeit enthoben, hat er in die Wirklichkeit seines Daseins zurückverzaubert, das jetzt erst recht unwirklich wurde, und existiert sichtbar fortan weiter als Modell seiner selbst.

Ungerecht freilich wäre es, wollte man das Verdienst daran ihm allein zumessen. Er ist der schlichte Mann geblieben, der er war. Höhere Mächte haben ihr Werk an ihm getan; er ist im Auftrag, wie gemeinhin Propheten im Auftrag zu handeln pflegen. Die Cook-Gesellschaft bewegt eine Bergbahn bis zum Rande des Vesuvkraters, wo die Reisenden des Windes wegen nur kurz sich aufhalten. Die den Vulkan bezwang, mag der Ewigkeit nicht feind sein und zahlt dem Fischer ein regelmäßiges und nach den Verhältnissen des Landes nicht unbeträchtliches Gehalt zur Anerkennung seiner Existenz und zur Hebung des Fremdenverkehrs. Als Gegenleistung trägt er gleichzeitig an verschiedenen Orten die rote Mütze, einen sorgsam verwahrlosten Shawl, einen Vollbart, der sich der wechselnden Capreser Beleuchtung anpaßt, und ein Paar geräumig schlaffe Hosen, die ihm die Würde des Alters verleihen. Bei ihrem Anblick rufen die langbezahnten amerikanischen Damen – Gäste der Cook-Gesellschaft – häufig »How lovely« aus. Herren aus Sachsen dagegen, die Rucksäcke tragen und kritischer sind, fassen ihren Eindruck dahin zusammen, daß er eben ein Original sei; aber das ist ihm ohnehin bekannt.

Trotz dieser Erfolge fehlt es auch dem Fischer Spadaro nicht an Leid. Zwar sind die hundertfünfundsiebenzig Abbilder, sein Urbild, durchweg einander recht ähnlich, und auf das Rot zumal kann er sich getrost verlassen. Indessen nicht aller Unterschiede wurde das Schicksal Herr, obwohl doch keineswegs Not ist, daß ein Maler den Fischer Spadaro anders male als der andere. Jener aber malte ihn blitzenden Augs, den Enkel von Ahnen; dieser tauchte seine Lider golden in die heitere Schwermut des Südens. Der Bart, mythisch hier und weiß wie Nestors, weiß nicht minder mythisch dort satyrhaft strotzen und grau mattiert sein. Die Beleuchtung tut das Ihre und mit dem blonden Impressionisten aus Kopenhagen hat der Fischer Spadaro gerne Umgang; jener ist kurzsichtig. Aber es will dem Original nicht gelingen, in seinen Augen den Widerspruch der Abbilder zu versöhnen. Das Urbild bleibt unerreicht. Einmal hat man auf der Via sogramonte, zu halber Höhe des Telegrafo, den Fischer Spadaro weinen sehen. Auch währt die Saison nicht das ganze Jahr hindurch. Cook ruht die schönen Wintermonate über. Die Insel ist dann bloß von Capri-Existenzen bevölkert, von denen Spadaro nichts mehr zu hoffen hat: denn er selber rechnet zu ihnen als der erste von allen.

Dann jedoch wird es wieder Frühling, und es beginnt lange zu regnen. Der Fischer Spadaro steht mehrfach auf der Piazza und späht hinaus zum Meer nach den glimmenden Barchetten, die die Fische beleuchten, Sternen gleich. Aus dem nahen Hotel tönen durchs Grammophon neapolitanische Volksweisen hinüber.

Vor 1933

Kein Abenteuer

Spät abends in der Untergrundbahn setzte ich mich einem jungen Mädchen gegenüber, dem einzigen Fahrgast außer mir. Sie war recht bescheiden angezogen. Ihre Kleidung ließ sie als Emigrantin erkennen. Vielleicht war es leise betonte Unabhängigkeit, eine Spur des Burschikosen, durch welche sie drüben gerade sich assimiliert hatte, während sie hier provinziell von der Norm verschieden schien. Vielleicht war das Kleid allzu dauerhaft und hatte daher den Ausdruck des Dumpfigen, der möblierten Zimmer, ein wenig als ob sie in den Kleidern schliefe. Oder es lag an der veraltet kunstgewerblichen Kette. Das Dürftige, Hilflose und doch der Anmut hartnäckig sich Bewußte machte sie reizvoll. Dem Betrachter flossen Mitleid, Härte und saugende Sehnsucht ineinander. Ich mußte lächeln; und ich lächelte ihr zu.

Ihr müdes Gesicht nahm sich zusammen und überzog sich mit der Abweisung, die sie für damenhaft hielt. In Wien, woher sie kommen mochte, auch in Berlin hätte sie wieder gelächelt; im F-Wagen mit der Ironie der Stadt, die für jegliche Weise der Annäherung eine umfangende Konvention bereit hat, im Autobus 2 auf dem Kurfürstendamm sachlicher und schnöder: als ob ich ihr auf den Fuß getreten und hoppla gesagt hätte. Auch dort aber wäre sie solidarisch gewesen wenigstens mit der Forderung, die ich eine Sekunde lang vertrat. In New York verbot sie es sich selber, machte sich unfreundlich und zog den Rock über die schlanken Knie.

Wissen Sie nicht, sagte die Geste, daß wir in Amerika sind, wo man Frauen nicht ansprechen darf? Auch Anlächeln kommt für mich nicht in Frage. Wenn ich nach Hause fahre, fahre ich nach Hause; ich amüsiere mich nur, wenn ich mich amüsiere. Natürlich verstehe ich Spaß, aber man muß den Namen kennen und eine gute Zeit gehabt haben. Sie lächeln unverschämt und viel zu ernsthaft. Wissen Sie denn nicht, daß man ein neues Leben beginnen muß? Sie sind doch selber ein Emigrant. Wenn Sie aber etwas wären, ließen Sie

sich nicht so spät von der Untergrundbahn hinschleppen, sondern hätten es zu einem Auto gebracht.
Ohne es zu wissen, gehorchte sie dem Zwang eines Daseins, das ihr ihre Schönheit in ein natürliches Monopol verwandelt hatte, das einzige, was sie einsetzen konnte, wenn sie zu mächtigen Chefs, beschäftigten Hilfsorganisationen, ungeduldigen Verwandten sprach. Ihr letzter Besitz gerade gehörte ihr am letzten. Ich hätte fühlen sollen, war ihr Anspruch, daß sie sich jetzt zurückhalten mußte, damit sie es dort nicht vergäße. So leicht fiel es ihr gar nicht. Man muß lernen, daß der Preis, den wir fürs Leben zu zahlen haben, der ist, daß wir nicht mehr leben, keinen Augenblick ohne Tausch und Klugheit uns verlieren dürfen. Er sieht wie ein gescheiter Mensch aus, dachten ihre Augen, vielleicht sogar nett, aber gerade daß er nett ist, das ist gar nicht nett von ihm.
Oder hat sie einen Freund, einen seriösen Rechtsanwalt, der ihr bei der Einwanderung behilflich war? Er kann seine Kenntnisse nicht verwerten und sucht sich als Vertreter durchzubringen, während sie Schreibarbeiten macht, auch einmal abends serviert. Er ist ihr sehr langweilig mit seinen Sorgen, aber da es ihm schlecht geht und ihr nicht gut und sie ohne ihn die ganze Gewalt der Kälte über sich hereinbrechen fühlt, so klammert sie sich an ihn mit verbissenen Zähnen. Auch noch lächeln.
Ich blickte auf, und sie strich sogleich wieder den Rock herunter: unterdessen hatte sie wohl einmal die Beine übereinander geschlagen. Das ist Hitlers Triumph, dachte ich. Er hat uns nicht nur Land, Sprache und Geld fortgenommen, sondern noch das bißchen Lächeln konfisziert. Die Welt, die er geschaffen hat, wird uns bald so böse machen wie er ist. Die Abwehr des Mädchens und meine Rücksichtslosigkeit sind einander wert. Ich schämte mich, und als sie abermals die Beine kreuzte, wagte ich schon gar nicht mehr hinzuschauen.
Freilich waren wir an meiner Station angelangt und ich stieg rasch aus. Am Stand oben beim verschlafenen Zeitungshändler kaufte ich die Times und suchte nach der Nachricht vom Sieg mit der verzweifelten Begierde, die nur zerstört, woran sie sich hängt. Kein Sieg war darin zu lesen. Traurig, das viel zu schwere Blatt unterm Arm, ging ich den Broadway hinab.

Ca. 1940

Theodor W. Adorno und Carl Dreyfus

Lesestücke

Die Pendelwagen

Ein berufstätiges junges Mädchen äußerte zu seiner Kollegin: Man hat keine Freude an der Trambahn. Selbst wenn ich morgens fünf Minuten früher wegfahre als notwendig, hilft es wenig. Zwar kann ich dann mit dem schwach besetzten Pendelwagen fahren, anstatt in der überfüllten Haupttram, aber ich komme kaum je früher zum Ziel. Die Pendelwagen haben nämlich die Gewohnheit, nicht, wie vorgesehen, in der Mitte des Zeitraumes zwischen zwei Hauptzügen zu verkehren, sondern unmittelbar vor dem darauffolgenden Hauptzuge abzugehen, weil Führer und Schaffner der Pendelwagen sich mit den Beamten der Hauptzüge an der Abgangsstation unterhalten. So erreiche ich an der Umsteigstelle nicht mehr den fahrplanmäßigen Anschlußwagen, sondern erst den nächsten –. Nicht genug damit, ich komme manchmal durch das lange Warten später an mein Ziel, als wenn ich den nächsten Hauptzug benutzt hätte. Denn er fährt weiter als der Pendelwagen und erreicht dann die zweite größere Umsteigestelle, von der mehrere Verbindungen abzweigen. Von dort ist es wohl in der Luftlinie weiter zum Ziel als von der ersten Umsteigestelle, aber man muß wegen der vielen Linien nie warten.

Sitzung

Es fanden sich nicht alle Herren des Vorstandes ein, nur fünf, weil es nachmittags sechs Uhr war. Sie berieten das Programm für das halbe Jahr. Die Programmgestaltung bot Schwierigkeiten, weil einige Herren des Vorstandes zugleich Vorständen anderer Gesellschaften ähnlicher Art angehörten. Die eine jener Gesellschaften müsse in dieser aufgehen, da sonst ein Wettstreit entstehe, der fruchtbare Arbeit jeder einzelnen unmöglich mache. Gestatten Sie den Hinweis auf unsere Schwestergesellschaft in Hamburg, widersprach ein Herr aus zwei Vorständen. Ihr Halbjahres-Programm ist erheblich umfangreicher als die beiden der heute in Frage stehenden Gesellschaften zusammengenommen, obwohl sie wesentlich jünger ist als beide. Daraus folgt, daß hier bei veränderten Umständen beide Gesellschaften getrost nebeneinander leben können. Das bestreite ich, hieß es dagegen, die Grundlagen sind völlig verschieden. In Hamburg sind die Möglichkeiten bei weitem nicht so erschöpft wie bei uns. Man ist dort viel ursprünglicher. Ein Herr meldete sich. Ich möchte Ihnen einen Vorfall erzählen, der zwar nicht zur Geschäftsordnung, aber immerhin zur Sache gehört. Ein Hamburger, den wir alle kennen, kam mit einem Anderen ins Gespräch: »Ich hatte mir einen neuen Handkoffer gekauft zu einer Zeit, deren schwierige Verhältnisse jede solche Anschaffung zu einem Opfer machten. Eines Tages nahm ich ihn mit auf die Reise. Ich verließ das Abteil für einige Augenblicke. Als ich zurückkehrte, war der Koffer verschwunden. Verzweifelt suchte ich ihn überall ohne Erfolg. Tage danach begab ich mich zur Dienststelle für gefundene Gegenstände. Dort fand ich meinen Koffer wieder. Es war der glücklichste Tag meines Lebens.«

Regent

Das schöngelegene Sommerschloß des verstorbenen Regenten wurde viel besucht. Führungen fanden in Gruppen von je dreißig Personen statt. Die Teilnehmer warteten an der Drehtür. Wenn es dreißig waren, wurden sie eingelassen. Im Treppenhaus waren nur fünf überlebensgroße Statuen sehenswert, die am Aufgang der Freitreppen angeordnet waren. Sie seien allegorische Darstellungen der fünf Erdteile, Europa in der Mitte. Die Figuren seien jetzt Gips, hätten aber Marmor werden sollen. Decken und Wände des Jagdzimmers waren ausgefüllt mit Schnitzerei von Jagdszenen: Jäger, hetzende Hunde und viel tote Beute in Tälern. Die Krone, eine Kaiserjagd, sei auch aus Gips, hätte Elfenbein werden sollen. Im

Arbeitszimmer des Regenten stand ein großer Schreibtisch an der gläsernen Flügeltür zur Parkaltane. Ihn zierte eine kunstvolle Uhr aus der Blütezeit in Bronce. Der Parkettboden unter dem Läuferbelag sei von italienischen Holzkünstlern in Labyrinthform angefertigt. Auch das Deckengemälde sei italienisch. Durch das Sterbezimmer kam man ins Prunkbad. Die Fresken seien durch Wasserdämpfe angegriffen und deshalb verhängt, ihr Kunstwert sei zum Glück nicht sehr erheblich. Die zahlreichen weiteren Räume seien zur Besichtigung nicht freigegeben. Sie würden von den lebenden Herrschaften bewohnt.

Erwartung

Nach dem gemeinsamen Abendessen, ehe die Teilnehmer den Speisesaal verließen, entnahm ein Herr Dr. Küntzel seinem Notizbuch den Ausschnitt aus einer illustrierten Zeitschrift: Ist das nicht eine schöne Frau? Man reichte den Ausschnitt weiter. Um neun Uhr werde ich abgeholt, damit wir nicht nur Herren sind. Von dieser Dame? Nein, von ihrer Freundin, die auch am Chemnitzer Stadttheater verpflichtet war, jetzt aber hier wirkt. Bald danach begab man sich in die Hotelhalle. Die Herren nahmen an verschiedenen Rauchtischen zu Kaffee und Likören Platz, während Herr Dr. Küntzel im Vestibül, die Drehtür im Auge, auf- und niederging. Manchmal sah einer der Herren auf, ob die Erwartete schon erschienen sei. Eine Viertelstunde nach der verabredeten Zeit zahlten die Herren und begannen aufzubrechen, nicht ohne sich mit Herrn Dr. Küntzel über die Fortsetzung des Abends verständigt zu haben. Jener blieb unruhig zurück. Die Herren indessen schoben sich gruppenweise über den großen schon stilleren Platz. Sie gedachten, um Zeitverlust zu vermeiden, ihrem Freund behilflich zu sein, begrüßten verschiedene fremde Damen und fragten sie, ob sie etwa mit Herrn Dr. Küntzel verabredet seien. Dabei wählten sie solche Damen, deren Aussehen und Kleidung auf Künstlertum hinzudeuten schien, jedoch vergebens. Erst kurz vor dem verabredeten Ort bemerkten die Herren eine schlanke Frau in weitem Pelzmantel und Abendtuch, das die Stirn offen ließ. Sie kenne ihn. Es war die Dame vom Ausschnitt.

Der Mord

Ein Mädchen erzählte: Ich war in einem feinen Haus in Köln. An einem Abend kam ein feiner Herr in Gehrock und Zylinder. Guten Abend sagte der Herr und legte die Hand an den Zylinder. Dann verlangte er bei Madame die Hilde. Sie sei oben. Er ging hinauf und blieb eine gute Stunde. Als er allein zurückkam, griff er wieder an den Zylinder und sagte nur guten Abend. Nicht viel später erschien ein Schutzmann, grüßte auch mit der Hand und fragte nach Madame. Wenn das Mädchen nicht vom Fenster wegginge, müsse er das Haus schließen. An welchem Fenster? Im zweiten Stock. Madame schaute selbst nach, dann hörten wir, wie sie schrie, und liefen alle in den zweiten Stock. Im Bett lag nackt Hilde ohne Kopf. Der Kopf stand auf dem runden Tisch am Fenster, das Gesicht der Straße zugekehrt. Neben dem Kopf lag ein langes Messer und ein Tausendmarkschein. Seit diesem Abend mußte jedes Mädchen seinen Herrn herunterbegleiten.

Eisenbahn

Ein Kaufmann hatte den ganzen Morgen mit Tätigkeit in der Hauptstadt zugebracht und stieg um zwei Uhr in den Schnellzug. Er verließ pünktlich um zwei Uhr sieben die Halle. Auf dem Tisch vor seinem Fensterplatz lag ein Zettel mit dem dreisprachigen Aufdruck: In diesem Zug befindet sich ein Speisewagen. Augenblicklich erschien ein Angestellter der Speisewagengesellschaft und forderte auf zum Kaffee Platz zu nehmen. Ob man noch etwas zu essen haben könne? Gewiß, wenn auch nur à la carte. Der Kaufmann stand auf, der nächste Wagen war der Speisewagen. Dort nahm er im Nichtraucher-Abteil Platz, in dem nur noch ein junges Ehepaar saß. Der Oberkellner fragte, ob er Kaffee oder Tee wünsche. Kann ich noch etwas zu essen haben? Selbstverständlich, mein Herr, sogar noch das Menü, das heute besonders schön ist. Selbstverständlich ganz frisch. Sofort wurde serviert, und der Servierkellner entkorkte die schon auf dem Tisch stehende Flasche Rotwein. Auf dem Rückweg zum Abteil begegnete ihm die diensttuende Frau in Schürze und Häubchen. Sie rieb mit einem Leder die Messingstangen blank, auf dem anderen Arm trug sie einen Pack frischer Handtücher. Im Abteil las er eine Zeitschrift mit dem Aufdruck: Unseren Gästen gewidmet. Sie war von der Speisewagengesellschaft auf die Plätze gelegt worden. Bald kam auch der Schaffner und bat ohne einzutreten um die Fahrkarte. Haben wir Verspätung? Nein, antwortete der Beamte, wir sind ganz fahrplanmäßig. Auf dieser Strecke gibt es überhaupt keine Verspätung. Beim Aussteigen war der Mitreisende behilflich.

Der Morgen

Ein Jüngling verbrachte seinen Urlaub in einem südlichen Kurhotel. Als er am Morgen, noch im Schlafanzug, zum Closet ging und öffnete, fand er auf dem Closet eine ältere Dame. Obwohl er sich beeilte, die Tür sogleich zu schließen, mußte er die Dame sehen. Sie trug ein schwarzes besticktes Kleid, unter dem hochgerafften Rock lange weiße Unterhosen, schwarze Stiefel. Die Dame begann zu murmeln. Als sie mittags im schwarzen Kleid auf die Veranda kam, verbeugte sich der Jüngling.

Erinnerung

Der maßgebende Vertreter eines großen Unternehmens erzählte gelegentlich Folgendes: In Bezug auf Frauen habe ich ein sicheres Urteil. Ich bin darin sehr empfindlich, Bälle besuche ich niemals. In Baden-Baden lernte ich eine amerikanische Künstlerin kennen und verbrachte eine Woche mit ihr, in dem gleichen Hotel. Die Tage verflogen wie Stunden. Niemand fragte nach Namen und Wesen. Als wir uns trennten, wußten wir nichts voneinander. So wurde das Erlebnis eine schöne Erinnerung und ist es geblieben.

Klage

Sogleich nach Anfang der Geschäftszeit, als die Flügeltür geöffnet worden war, betrat eine Frau, sorgfältig gekleidet, die Halle des

Bankgebäudes und ging rasch auf den gegenüberliegenden Schalter für Devisen zu. Nach ihrem Begehr gefragt, verlangte sie den Herrn Generaldirektor zu sprechen. Dann sei sie hier falsch, die Direktion liege im ersten Stockwerk. Man möchte sie oben melden. Das sei leider zwecklos, da der Herr Generaldirektor voraussichtlich noch nicht im Hause sich befinde und für den ganzen Vormittag Besprechungen vorgemerkt seien. Jetzt begann die bislang ruhige Frau zu weinen: Sie müsse bei dem Herrn Generaldirektor dringend vorstellig werden. Man bedaure tatsächlich. Es ist darum, rief sie sehr laut aus, er will von meinem Jungen nichts mehr wissen, das ist traurig für ihn. Der Portier und ein Page, herbeigeläutet, entfernten die klagende Frau, in der Direktion wurde Meldung erstattet.

Die Reise

Beim Sohne eines Apothekers läutete der Provisor an: Ob er Herrn Baumann kenne. Weil Herr Baumann die gleiche Mittelmeerreise machen wolle wie der Provisor, und er sei ein Klassenkamerad des jungen Herrn. Er denke an dieselbe Route ab Genua: Malta, Gibraltar, Spanien, zum Schluß Marseille. Er müsse sehr wohlhabend sein, er habe sich genau nach allen Preisen erkundigt. Auch Herr Baumann wolle drei Wochen fortbleiben, die Fahrten ins Land eingerechnet. Er habe mit dem jungen Herrn zusammen Abitur gemacht. Der junge Herr sei aber erst später in die Oberprima eingetreten. Er habe seinen genauen Plan mit dem verglichen, den der Provisor schon ausführte, alle Hotels. Er habe übrigens mit dem jungen Herrn gelegentlich musiziert. Er sei ein großer, schöngewachsener, junger Mann. Der junge Herr müsse sich an ihn erinnern können. Leider hätten sie ja in den letzten Jahren fast jede Fühlung verloren. Das habe er ihm nur sagen wollen. Besten Dank.

Inkognito

Eine Tante Anna klagte: Seit ich siebzig Jahre alt geworden bin, habe ich es schwer. Um dem Ansturm der Ehrungen zu entgehen, bin ich mit meiner besten Freundin am Geburtstage nach Wiesbaden gefahren. Nun muß ich schon seit vierzehn Tagen zu Hause bleiben, um die Glückwünsche entgegenzunehmen. Ich kann den Gratulanten, die von meiner Abwesenheit wußten, nicht zumuten, vergebens zu kommen. Immer noch erwarte ich Besuche.

Seminarabend

Eine junge Dame, selbst immatrikuliert, nahm mit Studenten und Studentinnen an einem akademischen Seminar teil. Sie erschien kurz vor Beginn der Sitzung, zeitig genug, ihre näheren Bekannten zu begrüßen. Nach dem zweiten Glockenzeichen kam der Seminarleiter, um alsbald einige Thesen der Besprechung zu überlassen. Es redeten zunächst die beiden Assistenten und vertraten längere Zeit ihre abweichenden Meinungen. Dann wurde der zweite Assistent von einem Herrn sachlich bekämpft, der unmittelbar vor seiner Prüfung stand. Ihm schien die Behauptung des zweiten Assistenten der Wirklichkeit allzusehr entfremdet, ohne doch die Ausgangsthese an Tiefe zu erreichen. Der Seminarleiter mochte auf Seiten des begabten Herrn stehen, hielt sich aber noch zurück. Die junge Dame hörte alle Meinungen an. Sie entschied sich einzugreifen und wählte die Meinung des zweiten Assistenten. »Wenn ich Herrn Doktor richtig verstanden habe«, führte sie aus, »war seine Ansicht keineswegs wie behauptet wurde. Die Erfassung der Erkenntnis in diesem Bereich trifft fraglos auf ungeheure Schwierigkeiten. Allein bei gründlicher Untersuchung zeigt sich, daß Endpunkt und Ausgangspunkt in Wahrheit die gleichen sind.« »Sehr schön«, sagte der Seminarleiter. »Ich fürchte nur, daß nicht alle Anwesenden den Sinn dessen voll erfaßt haben, was Fräulein N. vortrug. Sie wollte sagen: Hier sei die Lösung nicht zufällig der Frage gleich; der Gegenstand fordere dies, um sie in sich aufzunehmen. Habe ich Ihre Auffassung richtig wiedergegeben, Fräulein N.?« Die junge Dame stimmte zu, ohne noch einmal das Wort zu ergreifen. Sie war nach der Seminarsitzung zum Abendessen geladen. Obschon sie nur ein kleines Abendkleid angezogen hatte, verbarg sie es unter ihrem Mantel, um von Studenten und Studentinnen nicht abzustechen. Als einzige jedoch in Hut und Mantel zog sie gleichwohl die Blicke der anderen auf sich. Eine halbe Stunde vor Seminarschluß war es für sie Zeit zu gehen. Sie erhob sich leise, nickte dem Seminarleiter zu und entfernte sich aus der Sitzung.

Visite

Ein Chef kam in den Korrespondenzraum. Auf dem Schreibtisch des ersten Angestellten lagen zwei gleich hohe Stöße von Korrespondenz. Der eine war erledigt, der andere sollte noch erledigt werden. Zwischen dem Telefon und der Telefonuhr befand sich ein Gestell mit zahlreichen Stempeln. Am Tisch des zweiten Angestellten, der ebenfalls einen Armsessel hatte und rauchte, wurden Dispositionen getroffen. Dort war eine größere Reihe von Handbüchern angeordnet, die Rücken nach außen. An ihren Arbeitstischen saßen vier Damen. Die erste Dame durchblätterte geräuschvoll den Kurzschrift-Block. Die zweite Dame hämmerte mit allen Fingern auf der Maschine, während die dritte Dame hinter ihrer Maschine kaum zu sehen war und klingelte. Viele mit Papier gefüllte Ablegemappen waren auf dem Tisch und unter dem Tisch der vierten Dame gehäuft, das Mädchen war an seiner Maschine beschäftigt. Es fiel dem Chef schwer festzustellen, was gearbeitet wurde. Er verließ wortlos das Zimmer.

Gegenbesuch

Zwei Freunde hatten sich zu einer Beerdigung verabredet. Der eine der beiden verkehrte gesellschaftlich im Hause der Tochter des Verschiedenen. Den anderen bestimmten vorwiegend berufliche Gründe an der Bestattung teilzunehmen, zumal er anschließend an die erste einer zweiten auf dem gleichen Friedhofe beizuwohnen hatte. Das Berufsauto des zweiten Freundes holte den ersten an seiner im Vorort gelegenen Wohnung ab. Beim Zusammentreffen im Büro fand sich ein auswärtiger Geschäftsfreund unerwartet ein. Die Herren fuhren gemeinsam weiter, die gekrümmte Pappelallee um die Peripherie. Alle drei hatten die Zylinder abgenommen, damit sie im niedrigen Auto nicht Schaden litten. »Ich finde es rührend«, sagte der erste Freund zum Geschäftsfreund, »daß Sie eigens aus

Pirmasens herbeigeeilt sind, dies um so mehr, als Sie ja, soviel ich weiß, zu dem Verstorbenen nur in äußerst flüchtigen Geschäftsbeziehungen gestanden haben sollen.« »Das trifft nicht ganz zu«, entgegnete der Angeredete, »denn die Familien waren befreundet. Der Verstorbene kam ja anläßlich der Beisetzung meines seligen Vaters persönlich nach Pirmasens. Darum muß auch ich ihm die letzte Ehre erweisen.«

Freitod

Fräulein Lucie wußte über den Tod folgendes zu berichten: Nach drei Uhr nachts, als die gnädige Frau vom Besuch bei dem Herrn Direktor zurückgekommen war, unterhielten wir uns beim Ausziehen. Sie erzählte, er sei heute abend so nett gewesen wie noch nie seit der Scheidung. Gute Liköre hätten zur guten Stimmung beigetragen. Er habe sich nach Einzelheiten aus dem Leben der gnädigen Frau erkundigt. Auch sei er überhaupt nicht müde gewesen. Als ich dann im Nebenzimmer nach der Kleinen schaute, hörte ich die gnädige Frau. Ich ging hinein und fand sie auf dem Bett mit dem Apparat. Sie rief: Berti, mein Berti, und hängte ein. Der Diener hatte den Tod gemeldet. Sie war von der Nachricht sehr erschüttert.

Lauter lachen

Als der Schwank zu Ende war, kam der Theaterdiener in die Garderobe und suchte eine der Darstellerinnen. Sie hatte in dem Stück die Rolle eines jungen reichen Mädchens aus vornehmem Hause gespielt, das zur Beobachtung seines zukünftigen Gatten als Bürofräulein in dessen Unternehmen wirkte. Nun wurde sie in das Zimmer des Direktors gerufen. Der Direktor bat sie doch Platz zu nehmen und sagte: »Liebes Kind, warum sind Sie nicht lustiger? In einem Schwank im Sommer muß man vor allem fröhlich sein. Haben Sie Kummer? Warum lachen Sie nicht lauter? Warum bewegen Sie sich nicht mehr? Das ist eine entzückende Rolle. Und dann, warum sprechen Sie nicht lebendiger? Das Beste geht verloren.

Wenn man jung ist und so schön wie Sie, kann es einem nicht schwer fallen. Morgen wird es sicher gut werden.«

Begegnung

In lebhaftem Gespräch kamen vier junge Mädchen in die Trambahn und setzten sich einander je zwei und zwei gegenüber, die Mappen auf dem Schoß. Ohne Pause fuhren sie zu sprechen fort. Da zeigte die eine nach der Straße und unterbrach sich: Meine Mutter. Alle drehten die Köpfe zum Fenster und sahen hinaus. Ein grauer offener Wagen überholte die Trambahn. Mehrere Personen befanden sich darin mit Decken; etwa drei Herren und eine Dame. Der Gruß des Mädchens erreichte die Mutter nicht. Aber sie wußte, daß sicherlich Trambahn und Auto sich nochmals begegnen würden, an der nächsten Haltestelle. Tatsächlich wartete dort das Auto, bis die Fahrgäste aus- und eingestiegen waren. Jetzt konnte das Winken des Mädchens nicht übersehen werden. Freundlich nickte die Mutter ihr zu.

Aussprache

Die Freunde waren übereingekommen, eine Aussprache mit Frau Hegemann herbeizuführen. Als sie die Wohnung betraten, dämmerte es schon ein wenig. Sie fanden Frau Hegemann im Musikzimmer; sie ruhte, auf dem Diwan. Scheinbar aufgeschreckt aus ihrem Traum, erhob sie sich, sie trug ein lichtblaues Kleidchen. Der ältere Freund sammelte sich und begann: »Wir sind gekommen, um etwas sehr Ernstes zu besprechen.« »So«, erwiderte Frau Hegemann. »Er behauptet, es hätten sich die Dinge zwischen euch doch nicht ganz so verhalten, wie du es darstelltest. Du mußt einsehen, daß von dieser Auseinandersetzung abhängt, ob die Freundschaft fortdauern kann.« »Allerdings«, antwortete sie und reichte die Cigarettendose aus Jade. »Gnädige Frau«, begann der jüngere Freund seine Erklärung, »ich bedauere es außerordentlich, Dinge zur Sprache bringen zu müssen, die sowohl Ihnen als auch mir zweifellos peinlich sind. Darf ich einige Fragen an Sie richten?« Frau Hegemann kauerte auf dem chinesischen Taburett. Nach ihrem undeutlichen

Kopfnicken fuhr er fort. »Ich mußte annehmen, daß Sie von meinem Freunde innerlich bereits getrennt seien. An jenem Abend, als wir Sie zum Diner bei Professor Georgi begleiteten, flüsterten Sie mir im Auto etwas zu, was ich allerdings nicht genau verstand. – Weiter erinnere ich mich an eine Unterhaltung, wenige Tage später, hier oben bei Ihnen. Sie setzten mir auseinander, daß ein Mann eigentlich schon in dem Augenblick für Sie erledigt sei, in dem Sie sich ihm hingegeben hätten. Die Anspielung auf meinen Freund war nicht zu überhören. – Auf den Brief an Gladys möchte ich gar nicht eingehen. Aber denken Sie an den Nachmittag, an dem Sie mir eine Reihe neuer Tanzplatten vorspielten. Sie glaubten nicht an Treue. Sie erzählten mir plötzlich, Sie hätten ein Verhältnis mit Herrn Dr. Tsian.« »Das ist gelogen«, unterbrach Frau Hegemann, sprang auf, beugte sich über den Rauchtisch, ihr Gesicht war nicht wiederzuerkennen. »Und was Sie alles über Ihren Freund gesagt haben.« »Was ich über ihn gesagt habe, war lediglich durch Ihre Bemerkung hervorgerufen, gnädige Frau. Oder wollen Sie etwa bestreiten, daß Sie mir stets wieder durch unverhüllte Äußerungen zeigten, eigentlich sei er Ihnen lächerlich? Sogar als ihm beim Umzug ein Marmoraschenbecher auf den Kopf gefallen war, fanden Sie nur Anlaß zum Lachen. Sie beschrieben mir am Telefon die Wunde. Leugnen Sie all das?« Frau Hegemann war unfähig zu lügen. »Nein«, sagte sie. Ihr Gesicht hatte seine Ruhe wiedergewonnen. Sie lehnte am Fenster und blickte auf die Allee, deren Bäume die letzten Lichtspuren bewahrten. »Das genügt mir«, sprach sich erhebend der ältere Freund. Die beiden Herren küßten ihr nacheinander die Hand und gingen gemeinsam.

Vor 1933

V

Institut für Sozialforschung
und
Deutsche Gesellschaft für Soziologie

Eine Stätte der Forschung

Das Institute of Social Research faßt eine Gruppe von Gelehrten zusammen, die den verschiedensten Sachbereichen angehören, aber in ihren entscheidenden theoretischen Interessen miteinander übereinstimmen. Ihr Anliegen ist die Ausbildung einer Theorie der gegenwärtigen Gesellschaft, die Einsicht in deren zentrale Bewegungsgesetze eröffnet, ohne doch darum von der Konkretheit des Gegenstandes das mindeste dem abstrakten Begriff zuliebe zu opfern. Diese theoretische Tendenz kann und will ihren Ursprung in der Hegelschen Philosophie nicht verleugnen. In der Tat bezeichnet es einen der wesentlichsten Gesichtspunkte des Instituts, das Hegelsche Erbe so ursprünglich zu erwerben, daß es nicht zu akademischem Besitz erstarrt – wie wenig auch im übrigen das Institut an die identitätsphilosophischen Voraussetzungen der Hegelschen Methode sich gebunden weiß.

Wenn heute kein Gedanke legitimiert ist, der nicht aus den Forderungen des Materials aufsteigt, dann ist umgekehrt keine Ansammlung von Fakten legitimiert, die nicht vom Gedanken gelenkt und fähig wäre, Denken aus sich zu produzieren. Die Frage nach dem Faktum, die vordem einmal der Emanzipation des Denkens diente, droht mehr und mehr in ein Denkverbot zu entarten. Ihm sucht das Institut Widerstand zu leisten. Es vertritt Recht und Verpflichtung zu nicht-konformistischem Denken – einem Denken, unabhängig von jeder kommandierenden und reglementierenden Instanz und bereit, in seiner Konsequenz über das bloß Daseiende, Verifizierbare hinauszugehen. Die Fassade der gegenwärtigen Wirklichkeit dient so bruchlos der Abblendung des Wesentlichen, als wäre die ganze Kultur zu einem permanenten black-out geworden. Vom Wesentlichen vermag darum nur der etwas auszusagen, der die lückenlose Oberfläche nicht anerkennt, sondern noch ihre Lückenlosigkeit aus dem erklärt, was unter ihr verborgen liegt. Das Bestehende kann einzig der begreifen, dem es um ein Mögliches und Besseres zu tun ist.

Die leitenden Gedanken der Arbeit des Instituts sind in einer größeren Anzahl von Aufsätzen von Max Horkheimer formuliert worden, darunter die Auseinandersetzung mit dem Positivismus »Der neueste Angriff auf die Metaphysik« und die programmatischen Analysen »Traditionelle und kritische Theorie«. Neben diesen philosophischen Studien Horkheimers stehen spezifisch historische zur Genesis der bürgerlichen Gesellschaft und zur Ausbildung jener Züge des Menschen, die heute in den autoritären Staaten manifest geworden sind (»Egoismus und Freiheitsbewegung«).

Die Untersuchungen des Instituts erstrecken sich auf Probleme der Sozialphilosophie (Phänomenologie, Hegel), Ökonomie (planwirtschaftliche Fragen, Krisentheorie), Sozialpsychologie, Rechtssoziologie und politischen Soziologie. Eine umfassende kritische Darstellung der gesellschaftlichen Gründe des Zusammenbruchs der Weimarer Republik und eine kollektive Studie über Antisemitismus befinden sich in Vorbereitung.

Schon in Deutschland hat das Institut besondere Aufmerksamkeit fernöstlichen Fragen zugewandt. Eines seiner Mitglieder ist in Kooperation mit dem Institute for Pacific Relations mit weitschichtigen Untersuchungen zur Geschichte, Ökonomie und Gesellschaftsstruktur Chinas befaßt, denen mit Hinblick auf die steigende Bedeutung der Bürokratien in den totalitären Ländern Aktualität zukommt: stellt doch China das reinste Modell einer bürokratisch fixierten Gesellschaftsordnung dar.

Das Institut bemüht sich darum, Phänomene der Kultur in ihrem gesellschaftlichen Sinn darzustellen, so wie er den Phänomenen selber sich abgewinnen läßt, ohne diese etwa bloß gesellschaftlichen Strömungen ›zuzuordnen‹. Außer an die philosophischen Untersuchungen ist hier an solche kunsttheoretischer Art zu denken. Diese Untersuchungen beziehen sich teils auf die Literatur des 19. und beginnenden 20. Jahrhunderts (Baudelaire, Ibsen, Hamsun), teils auf musikalische Probleme (Wagner, Jazz). Die musiksoziologischen Studien des Instituts, die der gesellschaftlichen Bedeutung der heutigen Massenmusik gewidmet sind, werden mit Rücksicht auf sozialpsychologische Fragestellungen, nämlich auf die tiefgreifenden Veränderungen der ›Massen‹ im heutigen Stadium durchgeführt. Sie werden in engstem Zusammenhang mit dem Office of Radio Research an der Columbia University betrieben und beziehen sich durchwegs auf amerikanisches Material.

Das Publikationsorgan des Instituts ist die »Zeitschrift für Sozialforschung« gewesen, die 1932-1939 in deutscher Sprache erschien. Sie dürfte auch dann noch ihre Funktion erfüllt haben, als ihre Verbreitung in Deutschland verboten war: zahlreichen Lesern gab sie das Bewußtsein, daß politische Ohnmacht nicht zugleich das Opfer des Intellekts involviert. Von der Art der Zeitschrift vermittelt die letzte Nummer eine Vorstellung, die, redaktionell fertiggestellt, nach dem Zusammenbruch Frankreichs – das Institut unterhielt bis zur Besetzung von Paris eine Zweigstelle an der Ecole Normale Supérieure – nicht mehr publiziert werden konnte. Sie enthielt eine prinzipielle Analyse des autoritären Staats, einen nicht minder grundsätzlichen Aufsatz zur Kritik der politischen Ökonomie und eine gesellschaftliche Interpretation der deutschen literarischen Neuromantik (George und Hofmannsthal).

Seit 1940 ist die deutsche Publikation der Zeitschrift unterbrochen. Sie erscheint jetzt englisch unter dem Titel »Studies in Philosophy and Social Science«. Auch die jüngsten Buchpublikationen des Instituts, die sich auf Strafvollzug und Arbeitsmarkt und auf die Wirkung der Arbeitslosigkeit auf die Familie beziehen, sind englisch erfolgt. Die letztere gehört einem Interessengebiet an, dem die Aufmerksamkeit des Instituts seit Jahren gewidmet ist: der Frage nach den Bindemitteln, die das Gesellschaftssystem zusammenhalten. Das wichtigste Ereignis dieser Bemühungen war der große Sammelband »Autorität und Familie« (1936), der das erste Modell jener Art von Kooperation der verschiedensten Sachgebiete aufstellt, wie sie das Institut anstrebt.

Wenige Worte zur Geschichte des Instituts. Es geht auf eine Stiftung von Hermann Weil zurück und wurde 1925 gegründet. Es diente Lehr- und Forschungszwecken der Universität Frankfurt. Der erste Direktor war Kurt Gerlach. Nach dessen frühem Tode übernahm Karl Grünberg die Leitung, auf den 1930 Max Horkheimer folgte, der gleichzeitig ein Ordinariat für Sozialphilosophie an der Universität Frankfurt innehatte. 1933 wurde das Institut von den Nationalsozialisten geschlossen. Seit 1934 ist es der Columbia University, New York, eingegliedert.

Neben ihrer Forschungstätigkeit lehren die Mitglieder des Instituts im Rahmen der Columbia. Es darf schließlich erwähnt werden, daß aus den Fonds des Instituts seit 1933 zahlreichen Intellektuellen in Europa und Amerika die Weiterarbeit ermöglicht wurde. Auch in diesem Sinn hat das Institut seine Unabhängigkeit als Verpflichtung aufgefaßt.

1941

Einführungen in die Darmstädter Gemeindestudie

Über die »Gemeindestudie des Instituts für Sozialwissenschaftliche Forschung« in Darmstadt, an der das Frankfurter Institut für Sozialforschung beratend beteiligt war und deren neun Monographien 1952 bis 1954 in acht Bänden erschienen sind, informiert näher der zehnte der »Soziologischen Exkurse« (Frankfurt a. M. 1956, S. 139ff.). Im folgenden werden die Einführungen zu den Monographien 1 bis 8 abgedruckt, von denen die ersten drei von Max Rolfes und Adorno, die übrigen von Adorno allein unterzeichnet sind.

Herbert Kötter, Struktur und Funktion von Landgemeinden im Einflußbereich einer deutschen Mittelstadt. Darmstadt 1952. (Gemeindestudie. Monographie 1.)

In den agrarökonomischen Wissenschaften Deutschlands und auch anderer Länder setzt sich immer mehr die Erkenntnis durch, daß sie es nur mit wenigen Tatbeständen und Problemen zu tun haben, zu deren Verständnis soziologische Kategorien nicht ebenso gefordert wären wie im engeren Sinn ökonomische. Das oft betonte Moment des ›Traditionalismus‹ der deutschen Landwirtschaft führt methodologisch notwendig auf Soziologie. Soweit die deutsche Landwirtschaft von Motiven bestimmt wird, die, gemessen an Marktmechanismen, irrational erscheinen, reicht eine Analyse, die sich auf die im engeren Sinne ökonomischen Begriffe beschränkt, nicht aus. Damit ist kein vager Soziologismus vertreten. Die ›irrationalen‹ agrarischen Phänomene weisen schließlich auf die ökonomische Struktur zurück. Daß das Bewußtsein sich langsamer verändert als technische und wirtschaftliche Bedingungen, oder daß gewisse überalterte Differenzen zwischen Stadt und Land zäh fortdauern, fiele selber in den Umkreis einer umfassenden Theorie der Gesamtgesellschaft. Fragwürdig aber bliebe die unvermittelte und ausschließliche Anwendung wirtschaftlicher, marktmäßiger Maßstäbe auf Einzelsektoren, in denen, wie in der Landwirtschaft, jene Maßstäbe sich nicht ganz durchgesetzt haben. Solange man es isoliert mit der Sozialökonomie bestimmter ländlicher Gebiete zu tun hat, müssen zu deren angemessener Erkenntnis soziologische Überlegungen und soziologische Tatsachenforschungen ergänzend hinzutreten. Einsichten in die Formen des Zusammenlebens der Menschen, abgesehen von den eigentlichen Produktions- und Tauschvorgängen, sind unentbehrlich. Das gilt insbesondere für vorwiegend kleinbäuerliche Landwirtschaftstypen, zumal für solche, deren Umwelt nicht mehr rein agrarisch, sondern weitgehend gewerblich und industriell durchsetzt ist.

Von solcher Art sind die vier Dörfer des Darmstädter Hinterlandes, die von dem Forschungsprojekt des Darmstädter Instituts für sozialwissenschaftliche Forschung ausgewählt wurden. Die agrarökonomische Darstellung ihrer Probleme, insbesondere auch der heute so charakteristischen Übergangsformen zwischen Land und Stadt, muß daher den soziologischen Aspekt in sich einschließen. Diese methodologische Forderung kommt zugleich überein mit der allgemeinen Fragestellung des Darmstädter Gemeindeprojekts, das auf der einen Seite Strukturanalyse gibt – hier also: im engeren Sinn ökonomische Verhältnisse betrachtet – und auf der anderen die Reaktionen zum Gegenstand hat, mit denen die Bevölkerung auf solche objektiven Verhältnisse anspricht, also soziologisch gerichtet ist.

Es sind nicht bloß methodologische Erwägungen, welche dahin drängen, die herkömmlichen Grenzen zwischen Agrarökonomie und Agrarsoziologie zu überschreiten und die Verflochtenheit ökonomischer und soziologischer Momente in der Landwirtschaft konkret zu untersuchen, sondern auch Motive inhaltlicher Art. Die Stadt ist in ihrer Bedeutung längst über die Funktion des ›zentralen Marktorts‹, die ihr die klassische deutsche agrarökonomische Theorie im Sinne von J. H. von Thünen einräumte, hinausgewachsen. Rein ökonomisch ist sie, neben vielem anderen, Arbeitsplatz auch für Teile der ländlichen und kleinlandwirtschaftlichen Bevölkerung geworden; kulturell, im Zuge der Entwicklung der industrialisierten Massenkultur, zu einem Zentrum, das dem Dorf Sitten, Lebens- und Bewußtseinsformen ›liefert‹, die mit den traditionellen oft heftig aufeinanderprallen. Im Zuge der gewerblichindustriellen Durchsetzung ehemaliger Agrargebiete überschneiden sich heute durch den unmittelbaren Einfluß der Stadt in den stadtnahen ländlichen Bezirken ländliche und städtische Wirtschafts- und Lebensformen in einem Umfang, wie er bislang kaum auch nur gesehen, geschweige denn bis ins einzelne dargestellt wurde.

Die Monographie von Kötter zählt zu den ersten Versuchen innerhalb der deutschen Wissenschaft, das Land-Stadt-Problem an einem genau umgrenzten Modell, doch auf breiterer soziologischer Basis zu erfassen, als die herkömmliche Agrarökonomie sie bietet. Insofern kann sie als ›Pionierarbeit‹ gelten. Der Autor kommt von der Landwirtschaft her, und seine eigenen geistigen Impulse zielen primär auf die Bewahrung des bäuerlichen Lebensstils ab. Um so größeres Gewicht mag daher haben, daß er durch die Konsequenz des objektiven Forschungsganges dazu gedrängt wird, jeglicher Bodenromantik abzusagen und die Frage nach der Lebensfähigkeit der deutschen Landwirtschaft unter den gegenwärtig herrschenden ökonomischen und sozialen Bedingungen so ernst aufzuwerfen, wie die Verhältnisse es notwendig machen.

Januar 1952

Karl-Guenther Grüneisen, Landbevölkerung im Kraftfeld der Stadt. Darmstadt 1952. (Gemeindestudie. Monographie 2.)

Die Wissenschaft, die den Gegensatz von Stadt und Land erkennend durchdringen will, kann sich nicht damit begnügen, beide Bereiche, weil sie nun einmal divergieren, naiv voneinander zu trennen und isoliert zu behandeln. Anstatt sich an die Disziplinen städtischer und ländlicher Soziologie zu halten, muß sie vielmehr trachten, auch die spezifisch ländlichen Phänomene aus der Struktur des in sich antagonistischen Ganzen zu begreifen. Die ›Zurückgebliebenheit‹ des Landes ist kein bloßer Naturstand, den die Dynamik der städtischen Entwicklung hinter sich gelassen hätte, sondern selber in weitem Maße Funktion des totalen Lebensprozesses der Gesellschaft.

Daß die Darmstädter Gemeindestudie die Beziehung zwischen Stadt und Dorf in den Kreis ihrer Untersuchungen hineinzog, hat

wesentlich den Sinn, empirisch etwas zum Problem jenes umfassenden Funktionszusammenhangs beizutragen. Er besteht nicht bloß im ›Einfluß‹, den die Zentren auf die Dörfer ausüben, sondern ebenso auch in dem Widerstand, den das Dorf dagegen entwickelt, so daß einzelne Sektoren aus der Urbanisierungstendenz herausfallen. Die Monographien von Kötter und Teiwes beschreiben im einzelnen, wie sehr heute Städtisches früher rein agrarische Bereiche wirtschaftlich und soziologisch durchdringt. Die Umgestaltung der bäuerlichen Ökonomie hat neue Zwischentypen wie die Nebenerwerbsbetriebe und die Pendelarbeiter entstehen lassen.
Solche Entwicklungen betreffen aber nicht bloß Wirtschaft und objektive gesellschaftliche Formen, sondern ebenso auch Denken und Verhalten der Menschen selber. Um dem Rechnung zu tragen, behandelt die Monographie von Grüneisen den subjektiven Aspekt der Beziehung von Stadt und Land, so wie er sich in den vier Dörfern darstellt, die von der Darmstädter Studie ausgewählt wurden. Gerade dieser Aspekt ist von größter Relevanz für das gesamtgesellschaftliche Verständnis. Es geht darum, wie es geistig in den stadtbestimmten Dorfbewohnern und solchen, die sich dem städtischen Geist entziehen, aussieht, und zwar keineswegs bloß den landwirtschaftlich Tätigen, sondern ebenso auch all denen, die in der Stadt arbeiten oder zuhause anderen als bäuerlichen Berufen nachgehen. Nirgends stoßen die objektiven Entwicklungstendenzen von Fortschritt und Rationalisierung mit der Angst vor Depossedierung heftiger zusammen als im Bewußtsein all dieser Gruppen. Die unausrottbare Lehre von der Statik des Ländlichen, wie sie sich etwa auf Riehl beruft, zehrt nicht zuletzt davon, daß die Beharrungstendenzen jenes Bewußtseins mit einer vorgeblichen Geschichtslosigkeit des objektiv Gegebenen, der bäuerlichen Produktionsweise verwechselt werden, die nicht existiert. Anstatt deren Trugbild aufzurichten, käme es darauf an, die Spannung stationären Denkens und dynamischer Verhältnisse zu bestimmen.
Solche Fragen sind keineswegs, als ›bloß psychologische‹, für den Ökonomen gleichgültig. Von ihrer Beantwortung hängt etwa ab, ob die Rückständigkeit der wirtschaftlichen Produktionsmethoden auf dem Lande sich aus spezifisch ökonomischen Ursachen, wie zu hohen Gestehungskosten und mangelnder Rentabilität der Technifizierung bei kleinen ökonomischen Einheiten, erklärt, oder ob der

Widerstand gegen die Technik tatsächlich ›irrationale‹ Gründe hat, von subjektiven Momenten herrührt. Diese Momente mögen ihrerseits in der Gesellschaft und der Dynamik ihrer Wirtschaft entspringen, sicherlich aber folgen sie nicht aus dem wirtschaftlichen Sonderinteresse der Bauern. Eine Betrachtung, die etwa den Landwirt als homo oeconomicus unterstellt, ohne auf solche Alternativen einzugehen, bleibt der Wirklichkeit um so fremder, je realistischer sie sich gebärdet. Während die Disproportionalitäten der Bewußtseinsformen ihrerseits in letzter Instanz aufs ökonomische Gesamtsystem zurückweisen, fällt zugleich der Stand der menschlichen Produktivkräfte und des menschlichen Bewußtseins selbst als wesentliches ökonomisches Moment in die Waagschale. In einer Situation, in der die deutsche Landwirtschaft vermutlich überhaupt nur lebensfähig ist, wenn sie zu unvergleichlich viel einschneidenderen Neuerungen sich entschließt als bisher, tangiert die Einsicht in die Ungleichzeitigkeit technischer und menschlicher Entwicklung die elementaren Fragen der wirtschaftlichen Selbsterhaltung des gesamten Agrarsektors. All das kompliziert sich durch die Rolle des heute sehr anwachsenden, nicht oder nur bedingt landwirtschaftlichen Teils der Dorfbewohner, insbesondere der Flüchtlinge.

Grüneisens Monographie setzt die ökonomischen Gegebenheiten voraus, die in den Beiträgen von Kötter und Teiwes erörtert sind: die trotz vorübergehenden Prosperitätsphasen dauernd prekäre Existenz der deutschen Landwirtschaft. Aber er mißt dem falschen Bewußtsein ein wesentliches Maß an Schuld zu. Daraus darf die Lehre gezogen werden, daß das Problem der Agrarreform von der Änderung des Bewußtseins nicht abgetrennt werden kann. Es handelt sich dabei um Pädagogik im weitesten Sinne: darum, die auf dem Lande Lebenden dazu zu befähigen, der Einsicht wie der psychologischen Struktur nach dem gegenwärtigen geschichtlichen Stand sich gewachsen zu zeigen. Daß in einer Gruppe, die seit Jahrhunderten zäh ihre Interessen wahrnimmt, genug Eigenschaften sich finden, an die solche Versuche anknüpfen könnten, läßt sich kaum bezweifeln. Wenn, was in dieser Richtung bislang unternommen wurde, es kaum über sogenannte Teilerfolge hinausbrachte, so sind dafür eher halbe und oberflächliche Maßnahmen als die Landleute selber verantwortlich. Manche Kreise verharren immer noch dabei, daß bäuerliches Brauchtum und hergebrachte Sitte der Vermassung widerstanden hätten und vor dem Verhängnis des modernen Bewußtseins behütet werden müßten. Solche Argumente, deren manche auf die deutsche Romantik zurückdatieren, haben durch den Nationalsozialismus jegliche Unschuld verloren. Auch diejenigen sollten sie meiden, die mit dessen politischer Doktrin nichts gemein haben und einzig vom Wunsch geleitet werden, zu verhindern, daß weiterhin die Landbevölkerung den Fortschritt bloß als Leidende erfährt.

Niemand meint es heute mehr mit den Landwirten gut, der sie vom geistigen Fortschritt fernhält und ihnen kulturelle Naturschutzparks empfiehlt. Geholfen wird ihnen erst, sobald sie der eigenen Beschaffenheit nach nicht länger zu blinden Objekten gesellschaftlicher Macht taugen. Unter den Verdiensten von Grüneisens Arbeit ist nicht das letzte, daß er den Nachweis führt, in wie weitem Maße der Glaube an die traditionelle Kultursubstanz des Dorfes zum bloßen Aberglauben ward; daß, wer heute noch die Vätersitten befürwortet und einen Kult mit dem ›hofzentrierten‹ Denken treibt, dabei in Wahrheit den Hofbesitzer schlecht berät. Die ruhig abwägenden, von blinder Neuerungswut freien, aber in ihren Zahlen und Analysen um so zwingenderen Darlegungen Grüneisens lassen erkennen, wie dringlich eine durchgreifende Schul- und Erziehungsreform auf dem Lande geworden ist.

Dabei geht es keineswegs um subtile Nuancen der Kultiviertheit, sondern um das Allerhandgreiflichste: ob, in welchem Maße und in welchem Sinne die Landbevölkerung intellektuell und psychologisch ›mitgekommen‹ ist. Die drastische Frage hat Grüneisen mit einem drastischen Instrument behandelt: der Zweiteilung in ›modern‹ und ›konservativ‹ gesinnte Bewohner der vier stadtnahen Landgemeinden. Daß er dabei simplifizierte, hat er nicht verkannt. Jeder der beiden Begriffe ist voll von einander widersprechenden Implikationen. Es sei nur daran erinnert, daß die von Gordon Allport unter dem Namen personae-Phänomen beschriebenen Beobachtungen auf das Problem des ›Modernen‹ anzuwenden sind: zahlreiche Menschen vertreten technologisch den fortschrittlichsten Standpunkt, politisch und kulturell jedoch autoritäre und kraß reaktionäre Prinzipien. Weiter lassen etwa Konservativismus und moralischer Rigorismus von der gesellschaftlichen Theorie keineswegs ohne weiteres einander so sich gleichsetzen, wie es in der von der Monographie angewandten Skala geschieht. Das feudale Denken hat die bürgerlich-puritanischen Forderungen niemals ganz sich zu eigen gemacht, und man weiß genug von Konservativen, die, gerade weil sie der eigenen Tradition und des eigenen Privilegs in der Gesellschaft sich unbedingt sicher wissen, sich selbst und anderen um so mehr Freiheit des Privatlebens zugestehen. Freilich sind in der gegenwärtigen Krisis der Gesellschaft die spezifisch bürgerlichen Existenzformen selber in der Defensive, und wer sie vertritt, fühlt sich bereits als konservativ, während die feudalen Residuen liquidiert werden.

Auf all das hat Grüneisen sich nicht eingelassen und die Begriffe modern und konservativ etwa so gebraucht, wie sie im Bewußtsein der Landleute selber vorkommen mögen, wenn diese von ›altmodisch‹ und ›neumodisch‹ reden. Dabei ist es ihm gelungen, Symptome psychologischer Urbanisierung ebenso zu zeigen wie deren Widerspruch zu den hauswirtschaftlichen Bewußtseinsformen, die im deutschen Dorf immer noch sich halten. Deutlich zeichnen die wahren gesellschaftlichen Antagonismen auf dem Lande sich ab.

Die Berechtigung des Verfahrens ist dadurch unter Beweis gestellt, daß die Antworten auf die einzelnen Fragen, die im zweiwertigen Schema Konservativ-Modern rubriziert werden, sich untereinander, und zwar gerade in dem sogenannten Hinterland-Sample, als konsistent erweisen. Andererseits erheischte selbstverständlich eine adäquate Analyse von Ideologie und Psychologie der Landbevölkerung differenziertere Methoden als die jener beiden Fragebogen, des der Hinterlandstudie und des auf ›öffentliche Meinung‹ abzielenden, an deren Auswertung Grüneisen gebunden war. Er hat versucht, diesem Mangel soweit abzuhelfen, wie das Material es überhaupt zuließ, indem er detaillierte Interviews typischer Individuen sozialer Gruppen aus den vier Dörfern heranzog, die er nach ihrem Grad von ›Verstädterung‹ unterschied. Selbst innerhalb der engen Grenzen, die durch die Daten vorweg gezogen waren, sind ihm fruchtbare Einsichten in den ländlichen Umschichtungsprozeß zugefallen. Es springt aus der Studie heraus, wie kein Bewohner jener Dörfer unberührt bleibt vom städtischen Kraftfeld; wie ein jeder entweder dessen Einfluß nachgibt oder ihm opponiert, wie es aber keinem möglich ist, fern von jener Tendenz ein sich selbst genügendes Leben weiterzuführen. Manche verharren, mit variierender äußerer und innerer Sicherheit, im Traditionell-Dörflichen, andere – vielleicht eine heute besonders charakteristische Gruppe – lassen sich von den Strömungen passiv treiben; andere schließlich machen die Sache des städtischen Fortschritts bewußt zu ihrer eigenen. Darüber hinaus enthüllen sich aufschlußreiche Beziehungen zwischen den subjektiven Reaktionsformen der Menschen und objektiven Gegebenheiten, wie Herkunft, Erziehung, Beruf, Eigentumsverhältnisse und soziale Stellung.

Man könnte fragen, ob nun tatsächlich die Landbevölkerung in ›moderne‹, teils von liberalen Vorstellungen, teils auch bereits von der zentralisierten Kulturindustrie bestimmte Personen, und in ›konservative‹, hauswirtschaftlich orientierte, dem Fortschritt abgeneigte Traditionalisten zerfalle. Die Aufgabe weiterer Analyse dieser Kategorien wäre von zukünftiger agrarsoziologischer Arbeit zu leisten. Doch mag immerhin ein Problem angedeutet sein, das durch die Ergebnisse der Monographie nahegelegt wird. Niemand, der mit dem Land vertraut ist, kann sich bei der Lektüre des Eindrucks erwehren, daß ohne Übergang hauswirtschaftlicher Traditionalismus und hochkonzentrierter Spätindustrialismus als Determinanten des ländlichen Bewußtseins aufeinander prallen. Es sieht aus, als fehle diesem Bewußtsein das charakteristisch bürgerliche, individualistische Element geistiger Unabhängigkeit und Resistenzkraft. Man kann sich des Verdachtes nicht entschlagen, auf dem Lande stünde einzig die Welt des Gesangbuches und die der Radiooperette zur Wahl. Wenn man bei der Auswertung des Fragebogens, um überhaupt relevante Zahlen in die Hand zu bekommen, auf der einen Seite die Bibelleser und auf der anderen die der »Wahren Geschichten« und ähnlicher Stapelware eintragen mußte, so wird ein solcher Verdacht bestärkt. Gewiß sollte man dergleichen Beobachtungen nicht voreilig vertrauen. Auch in der Stadt scheint der Widerstand der Bevölkerung gegen die Kulturindustrie, obwohl doch andere Möglichkeiten offen sind, erstaunlich gering. Zudem ist damit zu rechnen, daß die Vergröberung durch quantitative Methoden jene Alternative dem Material aufnötigt, während für das Abweichende kein Raum bleibt. Trotzdem ist zumindest die Frage nach der Absenz von autonomem Bewußtsein nicht zu umgehen. Die ländliche Bevölkerung ist sicherlich in noch höherem

Maße als die städtische von jenen geistigen Erfahrungen ausgeschlossen, die Bildung voraussetzen. Sowohl der ländliche Traditionalismus wie die kommerzialisierte Kulturindustrie werden gerade bezeichnet durch den Ausschluß des Bildungsmomentes. Damit mag sich teilweise die Neigung großer Sektoren der ländlichen Bevölkerung erklären, bereitwillig dem Gefolgschaft zu leisten, was sich kraft der Autorität der Radiolautsprecher als modern präsentiert. Das spräche für die Hypothese, daß gewisse negative Aspekte der jüngsten Phase der Urbanisierung selber eine Funktion der Rückständigkeit sind.

Die Gefahr, die darin sich abzeichnet, betrifft aber keineswegs bloß ein humanistisches Kulturideal, das in der gegenwärtigen Gesellschaft insgesamt fragwürdig ward. Die ›Ungleichzeitigkeit‹ des ländlichen Bewußtseins samt eben der Neigung, Surrogate des Fortschritts, ideologische Fertigfabrikate anzunehmen, enthält ein politisches Potential, das vollends in Verbindung mit der Flüchtlingssituation und der fortwährenden ökonomischen Unsicherheit der deutschen Landwirtschaft als solcher zu Katastrophen führen kann. Der Nationalsozialismus war möglich nur durch das Zusammentreffen der Wirtschaftskrise mit rückständigem Bewußtsein und jener Propaganda, die nichts anderes ist als die zur äußersten Konsequenz gesteigerte kulturelle Manipulation der Massen. Rückfall in die Barbarei droht durch die Explosion des gesellschaftlich Anachronistischen. So fraglos der Nationalsozialismus und gerade die Blut- und Bodenideologie ein städtisches Produkt und von der Stadt her gesteuert war, so wesentlich war doch für die Diktatur die Resonanz, die Hitler nicht nur im städtischen Kleinbürgertum, sondern auch in der Landbevölkerung fand. Es wäre illusionär, zu glauben, die militärische Niederlage des Dritten Reiches hätte die gesellschaftlichen Voraussetzungen finsterer Gewaltherrschaft beseitigt. In einer offenen Krisensituation können sie aufs neue hervortreten, und ein wie immer auch geartetes totalitäres System könnte erneut die Massen einfangen.

Der wahre Wert der Monographie Grüneisens ist darin zu suchen, daß sie zu Erwägungen solcher Art anregt, ohne daß die Fragestellung selbst es im mindesten auf Politik abgesehen hätte. Man kann daraus Skepsis gegen restaurative Phantasien ebenso wie gegen den Optimismus einer undialektischen Vorstellung vom Fortschritt lernen. Das ist wesentlicher, als daß die Schrift, eine Pionier- und Erstlingsarbeit wie die übrigen Darmstädter Monographien, nicht alle die Fragen löst, die in ihrem eigenen Umkreis sich stellen.

April 1952

Gerhard Teiwes, Der Nebenerwerbslandwirt und seine Familie im Schnittpunkt ländlicher und städtischer Lebensform. Darmstadt 1952. (Gemeindestudie. Monographie 3.)

Unter den Wirkungen der gesellschaftlichen Arbeitsteilung hat man, außer der negativen Grundtatsache der Trennung geistiger und körperlicher Arbeit und der positiven der Steigerung der Produktivität, von jeher den Gegensatz von Stadt und Land hervorgehoben. Kaum ist es übertrieben, diesen Gegensatz eines der Wundmale der Gesellschaft zu nennen. Der Zurückgebliebenheit der materiellen und geistigen Formen des Lebens auf dem Land, mit allem, was sie an Gärstoff impliziert, entspricht die extreme Entfremdung, Verdinglichung, Verhärtung der städtischen Existenz. Jede Auffassung, die nur das eine der beiden Momente kritisiert, ist beschränkt: beide gemeinsam bezeugen sinnfällig eine antagonistische Totalität, und beide sind darum wesentlich aufeinander bezogen. Die Forderung nach einer Überwindung jenes Dualismus gehört unabdingbar zur Idee einer menschenwürdigen Gesellschaft.

Seit geraumer Zeit nun läßt eine gewisse Vermittlung der Gegensätze sich erkennen. Wie die großen Städte weniger und weniger scharf sich gegen das Land absetzen und in Typen wie dem der Stadtrandsiedlung Zwischenformen auszubilden beginnen, so dringt im Zeitalter der industriellen Massenproduktion und Massenkultur Städtisches, von Kleidung und Verkehrsmitteln bis zu Bewußtseinsinhalten, stärker stets auf dem Lande vor. Ist ohnehin das Dorf in keiner Weise jenes geschichtslose, gleichsam urtümliche soziale Gebilde, als welches es die Romantik dachte; hat die bürgerliche Urbanisierung es längst vielfältig berührt, so scheint heute der immerhin noch bis vor dreißig Jahren einigermaßen stabile Gegensatz von Stadt und Land selber sich zu verflüssigen. Auch darin gleicht eher Europa, aus der Schwerkraft der eigenen Entwicklung heraus, amerikanischen Bedingungen sich an, als daß Amerika dem älteren Kontinent folgte. Wenn es zu den stärksten Eindrücken des europäischen Einwanderers in Amerika gehört, daß es dort das Dorf und selbst die Kleinstadt im überkommenen Sinne nicht gibt, daß auch diese eigentlich den Charakter der kleinen Großstadt besitzt – vor fünfzig Jahren schon hat Werner Sombart darauf hingewiesen –, dann läßt Ähnliches im Ansatz sich heute in Europa beobachten, freilich nicht als die allein maßgebende Tendenz, sondern im dauernden Widerstreit mit den stets noch wirksamen hauswirtschaftlichen Rudimenten.

Die Frage, welcher die Sozialwissenschaft sich gegenübersieht, ist es, ob diese Entwicklung einfach und eindeutig positiv zu beurteilen sei. Zeichnet sich wahrhaft die Überwindung des Gegensatzes von Stadt und Land ab, oder handelt es sich einseitig um eine Expansion des industriellen Urbanismus, als deren Folgen trübe Zwischenphänomene, unproduktive Notstandsgebilde, eine Art Barackenkultur hervortritt? Geht auf dem Lande eine alte Form der Gesellschaft zugrunde, ohne daß eine neue, höhere sie ablöste? Von jeher war der Fortschritt der Urbanisierung mit Unsicherheit, Druck und Armut auf dem Lande erkauft; seit je mußten die zurückgebliebenen Schichten mit dem Spott auch noch den Schaden tragen, daß der Fortschritt auf ihrem Rücken erkämpft wurde. Ob die gegenwärtige Entwicklung der Beziehungen von Stadt und Land im Bann solcher Verstrickung verbleibt oder wirklich darüber hinausweist, dafür hat zumindest die empirische Wissenschaft bis heute kaum zuverlässiges Material beigebracht.

Die Untersuchungen über vier stadtnahe Landgemeinden, ihre ökonomischen und kulturellen Strukturen und ihre Beziehung zum städtischen Zentrum, die einen wesentlichen Teil der Darmstädter Gemeindestudie ausmachen, suchen an einem genau begrenzten, konkreten Gegenstandsbereich einen Beitrag zu dieser Frage zu leisten.

Das gilt ganz besonders für die hier vorgelegte Monographie von Teiwes über die landwirtschaftlichen Nebenerwerbsbetriebe, die, gleich den Pendelwanderern, symptomatisch sind für die gegenwärtige Abschleifung des Gegensatzes von Stadt und Land. Solche

Nebenerwerbsbetriebe sind in West- und Süddeutschland weit verbreitet. Es ist ihre ökonomische und soziologische Eigenart, daß, wo immer sie vorkommen, die Existenz einer Familie gleichzeitig auf dem Ertrag des landwirtschaftlichen Eigenbetriebes und auf andersgeartetem, meist ›städtisch‹-industriellem Arbeitseinkommen basiert. Die Literatur hat von den Nebenerwerbsbetrieben längst Kenntnis genommen, allzu oft freilich mit vorgefaßter Meinung, je nach der wechselnden ökonomischen und politischen Situation. So wurden vor zwanzig Jahren unter dem Druck der großen Wirtschaftskrise die Nebenerwerbsbetriebe geradezu als Idealform einer Synthese von Industrie und Bauerntum gefeiert. Die von Nebenerwerbswirtschaften besonders stark durchsetzte württembergische Landschaft pries man als glücklichste Form einer krisenfesten agrarisch-industriellen Struktur. Im äußersten Gegensatz dazu galten die Nebenerwerbsbetriebe der offiziellen Agrarpolitik des Hitlerregimes als unerwünschte ›Zwittergebilde‹. Durchweg läßt sich beobachten, daß, je stärker die Urbanisierungstendenzen in der Realität sich durchsetzten, desto hartnäckiger die Ideologie darauf beharrt, daß ›Bodenverbundenheit‹ auch für die gewerblich Tätigen dem Stadtleben vorzuziehen sei. Hier wie überall bilden irrationalistische Theoreme das Komplement zur real fortschreitenden Rationalisierung. Daran hat sich auch seit dem Zusammenbruch des Dritten Reiches nicht allzuviel geändert.
Solche Ideologien tragen keine geringe Schuld daran, daß die sachliche Kenntnis der sozialen Rolle der Nebenerwerbsbetriebe zu wünschen übrig läßt. Vielfach wird, je nach den Stereotypen, mit denen die Autoren an die Realität herangehen, verallgemeinert. Die dynamischen Elemente des gegenwärtigen ländlichen Lebens werden verkannt oder zumindest unterschätzt; die Idee von der ›Statik‹ des Landes herrscht immer noch vor, und es wird von dem Konservativismus, der das *Bewußtsein* vieler Landleute erfüllt, darauf geschlossen, daß die soziale Wirklichkeit selber, in der sie leben, beharrenden Charakters sei.
Die nähere Untersuchung ergibt, daß die vielberufenen Nebenerwerbsbetriebe überhaupt nicht einen in sich homogenen ökonomischen oder soziologischen Typus darstellen. Es werden vielmehr – wie aus der Arbeit von Teiwes hervorgeht – unter dem Namen Gebilde zusammengefaßt, die nichts miteinander gemein haben als

eben, daß sie dem landwirtschaftlichen Nebenerwerb dienen, die aber selber ganz verschiedenen Wesens sind. Durch Resultate solcher Art führt die Arbeit über den ideologischen Stand der Diskussion hinaus und korrigiert vorgefaßte Meinungen durch genaue und konkrete Befunde. Insbesondere aber behandelt sie die bisher wissenschaftlich ganz vernachlässigte Frage, wie der Nebenerwerbslandwirt und seine Familie selbst über diese Lebensform denken, wie sie die eigene Existenz erfahren. Gerade daraus sind wichtige Aufschlüsse über die Bedeutung der Nebenerwerbsbetriebe für die gegenwärtige Gestalt des Verhältnisses von Stadt und Land zu gewinnen.

Teiwes sieht, unter Beachtung der großen Mannigfaltigkeit von Typen der Nebenerwerbswirtschaften, das ganze Problem als einen Prototyp jenes Verhältnisses. Der Nebenerwerbsbetrieb selbst wird als dynamisches, keineswegs fixiertes Phänomen analysiert. Im Licht solcher Dynamik wird versucht, verschiedene Typen der Nebenerwerbslandwirte und ihrer Familien herauszuarbeiten. Daran schließt sich die Frage nach dem Bewußtseinsstand der Nebenerwerbslandwirte an. Die hier gewonnenen Resultate erlauben Folgerungen, welche die Vergänglichkeit oder Beständigkeit der Nebenerwerbswirtschaften und damit der heute so auffälligen ländlichen und städtischen Übergangsformen betreffen.

Die Monographie von Teiwes, das Erstlingswerk eines jungen Agrarökonomen, der im Zusammenhang der Darmstädter Untersuchung auf unabweisbare soziologische Aspekte stieß, hält sich bewußt und streng in den Grenzen des ausgewählten Gegenstandes und des verfügbaren Erhebungsmaterials. Zu dessen Deutung bringt der Autor, neben seiner methodischen Schulung, lebendige agrarische Erfahrung mit. Die eingehende Beschreibung einer Reihe von Einzelfällen gehört sicherlich zum Wertvollsten der Monographie. Selbstverständlich traut sie sich nicht zu, etwas wie eine allgemeine Soziologie des Nebenerwerbsbetriebes zu bieten oder gar zu grundsätzlichen Aussagen über das Verhältnis von Stadt und Land fortzuschreiten. Die Absicht ist vielmehr, eine Art Modell für strikt empirische Behandlung des ganzen Komplexes aufzustellen. Weitere Untersuchungen müßten sich anschließen, die dann schließlich in einer wirklich dem Stand der Realität und der Wissenschaft entsprechenden, theoretisch zureichenden Soziologie von Stadt und Land terminieren mögen. In diesem Sinne darf die Untersuchung von Teiwes – so wie alle anderen Monographien der Darmstädter Gemeindestudie – als fruchtbare Pionierarbeit gelten.

Februar 1952

Gerhard Baumert, Jugend der Nachkriegszeit. Lebensverhältnisse und Reaktionsweisen. Darmstadt 1952. (Gemeindestudie. Monographie 4.)

Irma Kuhr, Schule und Jugend in einer ausgebombten Stadt; Giselheid Koepnick, Mädchen einer Oberprima. Eine Gruppenstudie. Darmstadt 1952. (Gemeindestudie. Monographien 6 und 7.)

Die Arbeiten »Schule und Jugend in einer ausgebombten Stadt«, »Mädchen einer Oberprima« und »Jugend der Nachkriegszeit« stellen, ähnlich wie die drei agrarsoziologischen Studien, innerhalb der Schriftenreihe des Darmstädter Instituts für sozialwissenschaftliche Forschung eine Einheit dar, in die auch der Plan einer Sondermonographie über Familientypen fällt. Sie alle gelten der Jugend. So, wie sie thematisch unmittelbar zueinander gehören, sind auch die Methoden eng verwandt. Der geschlossene und umfangreiche Komplex der Jugenduntersuchung bietet günstigen Anlaß, einiges Grundsätzliche über das gesamte Forschungsprojekt zu sagen. Eigens ist daran zu erinnern, daß dies Grundsätzliche auf jede der Darmstädter Monographien anzuwenden ist und keineswegs nur auf die beiden Bände, deren Einführungen ausdrücklich mit der Gemeindestudie als Totalität sich beschäftigen.
Die ursprüngliche Konzeption von Professor Nels Anderson sah Forschungen vor, welche die soziologische Totale einer schwer bombengeschädigten, im übrigen typischen deutschen mittleren Stadt entwerfen sollten. Vorbild waren zunächst die beiden Bücher der Lynds, »Middletown« und »Middletown in Transition«, dann aber auch spätere amerikanische Untersuchungen, wie »Yankee City«, »Elmtown's Youth« und andere. Geplant war, schlechterdings alles gesellschaftlich Relevante über Darmstadt zu ermitteln.

Gemäß der spezifischen Interessenrichtung des Office of Labor Affairs und der Akademie der Arbeit war für Arbeiterfragen ein breiter Raum vorgesehen.

Daß dieser Plan im Laufe der fortschreitenden Arbeit sich konkretisierte und in gewissem Sinne einschränkte, ist natürlich. Bei derart weitschichtigen Untersuchungen bedeutet die Konzentration auf ausgewählte Gegenstandsgruppen oder Fragestellungen keineswegs bloß Verzicht, sondern oftmals auch produktive Disziplin: von Brennpunkten fällt zuweilen mehr Licht über das ganze Feld, als wenn all seine Bereiche in gleicher Intensität behandelt würden. Doch hatte die Entwicklung der Darmstädter Studie, die zur gegenwärtigen monographischen Form der Veröffentlichungen führte, darüber hinaus Motive, auf die es sich einzugehen lohnt, weil sie in der Sache selbst und in der Situation der deutschen Sozialforschung liegen. Die Geschichte umfangreicher kollektiver Untersuchungen ist untrennbar von ihrer inneren wissenschaftlichen Entfaltung.

Zunächst sind die Voraussetzungen einer Gemeindestudie in Deutschland – und vermutlich in Europa insgesamt – von denen in den Vereinigten Staaten sehr verschieden. Das Lyndsche Werk entsprang, bei aller Objektivität der Darstellung, in der Selbstkritik der amerikanischen Gesellschaft, welche die zwanziger Jahre kennzeichnet, und für die in Europa Romane vom Typus »Babbit« und »Main Street« von Sinclair Lewis zeugten. In dieser selbstkritischen Literatur spielt die Entdeckung der amerikanischen Provinz ihre entscheidende Rolle, und zwar unter dem Gesichtspunkt jener Uniformität des provinziellen Lebens, die dem Beobachter in der äußerlichen Ähnlichkeit kleinerer Städte miteinander in die Augen springt.

Diese Uniformität beruht auf ökonomischen und technologischen Bedingungen, die in Europa nicht bestehen, so unverkennbar auch die Tendenz dazu sein mag. Von der Analyse einer typischen deutschen Stadt könnte kaum jener Chok des Genormten ausgehen, auf den die amerikanischen Untersuchungen, wie sehr vielleicht auch unbewußt, abzielten. Zudem läßt sich bezweifeln, ob, nach inhaltlich-soziologischen Kriterien und nicht etwa bloß der Einwohnerzahl nach, eine solche typische deutsche Mittelstadt überhaupt zu finden wäre. Darmstadt ist, aus Gründen, die in einigen der Monographien dargelegt werden, gewiß keine solche; die Tradition der

Residenz, die unverhältnismäßig große Bedeutung der Beamtenschicht machen Darmstadt nicht weniger atypisch als die Tatsache, daß die Stadt vermutlich zu den am schwersten bombengeschädigten gehörte und zu der Zeit, als das Material gesammelt wurde, noch in Trümmern lag.

Weiter ist Darmstadt, trotz einiger industrieller Großbetriebe, sicherlich nicht charakteristisch für Industriestädte der gleichen Größenordnung. Das bedeutete, daß gerade mit Rücksicht auf die ursprünglich vorgesehenen Arbeiteruntersuchungen die Ziele etwas zurückgesteckt werden mußten. Sie spitzten sich zu auf Gegenstände, die weniger der Soziographie der Darmstädter Arbeiter als solche angehören als der mehr und mehr sich abhebenden Thematik des Gesamtprojekts: dem Verhältnis zwischen Menschen und Institutionen. Es wurde analysiert, wie Arbeiter, Angestellte und Beamte ihren Beruf, ihre Arbeitskollegen, ihre Vorgesetzten, vor allem aber ihre wichtigsten Interessenvertretungen, Betriebsräte und Gewerkschaften, beurteilen. Diese Formulierung der Thematik hat es erlaubt, den vielleicht zentralen Sektor der Arbeitersoziologie im neuesten Deutschland aufzuhellen: die Trennung der materiellen Interessen der ›Arbeitnehmer‹ von politischen Zielen und im Zusammenhang damit die fortschreitende Absorption der Arbeiterschaft durchs Gesamtsystem.

Der nichtindustrielle Charakter Darmstadts stellte vor neue Fragen. Jedem Unbefangenen drängt der ländliche Charakter der am Zugang zur Bergstraße gelegenen Stadt sich auf. Auch wenn nicht die drei amerikanischen Hauptkonsulenten der Studie, Prof. Henry Meyer, Prof. Ashley Weeks und Dr. S. Earl Grigsby, die seit Mitte 1949 die Erhebungen weitgehend bestimmten, agrarsoziologische Interessen geltend gemacht hätten, wäre aus der besonderen Beschaffenheit der Stadt selber die Aufmerksamkeit auf ihre Beziehung zu jenem Hinterland gelenkt worden, mit dem sie so sinnfällig verwachsen ist. Daß dabei dann Strukturfragen der zeitgenössischen Agrarsoziologie wie die Urbanisierungstendenz, Formen des Übergangs zwischen Stadt und Land wie die landwirtschaftlichen Nebenerwerbsbetriebe, und die Spannungen im Bewußtsein der Landbevölkerung behandelt wurden, erzwang der Gegenstand.

Nicht nur dieser jedoch erheischte Modifikationen der Studie, sondern ebenso auch die menschlichen und organisatorischen Bedingungen, unter denen sie durchgeführt ward. Sie war von Anbeginn gedacht als ein Versuch produktiver Zusammenarbeit von Amerikanern und Deutschen, und zwar nicht nur personell, sondern ebenso auch methodisch. Während es nun gewiß in der deutschen Soziologie an empirischen Erhebungen seit der Mitte des 19. Jahrhunderts nicht gefehlt hat, unter denen sogar einige der ältesten sich mit dem der Darmstädter Studie sehr nahe verwandten Thema der Landflucht befaßten, kann doch in Deutschland kaum eine Tradition der Methoden der empirischen Sozialforschung vorausgesetzt werden, die dem entspräche, was in Amerika in den letzten dreißig Jahren erarbeitet worden ist. Vor allem fehlte es, von wenigen Ausnahmen abgesehen, sehr an subjektiv gerichteten Untersuchungen – opinion, attitude and behavior research. Deren Verfahrensweise vervollkommnete sich drüben gerade in den letzten Jahren aufs äußerste. Im Dritten Reich dagegen waren solche Erhebungen wegen ihres demokratischen Potentials von Anbeginn suspekt, so daß seit 1933 in Deutschland überhaupt nichts dergleichen geschah. Es mangelte daher an ausgebildeten Mitarbeitern. Absicht der Studie war es, dem Mangel abzuhelfen, Forschung und Lehre zu verbinden. Ein Stab junger Gelehrter sollte während der Durchführung der Erhebungen sich zugleich die notwendigen Gesichtspunkte und Techniken erwerben. Dieser Stab schloß Ökonomen, Juristen, Sozialfürsorger, Psychologen und Agrarspezialisten ein; in den späteren Phasen wurde er besonders nach der Richtung der Psychologie und der allgemeinen Soziologie ergänzt. Die in Deutschland noch recht neue Idee interdepartementaler Kollaboration wohnte dem Ansatz der Studie selbst inne. Ihre Einheit bestand nicht sowohl in einem einzelwissenschaftlichen Problem, als in einem zwar in sich zusammenhängenden, aber nur durch Verbindung der verschiedensten Disziplinen zu bewältigenden Gegenstand: den mannigfaltigen Aspekten von sozialer Struktur, gesellschaftlichem Prozeß und Sozialpsychologie in einer bestimmten Stadt.

Daraus nun folgte die Eingrenzung der Arbeit. Weder konnte von Mitarbeitern, die an der Forschung das Forschen zu lernen hatten, das Material in jener Allseitigkeit und zugleich wissenschaftlichen Verbindlichkeit herbeigeschafft werden, die von einer Community Study amerikanischen Stils zu verlangen wäre, noch ließen alle Aspekte im ersten Ansatz einheitlich und gleichmäßig von Mitarbeitern so divergenten Ursprungs sich bewältigen. Es galt also, aus der Mannigfaltigkeit der Gesichtspunkte das Äußerste zu machen, die Studie als innere Einheit zu organisieren, jedoch bewußt auf jenen Charakter der extensiven, gewissermaßen epischen Totalität zu verzichten, der den amerikanischen Gemeindeuntersuchungen eignet. Der Entschluß, die Ergebnisse zunächst in Monographien vorzulegen, mit der Hoffnung, daß diese in einer späteren Phase auch äußerlich sich integrieren lassen – ein Entschluß, der uns allen nicht leicht fiel – ist drastischer Ausdruck dieser Situation.

Alles kam in der Auswertungsphase darauf an, einen Mittelpunkt zu finden, an den die wichtigsten und fruchtbarsten Materialien, sowohl die der mit der Stadt selber, wie die mit ihrer Beziehung zu den vier Hinterlanddörfern befaßten Erhebungen, sich kristallisieren konnten. Nun gliederte sich der gesammelte Stoff ohne weiteres in zwei Schichten. Die eine umfaßt die Einrichtungen des öffentlichen Lebens im weitesten Sinne, Institutionen, so wie man den Ausdruck »institution« in der amerikanischen Soziologie gebraucht, also Behörden, Gewerkschaften, Schulen, Familientypen, gesellschaftliche Verhältnisse, kurz alle möglichen objektiven Einrichtungen, Tatbestände und Gegebenheiten des Soziallebens, von denen die Menschen abhängen und auf die sie selbst wiederum zurückwirken. Die andere Schicht besteht aus den subjektiven Reaktionsweisen, Meinungen, Verhaltensarten der Menschen, die unter diesen Bedingungen leben. Aus beiden Schichten lag reicher Stoff vor, angefangen von institutionellen und Verfahrensanalysen und ähnlichem, über Fragebogen, Interviews und aufgezeichnete Beobachtungen bis zu den etwa 1800 Niederschriften Zehn- und Vierzehnjähriger, einer in ihrer Weise einzigartigen Quelle soziologischer und psychologischer Einsicht. Die meisten ›Forschungsinstrumente‹ lieferten jeweils sowohl objektiv-institutionelle wie subjektiv-sozialpsychologische Daten.

Diese natürliche Zweigliederung des gesammelten Materials empfahl als Hauptfragestellung die nach der Relation der beiden Bereiche, der sozialen Objektivität und des sozialen Verhaltens. Wesentlich für den gewählten Gegenstand war die Katastrophe des Bombenangriffs vom 11. September 1944. In den Vordergrund trat, wie die Darmstädter auf die danach herrschenden, selber bis ins einzelne dargestellten Verhältnisse reagierten.

Selbstverständlich war es nicht möglich, die gesamten Resultate in den Dualismus Institutionen-Reaktionen einzuspannen. Keineswegs durfte dieser zur methodologischen Zwangsjacke werden. Überdies brachte das Stadt-Land-Problem eine zusätzliche Dimension in die Untersuchung, die nicht ohne weiteres dem generellen Thema sich eingliederte. Viele Befunde reihten sich an dieses an, ohne sich ihm streng unterzuordnen. Im übrigen geht der Umfang des vom Projekt gesammelten Materials weit über das hinaus, was in den Monographien ausgebreitet ist; und vom dargebotenen Stoff bleibt vieles noch der weiteren Interpretation bedürftig. Doch hat sich die leitende Idee sogar für die drei Agrarmonographien als fruchtbar bewährt insofern, als zur Gesamtdarstellung der Verhältnisse und einer vorwiegend ökonomisch-soziologischen Spezialstudie eine subjektiv gerichtete hinzutrat, die anhand von Fragebogenmaterial den Reaktionen der Menschen auf die objektiven Bedingungen, zumal eben die Urbanisierungstendenz und die ländlich-städtischen Übergangsformen, nachgeht.
Die Monographie »Behörde und Bürger« hat das Grundthema, Institutionen und Reaktionsweisen, modellartig behandelt, mußte aber, um ihrer Pointiertheit willen ebenso wie wegen des begrenzten Materials, das zur Verfügung stand, auf jene innere Breite verzichten, ohne welche die Verzweigungen des Verhältnisses von Menschen und Institutionen wohl kaum ganz sich verfolgen lassen.
Anders ist das in den Jugenduntersuchungen. Ihnen gestattete ein großer Reichtum an Information, anstelle allgemeiner »attitudes« zu irgendwelchen Institutionen die spezifischen Erfahrungen zu entfalten, welche die Jugendlichen mit ihrer privaten Umwelt und mit der Schule machen, und zu studieren, wie sie darauf ansprechen.

Das Buch von Gerhard W. *Baumert* orientiert sich in seiner Disposition streng an der Leitidee des Gesamtprojektes. Der erste Teil beschreibt eingehend die Lebensverhältnisse der Darmstädter Nachkriegsjugend: die Wohnbedingungen, insbesondere die nach der Katastrophe, die familiale Umwelt und die außerhalb der Schule wirksamen Faktoren der Erziehung. Thema des zweiten Teiles sind die Reaktionsweisen der Jugendlichen. Das Erhebungsmaterial wird mit Hilfe sozialpsychologischer, zuweilen auch psychoanalytischer Kategorien interpretiert. Wie die Jugendlichen auf die dingliche und die personelle Umwelt ansprechen, wird dabei ebenso deutlich wie ihre Interessen und Lebenserwartungen.

Einige der Ergebnisse mögen hervorgehoben werden. Trotz Krieg, Bombenkatastrophe, Geldentwertung und Währungsreform entspricht die soziale Differenzierung der vor dem Kriege oder ähnelt ihr wenigstens sehr. Die oft gehörte These, durch das Geschehene sei die deutsche Gesellschaft ökonomisch, soziologisch und psychologisch nivelliert worden, kann, zunächst für den behandelten Sektor, durch die Monographie von Baumert – wie übrigens auch durch zahlreiche Befunde aus anderen Teilstudien des Projekts – als widerlegt gelten. Die Differenzierung betrifft die objektive Seite – also etwa die Wohnverhältnisse – ebenso wie die subjektive: das Bewußtsein der Jugendlichen von ihrem jeweiligen ›Status‹. Dabei scheinen, in Übereinstimmung mit einer längst bekannten sozialwissenschaftlichen Einsicht, die ideologischen Differenzierungen rascher sich wieder herzustellen als die materiellen Unterschiede von einst; oder vielleicht: hierarchisches Standesbewußtsein erhält sich noch am Leben, während die materielle Basis sich bereits umgewälzt hat. Freilich ist nicht zu verkennen, daß auch die ökonomischen Unterschiede in Deutschland sich längst wiederum sehr markieren. Man hat Grund zur Annahme, daß derlei Erkenntnisse keineswegs bloß Darmstadt betreffen.

Die Psychologie der Nachkriegsjugend weicht, nach Baumerts Ergebnissen zu schließen, wesentlich von dem Bild ab, das die traditionelle Jugendpsychologie entwirft. Auffallend ist die extrem aufs Praktische, dem Interesse der Selbsterhaltung Dienende, Naheliegende gerichtete Verhaltensweise der Zehnjährigen und vielfach auch der Vierzehnjährigen: ein gewisser Vulgärmaterialismus. Baumert interpretiert solche Beobachtungen im Sinne infantiler Fixierungen unter dem lastenden Druck der Verhältnisse. Trotz ihrer Bindung an das heute so gepriesene ›Konkrete‹ zeigt die Nachkriegsjugend sich unsicher und sucht nach Halt, wäre es auch bei neuen autoritären Mächten. Noch fehlen die anthropologischen Bedingungen eines wahrhaft demokratischen Geistes.

Diese Hinweise mögen genügen, den Ernst von Baumerts Buch zu zeigen. Sorgfältig geschrieben, frei von der Hysterie des Geredes von der entwurzelten Jugend und von allem offiziellen Nihilismus, darf die Monographie um so größeres Gewicht beanspruchen. Sie verdient es, weit über den Umkreis der Fachleute hinaus gelesen zu werden.

In dem Buch von Irma *Kuhr* werden die objektiven Gegebenheiten und subjektiven Reaktionsweisen in jedem einzelnen Sektor der Darstellung miteinander konfrontiert. Dadurch tritt das Kernthema des Projekts ungemein konkret und lebendig hervor. Werden etwa die verschiedenen Darmstädter Schultypen in ihren Differenzen erörtert, so schließt sich daran unmittelbar an, wie sich jene Differenzen im Bewußtsein der Schüler widerspiegeln. Auf die Beschreibung der Bombenschäden folgt die Analyse der Stellung der Kinder zu dem durch die Katastrophe geschaffenen Zustand. Die Übersicht über die personellen Gegebenheiten führt zur Analyse des Verhältnisses der Schüler zu den Lehrern, ihrer Beziehungen untereinander und der Grundeinstellung der Darmstädter Jugend zur Schule überhaupt.
Die Resultate basieren jeweils auf der quantitativen, in Tabellen präsentierten Verarbeitung des Materials, der Aufsätze ebenso wie der Fragebogen. Im Rahmen der Zahlen werden dann in dichtester Fühlung mit dem Material, meist gestützt auf Zitate aus den Aufsätzen, qualitative Analysen durchgeführt. Bei aller Nähe zu den objektiven Daten zeugen diese zugleich von der lebendigen Erfahrung der Autorin. Sie leiten zu theoretischen Aussagen und Hypothesen, die weit über das »sample« und über die eine Stadt Darmstadt hinausreichen, ohne in Willkür sich zu verlieren.
Aus der Fülle produktiver Ergebnisse seien nur ganz wenige herausgegriffen. Besonders viel läßt sich über die Soziologie der jugendlichen Anpassung lernen. So zeigen Arbeiterkinder in höheren Schulen weniger Widerstand als andere. Sie kompensieren offenbar ihre soziale Benachteiligung durch besonders eifrige Identifikation mit dem Etablierten. Ähnlich sind Flüchtlingskinder und solche, die ihren Vater verloren haben, geneigt, die Schule kritiklos zu akzeptieren. Was schwach ist und vielleicht am meisten Grund zum Widerstand hätte, ist so gebrochen vom Druck der Verhältnisse, daß es kaum Widerstand aufbringt. Obwohl die gegenwärtige Schule nicht mehr die Schrecken verbreitet, die von ihr nach dem

Zeugnis der deutschen Romanliteratur noch um die Jahrhundertwende ausgingen, erhalten autoritäre Gesichtspunkte und Verhaltensweisen sich zäh am Leben, nicht nur bei Erwachsenen, bei Eltern und Lehrern, sondern auch bei den Schülern selbst, insbesondere den ›privilegbewußten‹.

Vieles spricht für geschichtliche Wandlungen im Bewußtsein der Jugend, in der Richtung eines oftmals übermäßig gesteigerten Sinnes fürs Praktische, einer überwertigen ›Realitätsgerechtigkeit‹. Es ist, als wäre die traditionelle Existenzform der umhegten, für Spiel und Traum offenen Kindheit in Auflösung begriffen. Die Kinder befürworten wie kleine Erwachsene die Spezialisierung der Schule, um frühzeitig auf den künftigen Beruf vorbereitet zu sein, und die Zielsetzung der Schule selbst wird von ihnen unter praktischen Gesichtspunkten betrachtet. Begriffe wie der des ›Fachwissens‹ spielen eine große Rolle. Rechnen hat, im Vergleich mit den Ergebnissen einer vor fünfzig Jahren durchgeführten Schulenquête, an Bedeutung zugenommen, ehemals wichtige Fächer, wie Handarbeit und Religion, treten demgegenüber für die Kinder zurück. Die Berufsschüler verlangen Intensivierung und Verbesserung des Berufsschulunterrichts.

Überraschend ist es, wie wenig unmittelbare Äußerungen über physische Schulverhältnisse – also vorab die Zerstörungen – vorliegen. Die Kinder neigen dazu, alles Institutionelle der Schule als gegeben und unabänderlich hinzunehmen und nur zum Lebendigen, zu den Menschen, in positiv oder negativ affektbesetzte Beziehungen zu treten. Dagegen spielt die Ordnung und Regelmäßigkeit des Unterrichts, alles, worin die Schule noch etwas von dem Charakter des Hegenden, Schützenden sich bewahrt, eine große Rolle.

Solche, aufs Geratewohl herausgegriffene Beobachtungen sollen nur eben darauf hinweisen, wie fruchtbar und wie human Untersuchungen geraten können, die an einer so genau umgrenzten Thematik orientiert sind und so streng wissenschaftlicher Disziplin sich unterwerfen wie die von Irma Kuhr. Es bedarf keines Wortes, daß, gleich den anderen Darmstädter Monographien, auch diese, aus Gründen, die im Text selber freimütig klargelegt werden, eine »Pilotstudie« ist. Daß es sich dabei um wirkliche Pionierarbeit in bisher kaum bearbeiteten und fürs Leben der einzelnen wie der

Gesellschaft höchst relevanten Gegenstandsbereichen handelt, wird jeder Leser bestätigt finden.

Zur Ergänzung der Kuhrschen Studie ward in den Band die Monographie von Giselheid *Koepnick* über eine Abiturientinnenklasse mitaufgenommen; ein Versuch, den filtrierten wissenschaftlichen Ergebnissen primäres Material, unmittelbare Erfahrungen und Beobachtungen aus einer Darmstädter höheren Schule hinzuzufügen. Als Fräulein Koepnick mit der Abfassung der Monographie betraut wurde, hatte sie selbst gerade das Abitur bestanden. Ohne irgendwelche Ansprüche auf sozialwissenschaftliche Ausbildung zu erheben, verfügte sie dafür über frische Eindrücke aus eben dem Bereich, dem die Kuhrsche Untersuchung gilt. Indem sie ihre Beobachtungen organisierte, hat sie sich bemüht, den Umkreis ihrer individuellen Erfahrung zu erweitern. Anregung bot der bekannte amerikanische guess who oder reputation test, bei dem jedes Kind einer Gruppe aufgefordert wird, über alle anderen Mitglieder der Gruppe detaillierte Fragen zu beantworten. Die Konfrontation der Antworten soll das Bild der einzelnen und ihrer Beziehungen bereichern und objektivieren. Während der Test in seiner strikten Form nicht gegeben werden konnte, nachdem die Klasse zerstreut war, wurde jede einzelne Abiturientin gebeten, in einem freien Aufsatz ihre Meinung über alle ihre Klassenkameradinnen zu sagen. Dieser Einladung sind die jungen Mädchen, mit zwei Ausnahmen, gefolgt. Das gewonnene Material ist in vieler Hinsicht anregend. Hingewiesen sei auf die strikte Zweigliederung der Klasse in Gruppen mit einander scharf entgegengesetzten Ichidealen, auf mancherlei Einsichten in die in einer Schulklasse wirksamen Normsysteme und auf die Strukturanalyse typischer Freundschaften. Die Monographie hält die Mitte zwischen Reportage und sozialwissenschaftlicher Verarbeitung. Auf jeden Fall bietet sie Elemente der Deskription zwischenmenschlicher Beziehungen innerhalb des bestimmt vorgezeichneten institutionellen Zusammenhangs einer Oberprima. Verglichen mit den Schriften von Kuhr und Baumert, die sich den Lebensverhältnissen der Jugend extensiv widmen, besitzt die Monographie von Fräulein Koepnick den Charakter einer mit in Deutschland ungewohnten Methoden durchgeführten case study zur Gruppensoziologie. Fast ganz auf psychologische Deutungen verzichtend und statt dessen sozialen Konfigurationen zugewandt, gemahnt sie an den Wieseschen Begriff der »Beziehungslehre« im engeren Sinne.

Der einfache Bericht wirft Probleme auf, die weiterverfolgt zu werden verdienten. Das wichtigste ist das jener beiden ›Cliquen‹. Auf der einen Seite steht die traditionell-bürgerliche der ›höheren Töchter‹, die andere hängt dem Bild eines Lebensstils nach, dem wohl die Vorstellung vom college girl, wie sie einmal im Text erwähnt wird, am nächsten kommt. Freilich ist zu bezweifeln, ob die Mädchen der ›weltlichen‹ Clique tatsächlich so oppositionell und nicht-konformistisch sind, wie sie sich selbst, im Verhältnis zur elterlichen und zur Schulautorität, erfahren. Es ist Grund zur Annahme, daß sie ihrerseits nach einem allerdings in Deutschland noch nicht ganz artikulierten, in Amerika aber sehr deutlichen Normensystem sich richten: dem der Teenagers. Leicht genug könnte der Individualismus, dessen die Mitglieder dieser Clique sich bewußt sind, bloß die Bereitschaft verbergen, Standards zu akzeptieren, von denen sie erwarten, daß ein vag sich abzeichnendes Kollektiv der Jugendlichen sie billigen werde. Längst hat in den Schulklassen eine doppelte Hierarchie gegolten: die offizielle, von der Schule gesetzte, und die gleichsam unterirdische, unter den Jugendlichen selbst wirksame. Die Nationalsozialisten hatten diesen latenten Gegensatz geschickt ausgebeutet. Mit der Lockerung der herkömmlichen Autoritätsformen scheint das inoffizielle Normensystem allgemein offener hervorzutreten. Die Jugendlichen, die ihm anhängen, konformieren durch Non-Konformismus.

Sinnvoll wäre es, die unter den Adoleszenten geltenden Normen zu analysieren. Viele Worte, die sie verwenden – »mondän«, »schick«, »arrogant«, »egoistisch« – haben eine spezifische Tönung, die zuweilen von der objektiven Bedeutung jener Worte beträchtlich abweicht. Durch ihre burschikose Verwendung bestätigen die Jugendlichen sich selbst als dazugehörig. Man darf vermuten, daß etwa der Ausdruck »arrogant« in dieser Backfischsprache nicht sowohl Überheblichkeit meint als jede Regung von Unabhängigkeit dem Korpsgeist gegenüber. Solche Regungen äußern sich bei jungen Menschen, die ihr Potential fühlen, längst ehe es aktualisiert ist, oft genug mit einer gewissen Gewaltsamkeit, die abzuurteilen das Kollektiv leichtes Spiel hat.

Die Koepnicksche Monographie bietet in aller Unbefangenheit Stoff für derlei Reflexionen. Kaum bedarf es eines Wortes, daß die Konflikte der adoleszenten Normsysteme etwas über die Spannungen innerhalb der gesamtgesellschaftlichen Entwicklung besagen.

Mai 1952

Gerhard Baumert unter Mitwirkung von Edith Hünniger, Deutsche Familien nach dem Kriege. Darmstadt 1954. (Gemeindestudie. Monographie 5.)

Die Jugendmonographien der Darmstädter Gemeindestudie wollten das Verhältnis von unmittelbar einwirkenden objektiv-gesellschaftlichen Mächten und subjektiven Reaktionsformen konkret analysieren. Unter den institutionellen Mächten aber, unter denen die Menschen heute stehen, ist die Familie, als eine der wenigen noch existenten ›primären Gruppen‹, an sich von größter Bedeutung für das Verständnis jener wechselfältigen Beziehung. Darüber hinaus ist dringend danach zu fragen, welche Rolle die Familie tatsächlich noch spielt, welche gegenständlichen und psychologischen Strukturen sie aufweist, welcher Dynamik sie unterworfen ist, und ob sie in solcher Dynamik sich erhält oder zergeht. Unverantwortlich wäre es gewesen, hätte die Darmstädter Untersuchung nicht versucht, zur überaus aktuellen Soziologie der zeitgenössischen Familie das Ihre beizutragen.

Das Verhältnis ihrer in weit gespannten Zusammenhängen gewonnenen Ergebnisse zu denen anderer, rein familiensoziologisch gerichteter Erhebungen, vor allem aber zu einigen heute in Deutschland sehr verbreiteten Thesen über die Rolle der Familie, sichert der Untersuchung besondere Aufmerksamkeit. Während für den allgemeinen Ansatz gilt, was über das Gesamtprojekt in den Einführungen zu den Jugendmonographien dargelegt wurde, ist es angezeigt, auf einige der wichtigsten Resultate der letzten Studie und deren Stellung in der wissenschaftlichen Kontroverse kurz einzugehen.

Zentrum der Arbeit ist die Frage, was der Familie unter radikal ver-

änderten physischen Verhältnissen – in einer durch Luftbombardement aufs schwerste geschädigten Mittelstadt – widerfährt. Doch wurden abermals die vier Hinterlandsdörfer mitbehandelt, getreu dem Prinzip, demzufolge städtisches Zentrum und ›stadtnahe Umgebung‹ als funktionelle Einheit zu denken sind. Die Veränderung der Familie ebenso wie ihre soziale Resistenzkraft stehen zur Erörterung. Stimmt, was an der Nachkriegsfamilie des geographischen Bereichs von Darmstadt sich ausmachen läßt, mit der modernen Familienentwicklung auf weitere Sicht überein, oder hat die Katastrophe familiale Kräfte entbunden, die jener Entwicklung entgegenwirken? Vielleicht ist es das wesentlichste Ergebnis, daß der ›trend‹ der Darmstädter Familie sich dem allgemeinen überraschend einfügt. Die wiederholt formulierte und in den verschiedensten Sphären zutreffende These, daß extreme Situationen gesellschaftliche Gesamttendenzen verstärken, daß gleichsam von außen mit einem Schlag durchgesetzt wird, was von innen langsam sich bildet, findet sich durch zahlreiche Einzelresultate der Studie aufs neue bestätigt, obwohl in manchen Sektoren die langfristige Entwicklung erst allmählich die Oberhand gewinnt, nachdem gewisse Phänomene der Kriegs- und Nachkriegsjahre als ›Störungen‹, als retardierende Momente wirkten.
Die Monographie ist ›realsoziologisch‹ in dem Sinne, daß sie den Zerfall traditionaler Formen des gesellschaftlichen Seins und Bewußtseins nicht verschleiert, sondern ohne ideologisches Beiwerk hervortreten läßt. Keine Rede kann davon sein, daß die insgesamt bedrohte Institution der Familie durch die Solidarität des Notstandes auf die Dauer gefestigt worden wäre. Erwähnt sei nur, daß die Scheidungszahlen zwar nach starkem Anstieg wieder zurückgegangen sind, aber immer noch weit über dem Vorkriegsstand liegen. Dasselbe gilt für die Zahl der ›unvollständigen‹ Familien. Auffallend ist das Anwachsen der Ehen jüngerer Männer mit älteren Frauen. Die sozialpsychologische Deutung dieses Ergebnisses könnte Licht auf tiefreichende Strukturveränderungen werfen.
Der Hang, sich auf eine ›Kleinfamilie‹ zu beschränken, gilt nicht mehr bloß für die Oberschicht, sondern läßt sich an der gesamten Bevölkerung beobachten. Auf dem Land scheint die Mehr- gegenüber der Eingenerationsfamilie merklich zurückzutreten. Die traditionalen Elemente des Familienverhältnisses werden hier wie dort

mehr stets von den ›rationalen‹ verdrängt. Während die Ideologie weiterhin die Familie als naturhaft-beständig feiert, geht diese allmählich in einen Zweckverband über und verliert damit wesentliche Züge der ›primären Gruppe‹, die ihr gemeinhin als invariant zugeschrieben werden. Ihre reale Basis wälzt sich um und mit ihr allmählich auch die bewußte und unbewußte Haltung der Familienmitglieder zur Institution.

An den Lebensverhältnissen der Darmstädter Familien bestätigt sich, was in anderen Darmstädter Monographien mehrfach ausgesprochen wurde: die Katastrophe hat keine dauernde Nivellierung bewirkt, und die gesellschaftliche Hierarchie hat sich gegenüber der Egalität der Notgemeinschaft als höchst widerstandsfähig bewährt. Das Klassenbewußtsein war nur unmittelbar nach dem Angriff suspendiert. Um so stärker streben seitdem die Angehörigen der Oberschicht und der oberen Mittelschicht danach, in die Sphäre zurückzukehren, die sie als ihre legitime betrachten. Analog trachten in Stadt und Land die Flüchtlinge, ihren früheren sozialen Status wiederzuerlangen. In Stadtvierteln etwa, in denen die Wohnungsverhältnisse Angehörige verschiedener sozialer Schichten zu engem Kontakt gezwungen haben, zeichnen sich krasse Antagonismen ab, gar nicht so unähnlich denen zwischen Einheimischen und Flüchtlingen, über die bereits in den Hinterlandstudien berichtet worden ist.

In der Stadt selbst existiert ungefähr die Hälfte aller Familien von einem Minimaleinkommen, das eben ausreicht, die laufenden Lebenshaltungskosten zu decken, das aber den bescheidensten Luxus ebenso verbietet wie Rücklagen. Angesichts der hohen ›Visibilität‹ der heute in Deutschland prosperierenden Gruppen und der offenbaren Aspekte des deutschen Wiederaufschwungs ist die Öffentlichkeit auf dies Ergebnis besonders hinzuweisen. Es stimmt mit dem zahlreicher anderer Untersuchungen überein.

Die Analyse der inneren Familienstruktur im fünften Kapitel weist die Schwächung der Vormachtposition des Vaters in allen Schichten nach. Familien, deren Merkmale auf gleichen Rang der Mitglieder hindeuten, lassen sich gewiß von solchen mit autoritärer Struktur unterscheiden. Selbst dort jedoch, wo die männliche Autorität unbefragt anerkannt oder wenigstens unter Zwang hingenommen wird, ähnelt sie nur noch selten der, die der Vater in der bürgerlichpatriarchalen Familie innehatte. Der Rückgang der Vaterautorität wird dabei keineswegs durch den bewußten Willen der Frauen veranlaßt. Diese wirken vielmehr – wie es sozialpsychologisch nicht überraschen kann – eher retardierend, während die stets noch auf Grund ihrer Stellung im Produktionsprozeß weniger ›irrationalen‹ Männer eben darum auch weniger zäh an den Begriff der Autorität sich klammern. Dessen Auflösung trägt entscheidend zu der der Familie bei. Umgekehrt ist zugleich in objektiv desorganisierten Familien die psychologische Autorität des Vaters nicht zu halten. Innerhalb der gesellschaftlichen Gesamttendenz, die in all dem sich ausprägt, fällt es schwer, einzelne Faktoren zu isolieren, Ursache und Wirkung streng zu scheiden. Es liegt Wechselwirkung in einem umgreifenden Strukturzusammenhang, einem sozialen ›Feld‹ vor. Wichtig ist jedenfalls auch der Anteil der Frauen an der materiellen Versorgung der Familie. Je mehr sie zu dieser als selbständige, vom Mann unabhängige Wirtschaftssubjekte beitragen, desto mehr schrumpft die Basis ihrer traditionellen Einordnung in die patriarchal orientierte Familie.

Ansätze zu einer Festigung der Familienstruktur mag man in neuen Bindungen erblicken, welche vielleicht die Funktion der alten übernehmen: der auf Freiheit, Einsicht und Neigung beruhenden Solidarität von Partnern gleichen Ranges. Doch beurteilt die Monographie dies Potential gegenüber dem entgegengesetzten, zumindest für die nächste Zukunft, sehr vorsichtig. Zwar schwindet die väterliche Autorität mit ihrem wirtschaftlichen Fundament; trotzdem aber hat sich der gleiche Rang der Familienangehörigen keineswegs hergestellt. Das trägt nicht wenig zur Orientierung der Kinder und Adoleszenten an anderen, nun meist kollektiven Autoritäten wie Partei und Staat bei; einer Bereitschaft, die ebenso vom Hitlerschen Reich gefördert wurde, wie es von ihr zehrte. Die Prognose ist eher die einer Lockerung der Familie zum Positiven oder Negativen als die, daß die gegenwärtige soziale Desintegration, Kehrseite aller Integration, an der Stabilität der Familie ihre Grenze finde.

Die von manchen Soziologen vertretene Hoffnung, daß die Mehrzahl der westdeutschen Familien durch den Umwandlungsprozeß intakt hindurchgegangen wäre und sich gleichsam als ›krisenfest‹ erwiesen hätte, wird von den Ergebnissen der Studie nicht bestätigt. Ebensowenig läßt das in der Monographie interpretierte Material die Folgerung zu, mit der väterlichen Autorität verschwände zugleich die autoritätsgebundene seelische Disposition. Die Theorie Freuds, der zufolge die paternalistische Autorität auf sekundäre Gruppen übertragen werden kann, scheint auch in dem geschichtlichen Sinne sich zu bewahrheiten, daß solchen Kollektiven zweiter Ordnung die Rolle der primären zufällt, wenn diese nicht länger mehr als entscheidende Agentur der sozialen Kontrolle fungieren. Gewiß mag in temporären Situationen wie der nach dem Bombenangriff auf Darmstadt und in der zahlreicher Flüchtlinge die Familie noch einmal jene umhegende Kraft bewähren, die ihr vordem zukam. Aber es handelt sich dabei eher um ein Regressionsphänomen, um die verzweifelte Flucht in die Kindheit, als um den Triumph eines Unzerstörbaren: so wie nach dem Kriege in Deutschland allenthalben Regressionen – man denke bloß an die überwertige Bedeutung des Essens längst nach der Hungerperiode – zutage traten. Wer von der Familie als Notgemeinschaft, dem Schutzsuchen der Menschen im engsten Verband angesichts der totalen physischen Bedrohung, etwas wie eine Regeneration der Gesellschaft sich verspräche, der verfiele wohl demselben Fehler wie jemand, der von der »foxhole religion«, der Anrufung Gottes in Lebensgefahr, eine religiöse Renaissance erwartete. Auf kurze Frist mag der Anschein entstehen, daß traditionale gesellschaftliche Formen den Anprall der Katastrophe unerschüttert überdauern. Über längere Zeiträume jedoch wirken gesellschaftliche Naturkatastrophen von der Art der Bombenangriffe, die mit dem spontanen Willen der Menschen nichts zu tun haben, in der gleichen Richtung wie die Tendenz, welche über den Köpfen der Menschen sich durchsetzt. Zwar werden Ehe und Familie als Institutionen durchwegs noch bejaht. Die Anpassung an die sich verändernden gesellschaftlichen und ökonomischen Verhältnisse beginnt aber die überkommenen Vorstellungen auszuhöhlen. Die vorherrschenden Ansichten etwa über Ehescheidung, außereheliche Mutterschaft, illegitimes Zusammenleben, gehorchen immer weniger der Forderung, es gelte vorab, den Ruf der Familie zu wahren. Was einmal als ›soziales Denken‹ progressiven Intellektuellen vorbehalten war, ergreift unterm materiellen Zwang das Bewußtsein der Bevölkerung, und der Nebel vor ökonomischen Notwendigkeiten zergeht.

Die Möglichkeit, solche Resultate über Darmstadt und die vier Hinterlandgemeinden hinaus zu verallgemeinern, mag nach statistischen Kriterien beschränkt sein. Kaum jedoch kann die Fragestellung einer verantwortlichen Repräsentativerhebung über die Problematik der Familie im gegenwärtigen Deutschland an der Monographie vorbeigehen.

Ostern 1954

Klaus A. Lindemann, Behörde und Bürger. Das Verhältnis zwischen Verwaltung und Bevölkerung in einer deutschen Mittelstadt. Darmstadt 1952. (Gemeindestudie. Monographie 8.)

Im Verlauf der Arbeit der Darmstädter Gemeindestudie kristallisierte sich allmählich ein Kernproblem aus: die Beziehung zwischen den objektiven gesellschaftlichen Gegebenheiten der Stadt und dem in solchen Gegebenheiten sich abspielenden Leben der Menschen. Dabei sollte sowohl der Einfluß des Objektiven auf ihre reale Existenz, wie auch ihre subjektiven, teils der Sphäre des rationalen Urteils angehörenden, teils psychologisch bestimmten Reaktionen darauf behandelt werden. Innerhalb des begrenzten Sektors Darmstadt fielen die mannigfaltigsten Aspekte in den Rahmen der Studie. Demgemäß war auch der Begriff der objektiven Verhältnisse äußerst weit aufzufassen. Er schloß sowohl Situationen, also etwa den Zustand einer ausgebombten Stadt, ein, wie gesellschaftlich-ökonomische Kraftfelder von der Art der Beziehung von Stadt und Land, wie schließlich auch die Rolle besonderer Institutionen, etwa der Gewerkschaften und auch der Verwaltung. Dieser Breite der auf objektive Verhältnisse gerichteten Untersuchungen entsprach in gewissem Maße die der auf subjektive Einstellungen und Verhaltensweisen zielenden Erhebung. Daraus ergab sich notwendig, als neues und fruchtbares Element der Studie, die Zusammenarbeit der verschiedensten wissenschaftlichen Disziplinen, die sonst voneinander getrennt sind: der Ökonomie, Soziologie, Psychologie, Demographie, Verwaltungskunde, Agrarwissenschaft und anderer. Gerade die Zentrierung auf einen Einheitspunkt, nämlich die Gemeinde Darmstadt, machte es möglich, die oft geforderte Integration arbeitsteilig getrennter Wissenschaften weit konkreter

in Angriff zu nehmen als in Fällen, in denen kein genau umrissener Aufgabenkreis die Beziehung dieser Disziplinen zueinander herstellt und regelt.
Als wir uns entschlossen, aus dem höchst umfangreichen Material zunächst eine Reihe von Monographien vorzulegen, lag es nahe, eine Einzelstudie auszuwählen, die als Modell jener Kernidee fungiert. Es empfahl sich dabei, dieses Modell einem institutionell genau definierten Sektor zu entnehmen, also Verhältnisse zu behandeln, die sich ohne allzu große Willkür an eindeutig gegebenen Einrichtungen dingfest machen und herausisolieren ließen. Unter den Gegenständen der Darmstädter ›Strukturanalyse‹ – so nannten wir alle die Teile des Gesamtprojektes, die sich mit objektiven Verhältnissen befassen – schien für diesen Zweck am geeignetsten die Darmstädter Verwaltung. Im Sinne des Gesamtplanes schloß sich daran ohne weiteres die zweite, subjektiv gerichtete Frage: Wie hat sich in der Zeit der Erhebung die Darmstädter Bevölkerung zur Verwaltung verhalten?
So einfach nun aber die Konstruktion eines derartigen Modells der wissenschaftlichen Vereinigung von Strukturanalyse und Erhebung erscheint, so groß sind doch die Schwierigkeiten. Sie liegen keineswegs nur daran, daß gerade die Verwaltungsstudie ursprünglich weit mehr institutionell als subjektiv angelegt war; daß das Interesse an der Stellung der Bevölkerung zu den Behörden erst allmählich in den Vordergrund rückte und dabei im wesentlichen mit den Antworten haushalten mußte, die auf zwei Fragen des Fragebogens zur Erforschung der öffentlichen Meinung vorliegen. Viel ernster waren die Schwierigkeiten in der Sache selbst. Während nämlich die Struktur der Darmstädter Verwaltung und die Stellung der Bevölkerung zu dieser Verwaltung miteinander konfrontiert werden sollen, ist es keineswegs von vornherein gesagt, daß die letztere tatsächlich von jener objektiven Struktur abhängt. Mit anderen Worten: es ist nicht ausgemacht, ob und in welchem Maße die Einstellung der Bevölkerung durch die objektive Realität, zumal durch die Beschaffenheit gerade dieser besonderen Darmstädter Verwaltung bestimmt wird. Das psychologische Problem der subjektiven Verzerrung, etwa der Projektion eigener Aggressionen auf die Ämter, die dann negativ bewertet werden, auch wenn sie es nicht verdienen, ist nur ein extremes Beispiel für jene Schwierigkeit. Umfassen-

der ist anzunehmen, daß, auch wo man nicht mit pathischen Entstellungen der Realität durch Querulanten zu rechnen hat, das Urteil in weitem Maße nicht von dem spezifischen beurteilten Gegenstand motiviert wird, sondern von dem geistigen Bezugssystem, dem ›frame of reference‹ des Urteilenden. Der Sohn eines Kleingewerbetreibenden etwa, der in einer Atmosphäre aufgewachsen ist, in der Eifersucht auf die Sekurität des festbesoldeten Beamten vorherrscht, wird wahrscheinlich von vornherein jede Verwaltung anders beurteilen als der Sohn eines Landgerichtsrates. Bei der heute vielfach beobachteten Neigung zu clichéhaftem und starrem Denken ist damit zu rechnen, daß derartige Bezugssysteme oft sich stereotypisch verfestigen und die Fähigkeit beeinträchtigen, überhaupt zum Objekt in eine adäquate, realitätsgerechte Beziehung zu treten.

Vor allem aber bilden heute mehr denn je die gesellschaftlichen Verhältnisse selber eine *Totalität*, und dieser Totalitätscharakter prägt sich in jedem einzelnen sozialen Sektor aus. Die allgemeine Rolle der Verwaltung im gegenwärtigen gesellschaftlichen Leben ist weit wichtiger als die Spezifikation der Verwaltung in Darmstadt. Wenn auch das Wesen von Verwaltung überhaupt vielfach an lokalen Verhältnissen wahrgenommen wird, so geht doch in solche Wahrnehmung vieles und vielleicht Entscheidendes ein, was nicht aus diesen Verhältnissen stammt. Sie werden nur als Spezialfall eines umfassenden Sachverhaltes erfahren. So kann gerade das wissenschaftliche Bestreben, der Willkür der Generalisierung zu entgehen, indem man sich am Besonderen orientiert, zu wissenschaftlichen Fehlern führen, indem man das Einmalige dort als Ursache erscheinen läßt, wo es in Wahrheit lediglich eine Gesamtstruktur repräsentiert, deren Beschaffenheit die subjektiven Verhaltensweisen begründet.

Es war daher geboten, eben diese Schwierigkeit selber in die Forschung hineinzuziehen. Neben anderem sollte also auch ermittelt werden, wie sich das Verhalten der Darmstädter Bevölkerung zur Verwaltung darstellt unter dem Gesichtspunkt der konkreten Einsicht der Bevölkerung in die tatsächlich vorliegenden Verhältnisse. Dieser von vornherein gar nicht intendierten Problemstellung kam nun, zum Glück, die Anlage der beiden auf die Verwaltung bezogenen Fragen aus dem Fragebogen zur Erforschung der öffentlichen

Meinung entgegen, deren erste dem Urteil des Befragten über die Verwaltung gilt, während die zweite den Erfahrungen nachgeht, die dem Urteil zugrunde liegen – oder nicht zugrunde liegen. Das Verhältnis dieser Fragen zueinander eröffnete zugleich grundsätzliche soziologische Perspektiven. Wieweit sind Menschen, die unter den Bedingungen zentral gelenkter Massenkultur leben und diesen Bedingungen tendenziell sich anpassen, überhaupt noch fähig, echte, primäre Erfahrungen zu machen? Wieweit nehmen sie die Realität schon durch die fertig fabrizierte Begriffsapparatur hindurch wahr, mit der sie ständig beliefert werden? So wenig zu erwarten steht, daß die theoretisch längst aufgeworfene Frage nach der erkrankten Erfahrung durch Erhebungen und Monographien bewältigt werden kann, so viel an Fakten vermögen doch gerade strikt empirische Untersuchungen für die Interpretation beizustellen.

Untrennbar ist die Erkrankung des Erfahrungsvermögens, das, nach dem Ausdruck des amerikanischen Sozialpsychologen J. F. Brown, »stereopathische« Denken von der Frage der Autoritätsgebundenheit. Der lebendigen Erfahrung gegenüber nimmt das von der Gesellschaft vorgezeichnete und gleichsam bestätigte Stereotyp selber autoritären Charakter an, während autoritätsgebundene Menschen, aus tiefenpsychologischen Gründen, regelmäßig zugleich solche sind, deren Fähigkeit, Erfahrungen zu machen, reduziert ist. Da nun die Darmstädter Erhebung gerade zur Frage der Autoritätsgebundenheit viel Stoff beigebracht hat, so wurde versucht, diesen Stoff in Korrelation zu setzen zum Urteil über die Verwaltung und der Erfahrung mit ihr, und auf diese Weise die Reaktionsformen der Bevölkerung nicht bloß vom Gegenstand her, sondern ebenso charakterologisch zu behandeln. Auf diese Weise ergab sich am ehesten die Möglichkeit, die Beziehung von subjektivem Verhalten und objektiven Gegebenheiten zu klären und gleichzeitig die Beschränkung auf bloß zwei Fragen, die unmittelbar auf das Verhältnis zur Verwaltung zielen, zu korrigieren.

Um das zu leisten, reichen aber nicht die allgemein verbreiteten, laienhaften Vorstellungen von Psychologie aus. Einzig tiefenpsychologische Kategorien vermögen es, den genetisch-dynamischen Sinn der Charakterstrukturen und Typen begreiflich zu machen, die regelmäßig mit bestimmten Verhaltensweisen der Verwaltungsautorität gegenüber verbunden scheinen. Es wurde also, wie es in amerikanischen Erhebungen schon längst üblich ist und bereits in den frühen dreißiger Jahren in den Autoritätsstudien des Frankfurter Instituts für Sozialforschung geschah, eine psychoanalytisch orientierte Begriffsapparatur auf Resultate der empirischen Sozialforschung angewandt.

Der Autor der Monographie, Klaus Lindemann, ist von Fach Jurist. Für die Absicht der Darmstädter Gemeindestudie, ihre jungen Mitarbeiter nicht nur in strengen empirischen Methoden auszubilden, sondern zugleich ihre wissenschaftliche Fähigkeit über die departementalen Grenzen hinaus zu erweitern, bietet er das lebendige Beispiel. Nicht nur hat er sich in die von Max Weber so nachhaltig angeregte Verwaltungssoziologie hineingearbeitet, sondern auch sich über den seiner Vorbildung zunächst sehr fernliegenden Bereich der Psychoanalyse unterrichtet. Dem verdankt die Studie die Vielfältigkeit einander durchdringender Gesichtspunkte und Methoden, die von der getreuen Aufnahme verwaltungstechnischer Tatbestände bis zur Konstruktion sozialpsychologischer Typen reichen. Der Begriff der autoritätsgebundenen Persönlichkeit ist in weitem Maße an der 1950 bei Harpers im Rahmen der von Max Horkheimer und Samuel Flowerman herausgebrachten Serie »Studies in Prejudice« erschienenen Kollektivuntersuchung »The Authoritarian Personality« (T. W. Adorno, Else Frenkel-Brunswik, Daniel Levinson und Nevitt R. Sanford) orientiert.

Während, wie gesagt, die Lindemannsche Monographie ein Modell für die Kernidee der Darmstädter Studie abgibt, wird in anderen diese Idee an einem weniger zugespitzten, breiteren Erfahrungsbereich entfaltet werden, so in der von I. Kuhr über die Schulerfahrung der Jugend in einer ausgebombten Mittelstadt und der von G. Baumert über Lebensverhältnisse und Reaktionsweisen der Jugend in derselben Gemeinde.

Bereits die Erstlingspublikation von Lindemann jedoch sollte zeigen, worum es bei der Darmstädter Untersuchung eigentlich ging, und was von der konzentrischen Bemühung von Wissenschaftlern der verschiedensten Gebiete um einen begrenzten Sektor – eine schwer bombengeschädigte deutsche Mittelstadt – methodisch und inhaltlich zu erwarten ist. Es braucht nicht eigens gesagt zu werden, daß die hier erprobten Verfahrensweisen darauf warten, weiter entwickelt, vielfach verfeinert und verlebendigt zu werden. Die Monographie betrachtet sich selbst als Anfang, und das setzt gewiß ihren Wert nicht herab.

Februar 1952

Vorworte, Vorreden und Vorbemerkungen zu den »Frankfurter Beiträgen zur Soziologie«

Von den 21 zu Lebzeiten Adornos erschienenen Bänden der »Frankfurter Beiträge zur Soziologie«, der von ihm und Walter Dirks, ab Band 19 von ihm und Ludwig von Friedeburg herausgegebenen Schriftenreihe des Instituts für Sozialforschung, enthalten 17 Bände Vorworte, die von Adorno unterzeichnet oder mitunterzeichnet sind. Während die Vorworte zu den Bänden 2, 9, 10 und 16 an anderen Stellen der »Gesammelten Schriften« abgedruckt werden (s. Bd. 9.2, S. 127ff., ibd., S. 395ff., ibd., S. 404 sowie den vorliegenden Bd. 20, S. 178ff.), folgen hier die übrigen.

*Sociologica. Aufsätze, Max Horkheimer zum sechzigsten Geburtstag gewidmet. Frankfurt a.M. 1955. (Frankfurter Beiträge zur Soziologie. 1.)**

Der Plan, eine größere Anzahl von Aufsätzen zu einer Festschrift »Sociologica« zu vereinen, ist erst sehr spät gefaßt worden. Viel zu kurz war die Zeit, um all denen, die Horkheimer sich geistig verbunden wissen, es möglich zu machen, rechtzeitig einen Beitrag uns zukommen zu lassen. Nur eine kleine Zahl der in- und ausländischen Gelehrten aus einem wissenschaftlichen Freundeskreis konnte etwas beisteuern. Wir sind ihnen ganz besonders dankbar, nicht bloß für die Aufsätze selbst, sondern auch für die Raschheit ihrer Reaktion: bis dat qui cito dat. Zahlreiche Manuskripte, unter ihnen solche von Hans Gerth, Adolf Löwe, Joseph Maier, C. Wright Mills, Felix J. Weil und anderen, konnten leider nicht mehr aufgenommen werden, wenn der Termin des Erscheinens sich nicht ungebührlich über den Festtag hinaus hätte verzögern sollen. Diese Beiträge werden bei nächster sich bietender Gelegenheit veröffentlicht werden.

* *Von Adorno und Walter Dirks unterzeichnet.*

Den improvisatorischen Charakter der Sammlung möchten wir nicht verleugnen: bezeugt er doch auch einiges von der Spontaneität, mit der das Ganze zustande kam. Ein gewisser Mangel an thematischer und theoretischer Einheitlichkeit ist offenbar. Doch glauben wir, daß gerade die Vielfalt der Interessen, die in den Beiträgen sich offenbart, etwas von der überlegenen und intensiven Breite des Geistes widerspiegelt, dem die Beiträge gewidmet sind, und dem es stets, noch in der detailliertesten Kleinarbeit, ums Ganze geht.

Wir hatten zunächst die Absicht, die Form strikt periodischer Veröffentlichungen wieder aufzunehmen, und die »Sociologica« entsprechen in vieler Hinsicht etwa einem Zeitschriftenjahrgang. Aus mancherlei Gründen jedoch haben wir uns dazu entschlossen, fürs erste auf ein termingebundenes Verfahren zu verzichten. Der Druck, zu bestimmten Zeitpunkten publizieren zu müssen, ist der Entfaltung wissenschaftlicher Arbeit in einem noch im Aufbau befindlichen Institut nicht durchaus günstig; vor allem aber ist das Forschungsmaterial, das im Institut seit seiner Wiedererrichtung anfiel, von solcher Art, daß keineswegs alles in kurzen Zeitschriftenaufsätzen sich würde bewältigen lassen; vieles verlangt mehr Raum.

Hierher gehört insbesondere der zweite Band der »Frankfurter Beiträge zur Soziologie«, der gleichzeitig mit den »Sociologica« herauskommt. Er ist ein Studienbericht über das Gruppenexperiment, das vom Institut vor einigen Jahren durchgeführt und dann unter den verschiedensten Gesichtspunkten qualitativ und quantitativ ausgewertet wurde. Der dritte Band wird den gedrängten Bericht über eine weitschichtige Industrie-Untersuchung des Instituts enthalten.

Die Schriftenreihe soll weiterhin ebenso empirische wie theoretische wie auch didaktische Publikationen aus dem Arbeitskreis des Instituts bringen, in dem ja Aufgaben der Lehre und der praktischen sozialwissenschaftlichen Ausbildung keine geringere Rolle spielen als solche der Forschung. Daran aber zu arbeiten, daß die Konzeption einer Theorie der Gesellschaft und die empirischen Ergebnisse gegenseitig sich durchdringen, rechnen wir zu den vordringlichsten Aufgaben, die der Sozialwissenschaft heute gestellt sind. Noch klaffen beide Bereiche vielfach auseinander, und keineswegs aus bloß äußerlichen Gründen der wissenschaftlichen Organisation, sondern vermöge tief reichender sachlicher Spannungen. Es gilt, weder diese Spannungen zu verleugnen noch bei ihnen im Sinne bloßer Arbeitsteilung sich zu bescheiden, sondern sie auszutragen. Die Einheit des Mannigfaltigen, aus dem die »Sociologica« gebildet werden, ist eben der Versuch, zu jener Aufgabe etwas beizutragen.

Februar 1955

Betriebsklima. Eine industriesoziologische Untersuchung aus dem Ruhrgebiet. Frankfurt a. M. 1955. (Frankfurter Beiträge zur Soziologie. 3.)

In gedrängtester Form werden hier die Ergebnisse einer Untersuchung des Instituts für Sozialforschung vorgelegt, die sich mit dem ›Betriebsklima‹ in Werken der Montan-Industrie befaßte. Was mit jenem Begriff gemeint ist, wird im Text klargestellt. Hier sollen nur einige Grunddaten über das Forschungsprojekt angeführt werden.

Der Bereich der Studie war die Mannesmann-AG. Die Forschungsinstrumente, die das Institut entworfen hatte, wurden zur Erprobung einem Vorversuch unterzogen. Er setzte sich aus Interviews und Diskussionen in zwei Werken – Remscheid und Consolidation 1/6 – zusammen und fand in der Woche vom 6. bis 13. Juli 1954 statt. Die Hauptuntersuchung selbst währte vom 27. Juli bis 13. August 1954. Durchgeführt wurden 1176 Einzelinterviews, sowie 55 Gruppendiskussionen mit insgesamt 539 Teilnehmern. Die Hauptuntersuchung erstreckte sich auf fünf Werke:

die Zechen *Consolidation 3/4/9* und *Unser Fritz* in Gelsenkirchen und Wanne-Eickel; beschäftigt sind fast 6000 Arbeiter und Angestellte;

Huckingen, ein ›gemischtes‹ Hüttenwerk an der Peripherie von Duisburg; mit einer Belegschaft von fast 8000 Personen;

Grillo-Funke, ein kleines Hüttenwerk in Gelsenkirchen; beschäftigt sind rund 1900 Arbeiter und Angestellte;

Rath, ein Röhrenwerk am Rande von Düsseldorf; mit rund 5000 Arbeitern und Angestellten;

Kronprinz-Ohligs, ein weiterverarbeitendes Werk für Lastwagen- und Personenwagenräder und Rohre, gelegen in Solingen-Ohligs; rund 1700 Personen Belegschaft.

Einen ersten Überblick über die Ergebnisse der Untersuchung vermittelte ein Rohbericht, der im Januar 1955 vorlag. Der endgültige Bericht wurde im Juni 1955 abgeschlossen und dem Vorstand der Mannesmann-Obergesellschaft übergeben. Die vorliegende Publikation basiert auf diesem Bericht; das Zustandekommen der Einzelergebnisse ist an Hand der darin enthaltenen detaillierten Angaben zu überprüfen.

Die Leitung der Studie lag in den Händen von Ludwig von Friedeburg. Mitarbeiter der Studie in all ihren Sektoren bis zur abschließenden Redaktion waren: Egon Becker, Walter Dirks, Volker von Hagen, Lothar Herberger, Armin Höger, Christian Kaiser, Margarete Karplus, Werner Mangold, Christoph Oehler, Diedrich Osmer, Ingeborg Ptasnik, Manfred Teschner, Erhard Wagner, Friedrich Weltz.

Die technische Durchführung der Umfrage, des Codens der Interviews und der Grundauszählung war dem Deutschen Institut für Volksumfragen in Frankfurt am Main (DIVO) übertragen.

Unser Dank gebührt zunächst dem Vorstand der Mannesmann-AG, der uns die Möglichkeit zu dieser Untersuchung gab, und den Werks- und Betriebsleitungen und Arbeitervertretungen, die uns bei Organisation und Durchführung der Umfrage und der Diskussionen aufs nachhaltigste unterstützt haben. Wer die technischen, vor allem aber auch die psychologischen Schwierigkeiten kennt, denen Untersuchungen dieses Typus ausgesetzt sind, weiß, daß ohne ihre vom Vertrauen in wissenschaftliche Objektivität getragene Hilfe das Ganze sich nie realisiert hätte.

Nicht geringer aber ist unsere Dankbarkeit denen gegenüber, die sich interviewen ließen und an den Gruppendiskussionen teilnahmen. Die Ergebnisse der Untersuchung sind nichts anderes als die begriffliche Verarbeitung dessen, was sie uns gaben.

1. August 1955

*Soziologische Exkurse. Nach Vorträgen und Diskussionen. Frankfurt a. M. 1956. (Frankfurter Beiträge zur Soziologie. 4.)**

Der vierte Band der »Frankfurter Beiträge zur Soziologie« geht letztlich auf Manuskripte zu kurzen Vorträgen zurück, die in den Jahren 1953 bis 1954 vom Hessischen Rundfunk aufgenommen und in französischer Sprache im Rahmen der Université Radiophonique Internationale, Radiodiffusion Française, übertragen wurden. Sie sind vielfach ergänzt und durch eine Reihe anderer erweitert worden. Der lose, improvisatorische Charakter der Gelegenheitsarbeit blieb jedoch gewahrt.

Der Band ist didaktisch, nicht im Sinne des bündig vorgetragenen Lehrstücks, sondern dem einer imaginären Diskussion, wie sie etwa an Referate über ausgewählte soziologische Stichworte sich anschließen mag. Man darf beim Ganzen vielleicht an ein Proseminar über soziologische Begriffe erinnern, wie es seit Jahren im Institut für Sozialforschung regelmäßig stattfindet. Auch dort wird der Schein systematischer Geschlossenheit und Vollständigkeit mit Bedacht vermieden. Es werden Einzelbegriffe ebenso wie Einzelgebiete herausgegriffen, um an ihnen eine erste Vorstellung von der Soziologie zu entwickeln. Darstellung, Referat, geistige Reflexion durchdringen sich dabei. Das bedarf kaum der Rechtfertigung in einem Bereich, der schon nach Max Webers Einsicht droht, auseinanderzufallen in bloß formale Begriffsbildung auf der einen Seite und begriffslose Anhäufung von Stoff auf der anderen. Durchweg wird versucht, das informatorische Element und das der kritischen Selbstbesinnung in jene Beziehung zu setzen, nach der die soziologische Wissenschaft als solche ebenso verlangt wie das Bewußtsein derer, die mit ihr befaßt sind.

Das Buch ist so disponiert, daß zunächst einige soziologische Begriffe – kaum die wichtigsten, aber solche, an denen der Unterrichtete etwas von der Problematik des Gesamtbereichs wahrnehmen kann – ausgewählt und diskutiert werden, und dann einige Materialbereiche und inhaltliche Komplexe besprochen. Die Zweiteilung des Aufbaus entspricht dem Bruch in der gegenwärtigen Gestalt der Soziologie selber, in der theoretische Überlegung und

* *Von Max Horkheimer und Adorno unterzeichnet.*

empirische Einlösung vielfach auseinanderweisen und keineswegs durch Maßnahmen wie die sogenannte ›Integration‹ zusammenzubringen sind. Weder ist dieser Bruch zu verbergen, noch zu verabsolutieren. Ihm ist Rechnung zu tragen, indem kein Kontinuum vorgetäuscht wird, das da vom Einzelbefund bis zu den obersten Aussagen über das System der Gesellschaft sich erstreckte, während doch, soweit es nur möglich ist, die Behandlung der Einzelphänomene vom Gedanken an ihren Zusammenhang zehren soll.
Kein deutsches ›textbook‹ der Soziologie also ist zu erwarten, kein Leitfaden, nicht einmal eine Einführung, und es ist auf keinen Wettstreit mit den Büchern solcher Intention abgesehen, die während der letzten Jahre herauskamen. Weder wird etwas wie eine wie immer auch rudimentäre Theorie der modernen Gesellschaft vorgebracht, noch eine zuverlässige Übersicht über die wichtigsten Teilgebiete der gegenwärtigen soziologischen Forschung; nach Systematik ist so wenig zu suchen wie nach Vollständigkeit des Materials, und was an Stoff hineingezogen ward, bleibt den Zufälligkeiten unterworfen, welche die Entstehung der Vorträge mit sich brachte. Was geboten wird, sind Materialien und Betrachtungen, die sich auf einzelne Begriffe und Sachgebiete beziehen und in ihrer Konstellation doch eine gewisse Vorstellung vom Ganzen vermitteln mögen.
Die Autorschaft des Buches gebührt dem Institut für Sozialforschung als Ganzem. Bei der Ausarbeitung der Vorträge haben seine Mitglieder allesamt geholfen. – Der Aufsatz über Soziologie und empirische Sozialforschung übernimmt zahlreiche Formulierungen aus dem vom Institut bearbeiteten Artikel »Empirische Sozialforschung«* im »Handwörterbuch der Sozialwissenschaften«; dem Verlag ist für die Erlaubnis dazu besonders zu danken. Teile des Vortrags über das Problem des Vorurteils** wurden gedruckt in den »Frankfurter Heften«, siebenter Jahrgang (1952), Heft 4. Der Ideologieaufsatz*** ist die erweiterte und vielfach modifizierte Fassung eines Referats auf dem Deutschen Soziologentag in Heidel-

* *Vgl. jetzt Gesammelte Schriften, Bd. 9.2: Soziologische Schriften II, 2. Hälfte, Frankfurt a. M. 1975, S. 327ff.*
** *Vgl. jetzt a. a. O., S. 360ff.*
*** *Vgl. jetzt Gesammelte Schriften, Bd. 8: Soziologische Schriften I, 2. Aufl., Frankfurt a. M. 1980, S. 457ff.*

berg 1954, das im Heft 3/4 des sechsten Jahrgangs (1953/54) der »Kölner Zeitschrift für Soziologie« erschien.
Vieles an Materialien haben Heinz Maus und Hermann Schweppenhäuser beigetragen. Vor allem aber stellte Ernst Kux eine reiche und systematische Sammlung von Belegen in Monaten intensiver Arbeit zusammen. Die abschließende Redaktion und Druckeinrichtung besorgte Johannes Hirzel.

Frühjahr 1956

*Freud in der Gegenwart. Ein Vortragszyklus der Universitäten Frankfurt und Heidelberg zum hundertsten Geburtstag. Mit Beiträgen von Franz Alexander u. a. Frankfurt a. M. 1957. (Frankfurter Beiträge zur Soziologie. 6.)**

An dem Zustandekommen der Freud-Vorlesungen an der Frankfurter und Heidelberger Universität im Sommersemester 1956 war das Institut für Sozialforschung in Frankfurt, neben Alexander Mitscherlich in Heidelberg, wesentlich beteiligt. Die Organisation der Vorträge wurde in Gemeinschaft mit dem Dekan der Philosophischen Fakultät, Gottfried Weber, vom Institut durchgeführt. In Heidelberg lud die Medizinische Fakultät ein.

Seit seiner Gründung in der Zeit vor 1933 hat das Institut die Psychoanalyse in seine Arbeit einbezogen, und zwar in ihrer strengen Freudischen Gestalt. Von Anbeginn war dem Institut eine psychoanalytische Abteilung angegliedert, die von Karl Landauer, dem in Bergen-Belsen umgekommenen Schüler Freuds, geleitet wurde. Die »Zeitschrift für Sozialforschung« enthielt in ihrer ersten Nummer einen programmatischen Aufsatz über die Aufgaben einer analytischen Sozialpsychologie. Damals, im Schatten der unmittelbar drohenden Hitlerdiktatur, stand uns der Widerspruch zwischen den handgreiflichen Interessen der Massen und der faschistischen Politik vor Augen, für die sie sich enthusiastisch einspannen ließen. Wir sahen, daß der ökonomische Druck sich in sozialpsychologischen unbewußten Prozessen fortsetzte, welche die Menschen dazu

* *Von Max Horkheimer und Adorno unterzeichnet.*

bringen, eben diesen Druck, unter dem sie stehen, auch noch zur eigenen Sache zu machen und den Verlust der Freiheit in Kauf zu nehmen. In zahlreichen theoretischen Arbeiten des Instituts wurde versucht, die Wechselwirkung von Gesellschaft und Psychologie weiter zu verfolgen. Stets freilich haben wir den gesellschaftlichen Druck – das, was Freud selbst »Lebensnot« nannte – als das Primäre betrachtet.

Das Thema des Ineinanderspielens gesellschaftlicher Autorität und psychischer Verdrängung hat dann über Jahre hinaus auch in den empirischen Untersuchungen des Instituts eine wesentliche Rolle gespielt. Der 1935 in Paris erschienene Band »Autorität und Familie« nahm in theoretischen Entwürfen, in Erhebungen und in monographischen Einzeldarstellungen sowohl die analytische Beschreibung und Erklärung des autoritätsgebundenen Charakters wie die Erkenntnis gesellschaftlich entscheidender sozialpsychologischer Kategorien, etwa der der Verinnerlichung der Autorität zur Arbeitsmoral im bürgerlichen Zeitalter, in Angriff. In den später, während der Emigration, gemeinsam mit der Berkeley Public Opinion Study Group durchgeführten Forschungen, die in dem Band »The Authoritarian Personality« 1950 in New York veröffentlicht wurden, sind Gesichtspunkte und Kategorien des älteren Werkes auf ein breites empirisches Material bezogen und vor allem an die Erhellung eines der dunkelsten Massenphänomene der Gegenwart, der auf Minoritäten gelenkten Verfolgungssucht gewandt worden. Diese Studien sind ohne den Impuls der Freudischen Psychologie nicht zu denken und machen vielfältig von Freudischen Begriffen Gebrauch.

Wenn freilich Freud den Anspruch erhob, Soziologie sei insgesamt nichts anderes als angewandte Psychologie, so scheint uns das daran vorbeizusehen, daß die Gesetze der Gesellschaft nicht solche der puren Inwendigkeit der Menschen sind. Diese Gesetze haben sich vergegenständlicht. Sie treten den Menschen und der Einzelpsyche selbständig gegenüber und widersprechen ihnen in Entscheidendem. Je mehr sich das erweist, desto mehr ändert sich die Funktion dessen, was der Ausdruck »Sozialpsychologie« deckt. Wollte diese vor fünfundzwanzig Jahren verfolgen, wie der gesellschaftliche Zwang bis in die feinsten seelischen Verästelungen des Individuums hineinreicht, das da wähnt, für sich selber zu sein und sich selbst zu gehören, so wird heute die Reflexion auf sozialpsychologische Mechanismen vielfach gerade dazu benutzt, von jener Gewalt der Gesellschaft abzulenken. Schwierigkeiten und Konflikte des gegenwärtigen Zustandes werden verharmlost, sobald man sie unvermittelt auf den Menschen, auf bloß inwendige Vorgänge reduziert.

Darum scheint uns weniger eine Synthese aus Soziologie und Psychologie an der Zeit, als die insistente aber getrennte Arbeit in beiden Bereichen. Davon bleiben auch gewisse Lehren Freuds nicht unberührt. Er neigte in seiner Spätzeit dazu, das seelische Wesen des Menschen gegenüber den Bedingungen seiner Existenz zu verabsolutieren. Das von ihm positiv vertretene »Realitätsprinzip« kann dazu verleiten, die Anpassung an den blinden gesellschaftlichen Druck entsagend zu sanktionieren und schließlich den Fortbestand des Druckes zu rechtfertigen. Freilich macht diese Intention nur eine Seite der Freudischen Gedanken aus. Sie ist nicht zu trennen von der anderen, seiner todernsten Erfahrung der Last, unter der die Menschheit sich dahinschleppt – jener Erfahrung, die der Freudischen Lehre ihre unversöhnliche Tiefe und Substantialität verleiht.

In einigen Beiträgen des ersten Bandes unserer Schriftenreihe, den »Sociologica«, sind Erwägungen solcher Art ausgeführt. So sehr diese aber auch einer Psychologisierung der Theorie der Gesellschaft widerstreiten, so wenig ist mit ihnen andererseits eine Soziologisierung der Psychologie gemeint. Der psychoanalytische Revisionismus der verschiedensten Schulen, der den angeblichen Freudischen Übertreibungen gegenüber stärkere Berücksichtigung sogenannter gesellschaftlicher Faktoren advoziert, hat nicht bloß die großartigsten Entdeckungen Freuds, die Rolle der frühen Kindheit, der Verdrängung, ja den zentralen Begriff des Unbewußten, aufgeweicht, sondern er hat sich darüber hinaus mit dem trivialen Menschenverstand, dem gesellschaftlichen Konformismus verbündet und die kritische Schärfe eingebüßt. Die Rückbildung der Freudischen Theorie in eine Allerweltspsychologie wird auch noch als Fortschritt ausgegeben. Nachdem die alten Widerstände gegen die Psychoanalyse scheinbar überwunden sind, wird Freud durch Herrichtung zum zweiten Mal verdrängt, wobei der mythologisierende Obskurantismus und der mit Oberflächenphänomenen der

Ich-Psychologie zufriedene Positivismus mühelos sich verständigen.

Demgegenüber schien der Versuch geboten, das lebendige Bewußtsein von Freud in Deutschland wieder herzustellen; zu zeigen, wie wenig überholt seine Theorien, wie aktuell sie gerade angesichts dessen sind, was man aus ihnen gemacht hat. Dazu war Einblick in Aspekte der Arbeit bedeutender moderner Psychologen zu eröffnen, die spezifisch mit Freud zusammenhängen. Nicht sollte die Freudische Theorie als solche bloß rekapituliert, wohl aber ihre Kraft an Einzelfragen, die meist mit gesellschaftlichen zusammenhängen, wie in Brennpunkten dargetan werden. Diese Kraft beschränkt sich keineswegs bloß auf die Beiträge dezidierter Anhänger seiner Schule, sondern kommt auch in anderen, in gewisser Hinsicht von ihm abweichenden, zutage.

Das etwa gehört zum Verständnis der Publikation der Freud-Vorträge. Allen Autoren ist herzlich dafür zu danken, daß sie ihre Texte freigaben. Selbstverständlich finden sich Motive dieser Texte jeweils auch in anderen Arbeiten der betreffenden Autoren. Nirgends wurde durch gewaltsame Redaktion ein einheitlicher, konsistenter Zusammenhang dort hergestellt, wo es sich um eine Vielheit von Lehrmeinungen über oftmals kontroverse Gegenstände handelt. Auch Überschneidungen konnten nicht durchweg getilgt werden.

Dank gebührt weiter dem Klostermann-Verlag, der die Texte des ›Festaktes‹ zum Abdruck freigegeben hat. Welche Verdienste sich die Länder Württemberg-Baden und Hessen, die Stadt Frankfurt und die Ford-Foundation um den Freud-Zyklus erwarben, hat Helmut Coing in seiner Ansprache hervorgehoben; es darf an dieser Stelle wiederholt werden.

Die Redaktion der Vorlesungen und Vorträge, durchweg auf Bandaufnahmen basierend, lag in den Händen einer Gruppe von Mitarbeitern, die auch an der Organisation der Veranstaltungen selbst hervorragend mitgewirkt haben: Otti Bode, Norbert Altwicker, Hermann Schweppenhäuser.

Frühjahr 1957

*Paul W. Massing, Vorgeschichte des politischen Antisemitismus. Frankfurt a.M. 1959. (Frankfurter Beiträge zur Soziologie. 8.)**

Mit dem Werk von Paul Massing über den politischen Antisemitismus im Kaiserreich bringen die »Frankfurter Beiträge zur Soziologie« erstmals eine Studie, die während der Emigrationsjahre im Institut für Sozialforschung an der Columbia-Universität zu New York entstand. Das Original erschien unter dem Titel »Rehearsal for Destruction« im Rahmen der »Studies in Prejudice«, die Max Horkheimer und Samuel Flowerman herausgaben. Dem American Jewish Committee, dessen Forschungsabteilung damals mit dem Institut aufs engste zusammenarbeitete, ist für die Bewilligung des Drucks der deutschen Fassung zu danken. Ergänzt wird das Buch durch die hier entstandene soziologische Dissertation von Eleonore Sterling, welche die Vorgeschichte des deutschen politischen Antisemitismus noch weiter zurückverfolgt, bis zum Beginn des neunzehnten Jahrhunderts. Sie wurde im Verlag Chr. Kaiser, München 1956, unter dem Titel »Er ist wie du« veröffentlicht.

Zur Publikation des Massingschen Werkes bewog uns indessen nicht nur der Wunsch, die Kontinuität zwischen der amerikanischen Produktion des Instituts und seinen Forschungen in Deutschland seit 1950 hervorzuheben. Es dünkte uns an der Zeit, daß Untersuchungen, die sich auf spezifisch deutsches Material bezogen und die einem so zentralen Komplex wie der Vorgeschichte des Antisemitismus gelten, auch in Deutschland bekannt werden. Ohne Einsicht in diesen Komplex bliebe das Verständnis des kaum Vergangenen verbaut. Die Abwehr der Erinnerung an das Unsägliche, was geschah, bedient sich eben der Motive, welche es bereiten halfen.

Wahr ist, daß die Gabe der Erinnerung in der rasch sich ändernden Gesellschaft unter dem Zwang, zeitgemäßere Fähigkeiten zu entfalten, sich zurückbildet. Die Reflexion der Völker auf ihre Geschichte ist seit je der herrschenden Richtung gefolgt; heute bleibt ihnen zu solcher Reflexion keine Zeit. Ohne lohnende Funktion im Zweckzusammenhang der Gegenwart hat Vergangenheit, private wie historisch relevante, wenig Aussicht, im Bewußtsein zu

* *Von Max Horkheimer und Adorno unterzeichnet.*

erscheinen, sie ist ›past history‹, totes Kapital. Um Zinsen zu tragen, müßte es als Element sozialer Integration, als Instrument der Ausrichtung brauchbar, zumindest für einen Augenblick politisch passend sein. Das ist die Aussicht der Ermordeten, im Bewußtsein wieder aufzustehen, seien es Polen, Juden, Deutsche oder wer je in der Geschichte Freiwild war. Seit den ersten Nachkriegsjahren hat die Chance der geopferten Juden auf solches Eingedenken in Europa abgenommen und ist auf die Wenigen angewiesen, deren Wille zur richtigen Zukunft mit der Absage an die Wiederholung sich die Analyse des Vergangenen auferlegt. Massings Buch kann ihnen eine Hilfe sein.

Soweit heute auf den finstersten Aspekt des Nationalsozialismus, den mörderischen Rassenwahn, in Deutschland reflektiert wird, stellt er zumal dem traditionalistischen Kulturglauben als eine von außen bereitete Katastrophe sich dar; als wäre Hitler wie ein Dschingis Khan in das Weimarer Deutschland eingebrochen und hätte ein Fremdes, gänzlich Unvorhersehbares verübt. Noch die entsetzte Rede von dämonischen Kräften dient insgeheim der Apologie: was irrationalen Ursprungs sein soll, wird der rationalen Durchdringung entzogen und zu einem schlechterdings Hinzunehmenden magisiert. Denkt man an Wurzeln des totalitären Antisemitismus, so sind intellektuelle Wortführer wie Langbehn, Lagarde, Gobineau, allenfalls Chamberlain, das Wagnerische Bayreuth, schließlich Lanz von Liebenfels gemeint; selten die eigentlich politisch-soziale Sphäre. So kulturfremd nun aber auch in der Tat Hitler sich ausnimmt, so tief reichen doch die geschichtlichen Ursprünge seiner Untat. Sie stecken keineswegs bloß in den Theoremen einiger paranoider Querköpfe.

In den ersten Hetzblättchen aus den Tagen des Fries und jenes Jahn, der heute bei den Fronvögten der Ostzone in hohen Ehren steht, war schon der totalitäre Antisemitismus angelegt; schon ihre Sprache wollte auf den Mord hinaus, und auch Schichten, die sich als Elite oder als Fortgeschrittene fühlten, waren, wie in Massings Buch sich zeigt, nicht gegen jenes Potential gefeit. Es überlebt, und darum ist die Analyse des Antisemitismus heute, da er nach der Ausrottung der Juden nicht gar zu offen sich vorwagt, so dringlich wie je – und die Bedingungen für ihre Aufnahme mögen günstiger sein, als wenn offener Haß die Regung der Vernunft überschreit.

Keineswegs ist der totalitäre Antisemitismus ein spezifisch deutsches Phänomen. Versuche, ihn aus einer so fragwürdigen Entität wie dem Nationalcharakter, dem armseligen Abhub dessen, was einmal Volksgeist hieß, abzuleiten, verharmlosen das zu begreifende Unbegreifliche. Das wissenschaftliche Bewußtsein darf sich nicht dabei bescheiden, das Rätsel der antisemitischen Irrationalität auf eine selber irrationale Formel zu bringen. Sondern das Rätsel verlangt nach seiner gesellschaftlichen Auflösung, und die ist in der Sphäre nationaler Besonderheiten unmöglich. In der Tat verdankt der totalitäre Antisemitismus seine deutschen Triumphe einer sozialen und ökonomischen Konstellation, keineswegs den Eigenschaften oder der Haltung eines Volkes, das von sich aus, spontan, vielleicht weniger Rassenhaß aufbrachte als jene zivilisierten Länder, die ihre Juden schon vor Jahrhunderten vertrieben oder ausgerottet hatten. In der von Massing behandelten Periode war der Antisemitismus in Frankreich – dem der Dreyfus-Affaire und Drumonts – kaum weniger virulent.

Wer den totalitären Antisemitismus begreifen will, sollte sich nicht dazu verleiten lassen, dessen Erklärung einer gleichsam naturgegebenen Notwendigkeit gleichzustellen. Wohl sieht retrospektiv alles so aus, als hätte es so kommen müssen und nicht anders sein können. Man wird unter den Berühmten der deutschen Vergangenheit bis hinauf zu Kant und Goethe nur wenige nennen können, die von judenfeindlichen Regungen ganz frei waren. Aber indem man auf solche Universalität insistiert und die Fatalität des Geschehenen im Begriff nochmals wiederholt, macht man sie in gewissem Sinn sich selbst zu eigen. Den Spuren des heraufdämmernden Verhängnisses in der deutschen Vergangenheit ist allerorten auch deren Gegenteil gesellt, und die Weisheit, ex post facto zu dekretieren, was von vornherein das Stärkere gewesen sei, macht es sich allzu leicht, indem sie das Wirkliche als das allein Mögliche unterstellt. In Frankreich hatten einige der tapfersten Dreyfusards, wie Zola und Anatole France, in ihre Romane zuweilen Darstellungen von Juden eingefügt, die jenen Clichés ähneln, gegen deren Konsequenz sie sich einsetzten. Zur Erfahrung von Geschichte gehört auch das Bewußtsein des Nichtaufgehenden, Diffusen, Vieldeutigen.

Hier vielleicht trägt Massings Buch Entscheidendes bei. Es hilft, den Knoten des Zufälligen und Notwendigen, auf selber rationale

Weise, zu entwirren. Während er das amorphe, immer gegenwärtige, aber auch nie ganz wahre Potential des Judenhasses in den Bevölkerungen visiert, ohne doch daraus die Katastrophe abzuleiten, trifft seine Forschung den Bereich, an dem sich erkennen läßt, warum jenes Potential sich durchsetzte. Er zeigt an den geschichtlichen Tatsachen mit großer Evidenz, daß im Bismarckschen Deutschland der Antisemitismus politisch manipuliert und, je nach der Forderung des Tages der damaligen Interessen, an- und abgestellt wurde. Jene spontanen Volkserhebungen des Dritten Reiches, die auf ein Signal wohlorganisiert aufflammten, haben ihre Vorform in den Bewegungen der Stoecker und Ahlwardt, über die man opportunistisch verfügte, und die man mit vornehm-konservativem Gestus ebensogut zur Ruhe und Ordnung verhalten wie gegen die Sozialdemokratie loslassen konnte. Ohne daß die Rezeptivität der Masse für derlei Reize verkannt würde, ist doch zugleich auch ihr Maß an Schuld relativiert: die nach Opfern schreien, offenbaren sich als Opfer selber, als von der politischen Macht hin- und hergeschobene Schachfiguren. Der Antisemitismus hat seine Basis in objektiven gesellschaftlichen Verhältnissen ebenso wie im Bewußtsein und Unbewußtsein der Massen. Aber er aktualisiert sich als Mittel der Politik: als eines der Integration auseinanderweisender Gruppeninteressen; als die kürzeste und ungefährlichste Art, von einer Lebensnot abzulenken, zu deren Beseitigung andere Mittel verfügbar wären.

Massing bleibt nicht bei dieser generellen These stehen; er behauptet sie nicht einmal. Aber an dem Material, das er in minutiöser soziologischer und historischer Arbeit zusammengebracht hat, leuchtet sie ein. Besonnene wissenschaftliche Objektivität läßt hinter sich, was irgend die polemische Phantasie auszumalen vermöchte.

Ganz besonderer Dank gebührt Dr. Felix J. Weil, dem treuen Freund des Instituts, dem es sein Dasein verdankt. Er hat nicht nur Massings Text ins Deutsche übersetzt, sondern unermüdlich an der Vorbereitung der Publikation mitgewirkt.

Sommer 1959

*Alfred Schmidt, Der Begriff der Natur in der Lehre von Marx. Frankfurt a. M. 1962. (Frankfurter Beiträge zur Soziologie. 11.)**

Alfred Schmidts Arbeit gibt sich als ein Stück Marx-Philologie. Aus den verschiedenen Lebensperioden des Autors des Kapitals werden die Stellen aufgesucht und interpretiert, die sich auf den Begriff Natur beziehen. Soweit wir sehen können, gab es bisher keine gründliche, dem Stand der Problematik angemessene Darstellung des Naturbegriffs bei Marx. Um sie zu leisten, war es aber nicht genug, die Stellen zu sammeln, in denen von Natur gesprochen wird. Auch wo Natur nicht Thema ist, in den Theorien über Arbeit, Wert und Ware, sind Konzeptionen von Natur impliziert. Deshalb werden durch die verantwortliche Darstellung des Naturbegriffs auch andere Partien der Theorie erhellt. Die Version etwa, daß zwischen idealistischer und materialistischer Dialektik ein radikaler Gegensatz bestehe, wird von Schmidt zurechtgerückt und damit auch das oft zitierte Marxsche Wort, daß sein Verfahren mit der Dialektik bloß kokettiere.

Indem der Verfasser für sein Thema bisher kaum herangezogene Texte, etwa die als »Grundrisse der Kritik der politischen Ökonomie« 1953 publizierten Marxschen Vorarbeiten, im Hinblick auf den Naturbegriff durchgeht, wird der Marxsche Materialismus näher bestimmt. Die Auflösung aller Realität in bloße Natur, in atomare Partikel, oder was nach dem Stand der Wissenschaft jeweils als letzte Komponenten gilt, ist selbst keineswegs unbedingt. Nicht unähnlich der Kantischen Lehre, daß alle Erkenntnis auf die Leistung ordnender Funktionen des Subjekts zurückgeht, hängt sie bei Marx mit menschlicher, freilich realer gesellschaftlicher Arbeit zusammen. Damit ist der Naturbegriff des physikalischen Materialismus relativiert. Ihn absolut zu setzen, wäre ›vulgär‹. Die quantifizierende Vorstellung von Natur, wie sie in Laboratorien heute herrschen muß, kann nicht unmittelbar dieselbe sein wie der Naturbegriff einer nicht mehr in sich gespaltenen, in Natur nicht durchaus mehr verstrickten Menschheit.

Mit dem vulgär-materialistischen verschwindet auch das pragmatistische Mißverständnis der Marxschen Lehre. So wenig wie ein

* *Von Max Horkheimer und Adorno unterzeichnet.*

anderer Philosoph hat Marx je gefordert, daß die Gestalt des Gedankens der Praxis sich anmessen solle, auf Kosten der Wahrheit nach praktischen Erfordernissen zuzuschneiden sei. Über Gelehrte, die einem praktischen thema probandum, irgendeinem Effekt zuliebe, von ihrer Erkenntnis etwas sich abhandeln lassen, hat Marx verächtlich geredet: er hat sie Lumpen genannt. Politische Marx-Studien pflegen im Osten der inneren Gleichschaltung, der Ausrichtung der Jugend, der Mission in fremden Ländern zu dienen, die der Kolonisation den Weg bereitet; im Westen nicht selten der Defensive gegen das neue aggressive Evangelium. Allzu oft wirkt äußere Rücksicht selbst im Westen auf die Behandlung des Themas, ja darauf zurück, daß man sich überhaupt mit ihm beschäftigt. Durch die bescheidene philologische Fragestellung hat Schmidt solcher Versuchung sich entzogen. Mit der Entfaltung des zentralen Begriffs, den die Arbeit zum Gegenstand hat, treten andere als die traditionellen Konsequenzen hervor. Das legitimiert die Veröffentlichung der als Dissertation entstandenen Arbeit in unserer Reihe.

Frühjahr 1962

Peter von Haselberg, Funktionalismus und Irrationalität. Studien über Thorstein Veblens »Theory of the Leisure Class«. Frankfurt a. M. 1962. (Frankfurter Beiträge zur Soziologie. 12.)

Die im wissenschaftlichen Fortschritt unvermeidliche und vielfach produktive Arbeitsteilung zwischen den Disziplinen hat, wie in den letzten Dezennien bis zum Überdruß hervorgehoben wurde, auch ihre negativen Aspekte. Diese bestehen nicht nur in der Gefahr, daß der Sache nach Zusammengehöriges durch die voneinander getrennten Methoden auseinandergerissen wird. Sondern der Wahrheitsgehalt der Einzelwissenschaften in sich wird durch die Trennung gemindert. Unverkennbar ist das im Verhältnis von Soziologie und Ökonomie. Seit den Zeiten, da die Soziologie als besondere Wissenschaft sich einzurichten begann, pocht sie apologetisch auf ihre Eigenständigkeit, will sich als ›rein‹ beweisen und aus sich ausscheiden, womit andere, in der Universitas litterarum ältere Disziplinen sich beschäftigen. Dadurch hat sie eine bis heute fortwirkende Neigung entwickelt, am gesellschaftlich Entscheiden-

den, dem Lebensprozeß der Gesellschaft selbst, der Bewegung ihrer produktiven Kräfte und Produktionsverhältnisse, sich zu desinteressieren und sie der Ökonomie zuzuspielen. Sie konzentriert sich auf jene ›zwischenmenschlichen Beziehungen‹, die sekundär über jenen tragenden Strukturen sich erheben. Tendenziell wird solche Soziologie auf Sozialpsychologie reduziert. Die Volkswirtschaftslehre jedoch hat in ihrer jüngsten Phase die Analyse der tragenden gesellschaftlichen Verhältnisse ebenfalls als ein ihrem Begriff Fremdes abgewehrt. Sie beschied sich zunehmend bei dem Studium ökonomischer Prozesse innerhalb der bereits voll entwickelten Tauschgesellschaft, ohne deren Grundkategorien selbst, und ihre Verflechtung mit Gesellschaft und Geschichte, noch thematisch zu machen. Kaum ist es übertrieben, daß beide Disziplinen, indem sie durch solche Resignation für Anforderungen der unmittelbaren Praxis disponibel sich machen, ihr eigentliches Interesse versäumen. Die Zone, die beide im akademischen Betrieb nur höchst ungern betreten, ist die gleiche, in der in Wahrheit die ökonomischen wie die soziologischen Entscheidungen fallen.
Die Arbeit von Peter von Haselberg tastet sich in jene Zone. Sie ist stets zugleich auch gefährdet durch Züge des outsiderhaft Improvisatorischen, welche ihr von der Situation wissenschaftlicher Arbeitsteilung aufgeprägt werden. Der gewählte Gegenstand aber paßt in diese nicht hinein. Veblen, der von der Ökonomie herkam, hat die im engeren Sinn ökonomische Analyse in eine institutionell-soziologische umgebildet. Die ökonomische Kategorie des Eigentums erscheint ihm wesentlich unter dem Aspekt gesellschaftlicher Macht. Vergeudung und ostentatives Nicht-Arbeiten gelten ihm gleichsam als neurotische Symptome einer Gesellschaft, die unter der traumatischen Erfahrung von Gewalt steht. Sein Versuch, einen Indifferenzpunkt zu erreichen, auf dem Wirtschaft und Gesellschaft noch nicht gegeneinander verselbständigt erscheinen, entspringt einem sozialkritischen Impuls. Ihm entspricht sein sardonischer Darstellungsstil.
Während die Arbeit Haselbergs, der entscheidend an der Übertragung von Veblens Hauptwerk, der »Theory of the Leisure Class«, mitgewirkt hat, zu den ersten rechnet, welche die in Amerika höchst folgenreiche Konzeption Veblens – die gesamte Technokratie basiert auf ihr – in Deutschland zugänglich macht, bescheidet sie

sich nicht dabei, sondern ist selbst kritisch: sucht Veblen, durch Reflexion seiner eigenen Motive, über sich hinauszutreiben.
Veblen zufolge, der freilich den Beweis seiner ethnologisch fragwürdigen These schuldig blieb, ist Besitz aus der Gewalttrophäe entstanden und bewahrt als Institution Züge dieses Ursprungs. Demgegenüber entwickelt Haselberg, daß Gewalt nicht im Zweck der Aneignung endet, sondern daß sie als ein »Schadenstiften« gerade auch den Besitz als verselbständigten Wert bedroht; sei es als Vergeudung, sei es als ritueller oder privater Exzeß, sei es als asketischer Verzicht, sei es schließlich als Verschleiß von Konsumgütern. Die Untersuchung trachtet, Veblens Begriff der ostentativen Faulheit, die jener lediglich als Manier oder Marotte auffaßt, in Zusammenhang mit der Theorie der Gewalt zu bringen. Die Attitüde des Schadenstiftens schlägt auf den Besitzer selbst zurück, dem irrationale Verhaltensweisen bis zur Selbstbeschädigung sozial auferlegt werden. Es eröffnet damit sich die Perspektive einer ebenso politisch-ökonomischen wie psychoanalytischen ›Urgeschichte‹ der Destruktionstendenzen innerhalb der bürgerlichen Gesellschaft.
Veblen habe das Verhältnis von Gewalt und Besitz nicht konsequent durchdacht; sie weisen bei ihm unverbunden auseinander. Haselberg möchte die von der Gewalt herstammende Irrationalität bis in scheinbar rationale Verfahrensweisen der modernen Gesellschaft hinein verfolgen. Auch sie sollen von ritualen Elementen, und keineswegs bloß subjektiv psychologisch bedingten, durchsetzt sein. Als ihr Modell wird der Kultus des Lebensstandards behandelt. Die technokratische Zuversicht Veblens, institutionalisierte Vergeudung wäre ohne weiteres durch eine vernünftigere Ökonomie zu ersetzen, wird von Haselberg nicht geteilt. Sein Zweifel stammt aus tiefenpsychologischen Erwägungen, wie sie Freud im »Unbehagen in der Kultur« angestellt hat. Verwandte Intentionen zeichnen sich in der gegenwärtigen amerikanischen cultural anthropology ab.
Weiter behandelt Haselberg das bei Veblen sehr belastete Problem der Funktion der Kunst. Für Veblen wird Ästhetik, analog den Parolen der neuen Sachlichkeit, zu einer Art von Wegweiser aus der von ihm kritisierten ostentativen Gesellschaft. Sein Vorbild fürs Richtige ist das natürlich und zweckmäßig Schöne. Dies dogmatisch unterstellte Prinzip der Schönheit wird jedoch bereits bei der

Analyse von Gebrauchsdingen deren immanenten ästhetischen Normen nicht gerecht. Gelegentlich fällt Veblens Begriff natürlicher Schönheit ins archaisierend Romantische zurück. Seine Lehre von der »ökonomischen Schönheit« ist nach Haselberg untauglich in einer Welt, in der anstelle des Werkzeugs Maschine und Apparatur getreten sind. Sie haben als neues Stilisierungsprinzip den technischen Standard ideologisch fixiert.
Die Endabsicht der Haselbergschen Arbeit richtet sich gegen den heute vorherrschenden Begriff des »Funktionierens«. Er spricht ihm die Rationalität ab: in ihm überlebe Aggression. Diese sei in der Technik keineswegs, wie Veblen noch annimmt, durch Gewöhnung an kausales Denken überwunden worden. Technik selber produziere Gewalttätigkeit als notwendige Haltung gegenüber dem Objekt und vollends gegenüber allen dessen Funktionieren störenden Faktoren. Die Idee der Nützlichkeit für die Menschen, das Regulativ von Veblens Angriff auf die Kultur, sei heute nicht mehr, wie noch um 1900, an der Behebung des existierenden Mangels in der Welt zu orientieren. Im Zeitalter der Überproduktion sei vielmehr der Begriff des Nützlichen selbst zur Ideologie geworden.
Die kritische Entfaltung der angedeuteten Gedanken an dem reichen und zugleich problematischen Material, das der bedeutende amerikanische Soziologe bietet, rührt an Denkgewohnheiten, die in einer zunehmend am Begriff des Funktionierens ausgerichteten Soziologie sich eingeschliffen haben. Das allein schon genügte, die Publikation der Haselbergschen Arbeit in einer soziologischen Schriftenreihe zu rechtfertigen.

Sommer 1962

*Oskar Negt, Strukturbeziehungen zwischen den Gesellschaftslehren Comtes und Hegels. Frankfurt a. M. 1964. (Frankfurter Beiträge zur Soziologie. 14.)**

Negts Schrift befaßt sich mit dem sachlichen Verhältnis – nicht mit etwaigen genetischen Zusammenhängen – zwischen den der Gesellschaft geltenden Gedanken Hegels und der Comteschen Soziologie als Wissenschaft der Geschichte; ihrer Verwandtschaft wie ihrem

* *Von Max Horkheimer und Adorno unterzeichnet.*

Gegensatz. Das Interesse daran erschöpft sich nicht in bloßer Dogmengeschichte. Vielmehr erteilt die Untersuchung Aufschlüsse über die Stellung sozialen Denkens in der Wirklichkeit, an der es sich bildet. Und zwar weit über die Sachgehalte hinaus, deren Identität bei gleichzeitigen Autoren meist sich durchsetzt. Das läßt gerade an Denkern so verschiedenen Wesens und so divergenter Verfahrungsweisen wie Hegel und Comte sich feststellen. Jener war Protestant, dieser Katholik, und bei beiden hat die Religion ihrer Herkunft die Fiber ihres Denkens bestimmt, auch wo es als profan sich verstand. Jener war spekulativer Metaphysiker, dieser hat mit einer monomanischen Pedanterie, welche erst in der Wissenschaftsgesinnung des gegenwärtigen Zeitalters voll erblühte, Metaphysik und Spekulation verfolgt. Aber die Welt, der sie gegenüber sich fanden, ebenso wie die Position, die beide objektiv, und motiviert, in den gesellschaftlichen Kämpfen bezogen, haben sie zu Lehren gebracht, deren Inhalt zuweilen überraschend sich ähnelt. Beide sprachen fürs Bürgertum; Comte für eines, das bereits gesiegt hatte und zur Apologetik überging; Hegel für ein noch ohnmächtiges und politisch gegängeltes. Die Kraft seiner Konzeption drängte ebenso über den beschränkten Zustand hinaus, wie die reale Schwäche derer, die er vertrat, Halt suchte bei der etablierten, bürokratisch-halbabsolutistischen Ordnung. Aber beide waren bereits mit den sprengenden Tendenzen konfrontiert, welche sogleich die neue Ordnung bedrohten. Comte hatte bereits mit dem Proletariat und mit frühsozialistischen Theorien zu rechnen. In Hegels Deutschland waren sozialistische Tendenzen erst diesseits des entfalteten Klassengegensatzes, und darum in romantischer Gestalt erkennbar, etwa an Fichtes Staatslehre; um so leichter fiel es ihm, mit Hilfe der progressiven liberalen Nationalökonomie, sie zu denunzieren. Er sowohl wie Comte jedoch sahen sich vor der Aufgabe, die bürgerliche Dynamik, als eine der Befreiung der Produktivkräfte, zu fördern und gleichwohl, mit einem von Hegel gelegentlich verwendeten Ausdruck, als über sich hinaustreibende einzuschränken. Ihnen bangte vor dem Schreckbild einer Anarchie, das seitdem mehr den Bedürfnissen solider Herrschaft zugute kam als wahrhafter und stets gefährdeter Demokratie. Der geschichtlich-ökonomische Zwang in der Klassenlage war stärker als die sei's noch so unversöhnlichen philosophischen Differenzen, und verhielt sie zur Einheit wider Willen. Was bei Hegel Staat und Staatsgesinnung unmittelbar, soll bei Comte die staatlich institutionalisierte Wissenschaft, zuoberst die Soziologie leisten. Leicht war es, das Unzulängliche beider Rezepte zu bemängeln. Je mehr aber die Dynamik der Gesellschaft jenes Potential eines Besseren versäumte, das über das Rezept hinausgeführt hätte, desto mehr Gewicht gewinnen geistige Erfahrungen aus der Frühzeit des Prozesses, in denen sein späterer Verlauf vorweggenommen scheint. Hegel wie Comte haben, in jeglichem Betracht, die dialektische Verschränkung von Fortschritt und Reaktion ausgedrückt.

Das Buch von Negt hat das Verdienst, die vergleichende Analyse der Hegelschen und Comteschen Lehre von der Gesellschaft differenziert durchzuführen. Dabei ergibt sich viel von der gängigen Meinung Abweichendes. Damals schon ging die Gleichung nicht auf, welche den Positivismus auf die Seite emphatischen Fortschritts und die spekulative Philosophie auf die ideologische nimmt. Wie sehr auch die Hegelsche Rechtsphilosophie, deren pathetischer Staatskult ihm die bedenklichsten Sympathien und den bedenkenlosesten Haß eintrug, die Zustände seines in der industriellen Entwicklung zurückgebliebenen Landes reflektiert – seine Lehre von der Gesellschaft kennt zwar die Dialektik von Reichtum und Verelendung, aber als deren Opfer nur den Pauper –, das spekulative Element verleiht ihr doch kritische Freiheit gegenüber dem, was ist. Comte jedoch erkor die Anpassung an Bestehendes von Anbeginn zur Maxime und empfand den nicht willfährigen Geist einzig als Störenfried. Andererseits erweist sich gerade in der Hegelschen Konstruktion der sozialen Gegebenheiten als eines Sinnvollen ein latenter Positivismus, von dem seine positivistischen Feinde nichts ahnen. Die Bedeutung von Negts Buch liegt nicht zuletzt in solchen Perspektiven.

Parallelen wie Kontraste zwischen Hegel und Comte sind so auffällig, daß es erstaunlich ist, wie wenig die soziologische Wissenschaft bis heute damit sich einließ. Eine Ausnahme dürfte lediglich die Abhandlung »Comte ou Hegel« von Gottfried Salomon-Delatour bilden, publiziert in der Revue positiviste internationale, Paris 1935/36. Professor Salomon hat Oskar Negt während der Arbeit aufs freundlichste beraten; ihm galt auch unser Dank.

Sommer 1963

Heribert Adam, Studentenschaft und Hochschule. Möglichkeiten und Grenzen studentischer Politik. Frankfurt a.M. 1965. (Frankfurter Beiträge zur Soziologie. 17.)

Das Forschungsprojekt, für dessen Durchführung Heribert Adam verantwortlich war und über das er nun berichtet, wurde in einer Vorstandssitzung des Instituts für Sozialforschung im Mai 1960 von Professor Boris Rajewsky vorgeschlagen. Veranlaßt wurde die Untersuchung dadurch, daß in den letzten Jahren etwas an Stimmung und Haltung der Studentenschaft sich zu ändern schien, besonders greifbar in gewissen Schwierigkeiten zwischen der Studentenschaft einerseits, Rektor und Senat andererseits. Die Institutsleitung folgte dankbar der Anregung, den Komplex, dessen Bedeutung nicht nur für die Bildungssoziologie sondern ebenso für praktische Fragen der Universität unmittelbar evident ist, empirisch zu behandeln. Dabei war ebenso die objektive Gültigkeit jener Beobachtung zu überprüfen wie mögliche Ursachen zu ermitteln. Ins Zentrum rückte die Frage, inwieweit die Sprecher der studentischen Selbstverwaltung überhaupt Intentionen und Interessen der Studentenschaft vertreten, oder ob der Selbstverwaltungsapparat als Vehikel zur Durchsetzung von Gruppenzielen, womöglich egoistischen der Funktionäre, diene; weiter, ob Studentensprecher sich als potentielle Führungsschicht fühlen, elitäre Vorstellungen hegen und demgemäß auch sich verhalten. Vermutet wurde, daß, nachdem die Kriegsgeneration unter den Studenten, der es nicht nur auf spezialisierte Fachbildung angekommen war, ausschied, das sogenannte Konsumentenbewußtsein sich auch über die Studenten ausbreite und in ihren Repräsentanten verkörpere.
An der von Adam geleisteten Arbeit bewährte sich nun, daß empirische Untersuchungen, wofern sie hinlänglich eingegrenzten Problemen gelten, ihre Berechtigung erweisen können durch Befunde, die exakt genug sind, um Hypothesen zu verifizieren oder zu falsifizieren. Die Annahmen, die uns leiteten – wenn anders sie Hypothesen genannt werden dürfen –, haben sich nicht bestätigt. Das Buch von Adam ist ein Schulbeispiel dafür, wie empirische Untersuchungen fruchtbar werden, wenn sie zur Kritik auch an theoretisch plausiblen und einleuchtend beobachteten Annahmen führen. In den Befragungen von 173 Studentenvertretern aller westdeutschen

Hochschulen zeigte sich, daß von verbreiteter Opposition innerhalb der Studentenschaft nicht die Rede sein kann; eher wunderten sich auch die befragten Professoren über ein nach ihrem Urteil zu zahmes Verhalten. Konflikte hatten teils in ungünstigen Studienbedingungen, meist in politischen Divergenzen ihren Grund; nicht in Renitenz.

Naturgemäß war die Studie primär subjektiv gerichtet; ebenso deshalb, weil sie sich auf die Mentalität der zu untersuchenden Gruppe bezog, wie auch deshalb, weil das Material über die objektive Rolle der Studentenvertretungen in der jüngsten Geschichte der deutschen Universitäten sichere Schlüsse nicht erlaubte. Daraus ergab sich die Gefahr, das Selbstverständnis der Studentenvertreter, oder anderer Befragter, werde anstelle der Einsicht in die tatsächlichen Verhältnisse, zumal das reale Verhalten der Studentenvertreter gesetzt. Im weiteren Fortgang der Studie wurde versucht, diesem Mangel durch zusätzliche Information so gut wie möglich abzuhelfen; das nicht zuletzt ist dafür verantwortlich, daß die Publikation sich hinauszögerte.

Adams Bericht erörtert zunächst die – keineswegs neu entdeckte – Gleichgültigkeit der Studenten gegenüber ihrer Vertretung, deren Index die geringe Beteiligung bei den studentischen Wahlen ist. Er zeigt, daß jene Apathie schon auf die Gründungsphase der studentischen Selbstverwaltung zurückdatiert. Diese wurde unmittelbar nach Kriegsende eingerichtet, und zwar im Zug von Bestrebungen außerhalb der Studentenschaft selbst, im Zusammenhang mit generellen Demokratisierungstendenzen und auch mit Bedürfnissen der damals sehr desorganisierten Universitätsverwaltung. Daß die Studentenvertretung bis heute in so weitem Maß Sache isolierter Funktionäre blieb, wird aus studienbedingten Organisationsschwierigkeiten erklärt, aber auch daraus, daß die Aufgabenstellung der Selbstverwaltung von den zentralen Interessen der Studenten doch zu weit ablag; schließlich auch aus Wandlungen in der Universität selbst, die von politischen und gesellschaftlichen Entwicklungen determiniert sind.

Jenen Wandlungen geht Adam nach. Mit der Zeit wechseln die Ansichten von Professoren wie Studenten zur sogenannten ›universitären Demokratie‹. Die Kontroversen über die Form der Mitwirkung der Studenten an der akademischen Selbstverwaltung werden referiert und dabei kritisch die von Studenten geäußerte Ansicht analysiert, die Krise der Vertretung rühre von deren beschränkten Kompetenzen her. Während die Forderung nach ›Hochschuldemokratie‹ lediglich erweiterte studentische Mitbestimmung meinte, wie sie an einigen Universitäten auch, mit Sympathie vieler Professoren, realisiert wurde, bildete ihren Hauptinhalt rasch genug eine Rationalisierung des Universitätsbetriebs. Die Studentenvertreter sahen sich mehr stets als Objekte einer Entwicklung, welche die Autonomie der Universitäten gegenüber dem Staat verstärkte und dadurch, nach Auffassung der Studenten, den Professoren Privilegien garantierte, die eine Verbesserung der Studienbedingungen im Sinn der Studenten erschwerten. Deren Forderungen drängten auf rationelle Ausbildung; dadurch gerieten sie in Widerstreit mit der traditionellen Universitätskonzeption; mit der Furcht, die Anpassung der Universitätsorganisation an Prinzipien industrieller Leistungsfähigkeit müsse die letzten Reservate unabhängiger geistiger Entfaltung beseitigen. Soziologisch erblickt Adam, innerhalb jener Konstellation, die Funktion der Studentenvertretung darin, daß das Mitbestimmungsrecht der Studenten in den Organen der akademischen Selbstverwaltung Unzufriedenheit kanalisiere und zugleich den Prinzipien einer autonomen, sich selbst verwaltenden Körperschaft entspreche.

Nach den Befunden der Studie beeinträchtigten jedoch Differenzen über die Hochschulreform selten das gute Verhältnis zwischen Rektor und AStA-Vorsitzendem. Häufiger entstanden Konflikte aus der im engeren Sinn politischen Tätigkeit der Studentenvertreter. Typische Konfliktsituationen werden behandelt, die Argumente der verschiedenen Richtungen mit der herrschenden Praxis konfrontiert. Das ausgiebig belegte Fazit ist, daß die Rechtsaufsicht der Hochschulbehörden über die Studentenschaft in wachsendem Maß sich als Kontrolle der Zweckmäßigkeit politischer Betätigung der Studenten überhaupt auslege. In der traditionell unpolitischen Auffassung, welche die deutschen Universitäten von sich selbst hegen, wird der maßgebende Grund dieser Tendenz erblickt. Insgesamt scheinen die institutionellen Bedingungen an den deutschen Hochschulen politisches Engagement der Studentenschaft eher zu erschweren als zu fördern. Adam warnt erneut davor, auf Grund lokaler Kontroversen das oppositionelle Potential innerhalb der

Studentenschaft, sowohl allgemein-politisch wie hochschulpolitisch, zu überschätzen. Viel eher läßt das vorherrschende Bewußtsein der Studenten nach wie vor als unpolitisch sich charakterisieren. Das wird, für die Gruppe der studentischen Funktionäre, detailliert erläutert am offiziellen Programm ihrer Organisation. Aus ihm zieht Adam den Schluß, daß die Studentenvertretung einer unpolitischen Versorgungsbürokratie sich annähere. Sie beharrt auf dem Subsidiaritätsprinzip, möchte Sozialeinrichtungen in eigener Regie unterhalten. Durch wachsende Beschäftigung mit Verwaltungsaufgaben und Mitwirkung in den Universitätsorganen werden die studentischen Funktionäre, nach dem Urteil von Adam, ähnlich wie die Betriebsräte in der Industrie allmählich in die institutionelle Hierarchie integriert.

Dies Verhalten wird jedoch nicht zu einer bloßen Sache ihrer Gesinnung gemacht oder gar den Funktionären, wie es so vielfach üblich ist, vorgeworfen: ihnen diktiere ihre Abhängigkeitssituation – die von Lernenden – und der Mangel an Unterstützung durch die Zwangsmitglieder der Organisation ihr Verhalten. Wenige Studentenvertreter verfügten nach den Befragungsergebnissen über die Einsicht, daß Interessenvertretung konsequenterweise identisch sei mit politischem Handeln, dessen Berechtigung nicht etwa aus einer besonderen Verwaltung der künftigen Akademiker sich legitimieren müsse.

Der eigentlich soziologische, den informatorischen Beitrag übersteigende Gehalt der Schrift besteht darin, daß sie dazu hilft, die Situation an der Universität als Moment eines weit umfassenderen gesellschaftlichen Prozesses zu begreifen.

Mai 1965

Adalbert Rang, Der politische Pestalozzi. Frankfurt a. M. 1967. (Frankfurter Beiträge zur Soziologie. 18.)

Das Pestalozzibuch von Adalbert Rang, dessen Ertrag weit hinausgeht über den bescheidenen Anspruch, mit dem es auftritt, ist vielleicht am besten zu charakterisieren durch einen darin geübten Verzicht. Der Begriff des Menschenbildes, der seit Jahren in der geisteswissenschaftlichen Pädagogik grassiert, wird strikt vermieden. Und nicht nur aus Antipathie gegen den Jargon, dem jenes Wort angehört. Vielmehr steht dahinter die Absicht, die heute vorherrschenden, an der gängigen philosophischen Anthropologie ausgerichteten Pestalozzideutungen zu revidieren; etwa die von W. Bachmann, der, fundamentalontologisch gerichtet, den »Standort« Pestalozzis als »überhaupt nicht in dieser Welt« ansetzen möchte. Im Gegensatz zu derlei Bestrebungen ist Rang darauf bedacht, Gestalt und Werk Pestalozzis in die konkrete Geschichte: in die Gesellschaft selber zurückzuholen. Seine Aufmerksamkeit gilt dem Politiker nicht weniger als dem Pädagogen. Ausgegangen wird vom Verhältnis Pestalozzis zur Französischen und Helvetischen Revolution. Dabei läßt die Untersuchung den individuell-biographischen Aspekt hinter sich: sie reflektiert ständig auf die ökonomisch-gesellschaftliche Situation der Schweiz um die Wende zum neunzehnten Jahrhundert. Pestalozzis privater Charakter wird auf den sozialen bezogen.

Es entfällt der fatale Anspruch, um jeden Preis die ›Einheit‹ von dessen Entwicklung zu demonstrieren. Eine solche wird so wenig unterstellt, wie die objektive Tendenz, an der Pestalozzi sich abarbeitete, einstimmig und bruchlos ist. Widersprüche im Leben und im Werk Pestalozzis werden in der Arbeit durch die Konfrontation von Äußerungen aus verschiedenen Lebensperioden überhaupt erst ihrer Tiefe nach sichtbar gemacht. Anstatt sie einzuebnen, einen ›uneigentlichen‹ Politiker dem ›eigentlichen‹ Pestalozzi der pädagogischen und kulturphilosophischen Schriften entgegenzuhalten, entziffert Rang die politischen Implikationen noch der späten, scheinbar autonom pädagogischen Arbeiten. Andererseits zeigen sich bereits in frühen Äußerungen Pestalozzis Motive seiner späteren politischen Abstinenz.

Soziologisch hat das Buch sein Gewicht als Beitrag zur konkreten Vermittlung geistiger Positionen durch deren gesellschaftliche Ursprünge und Gehalte. In den Rissen von Pestalozzis Entwicklung erkennt Rang den Ausdruck der objektiven Antagonismen, welche die damals politisch sich konstituierende bürgerliche Gesellschaft schon in ihrer Frühzeit durchfurchten. An einem würdigen Gegenstand wird jene Arbeitsteilung zwischen den Disziplinen überschritten, die auf Kosten der Fruchtbarkeit einer jeglichen geht. Das bedeutet zugleich, inhaltlich, eine energische Veränderung der Vorstellungen von Pestalozzi, dessen ungebärdige Kraft man so behend für autoritäre Ideologien zu verwenden wußte.

Juni 1966

*Regina Schmidt, Egon Becker, Reaktionen auf politische Vorgänge. Drei Meinungsstudien aus der Bundesrepublik. Frankfurt a. M. 1967. (Frankfurter Beiträge zur Soziologie. 19.)**

Während der letzten Jahre hat das Institut für Sozialforschung nach einigen hervorstechenden Ereignissen des öffentlichen Lebens sogleich Umfragen unter der Bevölkerung veranstaltet, um sich deren momentaner Reaktionen zu vergewissern. Der Eichmann-Prozeß, die Spiegel-Affäre und der Metallarbeiterstreik in Baden-Württemberg wurden zum Anlaß rasch vorbereiteter, im Umfang bescheidener Studien, im Researchjargon ›Quickies‹ genannt. Die drei Erhebungen leitete Egon Becker. Er half Regina Schmidt, als sie die zugleich undankbare und lockende Aufgabe übernahm, die Befunde, soweit es angeht, zu integrieren und aus ihnen herauszulesen, was dabei als empirischer Beitrag zur politischen Soziologie betrachtet werden mag.

Die Einwände gegen Quickies liegen auf der Hand; die Publikation ist ihrer sich bewußt. Um an die Daten zu gelangen, ehe sie sich mit den Reaktionen auf andere Ereignisse vermengen, wird die Vorbereitung improvisiert. An strenge, wiederholte Pre-tests ist nicht zu denken; der Anspruch an die Zuverlässigkeit des Forschungsinstruments muß sich bescheiden. Schwerer noch als die technische Insuffizienz wiegt eine im höheren Sinn wissenschaftliche. Da solche Studien auf aktuelle Ereignisse und Situationen sich zuspitzen, ist es schwierig, die Befunde auf strukturelle Zusammenhänge des Gesellschaftsprozesses zu beziehen; die zeitliche Beharrlichkeit der ermittelten Daten erscheint fraglich. Etwas vom Ephemeren des Anlasses teilt den Erhebungen selbst sich mit.

Dem jedoch stehen nicht zu verachtende Vorteile gegenüber. Zu den Regeln eines bedacht entworfenen Fragebogen- oder Interview-Schemas gehört es, soweit wie möglich vage, allgemeine Fra-

* *Von Adorno und Ludwig von Friedeburg unterzeichnet.*

gen zu vermeiden und das sie leitende Interesse zu konkretisieren. Diese Regel kommt freiwillig dem recht nahe, wozu das Quickie aus Not gezwungen ist. Die Tuchfühlung mit den Fakten, die Blickrichtung auf präzis gegenwärtige, spezifische Ereignisse, vermittelt eine lebendige, unfiltrierte Vorstellung von den Ansichten, vielleicht auch Verhaltensweisen der Befragten. Die ständige Alternative von Vor- und Nachteilen, die in der empirischen Sozialforschung gegeneinander abzuwägen sind, betrifft auch das Quickie: was den Resultaten an Verbindlichkeit abgeht, dafür entschädigt in gewissem Sinn, und in Grenzen, daß sie mehr von jenen Momenten der Erfahrung retten, die sich zu verflüchtigen drohen, sobald die Forschungsinstrumente methodisch geschliffen werden.

Die empirische Sozialforschung setzt sich vielfach, und nicht ohne Grund, dem Verdacht aus, durch ihren Zuschnitt auf Quantifizierung qualitative Differenzen einzuebnen und bei der bedeutungslosen Selbstverständlichkeit des Abstrakten zu stranden. Leicht wird darüber vergessen, daß sie ebenso das Umgekehrte zu bewirken vermag: die kritische Differenzierung theoretischer Erwartungen, sei es auch solcher von größter Plausibilität. Die Publikation bietet dafür einige Beispiele. So war die Studie über den Metallarbeiterstreik ausgegangen von der – analog zu amerikanischen Erfahrungen gebildeten – Hypothese, daß in den nicht zur Arbeiterschaft rechnenden Teilen der deutschen Bevölkerung ein Potential von Rancune gegen die Gewerkschaften und deren vorgeblichen Eigennutz vorhanden sei. Die Untersuchung hat diese Hypothese in ihrer ursprünglichen Gestalt nicht bestätigt. – Oder: die oft geäußerte Vermutung, gänzlich Unpolitische neigten eher zu autoritären Reaktionen als politisch Interessierte, war, nach gemeinsamer Interpretation der drei Studien, nicht aufrechtzuerhalten.

Ein prägnantes Ergebnis der drei Studien ist, daß zwar soziale Herkunft, vor allem die durch sie vermittelten Bildungschancen, nicht des Einflusses auf die politische Mentalität der deutschen Bevölkerung entraten, daß derlei Differenzen jedoch zurücktreten hinter auffälliger Uniformität in den politischen Reaktionen. In allen sozialen Schichten und Bildungsgruppen erwies sich die Reichweite politischer Interessen als begrenzt: soweit es nicht um krasse, durchsichtige Schichteninteressen geht, erscheint den meisten die Sphäre der Öffentlichkeit als ihrer individuellen Erfahrung entrückt; es lohne sich nicht, für sie sich zu engagieren. Sowohl bei der Spiegel-Affäre wie beim Metallarbeiterstreik spielten Schichtendifferenzen für das Urteil der Befragten keine erhebliche Rolle. Auch an der Eichmann-Studie ist hervorzuheben, daß das für antisemitische Vorurteile anfällige Potential sich relativ gleichmäßig auf alle Berufs- und Bildungsgruppen verteilt. – Zudem lassen sich wohl eher bei Angehörigen der oberen Mittelschicht und solchen aus Gruppen der sogenannten ›Gebildeten‹ – mit Abitur oder Hochschulabschluß – konkrete oder doch zumindest vage Vorstellungen von den veränderten Lebensbedingungen unter einer Diktatur vermuten. Aber auch hier ist der Anteil derer nicht unbeträchtlich, die politische Regierungsformen für auswechselbar halten, ohne der Konsequenzen eines etwaigen Umschwungs zugunsten totalitärer Herrschaft innezuwerden. Allerorten zeichnet sich die mangelnde Einsicht in die Verflochtenheit von privater Existenz und politischem Prozeß ab.

Die Synopsis der Untersuchungen dürfte, trotz aller Vorsicht beim Wägen der Resultate, den bescheiden angelegten Studien doch vielleicht einiges mehr an Relevanz verleihen, als jeder einzelnen zuzutrauen wäre.

November 1966

*Joachim E. Bergmann, Die Theorie des sozialen Systems von Talcott Parsons. Eine kritische Analyse. Frankfurt a. M. 1967. (Frankfurter Beiträge zur Soziologie. 20.)**

Das Bergmannsche Buch, eine Marburger Dissertation, wird nicht darum in die »Frankfurter Beiträge zur Soziologie« aufgenommen, weil sein Autor aus dem Institut für Sozialforschung hervorging und nach seiner Promotion dorthin zurückkehrte. Bestimmend ist seine Aktualität. Unverkennbar üben die Werke Talcott Parsons' erhebliche Attraktion auch auf die deutsche Soziologie, vor allem ihre jüngeren Exponenten, aus. Sie wird reflektiert noch von dem, was bislang in Deutschland Kritisches über Parsons publiziert wurde.

* *Von Adorno und Ludwig von Friedeburg unterzeichnet.*

Das Interesse an Parsons' Theorie speist sich aus heterogenen Motiven. Zunächst wäre an ihre Funktion für die Fachdisziplin der Soziologie zu denken. Parsons beansprucht, mit seiner allgemeinen Handlungstheorie allen Sozialwissenschaften die gesicherte Grundlage zu geben, ihre Gegenstandsbereiche und ihre Grundkategorien systematisch aus den Bedingungen menschlichen Handelns abzuleiten. Er verspricht damit der Soziologie Eigenständigkeit und bestimmt ihr einen Platz innerhalb der akademischen Arbeitsteilung.

Vor allem aber erklärt sich das Prestige seiner theoretischen Arbeiten aus der Absicht, Gesellschaft als System zu begreifen. Parsons' Soziologie entfernt sich, anschließend an die europäische Tradition, an Durkheim, Max Weber und Pareto, erheblich von jenen Formen der Soziologie, die zumal in den Vereinigten Staaten Theorie mit Sätzen bestenfalls mittlerer Reichweite identifizieren. Mit einem Minimum an Grundkategorien entwirft Parsons ein ungemein weiträumiges Gehäuse, in dem die von der empirischen Forschung ermittelten sozialen Tatsachen ihren Ort und ihre Erklärung finden sollen. Ein durchsichtiger Begriffsapparat, nach den Gesetzen klassifikatorischer Logik konstruiert, soll zu inhaltlich Wesentlichem, zur Einsicht in die Bedingungen des gesellschaftlichen Zusammenhangs verhelfen.

Schließlich wird man die Wirkung seiner Theorie damit verbinden dürfen, daß sie Sicherheit im Gang der soziologischen Erkenntnis verheißt. Ihre Konstruktionsprinzipien orientieren sich in weitem Maße an den methodologischen Postulaten der analytischen Wissenschaftslehre. Sie will szientifische Objektivität wahren, die Möglichkeit bieten, partikulare Einsichten in die Totalität ohne spekulative Risiken einzuordnen. Schlüsselbegriffe wie der der Rolle scheinen zu theoretischer Erklärung geeignet, ohne daß, wer ihrer sich bedient, zunächst befürchten müßte, allzusehr ins Kontroverse sich zu verstricken. An das Bedürfnis nach Sicherheit wird auch insofern appelliert, als die Invarianz solcher Kategorien der der Gesellschaftsstruktur selbst zugutekommt.

Hier setzt Bergmann ein Fragezeichen. Die Intention seiner Arbeit ist die der immanenten Kritik des Anspruchs wissenschaftlicher Neutralität und Objektivität, den Parsons' Theorie erhebt. Demonstriert wird das an konkreten sozialen Phänomenen. Thematisch ist vor allem, was Parsons über den Faschismus, über soziale Schichtung und das Problem der Herrschaft ausführt. Kritik an der allgemeinen Theorie wird kraft kritischer Analyse ihrer Applikationen geübt. Der zentrale Einwand lautet, daß Parsons die Bedingungen des gesellschaftlichen Zusammenhangs durch Werte und Normen hinreichend definiert sieht, während durch normative Kategorien allein nicht fixiert werden kann, wann ein gesellschaftlicher Zustand als funktional zu gelten hat. Neuere systematische Analysen stimmen mit dieser Kritik überein: Habermas zufolge definieren Wertsysteme keine »Sollzustände« einer Gesellschaft; und gerade der neopositivistischen Kritik sind Parsons' Bestimmungen der »funktionalen Einheit« und der »inneren Konsistenz« sozialer Systeme suspekt.

Am Detail wird von Bergmann dargetan, daß der formale Charakter der Soziologie Parsons' weit mehr Inhaltliches impliziert, als ihr und ihren methodologischen Postulaten prima facie anzumerken ist. Die Vernachlässigung der materiellen Momente im gesellschaftlichen Zusammenhang, vor allem der ökonomischen Inhalte von sozialen Strukturen, läßt Werte und Normen zu regulativen Prinzipien des Gesellschaftsprozesses werden, die normativen Kategorien verwandeln sich in solche der Verwaltung der Gesellschaft. Parsons' Soziologie mißt gesellschaftliche Phänomene – etwa die Sozialschichtung – am Maßstab der Ideologie einer Gesellschaft. Die gesellschaftliche Ordnung, das soziale Gleichgewicht, gilt als problemlos, solange nur die nach jenen Kategorien behandelten Gesellschaften funktionieren, also fortfahren, sich selbst zu erhalten. Einigermaßen gleichgültig ist die strukturell-funktionale Theorie gegen den Preis dafür: sie sieht davon ab, ob die Logik der Selbsterhaltung sozialer Systeme menschlichen Zielsetzungen und Interessen gehorcht. Woran aber eine Theorie sich desinteressiert zeigt, der Abstraktionsmechanismus, dem ihre Begriffsbildung gehorcht, ist für den Inhalt der Erkenntnis nicht gleichgültig. Ob man den Faschismus aus der Reaktion gefährdeter sozialer Gruppen mit »abweichenden Motivationen« oder aus Entwicklungstendenzen der Gesellschaft ableitet, die Wahl also der Schlüsselbegriffe, mit welchen analysiert wird, steuert die Analyse selbst und ihre Resultate in bestimmter Richtung.

Die Fruchtbarkeit des Buches von Bergmann dürfte darin zu suchen sein, daß es solche Einsichten nicht allgemein, von oben her exponiert, sondern sie bis ins einzelne, und darum stringent, an einem so repräsentativen Modell wie dem Parsons'schen System entwickelt. Der Gegensatz zwischen einer positivistischen und einer dialektischen Konzeption von der Gesellschaft rückt mehr stets ins Bewußtsein und spitzt sich zu. Bergmann trägt dazu bei, daß die einander opponierenden Schulen nicht starr und dogmatisch sich hinter ihren Axiomen verschanzen, sondern daß ihre Argumente kraft genuiner Diskussion ineinandergreifen. Manche Fragen, die man vermeintlich letzten Grundpositionen zuzuschreiben geneigt ist, erweisen sich in einem solchen Verfahren als objektiv entscheidbar.

Juni 1967

*Manfred Teschner, Politik und Gesellschaft im Unterricht. Eine soziologische Analyse der politischen Bildung an hessischen Gymnasien. Frankfurt a. M. 1968. (Frankfurter Beiträge zur Soziologie. 21.)**

Das Buch von Teschner möchte helfen, die theoretischen und praktischen Überlegungen zur Reform der politischen Bildung durch verläßliche empirisch-soziologische Informationen über die Wirkung des sozialkundlichen Unterrichts an höheren Schulen weiterzutreiben. Aufgabe war, Daten für eine ›Erfolgskontrolle‹ zu ermitteln: Einsicht in die Bedingungen zu geben, von denen eine politische Bildung abhängt, die erreicht, was sie soll, und schließlich die Resultate gesellschaftlich zu reflektieren. Durchgeführt wurden die Forschungen im Rahmen der bildungssoziologischen Arbeit des Instituts für Sozialforschung.

Die Studie nimmt einige Motive aus früheren Studentenuntersuchungen auf und verbindet sie mit Fragestellungen der Bildungssoziologie. Während »Student und Politik«** sich auf die Analyse des politischen Bewußtseins der Studierenden und der gesellschaftli-

* *Von Adorno und Ludwig von Friedeburg unterzeichnet.*

** *Vgl. Jürgen Habermas, Ludwig von Friedeburg, Christoph Oehler, Friedrich Weltz, Student und Politik. Eine soziologische Untersuchung zum politischen Bewußtsein Frankfurter Studenten. Neuwied 1961.*

chen Bedingungen von Beteiligung an Politik konzentrierte, sind bei Teschner die Bedingungen der politischen Bildung an den Gymnasien thematisch. Wie sie wirkt, wird an ihren Resultaten überprüft, den politischen Vorstellungen und Haltungen der Schüler und ihren institutionellen und personellen Voraussetzungen, der Unterrichtspraxis der Lehrer und deren Einstellung zum Fach Sozialkunde. Späteren Studien des Instituts über den politischen Unterricht an Volks-, Mittel- und Berufsschulen diente die Teschnersche als Vorbild; in ihr wurden die Instrumente und die analytischen Kategorien entwickelt, die modifiziert in die darauffolgenden eingingen.

Nicht beschwichtigt wird der Zweifel daran, daß politische Bildung an den Gymnasien ihre Absicht bislang nur unvollkommen erfüllt. Den Resultaten zufolge ist die Mehrheit der Schüler politisch desinteressiert, wenig informiert, und nur eine Minderheit hat dezidiert demokratische Auffassungen. Die Lehrer, politisch meist wenig engagiert und unzulänglich ausgebildet, verfügen nicht über angemessene Kategorien zur Interpretation politischer Vorgänge, um das Interesse der Schüler zu wecken. Da die Erhebungen schon einige Jahre zurückliegen, setzen derlei Befunde dem Einwand sich aus, sie würden der heutigen Situation nicht mehr gerecht. Das gilt allenfalls für die Ergebnisse der Schülerbefragung; nicht für die Analyse des Unterrichts. Wie neuere repräsentative Umfragen zeigen, besteht bei der Mehrheit der Jugendlichen, vor allem bei Oberschülern und Studenten, ein hoher Grad an Bereitschaft, sich an Demonstrationen und politischen Protesten zu beteiligen. Offensichtlich vollzogen sich während des letzten Jahres erhebliche Veränderungen in der Einstellung der Jugendlichen zur Politik. Gewiß ist freilich, daß diese Veränderungen nicht auf den politischen Unterricht in der Schule zurückzuführen sind.

Warum er bislang nur geringe Erfolge zeitigte, wird von Teschner dargelegt. Vor allem krankt die übliche Unterrichtspraxis daran, daß sie politische Phänomene aus ihrem gesellschaftlichen und historischen Zusammenhang löst, auf das Handeln von Einzelnen reduziert und ihren Bezug auf sogenannte individuelle Werte für Erklärungen hält. Kontroverse Themen werden ausgespart, Denkschemata aus dem Alltag mischen sich mit naiv-statischen Vorstellungen von der ›Natur des Menschen‹. Ein dergestalt entpolitisierter Unterricht wird leicht von Lehrern, die einer mittelständischen Ideologie anhängen, konservativ gesteuert. Das vorkritische Bewußtsein der Lehrer reproduziert sich in den Antworten ihrer Schüler. Politische Bildung solchen Stils schafft schwerlich mündige Staatsbürger; sie vermag nicht den engen Gesichtskreis der Schüler zu durchbrechen und sie zu eigenen spontanen Erfahrungen zu befähigen.

Teschners Analyse macht den inneren Zusammenhang zwischen Schule und Gesellschaft, die Übereinstimmung des vermittelten politischen Bewußtseins mit bestimmenden gesellschaftlichen Tendenzen transparent. Zugleich zeigt sie, daß die Chancen für eine wirksame politische Bildung größer sind, als gemeinhin, auch von den Lehrern, angenommen wird. Aus dem empirischen Material ergab sich, daß die vorgefundenen Differenzen in den Kenntnissen und Auffassungen der Schüler von der Art des erteilten Unterrichts verursacht sind; als die ›besten Klassen‹ erwiesen sich die mit einem soziologisch orientierten Unterricht, will sagen, einem, der sich nicht auf die Übermittlung der Kenntnis formaler Ordnungen und Verfahrensregeln beschränkt, sondern auf das lebendige gesellschaftliche Kräftespiel eingeht, das in den politischen Phänomenen sich ausdrückt. Die Folgerung, daß nur eine stärker sozialwissenschaftliche Ausrichtung der politischen Bildung Erfolg verspricht, drängt sich auf. Sie wird von Teschner in einem besonderen Kapitel diskutiert und präzisiert. Politische Bildung muß Motive der Ideologiekritik aufnehmen. Sie vermag die Kruste von Gleichgültigkeit und Desinteresse zu durchbrechen, wenn es ihr gelingt, politische Vorgänge auf die Struktur der sie tragenden Interessen zu beziehen und einen einsichtigen Zusammenhang herzustellen zwischen dem Zustand des Gemeinwesens und den persönlichen Belangen des Einzelnen. Die Hemmnisse der politischen Bildung erblickte die Pädagogik bisher meist in spezifisch deutschen obrigkeitsstaatlichen Traditionen oder auch einfach im allgemeinen Wohlstand. Indem Teschner aufzeigt, daß weder das eine noch das andere zutrifft, eröffnet er die Perspektive eingreifender Korrektur. Sie fügt der bestätigten Erkenntnis sich ein, daß politisch aufgeklärtes Bewußtsein abhängt von jener geistigen Autonomie, die herzustellen der allein legitime Sinn jeglicher Bildung ist.

Frühjahr 1968

»Betriebsklima« und Entfremdung

Die Ergebnisse der Studie* sind aus etwas größerem Abstand – und mit etwas größerer Freiheit der Deutung – zu betrachten, um Perspektiven zu gewinnen, die in unmittelbarer Nähe zum Material kaum sich öffnen.

Der Horizont des Ganzen wäre vielleicht damit abzustecken, daß das Denken der Befragten durchaus systemimmanent verläuft. Auch in kritischen Äußerungen wird nicht das Bestehende in Frage gezogen, sondern was immer negative Akzente trägt, erscheint als Mißstand innerhalb des Gegebenen und grundsätzlich auch als in dessen Rahmen korrigierbar. Man könnte, wofern man sich auf die Auswertung der Interviews beschränkt, dies Grundergebnis anzweifeln, nämlich es dem Forschungsinstrument zur Last schreiben, dessen vorgezeichnete Fragen andere Antworten als im abgesteckten Rahmen der Verhältnisse verbleibende kaum duldeten. Aber auch in den Gruppendiskussionen, die der freien Erwägung jegliche Möglichkeit gewähren, tritt das System als solches kaum je ernsthaft, und gar kritisch, ins Blickfeld, es sei denn, man nähme vage Erinnerungen an einige sozialistische Redewendungen als Ausdruck eines ›systemtranscendenten‹ Denkens. Gerade eine derartige Deutung jedoch wird vom Material nicht gestützt; selbst wo etwa Kapital und Arbeit erwähnt sind, und wo die Interessen der Arbeitenden denen der Kapitalisten entgegengehalten werden, wird jener Gegensatz im Sinne einer unvermeidlichen, gleichsam naturgegebenen Polarität hingenommen. Zwar möchte man dabei das Beste für sich selber und die Gruppe herausholen, zu der man sich rechnet, rührt aber in der eigenen Überlegung nicht an die Grundstruktur.

Womit die Systemimmanenz des Denkens der Befragten eigentlich

* *Vgl. Betriebsklima. Eine industriesoziologische Untersuchung aus dem Ruhrgebiet. Frankfurt a. M. 1955. – Der Text wurde als Nachwort zu der Untersuchung geschrieben, blieb aber unveröffentlicht.*

zu begründen sei, dafür gibt die Untersuchung selbst keine Unterlagen an die Hand. Es ist um so schwieriger, darüber zu urteilen, als vergleichbare Studien aus früheren Stadien des hochindustriellen Zeitalters nicht vorliegen. Wenn die Befragten häufig die höhere Arbeitersolidarität der Vergangenheit rühmen, so erlaubt das Material nicht, zu entscheiden, ob darin ein Wahres steckt, oder ob das Unbehagen an einem Zustand, in dem man sich trotz aller Interessenvertretungen als ohnmächtiges Atom empfindet, zur laudatio temporis acti verführt, derart, daß man auf die heroischen Zeiten der Arbeiterbewegung das projiziert, was einem fehlt und wofür man lieber als sich selbst die Zeitläufte schlechthin verantwortlich machen möchte. Immerhin lassen sich Momente angeben, die das systemimmanente Denken der Befragten erklären helfen. Dazu gehören zunächst die Besserung der Lebens- und Arbeitsbedingungen der Proletarier, die Loslösung der Gewerkschaften von den politischen Parteien, der Mangel an politischer Schulung und die mit dem Zusammenbruch der Hitler-Diktatur einsetzende Skepsis gegen die Sphäre der Politik überhaupt als eine der bloßen Propaganda. Wesentlich dürfte auch die Kompromittierung des Sozialismus durch Rußland sein, den Machtstaat, der sich als sozialistisch behauptet und jedem nicht mit Verblendung Geschlagenen als barbarische Despotie sich zeigt, in der die Arbeiter bis zur Sklaverei sich ausgebeutet und unterdrückt finden.

Nennt man den Bewußtseinsstand der Befragten ›konkretistisch‹, so muß man sich dabei zunächst im klaren darüber sein, daß sie schwerlich konkretistischer sind als andere Gruppen der in ihren subjektiven Bewußtseinsinhalten von der Massenkultur weitgehend nivellierten Bevölkerung. Solcher Konkretismus ist aber keineswegs primär als sozialpsychologisches Phänomen aufzufassen. Er spiegelt vielmehr wider, was objektiv-gesellschaftlich sich abspielt; in ihm manifestiert sich subjektiv eine objektiv entfremdete Gesellschaft. Die Komplexität der modernen Wirtschaft ist den nicht genau Geschulten heute undurchsichtiger als je. Diese Undurchsichtigkeit gilt keineswegs nur fürs Ganze sondern bereits für die industrielle Hierarchie, deren obere Instanzen den Arbeitenden funktionell und personell so fern gerückt sind, und auf die sie so wenig glauben einwirken zu können, daß sie auch nur gering an ihnen interessiert sich zeigen und damit zufrieden sind, das, was etwa zu ihren Gunsten sich durchsetzen läßt, an Sachverständige und Funktionäre, an Spezialisten des Arbeiter-Sektors zu delegieren, die mit den Spezialisten des Kapitals auf gleicher Ebene sich träfen. Die Entfremdung der lebendigen Menschen von den vergegenständlichten gesellschaftlichen Mächten ließe sich durchdringen erst von einer Theorie, welche diese Entfremdung selbst aus den gesellschaftlichen Verhältnissen ableitet. Eine solche Theorie, und die Anstrengung des Begriffs, die sie den Arbeitern zumutet, hätte einzig dann Aussicht, diese zu ergreifen, wenn sie ihnen zugleich als praktisches Mittel zur Verbesserung ihrer eigenen Lage einsichtig wäre. Gerade davon aber kann keine Rede sein angesichts der russischen Entwicklung, in der, unter dem Motto der Einheit von Theorie und Praxis, die Theorie zur Staatsreligion geworden ist, die man nachzubeten hat, während jede kritische Anwendung der Theorie mit Hinsicht auf die angeblich vordringlichen praktischen Aufgaben hintertrieben wird. Vor solchen Entwicklungen ist die Theorie selbst um so weniger gefeit geblieben, als manche ihrer Thesen, insbesondere die der stetig wachsenden Verelendung, in ihrer alten Gestalt sich nicht bewahrheitet haben und nur von Wahnsystemen weiter behauptet werden können. An einer angemessenen, weder opportunistisch den Verhältnissen sich anpassenden, noch die alten Begriffe bloß dogmatisch festhaltenden Weiterentwicklung der Theorie fehlt es ebenso wie an Menschen und Institutionen, die den Arbeitern auch nur noch die alte Theorie zuverlässig übermitteln, geschweige denn diese zu aktuellen Erkenntnissen weitertreiben würden. Die Resignation der Arbeiter zieht lediglich das Fazit aus diesem Stand der Dinge. Nichts wäre falscher und pharisäischer, als ihnen ›Verbürgerlichung‹ vorzuwerfen, wie wenn sie ihre Ideale aus Sattheit preisgegeben und damit nachträglich widerlegt hätten. Die objektive Verfassung der Welt und der organisatorische Zustand der Arbeiterschaft läßt dieser kaum mehr eine andere Wahl als in der Sorge ums Nächste sich zu erschöpfen. Das Verhältnis von Kapital und Arbeit wird von den Arbeitern nur noch als ›Resultat‹ in seiner geronnenen Form, so wie es dem naiven Kontrahenten im Arbeitsvertrag sich darstellt, wahrgenommen. Die unmittelbare Erfahrung, daß zur industriellen Arbeit Kapital vorgestreckt werden müsse, die vordem nur von der anderen Seite vertreten, von der Theorie aber kritisiert war, wird wegen des Mangels an Theorie oder zum mindesten an deren Kenntnis von den Arbeitern kaum bestritten, und die Frage nach dem Ursprung des Kapitals selber im Produktionsprozeß ist gänzlich in Vergessenheit geraten. Daher will man sich bescheiden im Bestehenden einrichten, und die herrschende Prosperitätsperiode wie die Erinnerung an die Notgemeinschaft der ›Sozialpartner‹ in der Zeit des Wiederaufbaus helfen jene Gesinnung zu verstärken.

Übrigens ist keineswegs ausgemacht, ob es früher, als noch Klassenkampfparolen galten, wirklich so gar anders – ob nicht damals das Bewußtsein zahlloser Arbeiter gespalten war in theoretische Vorstellungen und unmittelbare Erfahrungen. Schon damals mögen der Sozialismus als ›Weltanschauung‹ und die empiristisch-nüchterne Beurteilung der je erfahrbaren Verhältnisse, die Thorstein Veblen zufolge den industriellen Arbeiter stets schon charakterisiert, disparat nebeneinander hergelaufen sein. Die institutionelle Scheidung zwischen den sozialistischen Parteien einerseits und den Gewerkschaften andererseits hat diese Divergenz ausgedrückt und gefördert; heute scheint der Konflikt ganz und gar zugunsten eines angepaßten Realitätssinnes entschieden. Das Mißverhältnis zwischen der zusammengeballten Macht der Verhältnisse und der Ohnmacht des einzelnen schlägt im Denken des einzelnen sich nieder – selbst die Einsicht ins Wahre nimmt für ihn den Aspekt des unnützen Ballasts und der peinlichen Erinnerung an, wenn ihr keine einigermaßen durchsichtige Anweisung zur verändernden Praxis sich gesellt; wenn der Zustand, von dem aus der bestehende kritisiert werden könnte, trotz aller Fortschritte der technischen Mittel unerreichbar dünkt. Die Systemimmanenz im Denken der Befragten zieht daraus die Folgerung, und insofern sie dem realen Zustand selber, den sie nicht mehr durchdringt, eben damit auch wiederum Rechnung trägt, ist sie keineswegs bloß falsches Bewußtsein.

Unter dieser Generalklausel stehen zumal die komplizierten und untereinander nicht widerspruchsfreien Resultate hinsichtlich des *Lohns*. Es ist daran zu erinnern, daß in der Umfrage »Lohnzufriedenheit« instrumentell definiert war, nämlich durch die Antworten auf vorverschlüsselte Fragen danach, ob die Bezahlung im Werk der Leistung angemessen sei. Aber auch die freien Äußerungen über den Lohn, die der Studie in den Gruppendiskussionen zugefallen sind, tragen relativen Charakter. In erster Linie wird ans Verhältnis des Lohnes zu dem anderer, zumal besser Gestellter gedacht. Mit dem Lohn ist man zufrieden, wenn man innerhalb des gegebenen Zustandes glaubt, ungefähr das Erreichbare erreicht zu haben; unzufrieden, wenn man selber ebenso gut dran sein möchte wie eine übersehbare und dem Lebensstandard nach mit den eigenen Forderungen vergleichbare Gruppe.

Jener Blick auf das Nahe und Erreichbare und die ihm durchweg entsprechende – ›konkretistische‹ – Haltung zeigt sich als Phänomen gesellschaftlicher Entfremdung zumal in einem Sektor, der selber schon nach dem Maß von Nähe und Unmittelbarkeit dem Begriff des Betriebsklimas spezifisch zugehört, dem Verhältnis zu Kollegen und zumal *Vorgesetzten*. Innerhalb einer hierarchischen, arbeitsteiligen Organisation mit streng geschiedenen Teilfunktionen kommen vorab die ›nahen‹ Vorgesetzten mit den Arbeitenden in Berührung, so daß von menschlichen Beziehungen wesentlich nur in diesem engen Umkreis gesprochen werden kann. Hinzu tritt aber ein sozialpsychologischer Aspekt. Die Erfahrung, gerade jenen entfremdet zu sein, von denen das eigene Schicksal weithin abhängt, ist schmerzvoll: um der Kälte und Einsamkeit willen, die sie bringt, ebenso wie wegen des Gefühls, selbst nur fungierendes Objekt und, trotz aller Reden vom Menschen, auf den es ankomme, nicht Subjekt zu sein; schließlich aber auch, weil sich die Angst verstärkt, daß man anonymen Mächten und Prozessen ausgeliefert sei, von denen einem jede Anschauung fehlt, die man darum nicht begreift und denen man dann doppelt hilflos gegenübersteht. All dem innerlich standzuhalten, scheint ungemein schwierig, und man hilft sich triebökonomisch damit, daß man das Ferne und Undurchschaubare ins Nahe und Verständliche, das Verdinglichte ins Menschliche, sei's auch im Widerspruch zur Realität, übersetzt. Das ist der Mechanismus der *Personalisierung*, dessen Gewalt um so größer ist, weil er sich stets an das tatsächlich genauere Wissen vom Näheren anzuschließen vermag. Daß es sich jedoch um einen eigenständigen sozialpsychologischen Prozeß von großer Gewalt, nicht um der Wirklichkeit voll angemessene Urteile handelt, wird daran deutlich, daß dem Nahen immer wieder auch solche negativ erfahrenen Momente aufgebürdet werden, die gar nicht in der Nähe ihren Ursprung haben. Daß Vorgesetzte niedriger Grade, an welche die Verfügungsgewalt delegiert ist, etwa wie Unteroffiziere in Armeen, oftmals den »rauhen, aber nicht herzlichen« Ton praktizieren, über den in den Diskussionen geklagt wird, verstärkt jene psychologische Neigung. Bekannt ist, daß Menschen mit schmalem Einkommen ihren Haß gegen den Einzelhändler richten, an dessen Preisen ihnen zum Bewußtsein kommt, daß ihr Verdienst nicht ausreicht, und nicht gegen die mehr oder minder unsichtbaren Ursachen der kargen Verhältnisse, unter denen sie leben. Ähnlich werden von den Arbeitern die unmittelbar Vorgesetzten für alles Mögliche verantwortlich gemacht, wofür sie kaum verantwortlich sein dürften, nur weil man dann wenigstens negativ eine Spur des Menschlichen in der entfremdeten Welt sich bewahrt; weil man sich überhaupt an eine Person, die man sieht und hört, meint halten zu können.

In diesem Sinn erweist sich der Begriff des »Betriebsklimas«, sei es positiv oder negativ, als problematisch, wofern man ihn nicht so eng faßt, wie in der instrumentellen Definition. Tritt dieser Begriff in den Vordergrund, so stellt das Nahe sich vor das Ferne, als wäre es wichtiger, während das eigentlich Wichtige gar nicht im Bereich der menschlichen Beziehungen entschieden wird; und dies falsche Bewußtsein entsteht notwendig aus der Situation. Kleine Beschwerden, über deren Recht oder Unrecht die Studie nichts auszumachen vermag, spielen vielfach die Rolle von Katalysatoren für Regungen ganz anderen Ursprungs. Was im gesamtgesellschaftlichen Verhältnis wurzelt, wird nicht dort aufgesucht, sondern bei den nächstgreifbaren Personen, also wesentlich den Vorgesetzten niedrigen Grades.

Erst im Zusammenhang solcher Überlegungen dürfte der Stellenwert des Komplexes »Lohn« sich einigermaßen bestimmen. Sicherlich werden, solange die Prosperität währt, die Löhne in dem studierten Bereich nicht als grundsätzlich unangemessen empfunden; das potentielle Unbehagen der Arbeiter dürfte viel eher an ihre gesamtgesellschaftliche Lage, schließlich an das Bewußtsein ihrer Ohnmacht, zumal gegenüber den Naturkatastrophen der Konjunktur, geknüpft sein, als daß es sich auf die gegenwärtigen materiellen Bedingungen bezöge. Selbständigkeit oder Unselbständigkeit, Sicherheit oder Unsicherheit, Würde oder sich als bloßes Objekt wissen – alle diese Momente eines ›sozialen Standards‹ sind im subjektiven Bewußtsein der Arbeiter mit den im engeren Sinn materiellen Bedingungen, der Spanne von Lebenshaltung und Existenzminimum, verschmolzen. Vielfach wird die Ahnung der Unfreiheit heute auf ›ideologische‹ Momente verschoben.

Im übrigen scheint – wenn eine Spekulation erlaubt ist – das Bewußtsein der Entfremdung, vielleicht im Zusammenhang mit der fortschreitenden Rationalisierung der Produktionsweise, anzusteigen. Selbst die Institution der Betriebsräte ist in Betrieben oberhalb einer gewissen Größenordnung, ähnlich wie längst schon die Gewerkschaften, dem Erfahrungsumkreis weithin entrückt, und man klammert sich mit Vertrauen und Mißtrauen an jene, die buchstäblich den Namen »Vertrauensleute« tragen. Ob im Zusammenhang damit der gesellschaftliche Denkhorizont der Arbeiter einschrumpft; ob es sich hier um eine sozialpsychologische Dynamik handelt, die einer objektiven in der Produktionssphäre entspricht, oder ob heute die empirische Sozialforschung erstmals auf Sachverhalte stößt, die in der Industriegesellschaft relativ konstant sind, aber früher durch ein theoretisch geprägtes Bild des Arbeiters überdeckt waren, läßt sich aufgrund der Ergebnisse der Studie nicht ausmachen. Deutlich dagegen zeichnet, im Sinne einer Ambivalenz der Neigung zum ›Personalisieren‹, zuweilen ein gewisses Mißtrauen der Arbeiter gegen ihre Repräsentanten sich ab; sei es, daß diese, innerhalb der gegebenen Verhältnisse, nicht das erreichen können, was man von ihnen erwartet, sei es, daß man sie, die Erreichbaren, die man unter seinesgleichen zählt, zu Sündenböcken für ein vages, abstraktes und darum vielleicht in der Tiefe besonders qualvolles Unbehagen macht. Immer wieder ist im Kontrast dazu von den besseren alten Zeiten die Rede, in denen die Arbeiter noch zusammenhielten, in denen man füreinander eintrat, in denen der Druck, vor allem die ›Hetze‹ durch die Maschinen, geringer war. Überaus schwierig dürfte es sein, in solchen Aussagen das bloße Projektive vom Wahren zu scheiden. Vermutlich überträgt man auf die Frühzeit der Schwerindustrie Vorstellungen, die in einer viel weiter zurückliegenden Vergangenheit beheimatet sind, die erst als unwiederbringliche die Aura des Humanen gewinnt. Wegen der viel längeren Arbeitszeit; der Abwesenheit der Arbeitnehmervertretungen und sozialen Einrichtungen, welche den Druck mindern; der weit größeren physischen Beanspruchung vor der Mechanisierung war sicherlich die Industriearbeit früher weniger erträglich als heute; selbst wo die Maschinen das Arbeitstempo des einzelnen steigern, dürfte das gegenüber der physischen und psychischen Überlastung des Arbeiters der Zeiten von Dickens, von Engels oder auch noch von Zola kaum ins Gewicht fallen. Möglich dagegen ist es, daß man in Perioden einer kraftvollen Arbeiterbewegung in der Tat ein stärkeres Gefühl von kollektivem Rückhalt, von Geborgenheit hatte, und vor allem auch jene Art weitgespannter Hoffnung, die man heute zum alten Eisen all der Ideen zu werfen beginnt, die nach Spenglers Wort gegenüber den Fakten immer gleichgültiger werden. Daß es an solcher Hoffnung fehlt, ist wohl der innerste Grund für die illusionäre Verklärung der Vergangenheit.

Aus jener Zeit ist im Bewußtsein der Befragten noch manches übrig, aber aus dem lebendigen Zusammenhang gelöst, schlagworthaft gefroren, und in der Tat von der eigenen lebendigen Erfahrung so fern wie jene Männer, die man mit vager Gebärde ›die Kapitalisten da oben‹ nennt. Die Tendenz, sich in der Realität durch ein paar starre, verdinglichte und zugleich magisierte Begriffe zurecht zu finden – man hat mit Recht von einem ›Abstraktismus‹ als der unvermeidlichen Ergänzung des Konkretismus gesprochen – ist heute recht universal. Bei den Arbeitern geistern da Vorstellungen aus den verschiedensten Bereichen durcheinander, sozialistische wie die von Arbeit und Kapital, ein verschwommener Begriff von Gemeinschaft, auch Ausdrücke jüngster Prägung wie Managerkrankheit, unter der sich kaum einer etwas Rechtes wird denken können, an deren Realität man überhaupt zweifeln darf, die man aber doch für sich beansprucht – wäre es auch nur, um auf diese Weise mit dem Entfremdeten, eben den ›Managern‹, sich wenigstens im Gedanken an die Hast des Daseins zu identifizieren, die allen gleichermaßen das Leben verkürze.

Aus solchen gesamtgesellschaftlichen und keineswegs in den spezifischen Erfahrungen der Befragten sich erschöpfenden Zusammenhängen fällt ein Resultat heraus: der Unterschied zwischen dem ›Klima‹ im *Bergbau* und in den eisenschaffenden und -verarbeitenden Betrieben. Verantwortlich dafür sind offensichtlich von subjektiven Momenten unabhängige, handfeste Differenzen der Produktionsbedingungen. Diese sind im Bergbau, verglichen mit den modernen Fabrikationsverfahren, ›archaisch‹; dem nicht technologisch Gebildeten steht kein Urteil darüber zu, ob das an korrigierbaren Inhomogeneitäten und »Ungleichzeitigkeiten« der technischen Entwicklung liegt, oder ob, wie es jedenfalls dem von außen kommenden Besucher einleuchtet, durch die natürlichen Gegebenheiten im Bergbau der Technisierung Grenzen gesetzt sind, die sich heute durch den Gegensatz zu anderen Sphären besonders fühlbar machen. Möglicherweise verstärken sich sogar aus technologischer Notwendigkeit, nämlich dem in den untersuchten Bergwerken herrschenden Zwang, beim Abbau der Kohle in immer größere Tiefen zu gehen, die Schwierigkeiten und Unbequemlichkeiten der Produktion weiterhin. Daß freilich die Unzufriedenheit der Bergleute aufs Betriebs*klima* sich richtet, weist wieder über die materiellen Produktionsbedingungen an Ort und Stelle hinaus: auch das Verhältnis zur Arbeit ist, zumindest oberhalb einer gewissen Schwelle des überhaupt Erträglichen, nicht absolut, sondern bestimmt sich nach dem *durchschnittlich* herrschenden Standard der Technik. Dieser aber ist in der Hütte, gegenüber der Zeche, so weit fortgeschritten, daß der nach dem Gesamtstandard messende Bergmann sich benachteiligt fühlt, selbst wenn objektiv jener Gesamtstandard in seinem Sektor gar nicht herzustellen sein sollte.

Auch hier läßt sich ein der Personalisierung Verwandtes beobachten: die Klagen im Bergbau gelten weniger der gefährlichen und stets noch höchst unbequemen und mühsamen Arbeit selbst als dem vielfach als schroff und antreiberisch bezeichneten Verhalten der Vorgesetzten. Sollten diese Klagen berechtigt sein, so stände immer noch dahin, ob nicht die ebenfalls ›zurückgebliebenen‹ Methoden der Vorgesetzten eben daher rühren, daß dem von ihnen erwarteten Soll erhebliche Schwierigkeiten gegenüberstehen, die sie zum Forcieren nötigen: sie mögen lediglich den Druck weitergeben, der auf ihnen selber lastet. Hinzu kommt, daß die soziale Schätzung, deren früher der Bergmann sich erfreute, offenbar abnimmt in demselben Grad, in dem seine Arbeit als gegenüber der modernen, hochmechanisierten zurückgeblieben, gleichsam als ›niedere Arbeit‹ sich darstellt. In der Tat fühlen die befragten Bergleute heute sich vielfach mißachtet. Durchweg hängt ja das Prestige einer Arbeitsform weniger von der Mühe und Anstrengung ab, die sie erheischt, als, wenn man so sagen darf, von ihrer technologischen Arriviertheit, analog vielleicht dem aus dem letzten Krieg berichteten Sachverhalt, daß das Prestige der Luftwaffe das der Infanterie weit übertraf.

Nirgends so sehr wie im Bergbau wäre eine wirklich zulängliche soziologische Analyse auf das genaueste Studium der objektiven Gegebenheiten verwiesen, vor allem auch auf die Frage, ob dort heute im Rahmen der Rentabilität eingreifende Verbesserungen der Arbeitsbedingungen durchführbar wären. Sollte das der Fall sein, so würde damit fraglos auch das ›Klima‹ sich verbessern. Es ist nichts Primäres, sondern ein Epiphänomen. Selbst Momente wie die Fluktuation der Belegschaft im Bergwerk und der erhebliche Anteil an Neulingen und ›Fremdarbeitern‹ dürften sich ihrerseits wesentlich aus den objektiven Bedingungen der wenig verlockenden Arbeit herleiten, die dann nochmals, vermittelt durch jene personellen Tatbestände, das ›Klima‹ beeinträchtigen. Eine auf subjektive Verhaltensweisen gerichtete Untersuchung konnte zwar Probleme bezeichnen, keineswegs jedoch Lösungen empfehlen: es hätte ihren Umfang, und die Kompetenz der Untersuchenden, überschritten, die Verflechtung der objektiven und subjektiven Momente zu entwirren. Nicht mehr kann hier geschehen, als an das Ermittelte grundsätzlichere Erwägungen anzuschließen, ohne diese etwa als ›Resultate‹ auszugeben.

Ein Resultat jedoch drängt sich bei der Übersicht über die ganze Studie auf, das in den Einzelanalysen nur allzu leicht verloren geht: der unerschöpfliche Fonds an gutem Willen bei den Arbeitern. Dieser gute Wille äußert sich nicht ideologisch und nicht sentimental; es wird kaum je abstrakt auf die Arbeit als Grundbedingung aller Kultur eingegangen. Aber stillschweigend wird die Bereitschaft zur Arbeit anerkannt. Auch wo man sich im einzelnen beschwert, klingt etwas wie Freude an der Leistung, am Vollbringen durch – eine ihrer selbst unbewußte Solidarität mit der Erhaltung des Lebens. Daß dieser von Veblen so genannte »instinct of workmanship« keine Naturanlage, sondern selbst ein gesellschaftlich Vermitteltes ist, steht außer Frage; ebenso aber, daß er sich tief in den Menschen niedergeschlagen und verinnerlicht hat, und auf diesem eminent Positiven beruht wesentlich überhaupt die Reproduktion der Gesellschaft. Auch den Oppositionellen fehlt durchaus der Ton des Hämischen und Menschenfeindlichen – ein Aspekt der

›Systemimmanenz‹, der als Bürgschaft zukünftiger Möglichkeiten nicht hoch genug angeschlagen werden kann. Diese gesamtgesellschaftliche Solidarität nimmt, wenn sie mit einem den nahen Dingen verhafteten Bewußtsein sich verbindet, Formen an wie die der Identifikation mit der Firma, des Gefühls der Verpflichtung, im einmal akzeptierten Tauschverhältnis das Beste herzugeben, die gewisser patriarchalischer Vorstellungen von Treu und Glauben. Billig wäre es, über die Naivetät solcher Begriffe zu lächeln. Das Element einer alle Beschränkungen der Selbsterhaltung und des je eigenen Interesses unter sich zurücklassenden Freundlichkeit ist um so substantieller, je mehr es in solchen Beschränkungen selber sich ausspricht. Die affektive Bindung vieler Arbeiter an die Technik wird man dabei nicht übersehen können. Sie als ›fetischistisch‹ zu kritisieren, ist leicht, aber in ihr verbirgt sich, bis hinab in die Bastelei, der Traum von einem Zustand der Menschheit, der des Bösen nicht mehr bedarf, weil kein Mangel mehr sein muß.

1955

Vorwort zum Forschungsbericht über »Universität und Gesellschaft«*

Die Tatsache der Hochschulkrise und der Gedanke an eine deutsche Hochschulreform, der bereits vor dem ersten Weltkrieg sich aufdrängte, ohne daß er bis heute realisiert worden wäre, schließen eine Herausforderung an die empirische Sozialforschung ein: Beobachtungen und theoretische Erwägungen über den gesamten Fragenkomplex zu ergänzen durch verbindliche Aussagen darüber, wie sich das Problem der deutschen Hochschule in der gegenwärtigen Gesellschaft denen darstellt, die es am unmittelbarsten berührt. Das sind die Studierenden, die akademischen Lehrer und die Kreise von Wirtschaft und Verwaltung, welche die Absolventen der deutschen Hochschulen in sich aufnehmen, ökonomisch gesprochen also: deren ›Abnehmer‹, jene, die mit den Menschen zu rechnen haben, welche die Universitäten als Graduierte entlassen. Die Diskussion über die Universitätskrise betrifft zentrale Bereiche des akademischen Wesens: das Verhältnis der Fachausbildung zur Bildungsidee und damit die Vorschläge zum studium generale; das personelle und sachliche Verhältnis von Lehrenden und Lernenden, und im Zusammenhang damit den Mangel an Dozentennachwuchs und die wirtschaftliche Lage der Dozenten; Wert und Unwert des Werkstudententums, schließlich die Formen studentischen Gemeinschaftslebens – alles Gegenstände, bei denen die Ansicht derer in die Waagschale fällt, die von ihnen in lebendiger Erfahrung etwas wissen. Dies Wissen war bisher, in wissenschaftlich einigermaßen verbindlicher Form, der Diskussion nicht zugänglich. Ihr möchte die Erhebung des Instituts für Sozialforschung an der Frankfurter Johann Wolfgang Goethe-Universität Materialien,

* *Vgl. Universität und Gesellschaft. Eine Erhebung des Instituts für Sozialforschung unter Mitwirkung des Instituts für vergleichende Sozialwissenschaften. Hektographierter Forschungsbericht. – Das Vorwort ist unterzeichnet von Max Horkheimer und Adorno.*

wenn auch nicht mehr als Materialien, beistellen: die Nächstbetroffenen, Studenten, Professoren und Praktiker aus Verwaltung und Wirtschaft, Experten also, die mit dem akademischen Nachwuchs vertraut sind, sollen zu den wichtigsten Themen zu Wort kommen und ihre Ansicht soll derart verarbeitet werden, daß sie sowohl der quantitativen Verteilung der vorkommenden Motive nach sich wägen wie qualitativ sich übersehen läßt. Die Untersuchung, über die hier ein erster und in vieler Hinsicht noch vorläufiger Forschungsbericht vorgelegt wird, ist *perspektivisch* konzipiert. Die Fragen, um die es geht, werden von den unter sich wesentlich verschiedenen, ja zuweilen einander widersprechenden Ansichten jener drei Gruppen her behandelt. Der Vergleich von Meinungen aber, deren typische Differenzen durch die der Ausgangssituationen der Befragten vorgezeichnet sind, soll helfen, das objektive Urteil zu erleichtern, dessen dann Vorschläge zur praktischen Reform sich bedienen mögen.

Weit entfernt sind wir dabei jedoch von der Illusion, daß etwa die Synthese der Ansichten der drei befragten Gruppen ohne weiteres einen objektiven Befund über die Sache ergäbe. Was erforscht wurde, sind – das kann kaum nachdrücklich genug betont werden – eben nicht die Sachverhalte selbst, sondern Meinungen über die Sachverhalte. Die subjektive Grenze der bloßen Meinung wird keineswegs automatisch dadurch aufgehoben, daß man Meinungen divergenter Gruppen miteinander vergleicht und etwas wie das arithmetische Mittel zwischen ihnen errechnet. Bei aller Kritik des traditionellen Bildungswesens, das in der gegenwärtigen Gesellschaft überaus fragwürdig wurde und zur bloßen Ideologie herabsank, sind wir soweit jedenfalls Platoniker geblieben, daß wir subjektive Meinung und objektive Wahrheit voneinander unterscheiden und uns nicht einbilden, der Durchschnitt der subjektiven Meinungen sei die Wahrheit selber. Dies Mißverständnis verleiht dem Wort Meinungsforschung seinen fatalen Klang, und ihm vermag sie nur dann zu entgehen, wenn sie nicht die empirische Zuverlässigkeit ihrer Verallgemeinerungen, also die Verbindlichkeit dessen, was sie über die subjektiven Bewußtseinsinhalte ausmacht, mit der objektiven Verbindlichkeit dessen verwechselt, was die Befragten denken. So notwendig es ist, sich ein Bild darüber zu verschaffen, wie Studenten, Professoren und Fachleute die deutsche Universität heute sehen, so wenig sind ihre Ansichten, zum Guten oder Schlechten, unvermittelt Ausdruck dessen, was es mit den Universitäten nun wirklich auf sich hat. Das Bewußtsein all dieser Gruppen von sich selbst ebenso wie ihr Verständnis der äußerst komplexen Lage, in der die Universität durch den Widerstreit zwischen der traditionellen Bildungsidee, den praktischen Anforderungen des gegenwärtigen Berufslebens und einer erst sich bildenden Vorstellung von freien und bewußten Menschen sich befindet, ist begrenzt, ohne daß die Gruppen, oder einzelne ihrer Repräsentanten, Schuld daran trügen. Der Schleier, der etwa vielen Studenten verbirgt, daß ihre Zurichtung auf den Beruf auch eine Zurichtung ihrer Menschlichkeit ist, oder vielen Professoren, daß das Humboldtische Bildungsideal, das sie noch als selbstverständlich voraussetzen, unvereinbar wurde mit den realen Bedingungen des gegenwärtigen Lebens, oder manche Experten dazu verführt, die Idee der allgemeinen Bildung so zu wenden, als ob sie nichts anderes wäre als die Fähigkeit von Praktikern, als Agenten wirtschaftlicher Interessen mit ihren Kontrahenten auch über anderes sich zu unterhalten als über die geplanten Abschlüsse – all das ist selber von der Gesellschaft vorgezeichnet und nicht von der bloßen Psychologie derer, die dergleichen Vorstellungen hegen. Während das Fragwürdige der Meinung als bloßer Meinung in dem Bericht vielfach durchschimmert, geht es thematisch nicht darum, sondern es werden die Meinungen, ob auch gelegentlich kommentiert und durchwegs interpretativ verarbeitet, doch als das vorgelegt, als was sie sich geben. Um so dringender ist der Vorbehalt, sie nicht zum Kanon des Guten und Schlechten, des zu Tuenden und des zu Vermeidenden zu machen. Nur in Zusammenhang mit anderen, prinzipiell auf objektive Sachverhalte gerichteten Analysen des deutschen Hochschulwesens gewinnen die Befunde der Untersuchung ihren rechten Stellenwert. Umgekehrt bedürfen aber alle Aussagen über Hochschulkrise und Hochschulreform, wenn sie nicht an abstrakten Normen sich messen wollen, der Gegenüberstellung mit den Reaktionsweisen derer, die ihrer Interessenlage nach den Universitätsproblemen am nächsten sich befinden und die Symptome der Universitätskrise am eigenen Leibe spüren.

Die Untersuchung als ganze hat sich mit einer gewissen Absichtslosigkeit aus bescheidenen Anfängen im Rahmen der Arbeit des Instituts für Sozialforschung an der Ausbildung junger Studenten entwickelt. Die *Studentenbefragung* ging hervor aus einem Praktikum des Instituts; in ihren früheren Phasen wurde sie von Hans Sittenfeld unter Assistenz von Helmut Wagner geleitet; später trug die Hauptlast der Auswertung und der Formulierung des Forschungsberichts Christoph Oehler, assistiert von Jutta Thomae. Die *Professorenbefragung* wurde von Anfang an in engstem Kontakt mit der Hochschule für Internationale Pädagogische Forschung in Frankfurt durchgeführt. Sie stellte insbesondere ihren Mitarbeiter Hans Anger zur Verfügung, der gemeinsam mit Hans Sittenfeld und Friedrich Tenbruck die Studie betreute. Als die Herren Anger und Tenbruck von dem Stuttgarter Institut für vergleichende Sozialwissenschaften übernommen wurden, regte einer von dessen Leitern, Professor Dr. Eduard Baumgarten, an, daß die beiden Herren ihre Frankfurter Aufgaben in Stuttgart zu Ende führen möchten; das Institut für Sozialforschung ist gern darauf eingegangen. Die *Expertenbefragung* endlich erhebt, im Gegensatz zu den beiden anderen Teilen der Untersuchung, keine Ansprüche auf repräsentative Gültigkeit. Sie war ursprünglich von Hans Sittenfeld und Friedrich Tenbruck in die Wege geleitet worden. Die Auswertung des Materials mußte warten, bis die der Studentenumfrage weit fortgeschritten war. Sie ist im wesentlichen das Werk von Ulrich Gembardt; ihn unterstützte Christian Kaiser.

Die Gesamtplanung des Projekts lag beim Frankfurter Institut für Sozialforschung. Die Einleitung schrieb Jürgen Habermas.

Dank für finanzielle Beiträge gebührt der Deutschen Forschungsgemeinschaft, der Amerikanischen Hochkommission für Deutschland und der Hochschule für Internationale Pädagogische Forschung in Frankfurt.

1956

Theodor W. Adorno und Christoph Oehler

Die Abhängigkeit des Ausbildungszieles von den Studienerwartungen der Studenten[1]

Geht man davon aus, daß die Situation unseres Bildungswesens tatsächlich antagonistisch ist; daß die Studierenden nicht nur zwischen Divergentem zu wählen haben, sondern versuchen müssen, Widerstreitendes wie ihr spezifisches sachliches Interesse und ihr materielles Fortkommen zusammenzubringen, so wird man geradezu erwarten dürfen, daß einander widersprechende Motive an der Wahl des Studiums und des Studienfaches beteiligt sind. Man wird sich den Entschluß selbst – falls überhaupt so etwas wie ein artikulierter Entschluß dem Studium zugrunde liegt – als Resultante eines Kräfteparallelogramms vorstellen müssen.

Das gilt freilich nicht schlechterdings, sondern hat seinen historischen Stellenwert. Einmal, selbst unter den Bedingungen entfremdeter Arbeit, ist es wahrscheinlich anders gewesen; und selbst heute ist es stets noch in einzelnen Bereichen anders. In jener Periode, welche man die des aufsteigenden Bürgertums zu nennen liebt, etwa von der industriellen Revolution bis zum Hochkapitalismus, hat fraglos zwischen menschlichen Produktivkräften, wie der Begabung für Chemie, Physik, technische Fächer, und den beruflichen Anforderungen eine temporäre, wenngleich von Krisen bedrohte Harmonie geherrscht. Fast könnte man glauben, beide Momente hätten sich wechselfältig produziert. Als die Technik historisch fällig war, gab es auch für sie spezifisch Begabte; Marktanforderung und anthropologische Qualitäten gingen zusammen; wahrscheinlich weil die letzteren in viel höherem Maß selber bereits gesell-

1 Die Umfrage, auf der die vorgelegten Ergebnisse basieren, wurde 1953 bei einem repräsentativen Querschnitt der Frankfurter Studentenschaft durchgeführt. Es muß offenbleiben, wieweit diese Ergebnisse in ihrer Gültigkeit für die Gegenwart durch die Entwicklung der letzten Jahre modifiziert worden sind.

schaftlich vermittelt sind, als der Glaube an die Naturwüchsigkeit der Menschen es wahrhaben will. Ähnliches mag heute für Fächer wie die Kernphysik gelten, obwohl es dem nicht fachlich Zuständigen schwer wird zu beurteilen, ob in der Tat alle die, welche zu dem gesellschaftlich fälligen Fach drängen, ihrer Begabung nach auch wirklich dazu qualifiziert sind. Aber grundsätzlich wird man sagen dürfen, daß in der verwalteten Welt, die virtuell alle, die ihr angehören, als Angestellte einfängt, die Spannung zwischen dem, was man zu Fichtes Zeiten Bestimmung des Menschen nannte, und seiner gesellschaftlichen Bestimmung durch den vorgezeichneten Beruf angewachsen ist. Die technologische Arbeitslosigkeit, deren Schatten auch über Prosperitätsperioden fällt; die latent stets fühlbare Überfüllung des Arbeitsmarktes und das Schrumpfen des freien Unternehmertums, dessen Erfolg bis zu einem gewissen Grad auch jene Qualitäten honorierte, in denen der einzelne seiner bloßen Funktion in der Gesellschaft sich entgegensetzte – all das verstärkt die Differenz zwischen dem, was ein Mensch von sich aus ist und möchte, und dem, was er werden und tun muß, um sein Leben und das seiner Familie zu erwerben. Der Begriff der ›Resignation‹ drückt das aus. Ja, zuweilen will es scheinen, als wäre jener Antagonismus derart angewachsen, daß das Individuum, um es überhaupt im Leben aushalten zu können, ihn zu seinen Ungunsten vorentscheidet, das vollzieht, was man in der Psychoanalyse »Identifikation mit dem Angreifer« nennt, und sich selbst gegenüber zum Sachwalter eben jenes heteronomen ›Realismus‹ wird, den man zuinnerst fürchtet. Viele Äußerungen junger Akademiker, die von Rancune gegen den Geist gefärbt sind, mögen in diesem Mechanismus ihre Erklärung finden. Die Fesselung der Produktivkräfte, in deren Zeichen die Welt trotz aller Entfesselung der Technik heute steht, wiederholt sich nochmals in den Subjekten, die gleichsam sich selbst fesseln müssen, und darum ist auch die oft beklagte und nicht abzuleugnende ›Geistfeindschaft‹ vieler Studierenden nicht absolut zu nehmen, sondern als Ausdruck einer sei es auch ihnen selbst unbewußten Verzweiflung.

Wo der Entwicklungsstand der Produktivkräfte ihrer Träger wahrhaft bedarf, steigern sich diese an ihm und der gesellschaftlichen Forderung, so wie umgekehrt diese weitergetrieben wird von der Spontaneität der Subjekte. Daß die Möglichkeit dieser Wechselwirkung heute kaum mehr auch nur ins Blickfeld tritt, bezeugt, wie weit Produktionsverhältnisse und Produktivkräfte auseinandergetreten sind: die jungen Menschen erfahren sich selbst vorweg in fast hoffnungslosem Widerspruch zu den Verhältnissen und glauben, nur dann unterschlupfen zu können, wenn sie sich auf das ihnen Fremde hin selbst zurechtstutzen.

Es ist freilich keineswegs so sicher, wie es zunächst scheinen mag, ob ein ›Motiv‹ zum Studium im Sinn eines bewußten individuellen Entschlusses überhaupt bei der Mehrzahl der Studierenden existiert. Denkbar wäre, daß man nur deswegen studiert, weil niemals Zweifel daran aufgekommen sind, daß es selbstverständlich, etwa dort, wo sich in einem spezifischen Milieu die Studientradition erhalten hat. Eines ausdrücklichen Entschlusses zum Studium scheint es nach unseren Ergebnissen vor allem nur dort zu bedürfen, wo es keine akademische Tradition gibt.

Vielfach besteht auch der Wunsch, die Entscheidung für eine bestimmte Berufstätigkeit zu vertagen, indem man ›zunächst einmal studiert‹; man scheut sich davor, frühzeitig im Beruf festgelegt zu werden. Die Schulsituation, in der im Grunde die Abhängigkeit des Kindes von den Eltern steckt, sucht man an der Universität zu perpetuieren. Bezeichnenderweise finden sich hiervon am ehesten Spuren in Kommentaren von Studenten, die aus einem Bedürfnis nach allgemeiner wissenschaftlicher Orientierung studieren.

Unter diesen Vorbehalten lassen sich die Befragten nach den von ihnen angegebenen Studienmotiven immerhin in folgende Gruppen einteilen:

	Studierende der Universität Frankfurt
betrachten das Studium vornehmlich:	(733)
als »Mittel zum Zweck«	
davon:	
mit dem primären Interesse an einem bestimmten Berufsziel	20 %
mit dem primären Interesse an einer gehobenen gesellschaftlichen Position	16 %
ohne ersichtlichen Interessenschwerpunkt	6 %
als eine Beschäftigung oder Ausbildung im wissenschaftlichen Bereich	

davon:	
mit dem primären Interesse an einem bestimmten Fachgebiet	14 %
mit einem allgemeinen wissenschaftlichen Interesse	8 %
ohne ersichtlichen Interessenschwerpunkt	4 %
sowohl als »Mittel zum Zweck« als auch als Ausbildung im wissenschaftlichen Bereich	21 %
keine eindeutige Motivation feststellbar	11 %
	100 %

Bei dem Fünftel der Studierenden, denen das Studium in erster Linie zur Ausbildung für den gewählten Beruf dient, steht der Berufsplan oft schon fest, bevor sie sich zum Studium entschließen. Vielfach dient es nur zur Verbesserung der Aufstiegschancen:

> »Studium, um mich steuerlich fit zu machen ... Für das Verhandlungswesen und Steuern ist es zweckmäßig, die Kenntnisse durch Studium zu untermauern. Es ist nötig für das Geschäft.«

Die sechzehn Prozent der Studenten, vor allem Wirtschaftswissenschaftler und Juristen, denen die akademische Ausbildung als Mittel dient, eine gehobene gesellschaftliche Position zu erreichen, »Karriere zu machen«, haben sich demgegenüber häufig deswegen noch nicht für ein bestimmtes Berufsziel entschieden, um später die günstigste Chance wahrnehmen zu können. Sie fügen sich vielfach nur dem herrschenden Vorurteil, ohne selber Ambitionen zu haben:

> »In Deutschland muß man schon als Straßenkehrer Abitur haben. Ich glaubte, daß ich bessere Aufstiegsmöglichkeiten hätte ... Da nicht nur fachliches Können, sondern auch Doktortitel ausschlaggebend ist für Erfolg.«

Studenten, die primär sich zum Studium aus bestimmtem fachlichen Interesse entschließen (14 %), studieren häufig naturwissenschaftliche Fächer, vor allem Chemie und Physik, aber auch Mathematik und Biologie; daneben Fächer der Philosophischen Fakultät wie Musikwissenschaft, Kunstgeschichte und Deutsch. Es handelt sich also im wesentlichen um Disziplinen, die in der Schule gelehrt werden und zu denen der Unterricht bestimmende Anregung geben konnte.

Im Unterschied zu dem aus spezifischem Fachinteresse Studierenden wissen die acht Prozent der Studenten, die aus einem allgemeinen wissenschaftlichen Interesse, aus dem Wunsch nach umfassender Orientierung und Bildung studieren, nicht, wie der Philister es nennen würde, ›was sie wollen‹. Dagegen könnte man unter dem Aspekt eigentlicher wissenschaftlicher Orientierung sagen, sie seien die einzigen, die wirklich etwas von der Universität wollen, insofern sie in dem Ressortbetrieb des Unterrichts – vorerst – noch nicht aufgehen. Sie sind meist nicht durch eine spezifische Begabung begünstigt; der Begriff der Aufgeschlossenheit dem Studium gegenüber ist auf sie aber noch am ehesten anwendbar. Da sie in der Wahl ihres Faches sich nicht von Gesichtspunkten des beruflichen Fortkommens leiten lassen, geraten sie oftmals in Konflikt mit den Eltern.

Im ganzen läßt sich sagen, daß viele Antworten auf die Frage, warum man sich zum Studium entschlossen habe, erstaunlich nüchtern und sachlich formuliert sind; es ist keine Hemmung vorhanden, den Entschluß zum Studium auf utilitaristische Erwägungen zurückzuführen. Darin scheint sich vielfach Kapitulation auszudrücken: die Realität des Berufslebens ist weithin eintönig und trist; ursprüngliche Neigungen sind doch nicht zu verwirklichen; so kann auch von vornherein das Studium gewählt werden, das sich am besten bezahlt macht.

Versuch einer Typologie der Einstellung zum akademischen Unterricht

Es scheinen sich nun, ähnlich wie bei den Motiven zum Studium, auch in der Einstellung zum akademischen Unterricht typische Reaktionsweisen herauszuschälen. Jede von ihnen sei zunächst an einem Einzelfall beschrieben. Die drei Reaktionsweisen entsprechen dem auf universale Orientierung und geistige Reflexion gerichteten Studenten, dem konkretistisch[2] auf den Erwerb der Praktiken zum erfolgreichen Berufswettkampf Bedachten und dem von dem Interesse an seinem Fach erfüllten Spezialisten.

a) Den ersten Typ repräsentiert ein Student, der Soziologie und politische Wissenschaften als Fach gewählt hat. Den Anstoß zu seinem Studium sieht er darin, daß seine Großväter Universitätsprofessoren waren und seine Schwester studierte. Im Grunde war es für ihn eine Selbstverständlichkeit; einen bestimmten

2 Vgl. C. G. Jung, Psychologische Typen, Zürich 1925, S. 607ff.

Berufsplan hatte er nicht. Nach dem Staatsexamen für das höhere Lehramt mit dem Hauptfach deutsche Philologie gab er sein altes Fach auf, weil er es nicht »zum Metier machen wollte«. Er scheidet offenbar scharf zwischen dem Berufsstudium und dem Gegenstand seines spontanen Interesses.

Den Unterschied zwischen Oberprima und Universität sieht er in erster Linie darin, daß das Studium »mehr von der eigenen Initiative abhängt«. Rat über den Aufbau seines Studiums hat er sich bei einem Dozenten geholt, aber nur zum Teil befolgt, denn »ich studiere und nicht der Professor«. Ein Beweis seiner Selbständigkeit ist es wohl auch, daß er durchaus die Gefahr sieht, sich in den ersten Semestern an der Universität zu verzetteln, aber meint, gerade das sei gut. Er hat selbst früher auch Vorlesungen außerhalb seiner Examensfächer in Theologie, Philosophie, Geschichte und Latein gehört. Bei Überschneidung von Vorlesungen würde er sich nicht von Fach- und Examensrücksichten leiten lassen, sondern seine Wahl nach dem ihm mehr zusagenden Dozenten treffen. Deswegen ist er aber an seinem Fach nicht desinteressiert: er hält reiches Fachwissen für notwendig und bezeichnet nichts, was er an Lehrstoff geboten bekommt, als Ballast, obwohl er sieht, daß nicht alles unmittelbar brauchbar ist. Von der Möglichkeit eines Stipendiums würde er Gebrauch machen, um sich noch intensiver mit politischer Wissenschaft zu beschäftigen.

Er sieht im Studium mehr als Berufsausbildung, meint aber nicht, daß man sich, wenn man studiert hat, im Leben leichter zurechtfände, denn »eine Lebensschule ist die Universität nicht«. Er wendet sich jedoch gegen die Auflösung der Universität in Fachschulen.

Das Verhältnis der Kommilitonen untereinander wünscht er sich bezeichnenderweise »ungezwungener und überlegener«.

b) Den zweiten Typ repräsentiert ein Betriebswirt im siebenten Semester. Seine Berufspläne kennzeichnet er folgendermaßen: »Industrie oder Bank – nicht festgelegt, wir sind ja ganz nüchterne Leute, die nicht, wie Philosophen, aufs Ideelle achten. Ich will Geld verdienen.« Sein Berufsplan stand für ihn schon etwa zwei Jahre vor dem Abitur fest. Sein Vater, ein Lehrer, überließ ihm die Wahl des Studienfaches, sagte aber: »Werd' nur nicht

Lehrer, die werden schlecht bezahlt.« Nach dem Abitur, bevor er sich zu seinem Studium entschloß, wollte er einen Beruf ergreifen, der ihn »nach kurzer Lehrzeit rasch zu Gewinn bringen sollte«. Aus diesem Plan ist nichts geworden, »es fehlte an Anknüpfungspunkten« (Beziehungen).

Er ist ganz an dem orientiert, was er Praxis nennt: »Was man im Laufe des Studiums lernt, ist teilweise brauchbar, aber teilweise für die Praxis Ballast, und zwar im Verhältnis 50 zu 50«; damit meint er »Überspitzungen in der Theorie«. Er hat nie Vorlesungen und Übungen außerhalb der Fächer, die er für das Examen braucht, gehört; nur in Mainz, wo er früher studierte, mußte er das obligatorische studium generale absolvieren und hat dabei die »Sachen, die am nächsten lagen« gewählt. Bei Überschneidung von Vorlesungen würde sein Fach, die Betriebswirtschaftslehre, immer den Ausschlag geben. Die Gefahr der Verzettelung sieht er nicht; man könne sich ja strikt an die Studienordnung halten. Ein Stipendium nähme er nur für ein halbes Jahr an und nur dann, wenn es »großzügig und im Ausland« wäre, weil es ihn »Zeit, Zeit meines Lebens« kosten würde, die er anscheinend lieber dem beruflichen Aufstieg widmen möchte. Für ihn »persönlich« ist das Studium nicht mehr als eine besondere Art der Berufsausbildung. Beziehungen zwischen Fakultäten existieren seiner Ansicht nach nur noch bei der wirtschaftswissenschaftlichen und juristischen Fakultät, »durch Scheine. Philosophen und Naturwissenschaftler könnten in Buxtehude sein«. Deshalb hielte er es für richtig, wenn man die Universitäten auflöste.

Bei einer unbefriedigenden Auskunft des Seminarlehrers auf eine ihm wichtig erscheinende Frage würde er nicht auf Antwort bestehen, denn »sonst verärgere ich den Mann. Kommt darauf an, ob ich auf ihn angewiesen bin. Bin Utilitarist, das haben Sie ja hoffentlich gemerkt«. In solchen Wendungen steckt wohl Aggression gegenüber dem, von dem er annimmt, daß er über »Utilitarismus« die Nase rümpft.

Wenn er genügend freie Zeit hätte, seinen verschiedenen Interessen nachzugehen, würde er sich mit folgendem beschäftigen: »Essen, Trinken, Schlafen, Vergnügen, Achtzehn-Zimmer-Villa am Comer See«. – Bezeichnend ist es auch, daß er an das Weiterbestehen der auf der Universität geschlossenen Freundschaften nur unter der Voraussetzung glaubt, »daß nicht zu krasse gesellschaftliche Unterschiede entstehen im Laufe der Zeit«.

c) Der dritte Typ wird durch einen Studenten der Biologie, Chemie und Physik repräsentiert, der im ersten Semester steht, aber bereits weiß, daß er »Wasserchemiker« werden will. Seine Berufspläne hat er »schon früh in der Schulzeit« gefaßt. Er hat den naturwissenschaftlichen Zweig einer Oberschule besucht. Sein Vater ist Diplomingenieur. Er hat sich, bevor er sich zu seinem Studium entschloß – das gegenüber seinen Fachinteressen als solches sekundär ist – noch stärker spezialisieren wollen, und zwar auf dem Gebiet der Fischereichemie und -biologie, und hat zu diesem Zweck auch vor dem Studium zwei Jahre lang eine Tätigkeit als Fischereigehilfe ausgeübt.

   Er glaubt, alles, was er an der Universität hört, für seinen Beruf brauchen zu können und keinen Ballast aufzunehmen; »denn man muß sein ganzes Leben davon zehren«. Er hält freilich ausgeprägteres Fachwissen für notwendig, vermißt an der Frankfurter Universität das Spezialgebiet Wasserwirtschaft und will deshalb in späteren Semestern die Universität wechseln. Vorlesungen außerhalb seines Examensgebietes hat er nur gehört, soweit sie mit seinem Spezialgebiet zusammenhängen, so etwa »Ökologie der Pflanzen und Insekten«, und zwar »aus Interesse: Vorgänge gehören zusammen«. Ein Stipendium würde er dazu benutzen, sein Spezialfach weiter auszubauen.

   Nur »von der Uni aus gesehen« ist das Studium seiner Ansicht nach mehr als Berufsausbildung: »Der einzelne muß das mittun.« Er meint offenbar, daß im Universitätsunterricht noch ein Bildungsanspruch aufrechterhalten werde, den man eben in Kauf nehmen müsse, wenn man zu seinem Fachwissen kommen wolle. Eine Auflösung der Universität würde er jedenfalls ablehnen.

Überblickt man die Ergebnisse der referierten Studie, so läßt sich im ganzen sagen: Die Erwartungen vom Studium selber unterliegen zum Teil dem Schein, daß sich, was objektiv durch die Ordnung der gesellschaftlichen Arbeit bestimmt ist, als persönlicher Entschluß oder als Sache der Begabung darstellt. Es scheint sich ein Trend zum Studium als einem Mittel abzuzeichnen, sich für Jobs allseitig verwendbar zu machen, der neben die Vorbereitung für eine bestimmte Berufsposition tritt. Dabei sind im Studienaufbau, zumindest an der Oberfläche, Vorstellungen von dem ›allgemeinbildenden‹ Wert des Studiums durchaus noch wirksam. Es besteht aber zugleich eine gegenläufige Tendenz: man wünscht Spezialisierung, jedoch weniger im genuin wissenschaftlichen Sinn als in Gestalt einer eng umgrenzten, aber perfekten Berufsqualifikation.

Zu beantworten bleibt die Frage, was angesichts dieser Situation zu tun sei. Abzulehnen ist offenbar eine sogenannte Synthese, die einerseits überkommene Bildung zu konservieren trachtet, sie aber andererseits mit praktischen Desideraten auf eine veräußerlichte Weise zu verbinden sucht. Vielmehr scheinen sich aus der gegenwärtigen Dialektik des Bildungsbegriffs selber zwei Ansätze zu ergeben:

Zunächst ist der Begriff der Allgemeinbildung zwar seinerseits pragmatisiert; aber es spricht andererseits vieles dafür, daß, wenn man erst einmal mit der Sphäre eines nicht unmittelbar praktisch verwendbaren Geistigen in Berührung gekommen ist, diese Sphäre selber eine Art von Glanz, etwas Lockendes annimmt; die Studenten also, wenn ihnen dazu der akademische Unterricht seiner Substanz nach verhelfen würde, zu dem Bewußtsein gelangen könnten, sich mit dem hartgesottenen Realismus – wie er sich bei vielen ja offenbar findet – etwas zu verbieten, was man sich in Wahrheit selber wünscht.

Wichtiger ist aber wohl der Ansatz bei dem Begriff des Fachspezialistentums selber, auf dessen Notwendigkeit sich die Studenten immer wieder berufen. Man darf wohl sagen, daß das Bewußtsein, indem es sich an einer noch so spezialisierten Sache abarbeitet, wofern es sie nicht nur als Mittel zu einem Zweck nimmt, sich zugleich überhaupt erst selbst bestimmt und dadurch notwendig ein Moment des Geistigen in sich aufnimmt. Gerade indem es sich ins scheinbar bloß Konkrete versenkt, gelangt es zu einem nicht bloß abstrakten Allgemeinen. Der Weg, der aus der antagonistischen Situation des Bildungswissens hinausführt, scheint danach allein die konkrete Selbstreflexion in der Sache zu sein, nicht das generelle Predigen von Idealen.

1957

Vorwort zur deutschen Übertragung der *Quatre Mouvements* von Charles Fourier*

Nachdem das Institut für Sozialforschung vor einigen Jahren einen wichtigen gesellschaftstheoretischen Text der Vergangenheit, die Esquisse von Condorcet, herausgebracht hat**, folgt nun ein zweiter, die Quatre Mouvements von Charles Fourier. Die Anregung zur Publikation ging von Prof. Gottfried Salomon-Delatour aus, der, nach seiner Rückkehr, als emeritierter Ordinarius der Wirtschafts- und Sozialwissenschaftlichen Fakultät der Johann Wolfgang Goethe-Universität, am Institut in zahlreichen Vorlesungen und Seminaren wirkte. Weiterreichende Pläne, die sich vor allem auf die editorische Tätigkeit bezogen, hat Salomons jäher, beklagenswerter Tod zunichte gemacht. Er hatte sich noch um die Übersetzung des Buches gekümmert und skizzierte eine Einleitung; seine Witwe stellte das Fragment liebenswürdigerweise dem Institut zur Verfügung. Offensichtlich handelt es sich um die erste Niederschrift von Ideen. Unter deren Wahrung mußte eine endgültige und selbständige Einleitung erarbeitet werden. Die schwierige Aufgabe löste Elisabeth Lenk, die als Studentin auch bei Salomon gehört und seine Seminare besucht hatte, mit ebensoviel Zartheit und Pietät wie produktiver geistiger Kraft. Ihr ist die Quadratur des Zirkels gelungen, das von Salomon Entworfene zu erhalten und gleichwohl ein durchaus Eigenes zu geben, das für sich selber spricht.

Für die Übersetzung ist Frau Dr. Gertrud von Holzhausen aufs herzlichste zu danken; sie scheute keine Zeit und Mühe, stets wie-

* *Vgl. Charles Fourier, Theorie der vier Bewegungen und der allgemeinen Bestimmungen. Hrsg. von Theodor W. Adorno. Deutsche Übertragung von Gertrud von Holzhausen. Frankfurt a. M., Wien 1966.*

** *Vgl. Condorcet, Esquisse d'un tableau historique des progrès de l'esprit humain [franz. und deutsch]. Hrsg. von Wilhelm Alff. (Deutsche Übertragung von Wilhelm Alff in Zusammenarbeit mit Hermann Schweppenhäuser.) Frankfurt a. M. 1963.*

der ändernd und bessernd der ungezählten Probleme sich anzunehmen, die das Verständnis Fouriers aufwirft. Die Redaktion des Bandes lag in den Händen von Frau Dr. Margarete Adorno.

Zum Inhalt und zur theoretischen Deutung der Quatre Mouvements ist der Einleitung nichts hinzuzufügen. Nur soviel sei gesagt: angesichts der Dogmatisierung sozialistischer Theoreme, die im östlichen Machtbereich aus politischen Motiven erfolgte, gewinnen Gedanken erneute Aktualität, die schon früh und nicht erst in jenem Bereich als utopisch verfemt worden sind. Unter den Utopisten nimmt der unrevolutionäre Fourier eine extreme Position ein. Keiner bietet dem Vorwurf des Utopismus schutzloser sich dar als er; bei keinem aber auch ist die Anfälligkeit der Doktrin so sehr gezeitigt vom Willen, die Vorstellung des besseren Zustands zu verkonkretisieren. Das Verbot auszudenken, wie es sein solle, die Verwissenschaftlichung des Sozialismus, ist diesem nicht nur zum Guten angeschlagen. Das Verdikt über Phantasie als Phantasterei fügte sich einer Praxis ein, die sich Selbstzweck war und mehr stets im Bestehenden verstrickte, über das sie einmal hinaus wollte. Vor ihr hat Fourier die rücksichtslose Kritik an Versagung voraus. Wenn für einen, dann gilt für ihn der Vers, den Karl Kraus nach dem Tod von Peter Altenberg schrieb: »Ein Narr verließ die Welt, und sie bleibt dumm.«

Mai 1966

Franz Neumann zum Gedächtnis

Die Publikation politisch-sozialer Schriften von Franz Neumann in der Reihe des Instituts für Sozialforschung* entspricht einer Verpflichtung ebenso wie einem Bedürfnis. Einer Verpflichtung, weil Neumann in den Jahren der Emigration in New York zum Kern des Instituts gehörte; auch nach der Rückkehr des Instituts nach Frankfurt blieb er ihm nah verbunden. Hätte der Plan, ihn für die Position zu gewinnen, die ihm gemäß gewesen wäre – ein Ordinariat in Berlin, wo er vor dem Ausbruch der Hitlerdiktatur wirkte und lehrte –, sich realisiert, so hätte das fraglos weiterhin enge Zusammenarbeit mit dem Frankfurter Institut bedeutet, dessen Intentionen stets auch die seinen waren. Ein wahrhaft sinnloser und trostloser Unfall, während einer Schweizer Ferienreise, zerstörte brutal die Hoffnung darauf. Nicht anders vermag das Institut seine Solidarität mit dem Toten heute zu bekunden, als indem es zu seinem Teil dazu beiträgt, Neumanns wissenschaftliche Produktion dem lebendigen Bewußtsein zu erhalten.

Über diese Verpflichtung hinaus geht das menschliche Bedürfnis, die Erinnerung an ihn wachzuhalten. Neumann war, dem Naturell nach, eher verschlossen, seine Leidenschaft drückte stets fast im sachlichen Interesse, zumal im politischen Engagement sich aus. Selten sprach er von sich; kaum vorzustellen, daß er je einem Freund sich geöffnet hätte. Der in Denkstruktur und Gestik den Juristen nie verleugnete, mochte leicht den Eindruck eines Rationalisten erwecken, den von Kühle, trotz seines eindringlich argumentierenden und plädierenden Temperaments. Dieser Eindruck trog, wie denn seine Art, Politik zu betreiben, menschliche Triebfedern voraussetzt, die Neumann, sei's freiwillig, sei's aus psychologischem Zwang, im Verborgenen hielt.

Sein Handeln stand zu seiner privaten Zurückhaltung im merkwür-

* *Adorno schrieb den Text als Vorwort zu einem für die »Frankfurter Beiträge zur Soziologie« geplanten Auswahlband, der dort nicht erschienen ist.*

digsten Gegensatz. Kaum je ist mir ein Mensch begegnet, bei dem die Art, wie er sich gab, und sein wahres Wesen, das in seinem Tun sich offenbarte, so sehr auseinander gewiesen hätten wie bei Franz Neumann. Kaum fürchte ich zu übertreiben, wenn ich ihn, den ich seit unseren frühesten Studententagen, wohl 1921, kannte, den generösesten Menschen nenne, den ich getroffen habe. Der über scharfe und vorausdenkende Vernunft verfügte, nutzte sie niemals fürs eigene Interesse aus. Wie er dazu neigte, auch unter den schwierigen Bedingungen der ersten Emigrationsjahre – wir verbrachten den Abend jenes 30. Juni 1934 zusammen in London –, den letzten Groschen für andere, Bedürftigere herzugeben; wie ihm Geiz nicht nur sondern fast die Sorge um den nächsten Tag völlig fremd waren; wie der gutbürgerlich wirkende Jurist nicht die Spur bürgerlicher Instinkte kannte, so verhielt er sich auch zur eigenen Arbeit. Das motiviert das spezifische Bedürfnis, jener Arbeit beizustehen, der er selbst beizustehen mit solcher Noblesse verschmähte.

Er gehörte zu dem Typus des Gelehrten, der, bei äußerstem sachlichen Interesse an den Problemen und größter wissenschaftlicher Verantwortung, eigentlich zufrieden war, wenn er etwas Wesentliches erkannt hatte. Der Drang zur Objektivation, zur verbindlichen Formulierung, auch zu wissenschaftlichem Ruhm ging ihm gänzlich ab. Daher entraten seine Arbeiten des Charakters in sich objektivierter Werke. Sie sind mehr wie aides mémoires, Erinnerungsstützen oder Forschungsberichte; ihr Schicksal war ihm, in einer mir fast unbegreiflichen Weise, gleichgültig. Hätte man ihm in dieser Richtung eine Frage gestellt, er hätte sie lachend und achselzuckend weggewischt. Solche Haltung hat dann, wie es zu gehen pflegt, über seinen Tod hinaus nachgewirkt. Helge Pross macht in ihrer Einleitung mit Recht darauf aufmerksam, daß der »Behemoth«, vermutlich bis heute das tiefste und wahrste Werk über den Nationalsozialismus, in Deutschland außerhalb des engsten Kreises der Fachgelehrten nicht entfernt so bekannt und wirksam geworden sei, wie das Buch, seinem Gehalt nach, es verdient hätte. Angesichts der Beschaffenheit von Person und œuvre ist es ein Stück Wiedergutmachung im doppelten Sinn, an ihm und an der Sache, wenn in der Bundesrepublik nachdrücklich die Aufmerksamkeit auf Neumann gerichtet wird.

Die Idee des »Behemoth«, bezeichnend für die Struktur alles dessen, was er verfaßte, ist originell im höchsten Maß, den Oberflächenvorstellungen vom monolithischen Faschismus schroff entgegengesetzt. In Übereinstimmungen mit Untersuchungen von Otto Kirchheimer und Arkadij Gurland wird dargetan, daß der nationalsozialistische Staat, der sich als total-einheitlich propagierte, in Wahrheit pluralistisch war. Die politische Willensbildung stellte sich her durch die planlose Konkurrenz mächtigster sozialer Cliquen. Als erster vielleicht hat Neumann gewahrt, daß das Schlagwort Integration, seit Pareto eines der Zentralstücke faschistischer Ideologie, Deckbild seines Gegenteils ist, eines Zerfalls der Gesellschaft in die divergierenden Gruppen, die, äußerlich und abstrakt, von der Diktatur unter einen Hut gebracht werden, ohne daß sie im Leben der Gesellschaft sich spontan auszugleichen vermöchten, und die den verhimmelten Staat zu sprengen drohen. Ihm ist die Einsicht zu danken, daß, was sich rühmte, der Destruktion ein Ende zu bereiten und aufzubauen, seinerseits in eminentem Maß destruktiv, zerstörerisch ist, nicht nur gegenüber allem Humanen und nicht erst in der außenpolitischen Konsequenz, sondern rein immanent, in sich selbst; daß unterm Faschismus eben das zerfällt, was zu retten er vorgibt. In einem Augenblick, in dem die Parole von den aufbauenden und positiven Kräften erneut Zahlreiche zu verlocken droht, ist Neumanns Lehre von höchster Aktualität, der angebliche Monolith autoritärer Regierungsformen decke nur notdürftig einen Antagonismus der Kräfte zu. Die Gesellschaft, unfähig, in freier Bewegung länger sich zu reproduzieren, bricht auseinander in diffuse barbarische Vielheit, das Gegenteil jener versöhnten Vielfalt, die allein ein menschenwürdiger Zustand wäre. Er hat abgesehen, was es real mit dem Irrationalismus auf sich hat, der den Nationalsozialisten als Weltanschauung diente.

Durch den Gehalt seiner politischen und gesellschaftlichen Theorie, nicht durch hochtönende Parolen, ist das Werk Franz Neumanns das stärkste Plädoyer für ungeschmälerte Humanität.

Januar 1967

Rede beim Empfang anläßlich des 15. Deutschen Soziologentages*

Meine sehr verehrten Anwesenden! Wenn ich heute abend im Namen der Deutschen Gesellschaft für Soziologie einige Worte sage, um zunächst denen zu danken, welche zur Realisierung des Max-Weber-Kongresses beigetragen haben, so hat das etwas Usurpatorisches. Die Zeit der Vorbereitung dieses Kongresses war wesentlich noch die, in welcher der alte Vorstand seines Amtes waltete. Ginge es dem Verdienst nach, so wäre mein verehrter Kollege Stammer weit mehr qualifiziert als ich. Es ist mir aber eine wahrhafte Freude, zunächst dem Herrn Finanzminister Müller zu danken. Ohne die großzügige Hilfe des Landes Baden-Württemberg wäre die Veranstaltung niemals zustande gekommen. Zugleich empfinde ich es als schön, daß ich Herrn Stammer, auf dem die Arbeitslast der Vorbereitung wesentlich lag, sagen darf, was wir ihm schulden, und ebenso Herrn Topitsch, der als Leiter des Lokalkomitees nachdrücklich mitwirkte, obwohl er sein eigenes umfangreiches Referat für den Kongreß auszuarbeiten hatte. Die Genannten sind weit über das hinausgegangen, was man sonst von Gelehrten an organisatorischer Tätigkeit füglich erwarten darf; darum ist auch der Dank an sie nicht der konventionelle.

Sie werden verstehen, daß ich nicht alle die 40 Referenten und Diskussionsredner, die Beiträge vorbereiteten, mit Namen aufführen kann. Daß ich Ausnahmen mit unserem Ehrenpräsidenten, Leopold von Wiese, und mit den Herren Raymond Aron, Herbert Marcuse und Talcott Parsons mache, ist wohl legitim. Ihr Werk findet sich zu dem Max Webers in tiefer und genuiner, sei's auch antithetischer Beziehung. Die drei weltberühmten Gelehrten, die

* *Der 15. Deutsche Soziologentag fand vom 28.-30. April 1964 in Heidelberg statt; sein Thema war »Max Weber und die Soziologie heute«. Adorno, als Vorsitzender der Deutschen Gesellschaft für Soziologie, hielt seine Rede am Abend des ersten Verhandlungstages im Heidelberger Schloß.*

sich aus dem Ausland hierher bemühten, haben dadurch, daß sie gekommen sind, was uns hier vereint, gleichsam sanktioniert.
Nur ein anderer Ausdruck für den Ernst dessen, was Sie von den Beiträgen zu erwarten haben, ist, was auch Herr Stammer betonte, daß die Fruchtbarkeit Max Webers nicht in einer Max-Weber-Schule oder -Nachfolge sich erweist. Webers leidenschaftliche Sachlichkeit hätte das am letzten sich gewünscht. War etwas für ihn charakteristisch, dann, daß in vielen Bereichen seine eigenen wissenschaftlichen Funde ihn weit hinaustrieben über die methodologischen Positionen, die er von sich aus einnahm. Er selber gab das Modell dafür, daß von ihm sich inspirieren zu lassen nicht heißt, zu wiederholen oder breitzutreten, was er entwickelte. Max Weber hat, in allem Bewußtsein auch der gesellschaftlichen Problematik, die darin eingeschlossen ist, an der ratio festgehalten. Dem ist treu, wer der immanenten Logik der Sache selbst sich stellt, anstatt aus Weber, wie man es so gern tut, einen bloßen Gesinnungsheros zu machen. Seine Aktualität besteht nicht zuletzt in kritischer Einsicht. Er erkannte manche Aporien und Schwierigkeiten, die seine Theorien aufgeworfen haben, als solche der gesellschaftlichen Realität. Die tödlichste, die Verfestigung bürokratischer Herrschaft, hat sich erst in den mehr als vierzig Jahren seit seinem Tode ganz entfaltet: zur verwalteten Welt. Darum uns zu kümmern, auch Kritik an Webers eigener Konzeption dieser Entwicklung zu artikulieren, ist eine der vordringlichsten Aufgaben unserer Tagung. Wir brauchen nicht zu befürchten, daß dort in bloße Geistesgeschichte abgeglitten wird, wo es in jedem Augenblick um die entscheidenden Perspektiven der gegenwärtigen realen Gesellschaft geht.
Daß dem Kongreß so großzügig von der Landesregierung Baden-Württemberg geholfen wurde; daß er, so möchte man fast sagen, staatlichen Charakter trägt, ist ein Symptom, dessen wir uns freuen. Politik, die eine ihrem eigenen Begriff nach kritische Wissenschaft wie die Soziologie nicht nur toleriert, sondern aktiv unterstützt, hat sich ja denn doch wohl glücklich von dem entfernt, was Max Weber als Wesen der Politik erfuhr: vom bloßen »Streben nach Machtanteil oder nach Beeinflussung der Machtverteilung«. Ich empfinde es als schöne Paradoxie, daß die Solidarität des Staates mit einer Max Weber gewidmeten Veranstaltung eben dadurch in Widerspruch gerät zum Inhalt seiner politischen Philosophie. Man mag darin das

Potential eines veränderten politischen Klimas spüren, in dem das Verhältnis des Staats zu den geistigen Dingen nicht in vorschriftsmäßiger Gesinnung sich erschöpft. Die Sympathie des demokratischen Staates gerade für die unter Hitler verfemte soziologische Wissenschaft spricht dafür, daß manche in den Ländern Verantwortliche den Staat nicht als bloßes, mehr oder minder formales Instrument zur Durchsetzung unerhellter Ziele und partikularer Interessen verstehen, sondern um das Verhältnis der Institutionen zum lebendigen gesellschaftlichen Inhalt, zur Verwirklichung von Vernunft und Freiheit sich bekümmern. Sie, und ein Staatswesen, dessen Exekutive sie sind, werden wissenschaftliche Analyse und Kritik der Gesellschaft nicht länger als eitlen Intellektuellensport betrachten, sondern als notwendig dafür, daß der Staat seine eigene Bestimmung erfüllt.

Wir alle wissen, daß Soziologie dem emphatischen Begriff, den das ihr verleiht, nicht durchaus entspricht und nicht durchaus entsprechen kann. Sentimental wäre es, wollte man darüber klagen, daß mit der Ausbildung immer ausgefeilterer Methoden und Techniken, mit der zunehmenden Etablierung der Soziologie als Spezialwissenschaft, viel von den kritischen Impulsen gelähmt wurde, die sie in ihren Anfängen beseelte und die Weber selbst mit seiner berühmten Forderung nach Wertfreiheit verdammte. In der Dogmengeschichte der Soziologie ist es seit Saint-Simon und Comte die Regel, daß im Zeichen der Entzauberung der Welt ein Forscher seinen Vorgänger einen Metaphysiker schilt; über diese Regel selber wäre nachzudenken. Uns allen steht vor Augen, daß Soziologie heute, und zwar auf der ganzen Welt, die Tendenz hat, in Sozialtechnik überzugehen, nach dem Modell der technischen Naturwissenschaften. Während sie dadurch, wie diese, sich vielfach verwendbar und nützlich macht, droht ihr so gründliche Integration, daß sie am Ende das Analysieren darüber verlernt; schon fehlt es nicht an solchen, die aufs ominöse Positive sie vereidigen möchten. An Max Weber wäre zu lernen, was freilich *so* wohl nur zu seiner geschichtlichen Stunde möglich war: daß die Soziologie der Tendenz zur Fachwissenschaft nicht sich versagt und ihr gleichwohl nicht verfällt. Sie hat bis heute in Deutschland keinen imponierenderen Fachgelehrten hervorgebracht als Weber, aber trotzdem, und trotz der sogenannten Wertfreiheit, hat er die Fühlung mit den wesentlichen Fragen der Gesamtgesellschaft und ihrer Struktur keinen Augenblick lang verloren. Diese Fragen determinieren seine einzelwissenschaftliche Arbeit allein schon durch die Themenwahl. Studiert man Webers große soziologische Texte, vor allem »Wirtschaft und Gesellschaft«, und nicht bloß die wissenschaftstheoretischen Schriften, so wird man finden, daß inmitten der wertfreien Methode, die es in der Durchführung gar nicht so sehr war, wie sie sich selbst verstand, das Nachdenken über eine humane Zukunft der Menschheit den Nerv bildet. Seine Prognosen und Vorschläge stehen zur Kritik, so wie mein Freund Herbert Marcuse in seinem Referat rückhaltlos sie übt. Aber solche Kritik hat mit Weber gemeinsamen Grund: den Willen, nicht äußerlich, branchenmäßig die Registrierung von faits sociaux und die Einsicht in die Lebensfragen der Gesellschaft als ganzer voneinander zu trennen. Beides ist durcheinander vermittelt: ohne Theorie des Ganzen, ohne das authentische Interesse an seiner Gestaltung gibt es keine produktive Einzelfeststellung; ohne Versenkung in die Empirie vermag noch die wahrste Theorie ins Wahnsystem auszuarten. Die Spannung zwischen beiden Polen ist das Lebenselement unserer Wissenschaft; notwendig drückt sie sich aus im heftigsten Gelehrtenstreit. Soziologen steht es nicht an, bei festlichen Gelegenheiten das Seid einig, einig, einig nachzublöken und auf die vorgebliche Übereinstimmung der wissenschaftlichen Gesinnung sich zu verlassen. Ihre Idee ist allzu formal, und in unserem Bereich hilft der Appell an sie wenig, weil ihre Gegenstände die unmittelbaren Nöte und Interessen der Menschen sind, deren Behandlung von ihnen selber nicht getrennt werden kann. Strengen Sinnes ideologisch wäre es, das zu verleugnen. Soziologie kann, aus gesellschaftlichen Gründen, nicht die Gestalt einer versöhnlichen Gelehrtenrepublik für sich beanspruchen, die anderen Wissenschaftssparten immer noch verstattet sein mag. Wohl aber ist es an uns, auch die unaufhebbaren Divergenzen, das durch keine voreilige Versöhnung Wegzuschaffende, ins Bewußtsein zu heben, denkend uns ihm zu stellen. Eben das ließ das düstere, allem offiziellen Optimismus und aller Phrase feindliche Werk Webers sich angelegen sein. Viel ist aus seinen reichen und verzweigten Schriften herauszulesen, mir aber will scheinen, vor allem die Kraft, geistig noch der übermächtigen gesellschaftlichen Tendenz standzuhalten. Dazu wäre freilich der Begriff der

Rationalität, ihm der wichtigste, über die Schranken der Zweck-Mittel-Relation hinauszubringen, in denen er ihn gebannt hielt. So wäre vielleicht das von ihm Ererbte zu erwerben: durch unbeirrte Reflexion seiner ratio einer vernünftigen Einrichtung der Welt ein wenig zu dienen.

1964

Worte zum Gedenken an Theodor Heuss*

Mir ist die Aufgabe zugefallen, einige Worte zum Gedächtnis an Theodor Heuss zu sagen, den ersten Präsidenten der Bonner Bundesrepublik; er war Mitglied unserer Gesellschaft. Seine Zugehörigkeit zu ihr faßte er nicht formell auf; manche von Ihnen werden sich daran erinnern, daß er seinerzeit, auf dem 12. Deutschen Soziologentag in Heidelberg, 1954, bat, nicht als Bundespräsident, sondern als Gelehrter unter seinen Fachgenossen betrachtet und behandelt zu werden. Er sagte das mit der ihm eigenen Selbstverständlichkeit, nicht gespielt bescheiden, aber auch ohne den Gestus von Würde, die etwas von sich nachläßt, sondern als die Person, die er war und die aus nichts Autorität zog als aus ihrem inkommensurablen, nicht durch Anpassung verschlissenen Wesen. Bei diesem Anlaß sprach er erstmals mit mir; er hatte vor Jahrzehnten recht nahe Beziehungen zu meiner Familie mütterlicherseits unterhalten, und der Name war ihm aufgefallen. Seitdem haben wir uns hin und wieder gesehen, einmal längere Zeit in Sils Maria, zuletzt bei der Besprechung wegen eines Literaturpreises in Stuttgart. Ohne daß ich beanspruchen dürfte, ihn wirklich nahe gekannt zu haben, hat die Figur sich mir doch so tief eingeprägt, daß ich vielleicht das Recht habe, sie zu charakterisieren. Wir müssen ihn gerade auf dieser Tagung ganz besonders vermissen. Max Weber bedeutete ihm wahrhaft etwas. Nicht lange vor seiner Erkrankung schickte er mir noch eine Arbeit über ihn. Überblickt man das Werk von Theodor Heuss, so wäre Anlaß genug, von ihm als Soziologen zu reden, mag auch der Schwerpunkt seiner Arbeit dem gegolten haben, was man nach gängiger Einteilung in Branchen Politische Wissenschaft und Sozialpolitik nennt; aber Sozialpolitik wäre unsinnig ohne Kenntnis der Gesellschaft, auf die sie sich erstreckt, und Heuss hat das sehr wohl gewußt.

* *In einer Veranstaltung am zweiten Verhandlungstag des 15. Deutschen Soziologentages (vgl. oben, S. 703, Anm.) sprach Adorno seine Gedenkworte für Heuss.*

Hebe ich trotzdem einen anderen Aspekt an ihm hervor, so nicht nur deshalb, weil ich sein wissenschaftliches œuvre nicht hinlänglich kenne. Sondern es wäre schief, seiner zu gedenken und nicht das Gewicht auf das zu legen, wodurch er der Geschichte sich eingeprägt hat und wodurch sein Name unverlierbar ist, wenn anders die Idee einer deutschen Demokratie ernst gemeint wird. Lassen Sie mich versuchen, in ganz wenigen Worten zu umreißen, was die Figur von Heuss soziologisch bedeutete: nämlich als Sozialcharakter; was diese Individualität in dieser Gesellschaft und ihrer politischen Verfassung darstellte.

Zunächst war Heuss, wohl als erstes deutsches Staatsoberhaupt seit Menschengedenken, Zivilist durch und durch. Der berühmt gewordene Manöverausspruch »Nun siegt mal schön«, der den Zwang militärischer Ausbildung wenigstens im Begriff aufhob durch die Humanität, der er ihn unterstellte, war der ganze Mann; alles Säbelrasseln, wörtlich und übertragen, war ihm fremd, nicht bloß aus Gesinnung zuwider. Sein Naturell kannte nichts von jenem Respekt vor organisierter Gewalt, der das deutsche Staatswesen vergiftet hat. Daß es, mit Hegel oder den alten Pythagoräern zu reden, darauf ankäme, der gute Bürger eines guten Staates zu sein, war ihm so sehr zweite Natur, daß er wahrscheinlich Mühe gehabt hätte, die Konzeption des Staatsoberhaupts als ein bronzenes Denkmal einer Herrscherfigur überhaupt zu denken. Er hat durch seine bloße Existenz, keineswegs erst durch das, was er sagte, ein Bild der Repräsentanz des Staates, und damit doch auch des Staates selber, aufgerichtet, wie es in so unprätentiöser und sachlicher Reinheit, so frei vom Habitus der Gewalt vor ihm in Deutschland unbekannt war. Diesem Bild die Treue zu halten, wäre wahrhaft alles andere als Bilderdienst.

Dann: er war ein Intellektueller. Das Mißtrauen gegen den Typus des durch geistige Arbeit Abgesonderten, dem die Gestalt seiner Arbeit Naivetät, erst die in der Selbsterhaltung des Lebens und dann auch die des Gedankens, verwehrt, hat er von dem Odium befreit, das ihm in Deutschland anhaftete, nicht erst seit Goebbels das denunziatorische Wort von der Intelligenzbestie erfand. Heuss war ein Staatsoberhaupt, das, ohne zu zittern, anstelle des Schwertes seinen Füllfederhalter führen konnte. Dabei hatte er selbst, als Intellektueller, paradox naive Züge, die auch jene versöhnen mußten, welche den Haß auf den Intellektuellen selbst nach dem Sturz des Hitler nicht loswurden. Er bewährte eine der seltensten und besten Tugenden des Intellektuellen, die der Selbsterweiterung. An einem Vorfall kann ich das erläutern. Ich glaube nicht, daß er, der alte Mann, zur radikalen modernen Kunst eine besonders enge Beziehung hatte, aber er verhielt auch zu ihr sich liberal und sachlich. Nie wäre es ihm beigekommen, wie es Menschen in seiner Position naheliegt, Phrasen über die Volksverbundenheit der Kunst nachzubeten; man war überhaupt bei ihm vor dem gefeit, was Theodor Haecker die Schmach des Offiziellen nannte. Mit Benno Reifenberg und Hermann Heimpel gab er das biographische Sammelwerk »Die großen Deutschen« heraus. Ich hatte es übernommen, dafür den Artikel über Schönberg zu schreiben. Heuss las ihn selbst und stieß sich an dem Gebrauch, den ich darin, scheuend, allzu Bekanntes zu wiederholen, vom Begriff der Zwölftontechnik machte. Aber er gehorchte nicht den für viele ominösen Vorstellungen, die sich an jene Technik anschließen, wollte nicht unterdrükken, daß der Begriff Zwölftontechnik behandelt werde, sondern insistierte, im Geist eines nüchternen aufklärerischen Volkserziehers, daß ich das Gemeinte soweit verdeutlichte, bis auch der fachmusikalisch nicht Unterrichtete verstehen mußte, worum es ging. Selten in meinem Leben habe ich Änderungen an einer Arbeit mit soviel Freude und so überzeugt durchgeführt wie die von ihm angeregten, die nicht aus Obskurantismus kamen, sondern aus humaner Solidarität. In einer Situation, in der, unter der Hand, der Begriff des Intellektuellen aufs neue diffamiert zu werden beginnt, ist die Unbefangenheit, mit der Heuss als Bundespräsident der ganzen Haltung nach Professor blieb, und nicht im mindesten die Rancune scheute, die das auslösen könnte – in einer solchen Situation wie der gegenwärtigen ist die Zivilcourage zum Intellektuellentum etwas wie eine moralische Verpflichtung. Heuss hat sie vererbt; er ist das Modell, wie ihr genügt werden könnte. Zumal die Organisation der Soziologen, die unablässig gezwungen ist, gängige Anschauungen anzuzweifeln und abzuklopfen, in welchen das verstockte Bewußtsein sich festmacht, hat jegliche Veranlassung, auf ihr Mitglied Theodor Heuss stolz zu sein.

Das soziologisch Erstaunliche aber, das ich unterstreichen möchte, ist, daß Heuss trotz der Stigmata des Zivilisten und des Intellektuellen, in einem bedeutenden, von keinem sich Anbiedernden und Hemdsärmeligen verunstalteten Sinn, populär geworden ist. Er hat dem Begriff der Popularität, der trotz aller Spannung dem von Demokratie nicht nur sprachlich verschwistert ist, etwas von der unbotmäßigen Wahrheit zurückerstattet, welche die nationalsozialistische Volksgemeinschaft ihm raubte. Neunmalkluge wissen immer wieder zu versichern, einer, der nicht autoritär auftrete und nicht gleichzeitig dem Volk nach dem Munde rede – beides ist im Rezept von »Mein Kampf« empfohlen –, auch keine Chance habe, als soziales Bild zu wirken oder, ganz einfach, bei den Massen sich durchzusetzen. Heuss hat das, wie mit einem unbeabsichtigten soziologischen Experiment, widerlegt. Es bestand zwischen ihm und den angeblich anonymen und entfremdeten Massen etwas kaum noch Vorstellbares: Kontakt ohne Demagogie. Wenn die erfolgreichen Demagogen ihren Gefolgsleuten gleichen und von ihnen sich unterscheiden nur dadurch, daß sie deren verdrückte Instinkte und Wünsche in ihrer Suada verströmen lassen, so glich umgekehrt Heuss den Millionen, die weit über seine politische Macht hinaus an ihm hingen, dadurch, daß er verkörperte, was in ihnen allen tiefer bereit lag als ihr kollektiver Narzißmus: die Idee des Bürgers einer Welt, in der man sich nicht zu fürchten brauchte. Diese Idee, und ihre deutsche Tradition, weit verschütteter als die Vorstellungen des Nationalismus, ist doch nicht unterzukriegen. Sie hat ihre Kraft daran, daß sie den Menschen das verheißt, was sie eigentlich ersehnen und was ihre bösen Träume von Macht und Herrlichkeit bloß verdrängen. Dabei war Heuss alles andere als weich, gar kein Humanitätsprediger; eher eigensinnig, in einer Weise auf sein Freiheitsrecht bedacht, die mit dem, was dann sein Amt ihm abverlangte, mühelos zusammenstimmte. Das Inkommensurable an ihm – selbst die vertraute Erscheinung hatte etwas Fremdartiges – muß die Menschen unendlich angezogen haben. Er war der Stellvertreter einer Art von Person, wie sie allgemein erst unter verwirklichter Freiheit gedeihen würde. In ihm schien der Dialekt unmittelbar Träger des Humanen; darum ist mit Heuss wie kaum zuvor in der deutschen politischen Sphäre Humanität zu einer Kraft geworden, welche bei den Massen Resonanz weckte.

Nach all dem ist es keine Phrase, daß er unvergeßlich bleiben wird. Denn was er war, darf nicht vergessen werden, wenn anders die deutsche Gesellschaft doch noch einlösen soll, was ihr immer wieder versagt war und was in Theodor Heuss eine kurze Spanne als Wirklichkeit allen vor Augen stand. Wir sind ihm dankbarer, als meine armen Worte es sagen können, und froh, daß er einer aus unserem Kreis war; was er ausdrückte, ist verbindlich auch für die Arbeit, die uns obliegt.

1964

Anhang

Juvenilia

Zur Psychologie des Verhältnisses von Lehrer und Schüler

Es wird in unsern Tagen wieder viel über Erziehung geredet; wie man vor nunmehr zwanzig Jahren von einem »Zeitalter des Kindes« reden konnte, so stehen auch jetzt mit politischen und religiösen Fragen pädagogische Erörterungen im Vordergrunde des Interesses. Der heiße Wille zur Erneuerung, der sich in unserer Zeit in allen Formen, in den extremsten Erscheinungen auswirkt, sucht das Grundsätzliche in der Not der Gegenwart, und hinter jedem Schlagwort trifft er auf letzte Fragen. Wie die Gedanken »Sozialismus« und »Völkerversöhnung« auf religiöse Grundgedanken zurückgeführt werden, und da, wo oberflächliche Köpfe von »Materialismus« reden zu können glaubten, eine neue, tiefe Begeisterung, eine Sehnsucht nach letzter Befreiung aufloht, so wird auch dort, wo sich – rein zeitlich gesprochen – die Wurzeln des Individuums zeigen, in der Erziehung, nach einer Neugestaltung von innen heraus, vom Grundsätzlichen aus gesucht, und es wird wieder um das *Gedankliche* gestritten.
Das ist ja vielleicht das wahrhaft Große unserer Zeit, daß wir wieder gelernt haben, um eine Idee zu streiten, das, was unsere Zeit mit den größten Epochen der Weltgeschichte: den Anfängen des Christentums, der Religionsstiftung Mohammeds, der Zeit der Staufenkaiser, der deutschen Reformation, der französischen Revolution gemein hat. Zweifellos bedeutet eine Zeit, in der sich Menschen um ihres Glaubens willen, also ohne jeden äußeren Machtgedanken mit Taten bekämpften, selbst bis zur grausamen Vernichtung der Persönlichkeit des Andern schreitend, einen gewaltigen inneren Fortschritt gegenüber einer solchen, in der sie in feiger und satter Duldsamkeit geistig aneinander vorbeigehen und letzten Endes den tiefsten Fragen unseres Lebens gleichgültig gegenüberstehen.

Und eine so glühende Subjektivität beherrscht auch unsere Tage. Als naturnotwendige Reaktion auf die Herrschaft des Nützlichen, Ungeistigen, Verstandes-, nicht Vernunftgemäßen tritt die Herrschaft des Ideellen, Gefühlsmäßigen, Ekstatischen, vielerorten des Utopischen, an Stelle der Wertschätzung tritt das Werturteil, an Stelle der Uniformierung des Geistes die Bedingtheit der Anschauung und Erkenntnis durch das Ich.

Wohl liegt in dieser Subjektivität ein Befreiendes, aber ihre Anwendung auf das tatsächliche Leben birgt doch ohne Zweifel ernste Gefahren in sich. Nicht nur vom rein philosophischen Standpunkte aus, nicht nur von der Erkenntnis ausgehend, daß es ein Irrtum ist, zu glauben, daß alles Gedankliche sichtbar in Erscheinung treten muß, um Tat zu werden, zu glauben, daß ein Ideal »erreicht« werden kann – rein praktisch gesehen: es ist auf Gebieten, wo man mehr oder minder mit Tatsächlichkeiten rechnen muß, unmöglich, die Dinge so zu sehen, wie sie sein *sollen*, nicht so, wie sie sind. Das war ja das Verhängnis der französischen Revolution, daß sie ihre subjektiven Grundsätze bis zum Äußersten ohne Rücksicht auf die Wirklichkeit zur Anwendung brachte, daß sie aus der reinen Idee die Wirklichkeit schaffen wollte, bis die Wirklichkeit sie verschlang.

In bezug auf die Schule – und von der Schule soll ja hier die Rede sein – hat die Subjektivität unserer Zeit gleichfalls gewirkt – und erheblich gewirkt. Es ist hier nicht der Ort, zu untersuchen, warum gerade sie so sehr in den Mittelpunkt der Debatte gezogen wurde – Gründe politischer, religiöser und allgemein kultureller Natur wirken darin zusammen. Jedenfalls – die Schlagworte: Einheitsschule, Abschaffung des Religionsunterrichtes, Schulgemeinde, Schülerrat haben die Gemüter heftig erregt, allgemeine, kulturelle Gedanken wurden vielfach mit parteipolitischen Zielen identifiziert. Gedanken zu Programmpunkten erniedrigt, verloren ihre ursprüngliche Kraft, eine geschickte Gegnerschaft wußte sie zur Gefahr umzudeuten.

Nun wurde bereits gesagt, daß an Stelle der Wertschätzung wieder das Werturteil getreten ist. Man könnte noch hinzufügen: das moralische Werturteil. Es liegt in dem religiösen Zug unserer Zeit, daß nach der Periode der Skepsis die Dinge nach der Alternative von gut und böse bewertet werden. Und gerade hierin ist man in den Schulfragen bei einem Äußersten an Subjektivität, Formalismus und –

seien wir offen – auch Pharisäismus angelangt, so daß es vielleicht einmal gut ist, rückwärts zu blicken und daran zu denken, daß die Menschen nicht allein sich nach ihren inneren Gesetzen entwickeln, sondern auch Kinder ihrer Zeit und ihrer Umgebung sind.
Wobei ich gleich bemerken möchte: es ist natürlich unmöglich, hier eine vollständige Wesensbeschreibung der seelischen Erscheinungen, wie sie sich in der Schule offenbaren, zu geben. Es soll hier nur auf die wichtigsten und grundsätzlichsten dieser Erscheinungen hingewiesen werden.
Wenn wir die Kämpfe um die Neugestaltung der Schule betrachten, so fällt uns auf, daß ihr Kernpunkt – abgesehen von den rein religiösen Fragen – das Verhältnis von Lehrer und Schüler ist. Und dieser Punkt beansprucht bei dem derzeitigen wissenschaftlichen Stand unserer Schulen, der eine erfreuliche Höhe und auch eine gewisse Ausgeglichenheit erreicht hat, zweifellos das größte Interesse. Denn er berührt unmittelbar das Seelische, das Menschliche im Schüler und Lehrer – das, wo eine Erneuerung am stärksten angestrebt wird.
Aber dieser Punkt erheischt auch eine vorsichtige Behandlung, ein Fernhalten vom Dogmatischen. Die Beziehungen von Seele zu Seele – und um solche handelt es sich bis zu einem gewissen Grade hier doch zweifellos – vertragen kein Dogma. Schon das Typisieren ist bei solchen Fragen gar gefährlich – man bedenke nur, wie leicht der Typ zur Karikatur wird. Und doch – hier ist mehr typisiert und dogmatisiert worden, als irgend sonstwo. Wo man auch sein moralisches Urteil zurückhielt – auf die Schule wandte man es uneingeschränkt an. Und zwar mit einer Primitivität, die um so verblüffender wirkt, als man weiß, daß diejenigen, die da den Lehrer schwarz und den Schüler weiß malen, sonst keineswegs so absolut in ihrem Urteil sind – und doch finden wir hier die verschiedensten Individualitäten – ich nenne Frank Wedekind, Hermann Hesse, Emil Strauß, Georg Kaiser, Otto Ernst, Leonhard Frank – in *einer* Tendenz vereinigt.
Wie kommen nun diese verschiedenen, vielfach in ihrem Letzten verschiedenen Geister, deren einigen man ihre hohe Bedeutung wahrlich nicht absprechen kann, zu ihrem gleichen Urteil? Sollten wirklich alle Lehrer Sadisten, Betrüger oder – bestenfalls – nüchterne Durchschnittsmenschen (Strauß) sein? Soll sich diese rein *berufliche* Klasse wirklich aus einer Auslese von mehr oder minder karikaturenhaften Scheusalen rekrutieren?

Schon eine ganz nüchterne Erwägung spricht dagegen: wie sollte es möglich sein, daß ein Beruf, der doch schließlich nicht gerade dem Verbrechen Vorschub leistet, ausschließlich von ausgeprägten Verbrechernaturen ausgeübt wird, während in anderen Berufen sich solche Verbrechertypen doch recht selten finden? Warum sind nicht vielmehr diese Menschen Mörder oder Hochstapler geworden, wozu sie doch zweifellos besser geboren wären?

Beruf – in diesem Worte liegt der grundlegende Irrtum der erwähnten Schriftsteller. Sie fassen den Lehrer als einen durchaus bösen Menschen auf, der aus Bosheit – um Kinder zu quälen – Lehrer geworden ist, – in Wahrheit aber ist der Lehrer ein Mensch wie jeder andere, oft stärker als jeder andere im Glauben an die Kraft seines Wirkens, in dem nur durch eine ganze Reihe *äußerer* Faktoren eine Reihe von Eigenschaften ausgebildet worden sind, die auf seine Gesamtentwicklung von höchstem Einfluß sind. Der Mensch wird durch den Beruf zum »Lehrer«. Eben denselben Einflüssen – und das ist der zweite Irrtum unserer Schriftsteller – sind aber auch die »Schüler« zum großen Teil ausgesetzt. Auch ihr Wesen wird durch äußere Umstände bedingt, und oft sieht sich der Lehrer dem Typus »Schüler« genauso gegenübergestellt, wie der Schüler dem Typus »Lehrer«, so daß das Seelische der Beziehungen zwischen beiden einfach durch das Überwiegen der äußeren Faktoren völlig aus dem Gesichtskreise entschwindet.

Bedingend für die Erkenntnis des Verhältnisses oder richtiger der Einzelbeziehungen von Lehrer zu Schüler ist die Erkenntnis der äußeren Faktoren. Welches sind nun diese äußeren Faktoren?

Zunächst: die Schule ist eine Vereinigung einer großen Anzahl von Menschen ohne jedes psychologische Gesetz, nach rein zufälligen Umständen. Denn daß die einzelnen Arten der Schulen vorwiegend von bestimmten Gesellschaftsklassen frequentiert werden, bringt keine seelische Schichtung mit sich – im Gegenteil, es verhindert häufig ein wahres Binden des Gleichen, des Wesensgleichen: innerhalb derselben Gesellschaftsklasse nämlich wird nur das Gleichartige, das von außen nach Sitte und Gewohnheit Gleiche gebunden.

Sodann: diese große Anzahl von Menschen besteht nicht aus reifen Individuen, sondern aus Kindern, aus Wachsenden, aus Nehmenden. Alle die Seelen, die zusammenwirken, sind von irgendeinem

Zweckbewußtsein noch völlig ungebunden, ihre ursprünglichen Triebe wirken sich frei aus und ihre Urteilsfähigkeit folgt nicht der Erfahrung sondern lediglich den Gesetzen ihrer Beschaffenheit. Sie sind alle ganz und gar von ihrem Ich, ihrem Lebensbewußtsein erfüllt, beziehen alle Erscheinungen auf sich und fordern, frei von reflektierenden Gedanken, unbedenklich die volle Hingabe des Andern an ihre Persönlichkeit. Der Begriff der eigenen Verantwortlichkeit gegenüber dem Andern, der Begriff der Arbeit, der Begriff der Pflicht, kurz alle Begriffe, die ein Durchdringen des Eigenbewußtseins mit einem Bewußtsein des nicht (wie etwa die Natur der naiven Anschauung) unmittelbar zum Ich Gehörigen bedingen, sind der Kindesseele fremd und bleiben es zum guten Teile auch dann noch, wenn längst die »Erziehung« in der Schule eingesetzt hat. Das Kind ist stark im Ichgefühl und fordernd.

Und fordernden Vielen tritt nun ein fordernder Einzelner gegenüber – der Lehrer. Für alle die verschiedenen seelischen Strahlungen bedeutet seine Persönlichkeit einen Brennpunkt – alle wollen etwas von ihm, der ihnen schon durch eine gewisse Tradition in einem eigenen Lichte erscheint, blicken auf ihn mit scheuem Vertrauen – und es geschieht das Unerwartete, das, was seelisch ebensogut ein Neues, Großes wie eine Katastrophe bedeuten kann: er fordert. Und zwei Willensströme treffen aufeinander – der Glauben erschüttert, die naive Selbstwertung ins Wanken gebracht – eine neue Zeit, eine Zeit des seelischen Kampfes *muß* beginnen.

Und mehr noch – jener Neue tritt ihnen nicht in seinem ganzen Ich entgegen, kann nicht seine ganze Wesenheit um ihre Wesenheiten einsetzen – auch er steht unter einem Zweck, der außerhalb seines Ich liegt, er ist für sie zunächst nicht Mensch, sondern Lehrer, d.h. *Vermittler* eines Abstrakten, Zwingenden, in seiner Herkunft Unbeschreiblichen, der nun – im Dienste dieses zunächst außerhalb der begrifflichen Sphäre des Schülers liegenden Zweckes – Forderungen zu stellen hat.

Damit erscheinen mir die Voraussetzungen der Beziehungen von Lehrer und Schüler im Wesentlichen gegeben. Sie rühren von außen her oder richtiger: sie sind bedingt nicht durch *individuelle*, sondern durch allgemeine, notwendige, *typische*, psychologische Vorgänge. Es ist nun ohne weiteres einleuchtend, daß diese Voraussetzungen – je nach der Beschaffenheit der Beteiligten – zu ganz verschiedenen

seelischen Auswirkungen führen können – es handelt sich hier nur darum, die Erscheinungen zu untersuchen, die mit einer gewissen Regelmäßigkeit und Notwendigkeit auftreten – und gerade um diese Erscheinungen, die – wie oben dargetan – nicht im Individuellen, sondern im Typischen, zeitlich und allgemein – menschlich Bedingten wurzeln, ist ja in unseren Tagen der Streit so heftig entbrannt.
Worin haben wir nun die häufigsten Auswirkungen jener Voraussetzungen zu erblicken?
Der Lehrer – ein Mensch, der viel in sich aufgenommen und verarbeitet hat, der zu einer gewissen Reife gelangt ist und der auch von einem gewissen, zweifellos berechtigten Selbstbewußtsein erfüllt ist, tritt einer psychologisch nicht einheitlichen Gesamtheit entgegen mit der Aufgabe, sie zu lehren, also im Letzten zu *geben*. Mit dieser Gesamtheit kommt er in Berührung – aber nicht in freie, freigewählte Berührung sondern unter dem höheren Gesichtspunkte eines *Zieles*. Dieses Ziel ist ihm bekannt, den Schülern zunächst nicht; er betrachtet zunächst die Klasse wesentlich nach Maßgabe dieses Zieles, die Klasse sieht ihn unbefangener an. Während er seinen Geist nur auf einen ganz bestimmten Teil der Seele einstellt – zunächst den des rein Verstandesmäßigen – tritt ihm die Seele des Kindes ihrem vollen Umfange nach entgegen. *Die seelische Schichtung zwischen Lehrer und Schüler ist von Anbeginn nicht kongruent.*
Das ist von höchster Wichtigkeit für die weitere seelische Ausgestaltung der Beziehung. Denn naturgemäß wird die Bewertung des Lehrers von seiten des Schülers einseitig und ungerecht. Der Schüler verkennt das Menschliche im Lehrer vor dem Verstandesmäßigen. Und da im Kinde zumeist die gefühlsmäßige Seite weit stärker ausgebildet ist als die verstandesmäßige, ja, da es (die Begründung führte zu weit) im allgemeinen zu einer Unterbewertung des Verstandesmäßigen neigt, so wird nach der ersten großen Enttäuschung gar bald ein gewisses Mißtrauen gegenüber einem Menschen platzgreifen, den das Kind seiner eigenen Wesensart gegenüber als fremd empfindet und den es – als den verstandesmäßig Überlegenen – gar leicht fürchtet.
Wie sehr das Kind im Lehrer den Menschen sucht, als wie nebensächlich es eigentlich den »Unterrichtsbeamten« ansieht, beweist ja das leidenschaftliche Interesse, mit dem es alles, was es vom Lehrer,

über den Lehrer *außerhalb* der Schule hört, aufnimmt. Nichts wäre verkehrter und oberflächlicher, als dieses Interesse einfach als bloße Neugierde oder gar als hämisches, spottsüchtiges Nachspüren erklären zu wollen; es ist eine unmittelbare Sehnsucht nach dem Menschlichen, die das Kind ganz primitiv in dem Erkennen der äußeren Lebensumstände des Lehrers, die ihm mehr als seine Wissenschaft zum »Menschen« zu gehören scheinen, zu stillen sucht.
Noch ein Anderes macht sich gleich zu Beginn der Beziehungen zwischen Lehrer und Schüler geltend. Es geht auf die gleiche Ursache zurück wie die eben besprochene Erscheinung.
Oben wurde ausgeführt, daß die Schulgemeinschaft eine psychologische Vielheit darstellt, der die Einzelpersönlichkeit im Dienste eines Zieles gegenübertritt. Dieses Ziel läßt sich mit einer Vielheit von Menschen, die sich seiner nicht bewußt sind, nicht erreichen. Es ist vielmehr notwendig, diese Vielheit zu ordnen, das Ähnliche zu vereinen und das Unähnliche zu trennen, um damit die sonst unvermeidlichen Reibungswiderstände zu bannen. Aus dieser (nicht immer bewußt vorhandenen) Erkenntnis heraus erwächst im Lehrer der *Wille zum Typisieren*.
Da nun der Lehrer oft die Erscheinungen der Kindesseele nur unter dem Gesichtspunkte des Endzieles betrachtet, so wird er auch unter diesem – d. h. nach der »wissenschaftlichen Befähigung« typisieren. Hier nun freilich spielt die Sympathie des Lehrers eine gewisse Rolle – diese liegt aber jenseits des Typischen, ist nicht als in ihren psychologischen Auswirkungen konstant anzusehen und kommt daher für uns schwerlich in Betracht.
Die Folgen des Typisierens auf die Seele des Schülers werden zweifellos stark unterschätzt: das hängt mit dem häufigen Vorurteil zusammen, daß die kindliche Seele weniger empfindlich gegen äußere Einwirkungen ist als die des Erwachsenen. Auf dieses Vorurteil braucht hier nicht eingegangen zu werden – es ist längst schlagend widerlegt und längst hat man erkannt, daß das noch nicht von Erfahrungen überlastete Wesen in weit höherem Grade fähig ist, neue Erscheinungen zu schauen und zu erkennen, als das mit äußeren Einwirkungen schon gesättigte, wo nicht übersättigte.
Da nun das Kind – wie schon oben angedeutet – ganz von seinem Ich und dessen Erhaltung erfüllt ist, so empfindet es das Typisieren, das ihm stets eine Reihe von wichtigen Wesensseiten nimmt, das

Einordnen in eine Gruppe, der es seinem Innern nach weit weniger nahesteht als vielleicht der Typisierende meint, geradezu als einen Angriff auf das Ich.

Ferner reizt das Nüchterne, Verstandesmäßige, Kalte die junge Seele, die nun einmal Wärme braucht, aufs Heftigste auf. Es ist schon einem reifen Menschen nicht angenehm, zu wissen, daß seine Seele seziert wird, einem Kinde aber, in dessen Unterbewußtsein ständig das Gefühl der Schwäche mitschwingt, ist aber das Beobachtet-, Klassifiziertwerden geradezu unerträglich.

Zum guten Teile kann man die Abneigung des Schülers gegen Note und Zeugnis – die Symbole des Typisierens – auf das Konto jener schablonenfeindlichen Empfindung setzen – sie muß nicht unbedingt aus Angst erwachsen.

Ferner erklärt diese Empfindung eine sonst schwer begreifliche Erscheinung: daß sich die Schüler oft gerade am stärksten zu den Lehrern hingezogen fühlen, die im Letzten gar keine Lehrer sind. Denn diesen Männern – es sind zumeist künstlerische Naturen – geht der Sinn für die Schablone, für das Typisieren gewöhnlich ab: sie sind innerlich zu reich, um ihr Gefühlsleben – selbst dort, wo es das »Ziel« erheischt – aus dem Unterricht ausschalten zu können, selbst zu kompliziert, um die Seelen anderer als einfach sehen zu können.

Nach den beiden vorgenommenen Untersuchungen (1. Inkongruenz der seelischen Lagerung, 2. Wille zum Typisieren) ist es wohl klar, daß die Schwierigkeiten der Beziehungen zwischen Lehrer und Schüler – soweit sie vom Schüler ausgehen – wesentlich im Gemütsleben des Kindes begründet sind: dieser Eindruck bestätigt sich bei Betrachtung der dritten Erscheinung in der Seele des Schülers, die nach meiner Ansicht entscheidend ist, weil ihre Wurzeln viel tiefer liegen, als in Organismus und Form der Schule.

Denn – solange ein reifer Mensch im Leben gezwungen ist, etwas zu leisten, solange muß er sich in der Vorbereitungszeit Kenntnisse, d.h. das Wissen und Verstehen von Tatsachen und Gesetzen aneignen.

Ebenso wird aber jeder junge Mensch – wenn man von dem »Musterknaben«, der zielstrebigen Natur absieht – zunächst sich selbst leben wollen, zunächst nehmen – einfach dem überstarken Selbsttriebe folgend.

Diese beiden Notwendigkeiten prallen in der Schule – wie vielerorten – aufeinander und wirken bestimmend ein auf die Gestaltung der Beziehungen zwischen Lehrer und Schüler.

Der Schüler wartet – für das kleinere Kind ist der Lehrer der Mann, der mit ihm und noch vielen anderen seine Zeit zubringt, ihm allerlei Schönes erzählt und spielt – nur dunkel fühlt es, daß die Schule ein Neues, ein bis jetzt Unbekanntes bedeutet. Und nun kommt der Lehrer und *will* seinerseits – fordert seinerseits, und fordert im Dienste eines verstandesmäßigen Zieles, dem der Schüler durchaus fremd gegenübersteht.

Nach der *ersten*, vielfach entscheidenden Enttäuschung, nachdem sich der Schüler mehr oder minder damit abgefunden hat, daß man etwas von ihm fordert, daß er »arbeiten« muß, wird dann dem Schüler rasch eine zweite bereitet. Schnell findet er einen Wissenszweig, der ihm besonders zusagt, in dem er aufgeht, und in ihm entwickeln sich seine besonderen Neigungen und Fähigkeiten. Da zwingt ihn der Lehrer – immer selbst im Dienste des »Zieles« – sich gerade mit dem zu beschäftigen, was ihm nicht liegt, er beginnt einen festen Widerstand zu fühlen, dem Machtmittel zu Gebote stehen, die ihre Wirkung auf die Seele nicht verfehlen können.

Und nun – Druck entwickelt Gegendruck – wird im Schüler der Widerstand wach. Durch die vorhin erörterten seelischen Einwirkungen wird bereits eine Atmosphäre des Mißtrauens geschaffen, nun kommt – erst instinktiv, dann mehr und mehr bewußt erlebt – der *Haß* auf. Zunächst der Haß in seiner primitivsten Form, einfach ein plötzlicher Widerstand gegen überstarke äußere Einflüsse, dann immer mehr von andern seelischen Elementen – Neid, Rachsucht und besonders (wovon noch zu reden sein wird) Spieltrieb – durchdrungen.

Alle diese Erscheinungen sind noch verhältnismäßig harmlos, lassen sich durch einen Lehrer, der sie rechtzeitig erkennt, auch noch überwinden – doch sie stehen in engstem Zusammenhang mit dem gefährlichsten Vorgange der seelischen Beziehungen von Lehrer und Schüler.

Alle bisher betrachteten Erscheinungen wurzeln im Gemütsleben des Kindes. Das Gemüt ist dem Kinde das primäre, derjenige Teil seiner Wesenheit, auf den es zunächst die Eindrücke des Lebens bezieht. Deshalb ist das Gemüt auch schon in früher Jugend hoch entwickelt und fähig, feinste Lebensregungen aufzunehmen und zu verarbeiten: frühzeitig hat das Gemüt schon eine gewisse Reife erreicht.

Ganz anders der Verstand. Der Kern seines Wesens ist zwar von Anbeginn vorhanden; er hat aber noch zu wenig Stoff in sich aufgenommen, um selbständig wirken zu können.

In der Schule nun wird selbständiges Wirken des Verstandes gefordert, und die neue seelische Ausdrucksform bietet dem Kinde mannigfache Anregung.

Der Lehrer tritt ihm als Verstandeswesen entgegen; gegen den Lehrer lehnt sich seine Empfindung heftig auf – was liegt nun näher, als daß es ihn auf dem nach seiner Ansicht eigensten Felde – dem der verstandesmäßigen Überlegungen – bekämpft, nun auch seinerseits typisiert?

Auf diese Weise kommt im Kinde das *Werturteil* über den Lehrer zustande, ein Urteil, das, da es von vornherein von einer falschen Voraussetzung, die in der inkongruenten seelischen Schichtung in beider Beziehungen und den Lehrer als Verstandesmenschen betrachtet, ausgeht, und da es ferner mit unzulänglichen seelischen Mitteln gefällt wird, notwendig in wesentlichen Teilen unrichtig sein muß.

Wenn jedes Urteil subjektiv bedingt ist, so ist es das des Kindes zweifellos in besonderem Maße. Es ist berechtigt, solange es nicht über seine subjektive Bedingtheit herauswächst – macht es Anspruch auf objektive Gültigkeit, so wird es in seinen Wirkungen verhängnisvoll.

Freilich – zunächst geht ja das kindliche Werturteil durchaus vom Ich aus. Erfragt wird es etwa in der Alternative: Ist dieser Lehrer gut? Oder ist er streng? »Streng« ist eine ganz richtige Einschränkung des Urteils »böse« in »für mich böse« – denn so faßt das *Kind* ja den Begriff »streng« zweifellos auf.

Aber dieses Einschränken – es ist seiner Herkunft nach schwer zu erklären – schwindet bald und mit ihm der gefühlsmäßige Zusammenhang des Urteils mit dem Ich. Das Urteil wird nun geradezu formelhaft, wird zum *Vorurteil* gegen den Begriff »Lehrer« überhaupt – und damit ist das Verhältnis von Lehrer und Schüler in seinen Grundlagen erschüttert.

Bestimmend für die seelischen Beziehungen zwischen Lehrer und

Schüler wirkt das Aufstellen und Annehmen subjektiv bedingter und erstarrender Werturteile von seiten des Schülers.

Denn – jener Geist der grundsätzlichen Ablehnung der Erziehenden bringt naturgemäß eine seelische Reaktion im Lehrer mit sich.

Dem Lehrer ist zur Erreichung seines Zieles eine Reihe sehr starker Machtmittel in die Hand gegeben worden. Diese Machtmittel wendet er gegen den Widerstand an, um ihn zu brechen: das gelingt ihm wohl im Einzelnen, aber nicht im Grundsätzlichen; der Widerstand ist stark.

Und nun beginnt in ihm – oder kann wenigstens beginnen – eine ganze Reihe seelischer Faktoren sich zu entwickeln.

Der Schüler empfindet den Lehrer als Nehmenden – der Lehrer ist aber vielmehr ein Gebender und ist sich dessen wohl bewußt – er empfindet sich also vom Schüler nicht allein *falsch*, sondern *unter*bewertet – und wessen Seele kann das leicht ertragen? Er ist der Überlegene an Alter, Reife, Wissen – ihm Unterlegene treten ihm entgegen, und lebendig wird ihm der Wille zur Macht, und zwar in einer ganz spezifischen Form: der des geistigen Hochmutes. Der Lehrer tritt dem Schüler auf dieser Entwicklungsstufe etwa mit der gleichen Seelengebärde entgegen, mit der ein Mensch körperlich einen Schwarm lästiger, kleiner Mücken abwehrt – und die Folge hiervon wieder braucht kaum mehr ausgeführt zu werden.

Wird nun (und wie bald geschieht das) im Lehrer der Gegensatz bewußt, so entsteht auch in ihm ein Werturteil.

Der Lehrer übersieht – darin dem Schüler gar nicht unähnlich – das Triebhafte im Verhalten des Schülers; das ist sehr leicht begreiflich, weil ja der Schüler – wie oben ausgeführt – mit Vorliebe dem Lehrer gegenüber sich eine Verstandesmaske aufsetzt. Viele der entscheidenden seelischen Vorgänge im Kinde sind dem Lehrer im Laufe der eignen Entwicklung völlig fremd geworden, besonders dem Spieltrieb, der in seiner Bedeutung kaum hoch genug angeschlagen werden kann (Grausamkeit!), steht er verständnislos gegenüber, empfindet ihn als nur *feindlich*, ohne ihn in einem höheren Sinne als dem der Fröbelmethode dem Ziele nutzbar machen zu können. Und das alles schafft in ihm ein moralisches Werturteil, dem die Objektivität durchaus abzugehen pflegt, das schon deshalb sehr gefährlich ist, weil man an die kindliche Seele nicht mit der üblichen

Moral-Maschinerie (als deren Schwungrad der »schlechte Charakter« anzusehen ist) herangehen darf, weil deren Getriebe sie zermalmt.

Und doch ist es wiederum begreiflich, daß der Lehrer gerade zu einem moralischen Urteile gelangt. Fast jeder Lehrer (wenn er auf diesen Namen überhaupt Anspruch machen will) gibt sich seinem Berufe hin, getragen von Idealen, von Idealen, deren Nichterreichbarkeit er in den weitaus meisten Fällen nur allzu rasch erfahren muß. Unerfüllte Ideale führen aber fast stets zu ethischen Werturteilen: das Ethos, das die Sehnsucht nach dem Unerreichbaren erweckt, wird sich in erster Linie auch gegen das Nicht-Erreichen-Können aufbäumen.

Ein wichtiger Gradunterschied besteht zwischen den Entwicklungsformen bei Lehrer und Schüler: im Lehrer (dem gereiften Menschen) wird sich die Entwicklung fast stets viel individueller vollziehen als im Schüler. Freilich – auch beim Lehrer bilden sich – je nach der Entwicklungshöhe der Persönlichkeit – bestimmte Typen heraus.

Nur einen Typus möchte ich erwähnen, einen Typus, den ich eigentlich als tragisch empfinde: in dem im Laufe der Zeit guter Wille, Geisteshochmut, Skepsis und Resignation zu einer eigentümlichen, schroffen und weichen, weh-ironischen Einheit geworden ist – ein Typ, tragisch schon deshalb, weil er wie kein anderer gehaßt wird: der des »Wohlmeinenden«.

Noch einiges wäre zu bemerken über die Entwicklung im *älteren* Schüler.

Auf den ersten Blick erscheint diese sehr weit entfernt von der des jüngeren – ist es aber in Wirklichkeit nicht. Zwei Momente sind hier entscheidend.

Zunächst: im werdenden Manne wird das Persönlichkeitsbewußtsein lebendig; er empfindet sich viel stärker als eine Einheit denn früher, und seine Hingabefähigkeit wird vermindert oder richtiger gesagt konzentriert; hinzu kommen Elemente der rein körperlichen Entwicklung, und im Jüngling erwacht und erstarkt die *Gefühlsscham*, die alle die oben beschriebenen Erscheinungen nicht etwa aufhebt, sondern nach innen richtet, sie gleichsam latent und darum manchmal (Freund Hein!) besonders intensiv zum Erlebnis bringt.

Um ein Beispiel zu nennen: während früher der Schüler fragt: ist dieser Lehrer gut? oder streng?, wird er nun fragen: kann er etwas? oder kann er nichts?, ohne daß doch darum im Wesentlichen – der zugrunde liegenden Empfindung – ein Unterschied besteht: das Intellektuelle der Frage ist nur ein Mantel, den die Gefühlsscham der ursprünglichen Empfindung umlegt.

Hiermit sind viele Erscheinungen erklärt, die wesentlich von den früheren verschieden scheinen, ohne es zu sein: die Gefühlsscham stellt ein gleichsam positives, verinnerlichendes Entwicklungsmoment dar. Ein negatives tritt hinzu.

Oben wurde ausführlich von der Aufstellung subjektiv bedingter und unrichtiger Werturteile geredet, von der verhängnisvollen Wirkung der Einstellung des Kindes auf das Nur-Verstandesmäßige. Diese Werturteile sind ursprünglich zweifellos durch innerlich wahrhaftige Seelenvorgänge geschaffen: ihr seelischer Kern beginnt jedoch mit der Zeit zu schwinden, und dann erst setzen jene gefährlichsten Wirkungen ein.

Das geschaffene, absprechende Werturteil geht zunächst in das Bewußtsein des Urteilenden über, er beginnt es in jeder Faser zu leben und unbedingt zu glauben. Er äußert aber auch sein Urteil, solche hören es, die es nicht erlebt haben, es schleift sich ab, wird als selbstverständlich empfunden, wird schließlich traditionell, wird schließlich zur *Lüge*. Und schließlich kommt es dahin, daß schon der *Begriff* Lehrer a priori verurteilt und gehaßt wird, ohne daß der Schüler noch das Menschliche zu erfühlen imstande ist. Und was liegt auf dieser Entwicklungsstufe näher, als den verhaßten Begriff »Lehrer« für vogelfrei zu erklären? Jedes Mittel – auch das unvornehmste und niedrigste – im Kampfe gegen ihn zu sanktionieren, jede Lüge ihm gegenüber zu rechtfertigen. Und die Krone der Entwicklung ist dann, wenn die Vielen ihre Macht gegenüber dem Einzelnen empfinden, sich zusammenschließen, eine Interessengemeinschaft zu bilden, um ihn – vielfach unter dem Titel »Kameradschaft« – zu bekämpfen, ihn seelisch zu vernichten ...

Wohl bin ich mir der Tatsache bewußt, daß die hier dargestellten Entwicklungsmöglichkeiten nicht die alleinigen sind; im Gegenteil, wohl in der Mehrheit der Fälle wird die Entwicklung anders, freundlicher verlaufen, als hier dargestellt. Eine starke und reife Lehrerpersönlichkeit wird stets die entscheidenden Augenblicke erfühlen und die Spannung lösen. Aber dort, wo die Beziehungen gedeihlich sind, ist ja eine Reform nicht nötig: die Schattenseiten sind es, wo jenes Neue einsetzen soll, in dessen Dienst sich auch unsere Zeitung stellt*. Und um Besserung zu schaffen, ist eines not: völlige, unverhüllte Erkenntnis des Tatsächlichen und seiner Verkettungen. Sollte diese Arbeit zu jener Erkenntnis beigetragen haben, so hätte sie ihren Zweck erreicht.

1919

* *Gemeint ist die »Frankfurter Schüler-Zeitung«, deren erste Nummer im Oktober 1919 erschien; sie enthielt u.a. ein Geleitwort von Reinhold Zickel (vgl. unten, S. 756ff.) und den ersten Teil des vorliegenden Aufsatzes von Theodor W. Adorno, der mit zwei weiteren Obersekundanern auch verantwortlich für die »Frankfurter Schüler-Zeitung« zeichnete.*

Die Natur, eine Quelle der Erhebung, Belehrung und Erholung

Abituriums-Aufsatz

Das Wort »Natur« bedeutet in seinem allgemeinsten Sinne die Gesamtheit des unbewußten Daseins schlechthin. Zwar verengte der oberflächliche Sprachgebrauch diese Bedeutung, doch ohne sie grundsätzlich zu ändern. Der Ausdruck etwa »in die Natur gehen« besagt dem Grundgefühl nach nichts anderes, als das unbewußte Dasein aufsuchen dort, wo es in der Erscheinungswelt am deutlichsten ausgeprägt ist. Daß sich der einfache Mann unter der Natur den Wald vorstellt, zeugt lediglich davon, daß er unfähig ist, das Erlebnis der Natur in eine begriffliche Form zu fassen, und es darum mit einer rein sinnlichen Vorstellung zu bannen strebt. Das Erlebnis selbst aber stimmt mit der Wortbedeutung überein.

In einer Hinsicht freilich hat sich diese Wortbedeutung allmählich geändert: nicht qualitativ jedoch, sondern quantitativ. Die geschichtliche Entwicklung der letzten Jahrhunderte hat den Menschen dem unbewußten Dasein immer mehr entfremdet. Als die abendländische Kultur zur Civilisation geworden war, entfloh das Unbewußte und ließ den Menschen einsam die Verzweiflung seiner ganz wissenden Seele tragen. In das Unbewußte, das ihn umgab, trug er, unfähig es zu durchseelen, seine Bewußtheit, indem er es völlig auf menschlichen Zweck umstellte und ihm den letzten Rest von Daseinshaftigkeit austrieb: es entstand die Maschine. Aber je quälender die Vereinsamung im Bewußten ward, um so stärker wuchs die Sehnsucht, das verlorene Unbewußte wiederzugewinnen. Natur war nicht mehr Heimat, sondern Ziel; sie wurde im Gegensatz erlebt zum Bewußten und Allzubewußten, zum Mechanisierten. Mit Rousseaus Lehre von der Rückkehr zur Natur fand erst der Naturbegriff seine eigentliche Betonung. Heute ist uns

Natur nicht mehr nur unbewußtes Dasein, sondern unbewußtes Dasein im Gegensatz zur bewußten Civilisation.
Fragen wir: inwiefern ist uns die Natur eine Quelle von Erhebung, Belehrung und Erholung?, so heißt das: wodurch kann das im Gegensatz zur bewußten Civilisation erlebte, unbewußte Dasein fördernd auf uns wirken?
Unendlich vielfältig ist unsere Seele, unendlich vielfältig ist die Natur: darum umschließen die Wirkungen der Natur auf uns eine Welt, vom Stofflichsten bis zum Geistigsten aufsteigend. Die Natur beschenkt alle, aber ihre edelsten Geschenke werden nur den Auserwählten zuteil.
Das unbewußte Dasein ist die Mutter alles Daseins überhaupt: aus dem Unbewußten wächst alles Bewußte hervor. Und gütig wie eine Mutter ist das Unbewußte, kehren wir zu ihm zurück, so empfangen wir die verlorene Stärke zurück, die uns das Um-Alles-Wissen, das ein Um-Alles-Kämpfen bedeutet, vordem geraubt hat.
In der Natur gibt es keinen Zwiespalt von Geist und Erscheinung; glauben wir überhaupt ein Geistiges, so finden wir es in der Natur im Sinnlichen gestaltet. Darum dürfen wir in der Natur Sinnliches stets als Sinn-Bild fassen und deuten.
Wir holen in der Natur unser verlorenes Wesen, wir erholen uns selbst: das dürfen wir aus dem Körperlichen schon erschließen. Wer je nach Stunden angestrengter Arbeit in den Wald ging und ruhte oder besser noch: wer je in den Wald ging, um dort geistig zu arbeiten, wird erlebt haben, daß im Atem der freien Luft der eigene Atem sich weitete, daß im weichen ruhigen Grün der Bäume das gequälte Auge Weichheit und Ruhe fand, daß auf dem elastischen Boden der Schritt elastisch wurde.
Und dann geschah es wohl, daß Geist und Körper, sonst voneinander abgetrennt, für Stunden wiederum eins wurden, daß rätselhaft die Seele aus dem Körper neue Kraft sog und schöpferisch wurde und alle Hüllen ihrer Gebundenheit abwarf und nur noch da war, sie selbst, die sich gefunden.
Erholung ist ein Heimfinden zu sich. Der niedere Mensch erholt sich, indem er heimfindet zum Tier, der hohe, indem er heimfindet zum Geist. Die Natur aber ist allen die große Heimat. Darum können alle zu sich heimfinden in der Natur, alle sich erholen.
– Alle Erholung aber bleibt auf das Ich beschränkt. Sie hat keine

Macht über die Welt, mit der das Ich sich auseinandersetzen muß. Daß das Ich auch die Welt ergreift und begreift und gestaltet, dazu hilft die Natur auf andere Art: durch die Belehrung.

Lernen können wir aus allem, was uns als Erscheinung entgegentritt: die Möglichkeit unserer Erkenntnis umschließt die gesamte Erscheinungswelt. Aber das Bewußtsein, das wir in die Dinge trugen, hat vielerorten ihr wahres Sein verfälscht, indem es die Fülle des Gegenständlichen nach dem Maßstabe menschlichen Wertebewußtwerdens (Wertebewußtsein ist nur ein Teil des Bewußtseins) beschränkte und verengte. Das war notwendig, aber gefährlich: notwendig, weil nur im Menschen das Unbewußte Gestalt finden kann, gefährlich, weil es drohte, den Menschen zum Maß aller Dinge werden zu lassen und ihn unehrfürchtig zu machen. Dieser Gefahr entgeht er, wenn er in seinem Streben nach Erkenntnis zum unbewußten Dasein zurückkehrt, zur Natur.

Die Natur wirkt belehrend zunächst durch die Fülle von Erscheinungen, die der Mensch aufnimmt. Diese Fülle durchdringt ihn, ohne daß er eine menschliche Zweckidee darin zu finden vermöchte, und offenbart sich ihm darum in ihrer ganzen Reinheit. Die Erfahrungen in der Natur sind unvergleichlich viel grundsätzlicher und gültiger als alle in der Gesellschaft, weil keine Bewußtseinskomplizierungen sie umhüllen. Von allen Erfahrungen sind die der Natur am unverfälschtesten und darum der reinen Erkenntnis am nächsten.

Aber die Erkenntnisse, die die Natur dem Menschen übermittelt, bleiben nicht auf das Bereich des Nur-Erfahrunghaften beschränkt. Schon im Erfahrunghaften offenbaren sich durch den bloßen Ablauf der Naturgeschehnisse die Kausalgesetze: wenn Wolken am Himmel hängen, regnet es, wenn warmer Regen fällt, knospen die Pflanzen, das menschliche urteilende Bewußtsein greift über diese Erfahrungstatsachen hinaus, nachdem es ihren ursächlichen Zusammenhang aufgewiesen hat, und gelangt schließlich synthetisch zur Erkenntnis, daß ein ursächlicher Zusammenhang alles Naturgeschehen bedingt, daß die Natur nicht Chaos, sondern Kosmos ist.

Diese Erkenntnis ist entscheidend für die Gestaltung der Weltanschauung des Menschen. Sie zeigt, daß selbst im Unbewußten alles zweckhaft und sinnhaft geschieht, absolut zweckhaft, nicht unter dem Blickpunkte des Menschen. In den Verkettungen des Bewußten könnten wir zu dieser Erkenntnis kaum je gelangen, obwohl wir gerade dort sie vorauszusetzen pflegen, sondern würden in den Widersprüchen der bewußten Seele müde entsagen. Die Natur aber kann uns lehren: daß alles Dasein sinnvoll ist.

– Durch Erholung kann die Natur das Ich zu sich zurückführen, durch Belehrung ihm die Welt als Kosmos, als ein sinnvolles Ganzes entgegenstellen. Und noch ein drittes vermag sie: sie kann den Menschen aus der Vereinzelung des Ichhaften in die sinnvolle Ganzheit, ins Kosmische emportragen, sie kann ihn *erheben*.

Das Naturerlebnis vermittelt dem Menschen zunächst andere Größen- und Wertevorstellungen, als er sie im Bereich des Bewußten zu empfangen pflegt. Er, gewohnt, alle Dinge nach sich zu messen, sieht sich einer Welt gegenüber, die sich mit diesem Maße gar nicht messen läßt. Der Mensch, der in seinem Eigenleben immer wieder die Tragik des Gebundenseins im Endlichen erleben muß, darf in der Natur die Unendlichkeit erleben, das unendlich Große ebenso wie das unendlich Kleine. Die gleiche Fülle der Welt, der er seine gültigsten Erfahrungen dankt, führt ihn über das Begreifbare hinaus zum Unbegreifbaren und zwingt ihn zur Ehrfurcht. Und dieser Zwang ist der schönste: nur den Kleinlichen macht er klein, der Große wächst in seiner Ehrfurcht empor zum Unbegreifbaren, er ist, mit des Dichters Worten zu reden, ein Funke nur vom heiligen Feuer, ein Dröhnen nur der heiligen Stimme.

Wäre die Natur sinnlos – dann freilich müßte sie das Ich zerschmettern. Aber die Erkenntnis hat sie als sinnvoll erwiesen. Und der ehrfürchtige Mensch kann in der Natur den Geist finden, weil er den Sinn finden muß. Der Geist ist in der Natur als Gesetz gestaltet: und so erlebt der Mensch das Gesetz, gegen das er in seinen Lebenskreisen stündlich sich auflehnen möchte, im Unbewußten wirkend, und eine Ahnung fällt in ihn, daß dies große Gesetz auch seiner Seele die Bahnen vorschreibt wie den Sternen. Dann weiß er sich eins mit den Sternen und allen unbewußten Dingen um ihn, die alle vom Geist-Gesetz voll sind und schwer wie Früchte an dem Baum: Gott.

Und noch eines erhebt ihn, ein Wiederfinden: er, der die Seele im Bewußten verlor, findet sie wieder im Unbewußten. Das Irrationale hat er aus seinem Bereich verdrängt: nun sieht er es im Baum und hört es im Bach. Er muß feine Augen haben und feine Ohren: aber dann begegnen ihm leise und mit großen guten Augen all die heimlichen Dinge, die den feinen Maschen seines Begriffsnetzes entschlüpft waren. Darum ist die Natur von all dem Volk geliebt worden, das auf heimliche Dinge geht wie die Zigeuner auf Diebstahl, von Dichtern und Musikanten und Taugenichtsen, aber auch von denen, die ums Letzte und Heimlichste kämpfen mit dem wachen Mut verwegener Gedanken; sie haben alle die Natur geliebt, Goethe und Hölderlin, Schubert und Mahler, Eichendorff und Nietzsche und Maupassant; alle diese ungleichen Menschen haben sich verloren, um sich zu finden, sie haben ihre Seele gefunden, sie wurden erhoben in ihre Heimat.

– Es soll nicht geleugnet werden, daß in diesem Sich-Verlieren Gefahr ist; daß weiche und schwache Menschen in die Natur gehen können, nicht um sich zu verlieren, nicht um sich zu finden, sondern um sich zu fliehen. Aber wenn sie sich nicht wiederfinden: ist es ein Schaden? Nein. Die Natur ist ihnen auch nur das, was ihnen alles ist: die Dekoration für ihr armseliges, kleines Ich, der Hintergrund, vor dem sie ihre Szenen mimen.

Denen aber, die Mut haben zum Leben, ist in unserer späten müden Zeit die Natur die letzte Wurzel der Kraft. In dem Naturerlebnis vollzieht sich die Gestaltung der Welt im Ich: eine gestaltete Welt geht in ein gestaltetes Ich sinnvoll ein, leuchtend im Abglanz des Göttlichen. Die Welt aber im Ich zu gestalten, ist der Sinn des Lebens. Nur durch die Gestaltung der Welt wird das Ich Persönlichkeit.

Dies Ziel zu erreichen, gibt uns die Natur den starken Auftrieb. Wir wollen ihr dankbar sein.

Ostern 1921

Umfragen

»Meine stärksten Eindrücke 1953«

An erster Stelle möchte ich die Neuausgabe von »Du côté de chez Swann« nennen, mit der mein Freund Suhrkamp eine vollständige Übertragung der gesamten »Recherche du temps perdu« eröffnet. Nicht, daß es sich um ein Novum für mich gehandelt hätte – seit Jahrzehnten spielt Proust in meinem geistigen Haushalt eine zentrale Rolle, und ich könnte mir ihn schlechterdings nicht wegdenken aus der Kontinuität dessen, worum ich mich bemühe. Aber sein Werk ist durch eine Reihe unglücklicher Fügungen, die schon vor dem Ausbruch des Dritten Reiches begannen, für Deutschland verlorengegangen, und die außerordentliche Übertragung, die Walter Benjamin und Franz Hessel begonnen hatten, wurde nie zu Ende gebracht. Von der Erfahrung Prousts in Deutschland verspreche ich mir Entscheidendes, nicht im Sinne der Nachahmung, sondern in dem des Maßstabes. Wie man jedem deutschen lyrischen Gedicht anhört, ob es dem Geist nach vor-georgisch oder nach-georgisch ist, auch wenn es mit der georgischen Lyrik selber gar nichts zu tun hat, so sollte sich wohl die deutsche Prosa scheiden nach einer vorproustischen und nach-proustischen. Wer an seiner Forderung, die gewohnten Oberflächenzusammenhänge zu durchbrechen, die genauesten Namen für die Phänomene zu finden, sich nicht mißt, sollte als zurückgeblieben ein schlechtes Gewissen vor sich selber bekommen. Angesichts des desorientierten Zustandes der deutschen Prosa, wenn nicht der Krisis der Sprache überhaupt, ist Rettendes zu hoffen von der Rezeption eines Dichters, der das Exemplarische vereint mit dem Avancierten. Vielen Franzosen gilt Proust für ›deutsch‹. Ich wüßte mir literarisch nichts Schöneres zu wünschen, als daß die Deutschen den säkularen Dichter verbindlich und

in all seinem abgründigen Reichtum so sich zueigneten, wie nur je einen aus anderen Jahrhunderten.
Danach hätte ich Kafkas Milena-Briefe zu erwähnen. Jede unmittelbare Beziehung des Kafkaschen Gehalts auf die Ereignisse seines Lebens ist mir verdächtig. Aber gerade die unendliche Distanzierung seines œuvres vom Empirischen verleiht auch seinen privaten Äußerungen einen Charakter des Geprägten, der sie weit über den privaten Anlaß hinausträgt. Nicht, weil Kafka in diesen Briefen sein Herz entblößte, oder weil sie etwa das Rätsel auflösten, sollte man sie lesen, sondern weil sie Produkte des großen Schriftstellers sind, die schriftstellerisch für sich selber einstehen.
Schließlich darf ich noch sagen, daß ich in Los Angeles zum erstenmal auf einer Schallplattenaufnahme das Kol Nidre von Schönberg hörte, ein etwa zwanzig Jahre zurückliegendes Werk, das ich bis dahin versäumt hatte. Es ist eines jener Stücke, in denen Schönberg mit der Erfahrung der Zwölftontechnik sich an einem älteren Material, dem erweiterter Tonalität, mißt. Irre ich mich nicht, so rechnet es an gedrängter Fülle, Ausdruckskraft und spezifischem Ton zum Vollkommensten aus seiner Hand. Auch ihm wäre zu wünschen, daß es in Deutschland endlich vom Bewußtsein nach Hause gebracht würde.

»Die zehn größten Romane der deutschen Literatur?«

Sehr gern würde ich Ihre Umfrage beantworten. Aber es ist mir einfach nicht möglich. Zunächst deshalb, weil ich nicht aus dem Handgelenk die zehn deutschen Romane nennen kann, die mir die besten dünken; sehr viel ist darunter, was ich zu lange nicht gelesen habe, was ich vielleicht auch einfach aus Gewohnheit dazu zählen würde, und um zu einer einigermaßen verantwortlichen Ansicht zu gelangen, brauchte ich sehr viel mehr Zeit, als Ihnen für die Umfrage zur Verfügung steht, und auch als ich selbst jetzt, mitten während des Semesters, habe. Hinzu kommt eine sachliche Überlegung: ich kann mich nicht dazu bringen, eine solche Auslese zu treffen, weil ich nicht glaube, daß es in der Kunst überhaupt eine Hierarchie von der Art gibt, daß man von den zehn besten Werken eines Typus reden kann. Zu viele sind unvergleichlich, ein Kunstwerk ist der Todfeind des anderen und möchte kein anderes neben sich haben, und eine Art Liste des ewigen Vorrats käme mir schon allzu sehr auf jene Art des erfassenden Durchmusterns heraus, die mir untrennbar erscheint von der gegenwärtigen administrativen Neutralisierung alles Kulturellen. Ich hoffe, daß Sie mir meine Offenheit verzeihen, aber ich glaube dem Ernst Ihrer Frage besser gerecht zu werden, wenn ich über die Frage selbst ernst rede, als wenn ich Ihnen eine unverbindliche Auskunft erteilte.

1956

Umfrage über die Todesstrafe

Zur Sache scheint mir Walter Benjamin das Tiefste gesagt zu haben: »Die Tötung des Verbrechers kann sittlich sein – niemals ihre Legitimierung.« Keineswegs fühle ich das Bedürfnis, die rechtsphilosophischen und juristischen Argumente zu wiederholen, die längst gegen die Todesstrafe vorgebracht worden sind, obwohl einige von ihnen, wie der Nachweis des mythologischen Unsinns der Vergeltungstheorie und die Kritik einer Strafe, die im Falle des Rechtsirrtums nicht korrigiert werden kann, stringent sein dürften. Mir genügt, ohne jede weitere Begründung, der Ekel davor, daß ein vor Angst halb irrer, auch physisch zerfallener Mensch, der sein Ich schon verloren hat, ehe man ihm den Kopf abhackt, in Gegenwart befrackter Notabeln umgebracht wird, die mit wichtiger Miene, ernst, aber gefaßt zuschauen, das Greuel als sittlich gefestigte Persönlichkeiten verlassen, und es sich womöglich noch zum Guten anrechnen, daß sie dem einzig menschenwürdigen Impuls nicht folgten: die Staatsaktion aufzuhalten oder zu stören. All das ist so widerlich, daß ich es um keinen Preis sanktioniert sehen möchte – nicht einmal im Fall Eichmann. Daß man im Ostbereich an der Prozedur nach wie vor festhält, ist allein schon der hinreichende Beweis dafür, daß die Ordnung dort das Gegenteil jenes realen Humanismus ist, für den sie sich ausgibt. Gar zu gut harmonieren damit jene Stimmen in der Bundesrepublik, die nach dem, was die Nazis im Namen von Strafe an Verbrechen verübten, für die Wiedereinführung der Todesstrafe plädieren, als ob deren Abschaffung nur solange zeitgemäß gewesen wäre, wie sie Nazis hätte ereilen können. Schließlich hat die empirische Sozialforschung und Sozialpsychologie längst erhärtet, daß das Bedürfnis, andere möglichst hart bestraft zu sehen, mit der autoritätsgebundenen Charakterstruktur zusammengeht. Diese ist eines der Elemente, aus denen die Massenbasis für totalitäre Regime sich zusammensetzt. Im Jahre 1909 antwortete Frank Wedekind auf eine Umfrage des später im Konzentrationslager ermordeten Erich Mühsam über die Todesstrafe, daß mit ihr »die zivilisierte Welt zu zwei Dritteilen noch auf unabsehbare Zeiten hinaus eines ihrer teuersten und kraftvollsten Schutzheiligtümer zu verlieren fürchtet«. Offenbar hat er recht. Nicht umsonst ist ihm jüngst von zuständiger Stelle bescheinigt worden, seine Stücke ermangelten des echten Aussagewerts.

1963

»Welches Buch beeindruckte Sie in den letzten 12 Monaten?«

»Die Wörter« von Jean-Paul Sartre, weil mir in diesem Buch die Verschränkung der Sprache und Erfahrung auf eine unübertreffliche Weise festgehalten zu sein scheint.

September 1966

»Drei Fragen in der Silvesternacht 1966«

1. Worüber haben Sie 1966 am meisten gelacht?
2. Welche Schlagzeile würden Sie 1967 am liebsten in der Zeitung lesen?
3. – und was spricht eigentlich gegen Sie?

1. Ein gewählter NPD-Abgeordneter sagte in einem Rundfunk-Interview: Ihnen wird das Lachen schon vergehen. Mir war es, in diesem Jahr, längst vorher vergangen. Warum, hätte man nicht genauer ausdrücken können als mit jenem drohenden Diktum.
2. Das dürfte sich danach von selbst verstehen – obwohl Schlagzeilen an sich bereits, vor allem besonderen Inhalt, etwas Beängstigendes haben.

3. Daß ich eine steigende Abneigung gegen Praxis verspüre, im Widerspruch zu meinen eigenen theoretischen Positionen.

»Händedruck – Symbol des guten Willens. Soll man oder soll man nicht?«

Ich habe es in angelsächsischen Ländern oft genug erlebt, daß uns Deutschen der Händedruck verübelt wurde. Es liegt wohl etwas Archaisches darin, was sich mit der rationalen westlichen Zivilisation nicht vereinbaren läßt. Andererseits sind mir aber Menschen, die mir die Hand nicht oder nur den kleinen Finger entgegenstrekken, unsympathisch.

1967

»Wohin steuern unsere Universitäten?«

1. Sind Sie der Ansicht, daß studentische Aktionen wie das Go-in bei Professor Carlo Schmid Ausdruck für eine allgemeine Unzufriedenheit unter der Studentenschaft über eine verschleppte innere Reform der Universität sind?
2. Halten Sie die SDS-These für richtig, die Universität in ihrer heutigen Form gestatte nur noch eine Spezialistenausbildung und habe die Wissenschaften entpolitisiert?
3. Halten Sie eine Demokratisierung der Universität für möglich, und wie ist Ihre Meinung zu der Stellungnahme von Professor Pfringsheim: »Mit Demokratie hat die Sache gar nichts zu tun. Die Universität gehorcht dem Geist, und der ist aristokratisch«?

1. Das Problem steckt in dem Wort »allgemeine Unzufriedenheit«. Allgemein ist diese Unzufriedenheit nicht, wohl aber herrscht sie bei einer artikulierten Minderheit. Die Studentenaktionen mögen gerade damit zusammenhängen, nämlich mit dem Bestreben, die vorwaltende Apathie zu durchbrechen.
2. Die Gefahr, daß die Universität zur Ausbildung von Spezialisten resigniert, besteht fraglos, ist freilich nicht bloß inneruniversitär bedingt, sondern gesamtgesellschaftlich nach den verschiedensten

Dimensionen. Mit der immer mehr vordringenden positivistischen Wissenschaftsgesinnung ist zugleich eine Entpolitisierung der Wissenschaft gesetzt, wie sie zur großen Zeit der Universität, um das Jahr 1800, unvorstellbar gewesen wäre.
3. Mit Formulierungen wie »der Geist ist aristokratisch« vermag ich nichts anzufangen. Gerade wer die Autonomie des Geistes schwer nimmt, wird ihm nicht derlei gesellschaftliche Prädikate anheften. Im allgemeinen habe ich beobachtet, daß diejenigen, welche formal am lautesten auf solchem Aristokratismus bestehen, inhaltlich Lehren vertreten, deren unkritische Trivialität dem von ihnen erhobenen Anspruch widerspricht.

1967

Leserbriefe

FRANKFURTER ALLGEMEINE, 29. 11. 1961

Zu der sbg-Glosse »Einsiedler« darf ich vielleicht bemerken, daß ich auf eine darin vorgebrachte Konzeption gänzlich unabhängig vom Autor, und ganz gewiß ohne daß er davon gewußt hätte, verfallen bin: in dem Webern-Essay aus den »Klangfiguren« wird dagegen plädiert, eine größere Folge von Webernstücken unmittelbar hintereinander zu bringen, denn »ein volles Webernprogramm wäre wie ein Einsiedlerkongreß« (S. 168). Dessen Idee muß also in der Luft liegen. Im übrigen gibt es, wenn ich recht berichtet bin, tatsächlich etwas wie eine Dachorganisation für Eremiten, die darüber befindet, wer mit kirchlichem Plazet der Einsamkeit sich weihen darf. Die Gesellschaft, in der wir leben, erweist daran sich als vergesellschaftete, daß noch der äußerste Weg nicht aus ihr hinausführt.

FRANKFURTER ALLGEMEINE, 18. 7. 1962, Lokalteil

Beim Überschreiten der Senckenberganlage, nahe der Ecke Dantestraße, ist eine unserer Sekretärinnen, Frau Woch, überfahren und erheblich verletzt worden, nachdem an derselben Stelle wenige Tage vorher ein Passant tödlich verunglückt war. Nachdem ich auf die Mißstände der Verkehrsregelung auf der Senckenberganlage dort, wo sie an der Universität vorbeiführt, verschiedentlich aufmerksam gemacht hatte, ohne etwas erreichen zu können, wende ich mich heute an die Öffentlichkeit.

Die Senckenberganlage hat sich zu einer der verkehrsreichsten Ausfallstraßen entwickelt. Breit und mit mehreren Bahnen, lädt sie geradezu die Autos dazu ein, loszufahren. Zugleich aber muß diese Straße dauernd von all denen überquert werden, die ebenso an der Universität wie an den auf der anderen Seite der Senckenberganlage befindlichen Instituten arbeiten. Verkehrslichter fehlen. In unwürdiger Weise muß man über die Straße rennen, um nicht im buchstäblichen Sinn unter die Räder zu kommen; auf der Seite der Mertonstraße ist die Situation besonders gefährlich, weil die Senckenberganlage einen scharfen Knick macht, der die Wirkung hat, die Autos weit nach links zu treiben; es ist für den Überschreitenden fast unmöglich, die Distanzen richtig abzuschätzen. Sollte ein Student, oder ein Professor, in jenem Zustand sich befinden, der ihm eigentlich angemessen ist, nämlich in Gedanken sein, so steht darauf unmittelbar die Drohung des Todes; der Erklärung bedürfen nicht die Unfälle sondern einzig, daß nicht viel mehr passiert. Es wäre dringend notwendig, daß, zunächst durch Verkehrsampeln in dem ganzen Universitätsgebiet, dann aber durch viel radikalere Maßnahmen Abhilfe geschaffen wird. Die Haltung der Automobilisten selbst, bei denen man den Eindruck hat, daß sie, wofern sie nur das grüne Licht und damit nach ihrer Meinung das Recht auf ihrer Seite haben, die Fußgänger als störende Objekte betrachten, trägt zu deren Gefährdung das Ihre bei; da aber nicht darauf zu hoffen ist, daß sie anderen Sinnes werden, so sind verkehrstechnische und polizeiliche Maßnahmen dringend notwendig. Eine Verzögerung wäre nicht zu verantworten.

Süddeutsche Zeitung, 22./23. 12. 1962

Sie wissen, daß es nicht meine Art ist, auf negative Kritiken zu reagieren; jeder soll mich nach Herzenslust zerreißen; wenn meine Sachen etwas taugen, sollen sie sich selber dagegen wehren und nicht ich.

Wenn aber in einer Kritik es nicht um die geistige Qualität sondern um die simpelsten Sachgehalte geht, ist es doch etwas anderes. In der Samstag/Sonntag-Nummer der Süddeutschen Zeitung ist eine, C.H. gezeichnet, erschienen, nur ein paar Zeilen lang. Daß man mir »wahnwitzigen Scharfsinn« attestiert, mag ruhig hingehen; Tumbheit ist nun einmal nicht von Philosophie zu erwarten. Wird aber gesagt, »die Philosophie wird gegen die Theologie ausgespielt«, so ist das nicht auf Kosten meines Wahnwitzes zu setzen, sondern, wie jedem bekannt, der auch nur oberflächlich mit Kierkegaard vertraut ist, dessen eigene Intention; und eine so allbekannte, daß sie in meinem Buch selbst gar keine Rolle spielt, es sei denn, daß ich im Nachwort auf dies Selbstverständliche hingewiesen habe, um die Aufnahme der Beilage zu begründen. Der Gegen-

satz der Theologie zur Philosophie, die für Kierkegaard die Hegelsche war, ist die Grundstruktur seines gesamten Werkes.
Vor allem aber: an keiner Stelle habe ich die Religion, »nach einem erotischen Modell, als Leidenschaft« bezeichnet. Wer mein Buch gelesen hat, muß wissen, daß seine Intention die genau entgegengesetzte ist; daß die gesamte existentiale Dialektik Kierkegaards als eine nach innen geschlagene spekulativ-idealistische dechiffriert wird. Offenbar hat der Rezensent mein Buch mit dem von August Vetter verwechselt, das »Frömmigkeit als Leidenschaft« heißt und dessen These ich schon als junger Mensch für falsch gehalten habe.
Meine Jugendschrift, die übrigens nicht aus meiner Habilitationsschrift hervorgeht, sondern diese selber ist, mag alle erdenklichen Fehler haben, aber um diese zu finden, sollte man sie doch wenigstens gelesen haben. Der Text ist, im Gegensatz zu dem, was in der Rezension steht, das unveränderte Original, nur ein paar Druckfehler sind berichtigt, und die spätere Abhandlung über Leben und Walten der Liebe hinzugefügt. Auch das übrigens steht im Nachwort.
Ich wäre Ihnen herzlich dankbar, wenn Sie, soweit es sich eben um Tatbestandsfragen und nicht solche des geistigen Rechts handelt, für eine Berichtigung Sorge tragen wollten. Kaum zweifle ich daran, daß der Rezensent, wenn Sie ihn auf diese Dinge hinweisen, damit sich einverstanden erklären wird.
Bitte verzeihen Sie, daß ich Sie mit solchen Quisquilien behellige, aber es ist, um des Ernstes von Kritik willen, doch vielleicht nicht illegitim.

Frankfurter Allgemeine, 9. 12. 1964
Wer Psychologe ist. – Die Zuschrift des Herrn Wolfgang F. Meyer scheint mir charakteristisch für eine im heutigen Deutschland weit verbreitete und überaus problematische Neigung: inhaltliche Bestimmungen, Fragen der sachlichen Kompetenz zu ersetzen durch Erwägungen, die sich auf formale Zuständigkeiten und mehr oder minder verwaltungstechnische, äußerliche Begriffsdefinitionen gründen. Daß die Psychoanalyse einstweilen hierzulande noch nicht in der Systematik der Wissenschaften als Psychologie figuriert, hat, wie Herrn Meyer fraglos bekannt ist, teils historische

Gründe – daß eben Freud von der Medizin herkam –, teils jedoch hängt es mit dem fatalen Widerstand gegen die Psychoanalyse zusammen, der das Dritte Reich überlebt hat. In anderen Ländern fände die von Herrn Meyer geforderte Trennung kaum Verständnis; in Amerika etwa ist die Psychoanalyse längst zu einem wesentlichen Bestandteil der akademischen Psychologie ebenso wie der Psychiatrie geworden und übt zugleich jenen Einfluß auf die Sozialwissenschaften aus, der ihr gebührt. Mag immer Freud zunächst vom Bedürfnis, Neurotikern zu helfen, inspiriert gewesen sein – die Disziplin, die er schuf, war als Psychologie im nachdrücklichsten Sinn geplant und durchgeführt. Die pathogenen Phänomene, von denen er ausging, boten ihm nur den Einsatz für eine Theorie des Seelenlebens insgesamt, auch des sogenannten normalen. Freud hat denn auch die Psychoanalyse keineswegs an die Medizin engherzig gebunden, sondern die »Laienanalyse«, also die von Nichtärzten auszuübende, verteidigt. Um die spezifisch psychologische Tragweite der Einsichten Freuds sich zu vergegenwärtigen, genügt der simpelste Vergleich zwischen einer seiner Schriften und einem vor-Freudischen Lehrbuch der Psychologie. Was sich da zur Trieblehre findet, hat durch die Funde Freuds wahrhaft archaischen Charakter angenommen. Würde Herr Meyer im Ernst leugnen, daß Freud Psychologe war? Nicht anzunehmen, daß ihm darin die Mitglieder des von ihm repräsentierten Psychologenverbandes folgen würden.

Das Argument aber, daß man, wenn die Psychoanalytiker auch Psychologen heißen dürfen, diejenigen Psychologen Mediziner nennen könnte, die das Physikum absolviert haben, ist sophistisch. Psychoanalyse meint unabdingbar die psychodynamische Struktur der Gesamtperson, erhebt also den Anspruch einer spezifisch psychologischen Theorie, während ein Psychologe, der bloß das Physikum abgelegt hat, mit Fragen der klinischen Medizin überhaupt nicht in Berührung gekommen ist und deshalb auch keinerlei Recht auf den Titel eines Mediziners hätte. Das Ganze könnte, als nichtiger Streit über die Nomenklatur, auf sich beruhen, würden nicht solche Unterscheidungen wie die von Herrn Meyer geforderten im öffentlichen und institutionellen Leben vielfach höchst inhaltlichen Zwecken dienen, nämlich dazu, unerwünschte Erkenntnisse und auch unerwünschte Personen draußen zu halten. Im übrigen müßte

Herr Meyer auch Nietzsche, der sich mit Vorliebe einen Psychologen nannte, diesen Rechtstitel aberkennen, da er nicht die Diplom-Hauptprüfung ablegte, und ihn allenfalls damit entschuldigen, daß es diese zu Nietzsches Zeiten noch nicht gab.

Frankfurter Allgemeine, 1. 4. 1965

Ihr Eigener Bericht aus München, vom 23. März, enthält die Sätze: »Der stellvertretende bayerische Ministerpräsident Dr. Hundhammer hat in einem Gespräch mit Journalisten bekannt, er sei kein Freund der abstrakten Malerei, die er nicht als einen Höhepunkt moderner Kunst anerkennen könne. Der frühere Kultusminister gab damit deutlich zu verstehen, daß er nur wenig Verständnis für den Erwerb eines Picasso- und eines Degas-Gemäldes aufbringe, die der bayerische Staat auf Betreiben von Kultusminister Dr. Huber für über drei Millionen Mark angekauft hat.« Das »damit« des zweiten Satzes ist erstaunlich. Denn es ist doch wohl nachgerade jedem Menschen bekannt, der überhaupt um Kunst sich kümmert, daß Edgar Degas einer der größten impressionistischen Maler war und mit abstrakter Malerei schlechterdings nichts zu tun hat. Bei Picasso, der auch nicht gerade im Verborgenen blüht, mag es für an Defregger geschulte Augen schwieriger sein, sich zurechtzufinden; immerhin sprach sich mittlerweile herum, daß selbst die Werke seiner kubistischen Jahre, vor dem ersten Weltkrieg, nirgends die Beziehung zum Gegenstand durchschnitten. Aus Ihrer Meldung geht nicht hervor, ob die Verbindung zwischen der Antipathie von Herrn Dr. Hundhammer gegen die abstrakte Malerei und seiner Mißbilligung des Ankaufs jener Gemälde vom Berichterstatter hergestellt ward oder von Herrn Dr. Hundhammer selbst. Keinesfalls möchte man dem stellvertretenden Ministerpräsidenten eines deutschen Landes, dessen Hauptstadt sich mit soviel Selbstbewußtsein als Kunststadt fühlt, eine Banausie zutrauen, die nicht nur ihn dem Gelächter preisgäbe; dringend ist zu hoffen, daß Herr Dr. Hundhammer den Sachverhalt richtigstellt. Abgesehen davon jedoch bezeugt die Nachricht, wer immer auch die Verantwortung trägt, aufs neue die Einheit zwischen dem Haß auf moderne Kunst und der Unkenntnis ihrer elementarsten Tatbestände. Man glaubt sich zurückversetzt in jene Epoche, da Einer, im gleichen Atemzug, gegen »diese Im- und Expressionisten« wetterte.

Die Zeit, 3. 3. 1967

Schwerlich ist es mir an der Wiege gesungen worden, daß ich einmal etwas zur Apologie von Leoncavallo schreiben würde. Aber: die »Matinata«, die nach der sicherlich zutreffenden Bemerkung von Johannes Jacobi in der Zigeuneroper von Leoncavallo anklingen soll, stammt, wenn meine Erinnerung mich nicht gänzlich täuscht, nicht etwa von dem an jenen verhängnisvoll geschmiedeten Mascagni sondern von Leoncavallo selbst. Ich besitze eine ganz alte Grammophonaufnahme von Caruso, der die Matinata, heute noch ein berühmtes Stück Caféhausmusik, singt, von Leoncavallo auf dem Klavier begleitet. Im übrigen ändert das wenig an der unseligen Situation von Künstlern, die einmal im Leben einen großen Erfolg hatten und besessen vom Wunsch, ihn zu verdoppeln, dabei auf das Bewährte zurückgreifen. Hat, wie es unter diesem Gesichtspunkt sehr wahrscheinlich ist, Leoncavallo ein Plagiat begangen, so eines nicht am Konkurrenten, sondern am eigenen Lied, der einzigen Komposition aus seiner Hand, die außer dem Bajazzo populär geworden ist. Der Wiederholungszwang und die spätere Sterilität der veristischen Komponisten verdiente einmal genauere Untersuchung.

Verworfene Schriften

Zur Krisis der Musikkritik

Alle gegenwärtige Musikkritik, die deutschsprachige wie die ausländische, stellt heute nach Wahrheitsgehalt und Funktion in einer Krise sich dar, die es um so ernster zu erkennen gilt, je gründlicher sie sich dem Schlagwort, der billigen Verteilung von Schuld und Unschuld, dem bequemen Rezept zur Abhilfe entzieht. Vom Begriff der ›Vertrauenskrise‹, der eine Zeitlang in Mode war, wird sie keinesfalls gedeckt. Das öffentliche Vertrauen in die Kritik ist unerschüttert, vielleicht sogar durch die neuen Herrschaftsformen der öffentlichen Meinung noch verstärkt; heute wie nur stets greifen am Morgen ungezählte Zeitungsleser zu ihrem Blatt, um danach ihre eigene Meinung über das am Abend Gehörte zu regulieren. Vollends kann nicht von einer ›moralischen Krise‹ im privaten Sinne die Rede sein. Die persönliche Integrität der Kritikerschaft duldet kaum Zweifel. Vielmehr handelt es sich prinzipiell um das Verhältnis zum kritischen *Gegenstand*. In Frage gerückt ist nicht weniger als die Zuständigkeit der Kritik, über Reproduktionen und Werke zu urteilen. Nimmt man die Abhängigkeit der gesamten reproduktiven Praxis von den Werken, den neuen nicht anders als dem geschichtlichen Stande der alten, für offenbar, so drängen sich die Fragen der Legitimierung zusammen in der *Kompositionskritik* als dem zentralen Schauplatz musikalischen Urteils. Es kann darum nicht Wunder nehmen, wenn sie ihre Schärfe gewinnen zwischen Kritiker und Komponisten. Dabei geht es nicht um die althergebrachte Empfindlichkeit eitler Autoren. Sondern der Komponist fühlt sich, gleichgültig ob er es mit guten oder schlechten Kritiken zu tun hat, *verfehlt*: nicht das Urteil als solches verletzt ihn, sondern die Maßstäbe sind inhomogen: es wird von ihm in der Regel kritisch völlig anderes erwartet, als er, gerade bei äußerster Strenge der eigenen Anforderungen, von sich verlangen kann. Die Kritik ist ihm meist bloß noch zufällig fördernder oder schädigender Eingriff in die Bahn seines Erfolges. Wie Kritiker und Autor aber sind Kritik und Werk einander *entfremdet*. Die Grundtatsache der Entfremdung zwischen den Lebenden und ihrer Musik, Moment der allgemeinen gesellschaftlichen Entfremdung, wendet sich in der Krisis der Musikkritik paradox: der als idealer Repräsentant der Hörer und Anwalt gleichsam des Werkes gegen dessen eigenen Komponisten, dem Werk, nein, den im Werke liegenden *Forderungen* am nächsten stehen sollte, versteht vielfach das Werk nicht mehr, bringt unverbindliche Normen von außen heran und wird zum positiven oder negativen Propagator degradiert, wo er als Organ geschichtlichen Vollzuges sich zu bewähren hätte. Dabei steht nicht der ›schlechte‹, unfähige Kritiker in Rede, sondern die gegenwärtigen Voraussetzungen des kritischen Verfahrens selber: Voraussetzungen, die den Schlechten beherrschen und noch dem Besten als Male der Unzulänglichkeit aufgeprägt bleiben.

Dem allgemeinen Bewußtsein ist die Krisis der Musikkritik gegenwärtig in den Kategorien jenes Allerweltsrelativismus, der als Abhub der Lebensphilosophie übrigblieb und den Genuß des Privaten jeglicher objektiven Kontrolle entziehen will. Daß alle Urteile über Kunst zeitlich und ›subjektiv bedingt‹ seien, ist seine Lieblingsthese, und so gern ihre Vertreter sich in ästhetische Dispute zur Verteidigung ihrer überkommenen Meinung begeben, so gern versichern sie gleichzeitig, über den Geschmack lasse sich nicht streiten; kommt es hoch, so berufen sie sich auf die Kantische Antinomie der ästhetischen Urteilskraft. In solchen Erwägungen mag immerhin die Unsicherheit gegenüber den kritischen Instanzen sich ausdrücken: angesichts der Krise der Musikkritik bleiben sie kraftlos. Sie entziehen die Willkür des einzelnen dem kritischen Bereich und lassen ihm sein Behagen bei fragwürdigen Dingen, aber sie greifen nicht in die kritische Verfahrungsweise selber ein. Denn sie gelten, völlig abstrakt, für jegliche Kritik so gut wie für gar keine; aller Kritik ist die Grenze menschlicher Bedingtheit gesetzt und keine ist im Recht ihrer Frage durch diese Grenze je beengt worden. Die einzige Konsequenz, die daraus sich ziehen ließe, wäre die *Abschaffung* der Kritik – während allein schon die Geschichte der Kritik selber und ihrer Funktion für das künstlerische Produzieren, das deutsche zumal im Jahrhundert von Lessing bis zur Auflösung der romantischen Schulen, die Möglichkeit *legitimer* Kritik wenigstens als virtuelle Instanz stets wieder aufruft. So ist denn der fruchtlos-allgemeine, von jeder konkreten Einsicht ins Formgesetz der Kunstwerke beliebig widerlegbare Einwand des üblichen Relativismus nicht sowohl als Begründung jener Krisis der Musikkritik zu werten denn vielmehr als deren Symptom. Nämlich als Symptom eben der ›Entfremdung‹. Nur dann erscheint das Kunstwerk, selbst aufleuchtende Einheit subjektiven Tuns und objektiven, materialen Seins, als der Kritik unzugänglich, deren bloße Subjektivität davon zurückprallen soll, wenn die Kunstwerke – obwohl von Menschen gemacht – sich in der Gesellschaft den Menschen derart fremd gegenüber gestellt haben, daß diese sich gewissermaßen nicht mehr darin wiederzuerkennen vermögen.

Allgemein-gesellschaftlich vorgezeichnet; in der Idee bereits vom jungen Hegel radikal formuliert in jenem Begriff der Entfremdung, ist die Krisis nur beim Kritiker auf die extreme Form gebracht. Bequem könnte der Hochmut meinen, einzig der ›Laie‹, der sich von Kitsch nährt, sei entfremdet und verdinglicht samt seiner Musik. Aber ihm genau zugeordnet ist der Sachverständige und ›Fachmann‹: sie stellen die klaffenden Hälften einer Ganzheit dar, die doch aus der bloßen Addition der Hälften niemals wiederzugewinnen wäre. Sind dem ›Laien‹ die Kunstwerke bloß ›subjektive‹ Lustbringer, so werden sie dem Fachmann allzuleicht bloß ›objektive‹ Sachen. Mit der Arbeitsteilung sind sie in sein Berufsleben gebannt und gewinnen dort ihre eigentliche dingliche Versteifung, während sie beim Laien *noch nicht* zur Autonomie finden. Die Kunst-Dinge aber, die den beruflichen Lebensraum des Fachmannes füllen, rächen sich an ihm, indem er mit einem Male selbst nichts mehr von ihnen versteht; so wenig wie der Laie, vor dessen Ansprüchen er sie in seine Werkstatt hereinholte. Es wäre in eingehenden gesellschaftlichen Analysen zu verfolgen, wieso es historisch dahin kam. Dabei hätte eine Rolle zu spielen, daß Musik sich nicht sammeln und besitzen läßt und damit alle jene Hilfen wegfallen, die der echten kritischen Kennerschaft im Bereich der bildenden Kunst durch den Typus des Sammlers gewährt werden, der, anders als der ›Laie‹, von der Autonomie des Kunstwerkes weiß und, zugleich, anders als der ›Fachmann‹, *unmittelbar* am Werk Anteil hat. In der

Musik mochte im neunzehnten Jahrhundert der Typ des großen ›Amateurs‹ etwas Ähnliches leisten, und man geht wohl nicht fehl, wenn man die Möglichkeit einer immerhin bedeutenderen kritischen Figur, wie Hanslick, aus dem Horizont des Amateurs versteht. Dieser Typ ist ausgestorben: von hier aus kommt der Kritik kein Heil mehr. – Es mag weiter nachwirken die langwährende gesellschaftliche Minderbewertung der Musik. Sie hat als letzte Kunst von der Unmittelbarkeit des Gebrauchs sich emanzipiert und sich freigesetzt. Was sie an Jugend und gestauten Kollektivkräften dadurch vor den anderen Künsten allenfalls voraushat, wird gerade im kritischen Bereich bedroht, weil der eigentlich *ästhetischen* Befassung mit Musik nicht der gleiche sichere Boden bereitet ward wie ihrem Handwerk und ihrer Handwerkslehre. Wohl ist darin ein Vorzug der Musik gelegen: sie hat sich – sieht man von Schopenhauer ab – reiner gehalten von der ästhetischen Spekulation, die mit den großen philosophischen Systemen des neunzehnten Jahrhunderts und an sie anschließend die anderen Künste überspann, und im Handwerk liegt heute noch ein wahrhaft zuverlässiger Kanon des Wertes oder Unwertes vergraben. Aber wer kennt ihn und weiß ihm zu gehorchen? Am ehesten der gute Musiker: jedoch nur im eigenen Werke und sich selber gegenüber; gelegentlich in der unverpflichtenden Begegnung mit Fremdem. Allein sein Wissen, ungebrochen durch die kunsttheoretische Erwägung, bleibt gleichsam blind; weder vermag er es bündig und zureichend zu formulieren, noch auch, sich selber und anderen seine zuverlässigen handwerklichen Grundbegriffe ihrer ästhetischen Konstitution nach derart durchsichtig zu machen, daß sie kritisch die gleiche Verbindlichkeit gewännen, die ihnen in der Produktion zukommt: das alte Problem der ›Bildung‹ des Musikers, dem nicht umsonst Hegel in der Ästhetik geistige Unzulänglichkeit vorwirft, spielt da mit all seinen Perspektiven herein. Es ist hier nicht der Ort, das zu verfolgen: wo die Krisis der *Musikkritik* in Rede steht, mag genügen, die Entfremdung des Musikkritikers selbst evident zu machen, und zwar nicht aus der gesellschaftlichen Totalität, sondern aus spezifischen Bedingungen: den Bildungsvoraussetzungen des gegenwärtigen Musikkritikers (nicht des kritisch befaßten Komponisten), an denen das gesellschaftlich Totale besser sich ablesen läßt, als daß umgekehrt zu deduzieren wäre, und die das kritische Unwesen klar repräsentieren.

Nimmt man den Typus des ›verunglückten Musikers‹ aus, der aussterben wird, sobald sein Korrelat, der schreibfähige, doch sachlich ungebundene ›Journalist‹, beseitigt ist; nimmt man weiter aus jene Musikfreunde, die in ihren Mußestunden ›Musikreferate‹ schreiben, so sind dem zünftigen Musikkritiker in der Regel zwei Bildungsmöglichkeiten offen, deren Kombination, obschon selbst längst noch nicht ausreichend, bereits zu den Ausnahmen zählt: das akademische Studium der *Musikwissenschaft* und das *konservatorische* Musikstudium.

Zur Beurteilung der Qualität von Musik aber vermag das gegenwärtige musikwissenschaftliche Studium *nicht* zu befähigen: von neuer so wenig wie von alter. Die Problematik des akademischen ›geisteswissenschaftlichen‹ Unterrichts braucht nicht aufgerollt zu werden. Es ist zuvor die bekannte des philologischen Historismus. Zahllose Studenten der Geisteswissenschaften, die in ein philosophisches Seminar geraten, klagen stets noch darüber, daß sie die Lebensdaten der Meister, ihre Vorläufer und Nachläufer, vor allem auch diejenigen, die über sie gearbeitet haben, kennenlernen: nicht aber die Werke selbst und am wenigsten deren *Gehalt*. Selbstverständlich sind an den Universitäten, unter Einfluß zumal der Georgeschule und der phänomenologischen Tendenzen, aber auch schon älterer ›geisteswissenschaftlicher‹ Intentionen, gegen jene Art von Lehrbetrieb seit Jahrzehnten Gegenströmungen lebendig, und die offizielle geisteswissenschaftliche Diskussion läßt von ihm kaum mehr etwas erkennen. Aber man hüte sich, deshalb seine Zähigkeit zu unterschätzen: besonders da die alte Scherer-Schule und die entsprechenden musikwissenschaftlichen Anschauungen mit ihren bescheidenen geistigen Ansprüchen ja dem ›Examensstudenten‹ – der keineswegs der unbegabte sein muß und oft nur der bedrängte ist – *Arbeitserleichterungen* bieten. Wenn authentisch angeführt werden darf, daß in einem musikästhetischen Seminar, an dem ausschließlich Studenten der Musikwissenschaft teilnahmen, bei kaum mehr als zwei von zwanzig zureichende Kenntnis des »Tristan« und des »Siegfried« vorausgesetzt werden konnte, so spricht das für sich. Selbst angenommen jedoch, daß die ›geisteswissenschaftliche‹ Orientierung der Stoffhuberei ein Ende bereite, bleibt fraglich, ob das musikwissenschaftliche Studium den Kritiker legitimiere. Wert und Notwendigkeit der genauesten historischen Schulung kann ernsthaft nicht bestritten werden und am letzten auf dem Boden von Anschauungen, die den Wahrheitsgehalt musikalischer Kunstwerke in Kommunikation mit dem geschichtlichen Stande des Materials abzulesen geneigt sind. Aber die musikwissenschaftliche, gerade auch die ›geisteswissenschaftliche‹ Deutung der Geschichte pflegt sich, unter Abstraktion von den handwerklich-immanenten Maßstäben, in einer *Distanz* von dem Forderungszusammenhang des Einzelwerkes und seiner Stimmigkeit abzuspielen, die ihr zwar den Schein der Überlegenheit des weiten, die Epochen umfassenden Blickes verleiht, dafür aber die Konkretion der Werke aus dem Griff verliert, in welcher allein die Antwort Gut oder Schlecht gefunden werden kann. Statt dessen bewegt sie sich zwischen *Stil*begriffen. Wie es von den Kirchentonarten zur Dur- und Molltonalität und zum Generalbaß; von der Suite zur Sonate, von Beethoven zur ›Romantik‹ kommt: das sind ihre vertrauten Fragen, und der geisteswissenschaftlichen Musikgeschichte wird leicht genug jedes Werk nur zum Repräsentanten eines Stils oder zur Schwelle zum nächsten Werk, während die verrufene alte Philologie, ob auch mit falschem exegetischen Eifer, immerhin das ästhetisch echte Bewußtsein von der *Einzigkeit* jeden Kunstwerkes festhielt. Denn wahrhaft fensterlos sind die Monaden der Kunst, und nur in ihrer Unvergleichlichkeit und Abgeschlossenheit gegeneinander vermögen Kunstwerke in Geschichte einzugehen. Nicht ›entwickelt‹ sich aus einem das andere; das vollkommene hinterläßt ein verändertes *Material*, stellt an den späteren Autor neue Forderungen, die mit seinen eigenen, ›subjektiven‹ sich durchdringen zum Augenblick des neuen Werkes. Indem aber dieser Prozeß von der Betrachtung schlecht vereinfacht, aus den technischen – und *zugleich* übertechnischen – Zentren der Werke in ihre Abfolge und ›Stilwandlung‹ verlegt wird, ist gerade der Ort verfehlt, wo allein die Qualität des Werkes gesucht werden dürfte: seine integrale Gestalt. Nur durch die Kategorien ihrer Vollkommenheit werden Werke geschichtlich: jede andere Deutung ihrer Geschichte, wäre es auch eine ›problemgeschichtliche‹, ist ihnen entfremdet und trifft nicht einmal ihre historische ›Bedeutung‹, geschweige denn ihren Wert. Das zeigt sich drastisch an dem hohlen Aufwand von Stilbegriffen, mit dem gerade von der Musikwissenschaft aus die aktuellen kritischen Fragen verdeckt wurden. Klassik und Romantik, Individualismus und

Gemeinschaftskunst, Spielmusik und Ausdrucksmusik – soviel Begriffe, soviel Konfusionen. Man macht sich kaum der Übertreibung schuldig, wenn man die *neoklassizistische* Mode, die da hoffte, den Druck des neunzehnten Jahrhunderts abwerfen zu können, indem sie das Erbe, nämlich den Stand des *Materials* verleugnete: daß diese Mode einer Gemeinschaftskunst, die keinen etwas angeht, einer Spielmusik, die langweilt, eines vorgeblich strengen und in Wahrheit zufälligen »Concertat«-stiles, an dem nichts klassisch ist als die Dreiklänge und Figurationen und nichts neu als die willkürlich hinzugesetzten falschen Noten, guten Teiles von der stilhistorisch-musikwissenschaftlichen Kritik gemacht wurde. Sie trachtete, ihr Ressentiment darüber, daß sie bei der eigentlich musikalischen Entwicklung nicht mitkam, loszuwerden, indem sie unter Abstraktion von der Gestalt des stimmigen Werkes und der gesellschaftlichen *Realität* dem Wunschbild des Kollektivs zuliebe aus dem historischen Vorrat beliebig Stil-Ideale objektiven Musizierens hervorsuchte, die mit dem Materialstand, der Forderung des Komponisten an die Stimmigkeit seines Werkes und vor allem den gesellschaftlichen Bedingungen, unter denen wir existieren, unvereinbar sind und darum nur in der plumpesten Äußerlichkeit, nämlich eben durch die falschen Noten, aktualisiert werden konnten. Daß es ihnen dabei geschah, die dämonisch-gebrochene Figur *Strawinskys*, der mit Cocteau und Picasso, doch mit keinem alten Meister etwas zu tun hat, als den Initiator der überindividuellen Neoklassik einzusetzen, hat den Autor der »Histoire du soldat« vielleicht erheitert, verrät aber im übrigen genau, wie vollkommen desorientiert die bloß stilhistorisch gegründete Musikkritik sich verhält, sobald sie dem konkreten *Phänomen* – und gar einem geistig und technologisch so komplexen wie Strawinsky begegnet.

Schauen diese allemal zu weit, verschwimmt ihnen ihr Gegenstand in der leeren Ferne allgemeiner Zeitvorstellungen, so halten die anderen, die *konservatorisch* Gebildeten, zwar nahe genug beim Gegenstand, prallen aber von seinen dichten Wänden je und je hilflos zurück. Das macht: daß die konservatorische Bildung, auch die beste, nicht mehr ausreicht, in die Forderungen der gegenwärtigen kompositorischen Praxis einzuführen. Denn heute wie nur je vermögen die Konservatorien, als ›*Schulen*‹, einzig die Frage zu stellen: »Wie fang ich's nach der Regel an?« Hans Sachsens Antwort aber:

»Ihr stellt sie selbst und folgt ihr dann«, ist längst nicht mehr die Charakteristik von Wagners extremer kompositorischer Situation, sondern das Apriori *allen* Komponierens. Nicht einem vorgeordneten Material steht der Komponist gegenüber, sondern einem wesentlich ungeformten; er muß, gleichsam, nicht nur die eigentlich kompositorische Arbeit leisten, sondern was ihm früher Tonart, tradierte Formen, tradierter Klang an die Hand gaben, aus sich heraus neu – oder zumindest nochmals produzieren. Das Wissen aber, das die Konservatorien übermitteln, reicht notwendig nur so weit, wie der Bestand an vorgegebenen Mitteln und in ihnen mitgegebenen Regeln reicht; wo allein noch der Zusammenhang des abgeschlossenen *Werkes* über richtig und falsch entscheidet und jene Regeln versagen, versagt auch das Konservatorium und die ›fertig‹ vorliegenden Disziplinen der Harmonie, des Kontrapunktes, der Fuge, der Formenlehre; kein Zufall, daß eine ihnen einigermaßen äquivalente theoretische Disziplin der *Instrumentation* (nicht bloßer Instrumentenkunde), die als Technik erst im neunzehnten Jahrhundert, also im Zeichen der selbstgestellten Regel durchgebildet ward, überhaupt nicht existiert. Was vermag wohl die herkömmliche ›allgemeine‹ Harmonielehre an den Anfangstakten des Tristan zu lehren? Sie nimmt die harmonisch charakteristischen Noten, im zweiten Takt dis und gis, im dritten ais, als bloß zusätzliche Alteration und als rasch gelösten Vorhalt zum Terzquartakkord der zweiten Stufe und als Vorhalt zum Dominantseptimenakkord von a-moll: das *Phänomen* aber, die beiden Klänge f-h-dis-gis und e-gis-d-ais, die die ganze Musik revolutioniert haben, bleibt ungeklärt; allenfalls werden sie durch Hinweis auf chromatische Stimmführung kontrapunktisch – aber gerade nicht *harmonisch* gedeutet. Diese Klänge aber und nicht das fragwürdige etwas, ›wofür‹ sie stehen, müßten erklärt werden; *sie* sind das Wesentliche, und ihre Auflösungen bloße Akzidentien. Die Wirklichkeit des Kunstwerkes würde die harmonische Norm genau umkehren: das kann die schulmäßige Harmonielehre nicht dulden, solange sie ihren normativen Anspruch, auch nur pädagogisch, einigermaßen behaupten will, und muß deshalb gewaltsam die Hauptsache zur Nebensache umdeuten und umgekehrt – damit aber, zur Rettung der werk*transzendenten* Norm, die werk*immanente* Norm, als die ursprüngliche kritische Instanz, verfehlen. Überflüssig zu sagen, daß diese Schwierigkeit im Angesicht der späteren Musik – mit Ausnahme vielleicht Regers, dessen Harmonik gewissermaßen die Probe aufs Exempel der Riemannschen Funktionstheorie darstellt – sich hoffnungslos steigerte. Wer aber nicht selbst, und zwar ernsthaft, anstatt bloß rezeptiv lernender Weise, komponiert, erfährt kaum eine andere Gesetzmäßigkeit als jene; sie ist der *gesamten* modernen Musik so unangemessen wie die Newtonsche Kausalphysik der gegenwärtigen Quantenmechanik. Man ist heute nicht mehr ein ›Musiker‹, wenn man nur Akkorde verbinden, von einer Tonart mit verminderten Septakkorden in die andere sich winden, Generalbaß spielen, ein Fugenthema beantworten und selbst einen leidlichen Palestrinasatz schreiben kann; jede Komposition, der der Anspruch auf Geltung innewohnt, stellt von sich aus an den Autor Anforderungen, zu denen ihm die traditionellen Disziplinen gewiß die notwendigen Voraussetzungen bieten, die aber vom Boden jener Disziplinen aus schlechterdings nicht gemeistert werden können. Zwischen den mitteilbaren allgemeinen Regeln und der kompositorischen Praxis herrscht ein radikaler *Bruch*. Wer in seiner Ausbildung Forderungen nur von jenen Regeln aus erfährt, die Werke aber durch bloße, normativ unverbindliche ›Analyse‹ kennenlernt, anstatt sie im Zwang ihrer Stimmigkeit zu verfolgen, muß deshalb vor der Frage nach der Qualität ratlos stehen. Neigt der stilhistorische Musikwissenschaftler zu einer thesenhaften, automatisch in Richtungen denkenden ›Musikpolitik‹, so geht der konservatorisch Gebildete entweder seinem ›Geschmack‹ nach oder mißt die Werke nach eben den Maßstäben, die in Wahrheit bloß noch *pädagogische* Funktion erfüllen sollten; hört Dissonanzen als falsche Töne (oder, noch lieber, als ›Parodie‹, unter welchem Begriff unverbindlich alles Fremde erscheinen kann); freut sich bei jedem Fugatoeinsatz der ›Polyphonie‹, auch wenn es weiter zu gar keiner kommt, und rühmt einen Komponisten als rhythmische Elementarkraft, wenn er nur brav in Achteln stampft – womit er doch gerade seine rhythmische Phantasielosigkeit und *Schwäche* dartut. Oder er spricht kleinbürgerlich, in verstockter Naivetät, von Verschrobenheiten und Verstiegenheiten und kommt in schimpfende Schulmeisterei – anstatt *im* Werk unerbittlich zu helfen, urteilt er nachsichtig *übers* Werk, das er, sei's gut oder schlecht, nicht aufschloß. Welche Kritiker vermögen wohl an einem nicht-tonalen

Stück bündig zu zeigen, was, zunächst etwa harmonisch, daran richtig oder falsch, zwangvoll oder gemacht, echt oder unecht sei? Und dennoch *läßt* es sich zeigen, so klar und eindeutig wie an der Harmonisierung eines Chorals. Die Entscheidung der *objektiven* Gültigkeit des Werkes aber steigt allein aus der Erkenntnis seiner immanenten Stimmigkeit auf; in der Monade des Werkes wird dessen Schicksal entschieden, wofern nur der kritische Blickstrahl tief genug zu dringen vermag. Die Entscheidung läßt sich nicht von außen, vom Stil her vorwegnehmen. Die Stilfragen erledigen sich in den kompositorischen Zentren der Werke, nicht in der distanzierten Überschau. Das weiß die Naivetät des Musikers recht wohl, und sein Mißtrauen gegen die versierte Souveränität des Kritikers hat seinen guten Grund, ohne daß doch seine verbundenen Augen, in der Regel, es besser machen können.

Der Zustand muß hart erkannt werden, wofern er tatsächlich gebessert werden soll. Alle Vorschläge zur Besserung müssen dessen eingedenk bleiben: daß die Krisis der Musikkritik durch die allgemeine Grundtatsache der Entfremdung vorgezeichnet und prinzipiell erst mit ihr zu beseitigen ist. Nahe liegt manchen die Hoffnung, neuer Gemeinschaftswille könne ausreichen, zu verändern. Ohne daß die Tragweite einer realisierten Änderung des Bewußtseins verkannt wird, muß immerhin gesagt sein, daß es nicht sowohl um die Entfremdung von Kritikern und Komponisten als um die von Kritik und Komposition geht und daß menschliche Unmittelbarkeit nicht ohne weiteres Zustände beseitigen kann, die so tief im überindividuellen Produktionsprozeß gründen wie die Krisis der Musikkritik – und *alle* Entfremdung.

1935

Reinhold Zickel

Die Abneigung gegen stehende Redewendungen jüngsten Datums, den stereotypischen Ersatz fürs außer Kurs gesetzte Sprichwort, ist zugleich Ekel vor dem, was sie meinen. Beliebt im deutschen Nachkriegsjargon ist die Formel, einer sei nicht zum Zuge gekommen. Mit blinzelndem Einverständnis wird die universale Konkurrenzsituation als Norm des Lebens, auch des geistigen, unterstellt und das Urteil mitgeplappert, das der am Ende in ein erneutes bellum omnium contra omnes zurückschlagende Konkurrenzmechanismus über den Einzelnen verhängt. Die Welt ist in jenem Ausdruck als geschlossene vorgestellt wie eine Schach- oder Damepartie, in der die Figuren gegeben, die Züge weithin vorgezeichnet sind, und in der das Leben des Individuums wesentlich davon abhängt, ob es überhaupt drankommt; ob es die minimale Chance hat, ohnehin Unvermeidliches auszuführen; nicht aber von seinem Willen, seiner Freiheit und Spontaneität. Widerwärtig bleibt der von Karl Korn gedeutete Sprachgestus, der diesen Zustand womöglich noch billigt. Indem, wer so redet, souveränen Überblick über die prästabilierte Partie beansprucht, deren sämtliche Züge von der Theorie der Eröffnung oder des Endspiels vorgesehen sind, bestätigt er, es gehe, nach dem artverwandten Ausdruck aus der verwalteten Welt, in Ordnung. Sofern aber die abstoßenden Clichés ein selber Abstoßendes treffen, haben sie auch ihre Wahrheit. Ahnungslos wird in ihnen geahnt, wie sehr das Schicksal des Erfolglosen seiner menschlichen Bestimmung widerspricht, ihm äußerlich bleibt, zufällig und ungerecht angesichts dessen, was er für sich ist, keineswegs zufällig nach dem Maß der sich durchsetzenden historischen Tendenz. Oft wird solches Schicksal gerade an dem haften, worin einer besser war als die, welche es schafften. Nur erlaubt das verfinsterte Zeitalter nicht einmal, darauf sich zu verlassen.
Reinhold Zickel ist exemplarisch ein nicht zum Zuge Gekommener. Mit einer Lauterkeit, für die das Wort heroisch nicht zu hoch

gewählt wäre, dessen Farbe zugleich ein Fragwürdiges indiziert, hat er sein ganzes Leben der Idee des Dichters unterstellt. Mehrfach stand er davor, sich durchzusetzen, nie ist es ihm ganz geglückt. Der Wirkung nach, die selbst dem strengsten Künstler nicht gleichgültig sein kann, blieb sein Opfer vergebens. Anstrengungen, nach seinem Tod das zu ändern, sind bislang gescheitert. Ein Verlag, der für die Lyrik sich interessierte, konnte zur Publikation nicht sich entschließen; ein Freund aus früheren Jahren, damals Redakteur, starb, ehe er etwas erreichte. Zickels Ernst gestattete ihm nicht, im Vertrauen aufs dubiose innere Königreich über die Fehlschläge einfach sich hinwegzusetzen. »Denn zu spät kommen ist doch der größte Fehler im Leben«, heißt es in einer autobiographischen Skizze von 1942 aus der »Büchergilde«. Dichtungen sind nicht indifferent gegen die Zeit ihres Hervortretens. Nicht nur läßt der einmal versäumte Kontakt eines Werkes mit dem Publikum, seine Stunde, nicht willkürlich sich nachholen. Sondern die Werke selber, ihre Qualität verändert sich bis ins Innerste mit der Zeit. Liest ein Gedicht heute sich anders als 1920, so ist daran nicht unbeteiligt, was ihm öffentlich widerfuhr. Erlangte es einmal Autorität, so strahlt es auch späterhin mehr von ihr aus, als wenn es bloß auf sich selbst gestellt wäre. Das Wort vom Schicksal der Bücher reicht tiefer, als es an Ort und Stelle vermeint: es bezeichnet die Ablösung des Werks vom Autor, die geschichtlich objektive Entfaltung seines Gehalts. Dem Versäumten gegenüber ist kaum mehr möglich als trauernde Erinnerung.

Geboren ist Zickel 1885 in Marienberg im Westerwald, groß geworden in einem halb ländlichen Frankfurter Vorort, wo sein Vater die Post verwaltete; dann in der Stadt. Der Vater stammte von Lehrern, Handwerkern, Bauern aus dem Nassauischen, die Mutter aus Schwaben, einer alten Theologenfamilie. Sie hing einer intensiven und düsteren Orthodoxie an. Er selbst sagte darüber, nach der Mitteilung von Leonore Zickel: »Die Lehre eines lebensfeindlichen, asketischen Glaubens verwandelte mir den Gekreuzigten oft zum dämonischen Gespenst.« Ontogenetisch wiederholte sich an seinem späten und verstörten Christentum, was phylogenetisch einmal das Christentum den alten Göttern angetan hatte: die christlichen Vorstellungen wurden sein Bilderschatz als jenes Unheimliche, dessen Begriff Freud aufs Allzuvertraute zurückführt. Um

Zickels Phantasiehorizont kreisten – nicht unähnlich dem gleichaltrigen, ebenfalls protestantischen Trakl – theologische Assoziationen, aber gleichsam verhexte, stigmatisierte. Von ihnen zehrte er und lehnte gegen sie sich auf: Ambivalenz prägte seinen gesamten Habitus. Der Vater, autoritär-korrekt, aber oft heftig aufbrausend, muß ihn sehr unterdrückt haben; als er später sich zu habilitieren wünschte, konnte oder wollte er ihm nicht die Mittel zur Verfügung stellen; so wurde er zum Lehrerberuf gezwungen, der ihm widerstrebte trotz außerordentlicher pädagogischer Fähigkeit. Er studierte in Bonn, München und Marburg und legte 1908 sein Staatsexamen ab für die Fächer Deutsch, Geschichte, philosophische Propädeutik und Religion. Entscheidend war der Einfluß Hermann Cohens und des Marburger Neukantianismus; seine Dramen standen zeitlebens unter dem neukantischen Ideebegriff. 1914 rückte er als Offizier ein und wurde schon im August aufs schwerste verwundet. Ganz gegenwärtig ist mir ein Besuch im Lazarett; das durchsichtige Gesicht, der Ausdruck selbstvergessener Güte in der Berührung mit dem Tod. Im Sommer 1915 ging er wieder an die Front und wurde im September 1916 an der Somme zum zweiten Mal verwundet. Diesmal grenzte die Rettung ans Unbegreifliche. Ein Schlagaderschuß hatte ihn dicht überm Herzen getroffen; eine äußerst gewagte Operation erhielt ihn am Leben, doch verlor er infolge der Blutstockung die linke Hand. Im Sommer 1917 heiratete er, im Herbst wurde er aus dem Militärdienst entlassen und definitiv am Sachsenhäuser Reformgymnasium angestellt. Jahre intensiver dramatischer und lyrischer Produktion folgten. Das »Goldene Kalb« wurde in Bochum, der »Tod der Athene« in Frankfurt aufgeführt. 1924 gab er den Lehrberuf auf, siedelte 1926 mit seiner Familie nach Berlin über, hoffend auf Anregung und Kontakt. An beidem fehlte es nicht; aber sein Naturell, wohl auch Unbehagen am Berliner Literaturbetrieb bewog ihn dazu, sich draußen in Frohnau zu isolieren.

Obwohl manche nationalsozialistischen Motive Zickel nicht ganz fremd waren, ging er nie in die Partei, wie er denn kaum je in seinem Leben irgendwo sich einreihte, sondern allem Institutionellen gegenüber, auch wider die eigenen handgreiflichen Interessen, schroff auf seiner Autonomie bestand. Immerhin wurde das Stück »Europa brennt« bei einer Tagung der NS-Kulturgemeinde 1935 in

Düsseldorf gespielt. Es wandte die Technik des epischen Theaters auf den Stoff der Befreiungskriege an, wie übrigens während der ersten Jahre der Hitlerdiktatur in Deutschland mehr von Brecht überwinterte, als man leicht annimmt. Trotz des Themas war das Drama, nach dem Vokabular jener Jahre, untragbar: wegen eines volkskonservativ-demokratischen Zuges, wegen unverhüllter Kritik am Kult des großen Mannes, auch wegen seiner Spitze gegen expansionistische Begierden. Zickel war unfähig, Konzessionen zu machen, selbst als er es einmal wollte: nichts ehrt ihn mehr. Am Abend der Düsseldorfer Première kam es zum Bruch mit der Partei; seitdem stand er auf der Liste unerwünschter Autoren. – 1944 wurde Zickels Sohn als vermißt gemeldet. 1950 verließ er Berlin, um im Westen Boden zu fassen. Ein Verlag wollte ihm die Möglichkeit geben, seinen letzten Roman zu beenden, brach aber finanziell zusammen, so verlor er auch diese Chance. 1953 starb er in Karlsruhe an einem Herzinfarkt.

Zickel war mein Lehrer, im doppelten Sinn. Ich habe, seit meinem zehnten Jahr, seinen Unterricht auf der Schule empfangen, und er hat, vor allem um 1920, nachhaltig auf mich gewirkt. Er stieß die Selbstverständlichkeit der kulturliberalen Voraussetzungen um, unter denen ich aufgewachsen war. Unvergeßlich ist mir etwa ein Gespräch, in dem ich von Toleranz redete, und in dem er mir zum ersten Mal etwas von der Idee einer objektiven Wahrheit jenseits des laisser faire der Meinung zum Bewußtsein brachte. Buchstäblich wurde mir die geläufig mitplätschernde Sprache verschlagen. Das 2+, das er unter meine Aufsätze anstatt der gewohnten Eins schrieb, kurierte mich vom bescheidenen Ehrgeiz. In einem Aufsatz über das Thema, was wir von Lyrik erwarten, hatte ich das Wort Restlosigkeit gebraucht, und er legte mit unbestechlicher Liebe den Finger auf das Phrasenhafte und Formale, zugleich auch schlecht Versierte daran. Eine solche Erfahrung, mit sechzehn Jahren gemacht, gräbt sich ein. Das Bewußtsein davon, daß Sprache Widerstand ist gegen die Sprache, danke ich ihm so gut wie die Vorstellung vom Kunstwerk als einem noch im kleinsten Zug Verantwortlichen, Durchgebildeten, das auf nichts Vorgegebenes sich verlassen darf; und wie das Mißtrauen gegen den mittleren Feinsinn. Ein Gedicht, das ich ihm vorlegte, sagte vom Mond: »Zuckt um die Mundwinkel schläfrig Lied / Über die Häuser mit kichernden Stiegen«. Ein literarischer Sachverständiger hatte die kichernden Stiegen beanstandet: ihm fielen dabei Dienstmädchen ein. Zickel meinte: »Dann laß ihn doch ruhig daran denken.« An seiner Verteidigung ging mir für alle Zeit auf, daß das Schöne des Kunstwerks nichts zu tun hat mit dem Desiderat, die dargestellten Gegenstände müßten ästhetisch sein. Solche Stärkung trieb weiter. Wie es bei Freud im Buch steht, habe ich die Autonomie, zu der er mich erzog, auch gegen ihn selber gewandt, mich gegen ihn schon früh zur Wehr gesetzt. Oft sind wir aneinander geraten: über Politik, auch über neue Kunst. Viel Kraft kostete es, gegen sein ungestümes und kategorisches Wesen mich zu behaupten, aber gerade dank seiner Leidenschaft wurden die Konflikte produktiv. Wußte man bei keinem Gespräch mit ihm, der die Person mit der Sache unvermittelt identifizierte, ob es nicht zur Explosion führte, so hatte doch keine je den Charakter des Unversöhnlichen. In dem Dramatiker steckte etwas vom Schalk und vom Schauspieler; er drehte gleichsam den eigenen Affekt an, und stets spürte man eine Instanz darüber.

Jene Spannungen hatten sicherlich ihren psychologischen Aspekt, aber erschöpften sich nicht darin. Im Umgang mit Zickel ging mir unmittelbar auf, was ich viel später philosophisch verstand, die Zweideutigkeit in der idealistischen Lehre von der Freiheit selber, die, eingeschränkt auf Innerlichkeit, von ihrem Gegensatz, Gehorsam, wie von einem Schatten begleitet wird. Ehrfurcht vor dem Geist verband sich bei ihm mit einer latenten Aversion gegens Denken, mit der Weigerung, dem Begriff mit aller Konsequenz zu folgen; die deutsche Trennung der geheiligten Idee vom angeblich bloß räsonierenden Verstand reichte in sein Lebensgefühl.

Viele seiner Stücke, darunter der autobiographische »Schacht«, aber auch der »König Stahl« kreisen um das Verhältnis des Sohns zum Vater und zielen auf die Befreiung vom Bann der Eltern, aber stets fast zeigen dabei die Vaterfiguren sich als substantieller, auch als künstlerisch gelungener denn die Söhne. Darin blieb er wahrhaft Hebbel verhaftet, über dessen implizite Geschichtsphilosophie er seine Dissertation schrieb; etwa der Agnes Bernauer. Die protestantische Innerlichkeit, in Gärung versetzt, stiftet bei Zickel den expressionistischen Innenraum, ohne daß er doch in diesen ohne Reservat eingebrochen wäre. Der zweite Akt des »Schachts«, der Kampf des poetischen Subjekts mit Emanationen religiösen Wahns, war nach seinen eigenen Worten ein »entfalteter Monolog«. Die Figuren des Innen blieben Chiffren, wurden nicht buchstäblich, als fürchtete ein allzu Gefährdeter, aus der Vision nicht mehr emporzutauchen. Aber gerade die im Zaum gehaltene Innerlichkeit enthielt als Haß gegen Anpassung ein antizivilisatorisches Moment. Er konnte über die schon laut Goethe »verfluchte Humanität« der Iphigenie Späße machen. Seine Art von Introversion erschwerte ihm nicht nur, mit Menschen inter pares sich zusammenzufinden, sondern hieß ihn auch mißbilligen, was ihm an anderen allzu umgänglich dünkte. Er stand gegen die Gesellschaft durch Kritik an Betrieb und Mitmachen; aber auch mit einer aggressiven Scheu gegen alles urbane Wesen, die ihm jene ungeschmälerte Fühlung mit dem Nicht-Ich verbot, die seine dramatische Gesinnung so leidenschaftlich verfocht.

Der Protestantismus, der Idealismus samt der aus ihm abgeleiteten Hebbelschen Dramatik und der deutsche Frühexpressionismus bildeten die Konstellation seiner eigenen Arbeit. Als Lyriker war er zumal von Heym und dem jungen Werfel berührt; von Gedichten wie der Morgue, von Werfelschen Versen wie Lächeln, Atmen, Schreiten, dem Mondlied eines Mädchens, von Jesus und dem Äser-Weg. Expressionistisch – und nicht ohne Beziehung auf den Jugendstil – war bei ihm die Vorliebe für hochgesteigerte Gesten und fürs Grelle; etwas Plakatierendes und Lautes, das gleichsam dem Überschuß der geistigen Intention übers Angeschaute sein Recht verschaffen wollte, indem es den Leser überschrie. Das reicht bis in die Interpunktion hinein. Doch schreckte er vor der Revolte der expressionistischen Sprache gegen den Sinn, ihrem eigentlichen Ausbruch aus der etablierten Kultur, zurück. Noch seine wildesten Sprachgebärden lassen in eine faßliche, der vertrauten Gestalt der Empirie gemäße Intention sich zurückübersetzen. Mit einer im Grunde klassizistischen Ästhetik kritisierte er denn auch das expressionistische Drama – zahlreiche Aufsätze dazu aus den frühen zwanziger Jahren finden sich in den verschollenen Frankfurter »Neuen Blättern für Kunst und Literatur« – und erkannte von der älteren Position her den Widerspruch, daß im Bannkreis absoluter Subjektivität keine eigentliche dramatische Antithese möglich ist. Dabei ging er, wie Paul Ernst, von einem fixierten Apriori des Dramas aus, ohne die Form selber in die Dialektik hineinzuziehen und jene Paradoxie als notwendige auszutragen. Der Unvereinbarkeit seiner Formidee mit der lyrischen Differenziertheit, die ihm vorschwebte, verschloß er sich. Die neuen Mittel bauschten sich um unerschütterte Kategorien wie die der Tragik. Der Sprung ins Ungedeckte ist, trotz allem Pathos, vielleicht gerade um des Pathos willen, vermieden. So ungestüm seine von Bildern überquellende Sprache an den Ketten rüttelt, so nachdrücklich der Anspruch seiner Stücke auf Totalität und dramatische Dialektik aus ist, sie sind undialektisch insofern, als sie einen jenseits der Gestaltung festen weltanschaulichen Gehalt nach einem Formkanon verkörpern, der ihm entsprechen soll. Das gilt auch für seine Anschauung vom dramatischen Ethos. Es war ihm unvermittelt eins mit dem Ästhetischen: die Idee, welche aus dem Drama heraussprang, sollte jenes Sittliche sein, das ihm von selbst sich verstand. Es stammte aus Christentum und traditioneller Philosophie. Am Sieg der Idee im Untergang des Helden zweifelte diese Dramatik so wenig wie an der Symbolkraft der großen historischen Stoffe. Das verlieh seinem œuvre etwas Affirmatives, den Weltlauf krampfhaft Bestätigendes. Positivität wurde sein Verhängnis. Dadurch, daß die Idee autoritär jeden Zweifel niederschlägt und als ein Fixiertes jenseits von Skepsis und Relativität geborgen sich dünkt, wird sie zur Ideologie, zur selbstgerechten Weltanschauung: ästhetisch ein Negatives. Das Kunstwerk, das auf das nicht mehr Substantielle sich stützt, als wäre es verbindlich, büßt die eigene Kraft ein. Es muß durch verkündende Beteuerung ersetzen, was in ihm nicht gegenwärtig ist; je mehr es seine Botschaft unterstreicht, desto mehr arbeitet es wider seine Gestalt. Der ungebrochen reine Wille, wie ihn der Untertitel von Cohens Ethik proklamiert, genügt nicht, auch nicht für die Kunst. Wie alles Menschenwürdige heute, bedarf sie eines Ferments von bösem Willen, ihre Humanität eine Spur des Inhumanen, die nicht schon bereits selber wieder als human sich weiß; ohne Lust am Zerstören ist keine Wahrheit heute, gewiß keine Produktion des Ranges, den Zickel ambitionierte. Dies Moment hat er verdrängt, und dadurch ist in seine Affirmation etwas hineingeraten, was sich selbst nicht gut ist. Es verurteilt sie zum Unwahren, anstatt daß das Werk die Unwahrheit der Affirmation so vollzöge wie noch Ibsen, der die Lebenslüge demaskierte und zugleich verteidigte gegen die sittliche Forderung. Zickel, der sich permanent Gewalt antat, war bereit zum schrillen Lachen, weil die Positivität, die er trotzig mit dem Namen Gottes bedachte, doch unvereinbar war mit seinem Subjektivismus. Seine Art, sich in dem von Philosophie kritisierten Glauben ästhetisch festzumachen, tendierte zum Galgenhumor. Dichter noch als an die Sphäre des Schauspielers grenzte die seine an die des Zirkus. Viel zog ihn zu Wedekind, den er dann doch wieder idealistisch mißbilligte. Diejenigen seiner Arbeiten wohl sind die besten, in denen Ambivalenz, anstatt über seinen Kopf hinweg sich durchzusetzen, selber ins Wort fand.

Vieles davon war ihm bewußt. Gegen den Protestantismus begehrte er auf wie ein Theolog, der aus Gewissensnot sein Amt hinwirft. Im Konflikt mit der Elternwelt, aber auch im asketisch-idealischen Hang gab es ein Gemeinsames zwischen ihm und der Jugendbewegung, das in seinem Verhältnis zum Neuwerk-Verlag sich bekundete. Aber auch zur Jugendbewegung: ihrem Kollektivismus hielt er Distanz. Schließlich wurde er noch der Schwäche des Neukantianismus inne, der Neutralisierung der großen Philosophie zu ohnmächtigem Bildungsgut. Sein Gewaltsames kam aus dem Willen, entsunkene Worte möchten gelten, um dem Einhalt zu tun, was er gleich vielen Deutschen der Periode Zersetzung nannte und Materialismus. Dieser war einem Denken, das vor Begriffen wie Idee und Geist innehielt, vorweg verurteilt; den Gedanken des Materialismus an die eigene Aufhebung: die Befreiung der Menschen vom blinden Zwang materieller Bedingungen hat er nicht gefaßt. Dichterisch dünkte Zickel das Gleichnis, zu dem schaltende Phantasie die Erfahrung zubereitet, als wäre das Schöpfung. Die Metapher behauptet jenen ungebrochenen Primat, von dem Benn die Moderne abhob. Das Als ob arrangierter Verschlüsselung entging ihm; ein Rest von konventionellem, vorkünstlerischem Realismus darin. Unbehelligt bleibt unter den Metaphern die Dingwelt, anstatt daß die Dichtung deren empirische Gestalt zerschlüge, indem sie die nackte Sache nennt. Die neuromantischen Bilder, in denen Zickels Expressionismus auf halbem Weg sich widerruft, erschweren vorweg wohl seine Rezeption heute. Die bunten Sprachkulissen werden aufgerichtet aus Allergie gegen das eingreifende Bewußtsein dessen, wovor sie sich schieben. Der Geistgläubige schalt den Geist sophistisch, wo das Bestehende nicht in der Idee, sondern politisch denunziert ward. Seine Konzeption vom

Ethos half ihm, nicht zuletzt, dazu, im Namen von Tat und Willen die bedrohliche Reflexion abzuwehren: sein affirmativer Zug war defensiv zugleich. Einmal sagte er, unbestechlich gegen die eigene Grenze, ein jeder Mensch habe das Recht auf Borniertheit; er könne sentimental werden, wenn er auf einer Rheinfahrt die Loreley höre. So empfand er wohl das Deutsche bei sich selber: als jenes Aussetzen der Reflexion, ein Verstocktes. Selbstbesinnung durch Ironie mochte er nicht. Umgekehrt jedoch hat er irrationalistischen Strömungen wie Wagner, Spengler, Klages nie sich ausgeliefert. Seine Freundschaft mit Bernhard Diebold zerbrach in einem Streit über Richard Wagner, den Diebold ohne Vorbehalt liebte und Zickel, unbeirrt, sein ganzes Leben hindurch verabscheute.
Wille zeitigte seinen poetischen Ansatz selber: er schrieb wie aus nach innen gewandter, vergeistigter Pflicht, als Fichtesche Tathandlung. Das Moment des passiven Sichüberlassens, das Medium, in dem der Geist sich selbst als Natur erfährt und mit dieser versöhnt, unterdrückte er in permanenter Zensur. Bei einem Künstler konnte er danach fragen, ob er »gehämmert« sei. Nicht daß er zu arm gewesen wäre zum Unwillkürlichen. Manchmal gelangen ihm Verse wie die aus einem Gedicht, das er der jungen Mutter in den Mund legt:

> Oft noch muß ich weinen
> In die sterblichen Kissen,
> Weil wir nicht wissen,
> Wohin wir erscheinen.

Aber schonungslos – und das bezeugt wiederum seine Lauterkeit – hat er sein autoritäres Prinzip gegen sich selbst gewandt und das eigene Wort nach dem gemodelt, was ihm sein Imperativ dünkte, anstatt je blind sich an das Wort zu verlieren, sich zu entäußern. Das Konformistische, Disziplinäre ist ihm zum Verhängnis geworden als Herrschaft über sein Ich. Mit dem Nachdruck aufs Individuum hat er das Individuum gehemmt. Sein ethischer Gestus aber hat ihn von der Welt isoliert, deren Gesetz er als unverbrüchlich verkündete, und ihm damit doch etwas von der Wahrheit des nicht Konformierenden geschenkt.

Mehr als die bloße Klage über Zickels Unstern wäre nach seinem Sinn Versöhnung mit dem Unwiderruflichen dadurch, daß es aus sich heraus begriffen wird. Der Versuch dazu stößt auf seine soziale Biographie. Sein Instinkt gegen den Lehrberuf, der ihn schließlich bewog, eine karge und kaum nur gesicherte Existenz zu riskieren, war richtig. Was heute als Gefahr der Pädagogisierung in deren Bereich diskutiert wird, hat seine Produktion überschattet, die doch ihre Norm an Autonomie hatte und als autonom sich fühlte. An ihm bemerkte ich erstmals, daß Worte einen Gebrauch dulden, der sekundär, nicht aus ihrer Erfahrung gespeist ist und dem widerstreitet, was sie von sich aus wollen. Von Freiheit konnte er guten Glaubens reden und war doch nicht frei: in ihm spitzte eine uralte bürgerliche Antinomie zur Not des Einzelnen sich zu. Wie für Lehrer das, was sie zu übermitteln haben, leicht zum Vorgegebenen, zum fixierten Pensum wird, so verhielt er sich, ohne es sich und anderen einzugestehen, auch wo er gestalten wollte und nicht weitergeben. Die Normen traten ihm fertig aus dem entgegen, was er sein Weltbild genannt hätte, als Schöpfung dröhnte ein in Wahrheit Vorentschiedenes; das als positiv Approbierte mußte herauskommen. Der Hintergrund dessen, die kritische Philosophie, war ihm das geworden, was sie befocht, dogmatisch; daher Zickels Indignation über alles, was von seinem Credo abwich. Galt Dialektik ihm als Nerv des Dramatischen, so beschied sie sich bei ihm zum Aufeinanderprallen der Gegensätze, ohne Macht über die inwendige Textur der Sache. Sie wird zu dem, was autonome Gesinnung am letzten Wort haben möchte, Illustration eines übernommenen Ideengehalts. Für die Sphäre sind Ausdrücke wie »sich auseinandersetzen« charakteristisch; sagt jemand, er setze mit einer Theorie oder Richtung sich auseinander, so kann man wetten, daß er gegen diese sich entscheidet, weil er sich nur gleichwie aus Pflicht damit beschäftigt, aber viel zu verbissen ist in das, wozu er ein für allemal sich bekannt hat, als daß er des Ausgangs ungewiß sie in sich hineinließe oder in ihre Kraft einginge. Jene trotz seines betonten geistigen Temperaments dinghafte Stellung Zickels zum Geist verleitete ihn zum Kurzschluß, es sei die »Idee« – was vom Autor in ein Werk an Intention, an Philosophie gepumpt wird – identisch mit dessen Wahrheitsgehalt, wie ihn etwa die philosophische Interpretation der Objektivität eines Kunstwerks erschließt.[1] Das Kunstwerk, das

1 Vgl. Valérys Abweichungen [jetzt: Gesammelte Schriften, Band 11: Noten zur Literatur, 2. Aufl., Frankfurt a.M. 1984, S. 158ff.].

auf seine Intention pocht, usurpiert Gewalt über seine eigene Geschichte. Dafür wird es bestraft: nur das in ihm vermag recht sich zu entfalten, was dem Willen des Autors sich entzieht. Das sind aber eben die Sachgehalte, gegen deren Fülle idealistische Kunstgesinnung sich spröde macht. Ihre Sprödigkeit ist nicht bloß freiwillig. Verschmäht wird die Erfahrung, die man in materiell und sozial eingeengter Existenz nicht hat, und der Stolz, der lieber sich in sich zurücknimmt als sich anzubiedern, rationalisiert und verinnerlicht die Armut des äußeren Lebens zur abstrakten Reinheit. Das Artefakt aber gerät brüchig, weil das Material zu dünn ist, aus dem es geformt ward. Paradox verhindert der Idealismus, der konzessionslos das Werk um des Werkes willen fordert, daß es gelinge. Nur in einem Wirf weg, damit du gewinnst, wird das Subjekt so substantiell, daß es das Artefakt wiederum durchtränkt. Zieht es sich aber in den bloßen Punkt zusammen, um aus Angst, an die Realität sich zu verlieren, eine Welt aus sich heraus zu schaffen, so reicht diese am Ende nicht hinaus über das, wozu solche Subjektivität sich einschränkte.

Die Andeutung der sozialen Momente, die Zickels unverführbare Begabung hindern mochten, während er entrüstet sich würde geweigert haben, auf sie zu plädieren, sagte freilich kaum das lösende Wort. Daher die Trauer in der Erinnerung an ihn. Es fehlt nicht an Künstlern, deren Sozialcharakter unter keinen günstigeren Bedingungen sich bildete und die dessen Grenzen überschritten. Jene Zufälligkeit, die Valéry an der geistigen Überlieferung konstatiert, gilt bereits individuell; dafür, ob einer vernommen wird oder nicht, sogar vielleicht für die Qualität der Produktion. Die Unmenschlichkeit und Zufälligkeit, die das Gesetz geschichtlicher Entwicklung grundiert, schlägt auch das Leben des Geistes, der wenig dazu tun kann, daß er weiter lebt. Was dem Cliché der Kunstreligion die Irrationalität der Gabe heißt, und was womöglich um solcher Irrationalität willen vergottet wird, wiederholt dort, wo die Menschen über der Realität sich wähnen, die reale Schmach, daß sie nicht sich selbst bestimmen. Noch das Opfer des Lebens an den Geist kann vergeblich sein. Keine durchsichtige Proportion herrscht zwischen der Anstrengung und dem Erreichten. In solcher trostlosen Ungerechtigkeit aber wird dem Geist etwas von dem Unrecht heimgezahlt, das er a priori schon ist, dem des Privilegs. Er dünkt sich besser als die, welche von ihm ausgeschlossen sind und die er beherrscht. Herrschaft spiegelt sich ihm als Freiheit. Dafür verfällt er der gleichen Naturwüchsigkeit, über welche er sich erhebt. Je souveräner er sich fühlt, je intransigenter er seinen Anspruch verficht, desto bedürftiger wird, was er erzeugt. Das Prinzip der Macht, das in ihm sich verkörpert, bleibt ohnmächtig über sich selber.

1958/1960

Rückübersetzung

Über Herbert Marcuse

Ich kenne Herbert Marcuse seit dreißig Jahren, wir wurden Freunde, als ich im Frühjahr 1938 nach Amerika übersiedelte. Spontan näherte uns das gemeinsame Interesse der Arbeiten, die wir für das Institut für Sozialforschung in Frankfurt über benachbarte Themen verfolgt hatten, einander an. Hinzu kam eine große persönliche Sympathie. Ich kannte ihn seit jeher als einen Mann von großer Integrität und zivilem Sinn, dazu mit einer Ironie begabt, die seinen geistigen Radikalismus von ›Fanatismus‹ fernhielt.

Von seinen Arbeiten schätze ich als besonders nützlich alle, die zu seiner fruchtbarsten Periode gehören, namentlich den Beitrag zu der Studienreihe über »Autorität und Familie«, den Aufsatz, der den Titel »Zur Kritik des Hedonismus« trägt, und ganz besonders den Traktat »Über den affirmativen Charakter der Kultur«, eine der besten Früchte unserer Frankfurter Schule.

In den letzten Jahren wurde viel über angebliche Differenzen zwischen uns geredet. Ich denke, dabei handelte es sich eher um eine Frage divergierender Temperamente denn theoretischer Differenzen. Hier liegt der Grund, warum manche ihm heute vorwerfen, ein resignierter Mann zu sein – eine Anklage, die ein paar Jahre früher noch gegen mich gerichtet war. Ich hoffe, daß uns bald die Gelegenheit gegeben wird, abschließend und erschöpfend die Probleme zu diskutieren, die uns auf unterschiedlichen Positionen sehen. Der Vortrag, den Marcuse auf dem Heidelberger Soziologentag 1964 hielt, war ein Meisterwerk.

1968

(Aus dem Italienischen von Heinz-Klaus Metzger)

Nachträge

Kammermusikwoche in Frankfurt am Main

Zur gleichen Zeit, da die wirtschaftliche und politische Lage des deutschen Reiches bis zum Unerträglichen sich erschwert, bringt eine deutsche Stadt, nahe der besetzten Zone gelegen und selbst stets mit Besetzung bedroht, unter tausend Hemmungen eine künstlerische Veranstaltung zustande, die Beachtung auch jenseits der Grenzen des eigenen Landes erheischt. Man hatte in Frankfurt am Main für den Sommer 1923 ein Musikfest geplant, das in Oper und Konzertsaal unter Aufgebot der größten Mittel die anspruchsvollsten Werke der zeitgenössischen Literatur und der Vergangenheit darbieten sollte; die Not der Zeit zwang dazu, die Absicht zurückzustellen und, da man die Veranstaltung nicht ganz aufgeben wollte, mit wesentlich bescheideneren Mitteln hauszuhalten; aber es darf heute gesagt werden, daß die Beschränkung des äußeren Aufwandes dem künstlerischen Gesamtergebnis nicht schadete, sondern vielmehr förderlich war. Denn alles, was die sachliche Aufmerksamkeit hätte mindern können: der gesellschaftliche Prunk, die Zahlenkraft des selbstherrlichen modernen Orchesters, der Kult der Dirigiervirtuosen blieb ausgeschlossen. Hermann Scherchen, der sich als Leiter der Berliner »Anbruch«-Konzerte einen Namen machte und jetzt als Kapellmeister der Frankfurter Museumsgesellschaft tätig ist, hatte die Leitung der Frankfurter Musikwoche in Händen; ihm ist es zu danken, daß das Fest zustandekam und sich auf ernsthaft künstlerischen Diskussionsstoff beschränkte, ohne an die grob genießerische Musikauffassung eines großen Publikumteils irgend Konzessionen zu machen, ihm auch, daß sich die Programme nicht auf deutsche Autoren zu beschränken brauchten, sondern führende fremdländische Komponisten mit berücksichtigen konnten. Freilich machte sich hier die Spannung der politischen Situation doch recht fühlbar: denn die junge französische Musik, die starke Antriebe auch für Deutschland abgibt und in ihrer Sinnenhaftigkeit und formerischen Sicherheit ein gutes Korrektiv aller aus dem tragischen Wissen und der tiefen Ungeduld entspringenden deutschen Musik bedeutet –, diese junge französische Musik, in der nicht weniger Wissen ist, die aber nicht radikal auf die Loslösung des Einzelnen drängt, sondern in ihrem Wissen sich im Überkommenen und Mittleren bescheidet, blieb ausgeschlossen. Das ist als das bedauerlichste Negativum der Veranstaltung zu buchen, allerdings nicht als Schuld der Veranstalter, sondern als bedingt durch die unseligen Verkettungen zwischen den europäischen Staatengliedern.

Es versteht sich, daß in sieben Kammerkonzerten, deren Programme oft überreich bestellt sind, nicht durchweg Werke von fragloser Bedeutung und schöpferischer Eigenkraft geboten werden können. »Neue Musik« hatte man die sieben Konzerte zusammenfassend betitelt und damit die Absicht ausgesprochen, Stücke herauszustellen, die in irgendeiner Weise vom Altgewohnten und Vertrauten, von Wagners Tonsprache zumal, losdrängen und nach eigener Form streben. Damit ist nicht eben viel Gemeinsames ausgesagt, und wenn man ein gemeinsames Stilmerkmal angeben wollte, wie etwa die ›Atonalität‹, soll heißen die Lockerung der Beziehung der Harmonien auf einen tonartlichen Zusammenhang, so müßte man rasch entdecken, daß diese angeblich so umstürzlerische und neutönerische ›Atonalität‹ bei jedem einzelnen Autor eine andere Bedeutung hat, bei keinem aber wohl als liebloser Bruch mit dem Vergangenen zu deuten ist. Da also ›neue Musik‹ sicherlich eine Verschwörung darstellt und auch in keinem anderen Sinne als Ausdruck eines gemeinsamen Musikfühlens genommen werden darf, so hat man es schließlich hier wie bei jeder musikalischen Veranstaltung mit den Werken *Einzelner* zu tun, von denen manche Experimente sein mögen, manche ohne viel Besinnen auf der Zeit schwimmen, manche anregende und aufregende Gewalt in sich haben, einige vielleicht einmal übrigbleiben. Der Wert einer Musikwoche wie der Frankfurter kann nicht darin ruhen, in strenger kritischer Sicht vollbürtige Arbeiten zu bringen (deren gibt es so wenige, daß sie schwerlich eine Woche füllen), sondern vielmehr darin, allseitig über die Kräfte zu unterrichten, die sich um die innere Mehrung des musikalischen Gutes ernstlich mühen.

Von Komponisten mit großem, weithin anerkanntem Namen waren vertreten: die Österreicher Schönberg und Schreker, der

Russe Strawinsky, der Ungar Bartók, der Deutsch-Italiener Busoni, der Engländer Delius, endlich als jüngster der Reichsdeutsche Hindemith, der in fast beispiellos kurzer Zeit Erfolg über Erfolg errang. Man hörte nur von dreien dieser Komponisten wirklich repräsentative Werke: von Schönberg, Strawinsky und Hindemith. Für Schönberg zeugte außer dem ungemein schwierigen, kaum ganz rein wiederzugebenden a capella-Chor »Friede auf Erden« (op. 13) der Liederzyklus nach 15 Gedichten aus Stefan Georges »Buch der hängenden Gärten« (op. 15). Von allem Gebotenen schienen mir diese Lieder in ihrer dunklen, einsamen und gebändigten Glut, in ihrer unerbittlich strengen Formgebung, in ihrem weit noch über die Gedichte hinausweisenden menschlichen Ernst das reinste und reifste. Der tiefen Fremdheit, die alte Liebe durchschneidet, dem furchtbaren Auseinanderweisen ist hier erschütternder, ganz musikeigener Ausdruck geworden. – Strawinskys »Histoire du soldat«, nach Worten von C. F. Ramuz, eine artistisch erklügelte Vermengung von Tanzspiel, szenischem Dialog und musikalischer Untermalung, darf vielleicht als charakteristisch für die heutige Situation dieses talentmäßig überreichen, aber seelisch armen und leeren Künstlers genommen werden, der sich zum umfassenden Ausdruck seiner Zeit auszuweisen und ins Dämonische zu steigern vermag, um schließlich stets wieder im Parodistischen zu enden, das keineswegs über seinen privaten Fall hinauslangt. Bei aller Überlegenheit der Faktur, bei allen stark musikalischen Ansätzen bleibt dies vom Pariser Infantilismus gespeiste Bühnenwerk am Ende kaum mehr, als eine Atelier-Angelegenheit. Man wünscht dem gefährlichsten Könner der heutigen Musik die rücksichtsloseste Selbsterkenntnis seiner Grenzen, damit er Fruchtbares zu schaffen vermag. – Hindemith ist Strawinsky in seiner jeden romantischen Gefühlsausdruck verneinenden Weise, in der unaufhaltsam stampfenden Rhythmik, oft auch in seiner wilden und schnöden Ironie verbunden; auch er geht auf grausame Entzauberung aus; aber das alles steht bei ihm viel ungebrochener und primitiver, entwächst eher dem dumpf getriebenen Naturell als der Absicht des Zivilisationsmenschen; und weicht oft auch dem scheuen, unter der Maske der Gleichgültigkeit verborgenen Durchbrechen des Seelisch-Ursprünglichen. Hindemith ist gefährdet: vom Erfolg, der Leichtigkeit des Produzierens, von einer gar zu unbeschwerten Aktualität und Anpassungsfähigkeit. Aber er ist zugleich ein Kerl, und es ist Hoffnung, daß er mit sich fertig werde. Die »Kammersuite für 5 Bläser« (op. 24,2) hat eine glückliche, gute, wohl auch innerlich erst errungene Leichtigkeit und verfügt mit schöner Selbstverständlichkeit über die klanglichen Mittel; die »Marienlieder« nach Rilke sind um Formprobleme entstanden und bewältigen die überlangen Gedichte in straffen, nirgends schildernden Organismen, sind aber ihrem poetischen Gegenstand nach Hindemith zu fremd, als daß man an ihre übertechnische Notwendigkeit glauben möchte. Doch stellt sie ihre zuchtvolle Formkraft immer noch über die meisten Werke der Musikwoche.

Kurz nur ist von den aufgeführten Stücken jener anderen Prominenten zu reden: Die Lieder von Schreker wirken ziemlich theatralisch; Bartóks bekannte Suite op. 14 ist stark, plastisch und gedrungen, vermag aber doch nicht die bohrende und kreisende Intensität dieses hartnäckig auf seinen Kern drängenden Komponisten ganz zu übermitteln; Delius' Chöre »Auf dem Wasser zu singen«, ohne *Worte* gesetzt, haben Klangreiz, künden aber nichts Neues. Busonis »Fantasia contrapunttistica« endlich, unter Benutzung Bachischen Gutes, zur Verherrlichung Bachs geschrieben, ist bei aller Kontrapunktik doch ganz im Bereich des Impressionismus zu Hause; die Polyphonie wirkt weit eher als dichter Klangschleier, denn als greifbares Übereinander der melodischen Linien und bleibt romantisch-willkürlich. –

Eine Sonderstellung nimmt der Deutsche Rudi Stephan ein, der zu Beginn des Weltkrieges fiel. Seine Musik weist deutlich noch auf die Wagnerzeit, sie hat das Schicksalspathos in sich, die Verherrlichung von Leben und Tod, vieles in ihr wirkt heute hohl und vergangen, auch ist ihm nicht die freie Verfügung über die Mittel gegeben, und die »Musik für sieben Saiteninstrumente« zeigt in ihrer Besetzung (Streichquintett, Klavier und Harfe) wenig glückliche Klang-Kombination. Trotzdem aber steckt in der Art, mit der dieser Mensch sich um die Formung seiner Gebilde gemüht hat, ein so brennender Ernst und eine so starke Eigenart der Anlage, daß man seinen Verlust bitter betrauert.

Aus der großen Zahl junger oder zumindest nicht allgemein bekannter Autoren sind es vier vornehmlich, deren Namen haften. Der dreiundzwanzigjährige Tscheche Ernst Křenek, Schüler von

Schreker, tritt schon seit zwei Jahren mehr und mehr hervor und zählt zu den begabtesten seiner Generation; seinen unheimlich schnell produzierten Werken eignet eine dumpfe, unbewußte Getriebenheit, die sich rücksichtslos in weiten, ununterbrochenen Rhythmenbögen, einer seltsam trübe schimmernden Apathie, zuweilen aber einem erschreckend großen symphonischen Zusammenballen von Klang und Rhythmus ausprägt. Das selbständig Thematische, der Ausgleich im Klangbild tritt demgegenüber vorerst noch ganz zurück, aber sein »Concerto grosso« (ebenso wie seine II. Symphonie) überwältigt durch ungebärdige Kraft, die ihren Sinn, ihre Beziehung auf einen geistigen Kern freilich noch erst gewinnen muß. – Der Spanier Philipp Jarnach entstammt dem Busonischen Bildungskreis und bewies mit Kammermusikwerken eine phantasiekräftige, ernste und wieder verträumte Anlage, der allerdings eine romantisch-intellektuelle Sehnsucht nach der überindividuellen, tektonisch bestimmten Orgelwelt Johann Sebastian Bachs in ähnlicher Weise gefährlich sein mag wie Busoni selber. Seine hier aufgeführte Solosonate für Violine zeigt weniger von dieser Gefahr als etwa sein Streichquintett op. 10 und ist ungemein diszipliniert im knappen Aufbau, dafür aber nicht so reich wie die Kammermusikwerke, zuweilen fast dürftig. – Die Lieder des jungen Italieners Mario Castelnuovo-Tedesco zählten zum Glücklichsten der Musikwoche: ungebrochen musikfreudig und doch differenziert und geformt, eine reife Kulturblüte und zugleich ganz natürlich, scheinen sie völlig diesseits der Probleme erwachsen, die die nördliche Musik belasten. Was verschlüge es, ihnen Mangel an Tiefe vorzuwerfen? Fast möchte man den Autor um diesen Mangel beneiden, wie deutlich man auch seine Grenze weiß. – Der Deutsche Wilhelm Petersen zog mit zwei Symphonien die Aufmerksamkeit auf sich; die in Frankfurt uraufgeführte Klavier-Violinsonate ist ein gemäßigtes, in der Art der Themenbildung und der Chromatik an Max Reger gemahnendes Stück mit durchgehendem Thema, das der Gefahr der harmonischen Verzärtelung in durchdringender Auseinandersetzung mit dem Problem der Sonate wirksam begegnet. Daß diese reife und gestaltete Sonate (wie überhaupt kein Werk des abseits schaffenden Autors) trotz vielfacher Hinweise noch keinen Verleger fand, sei zur Charakteristik der derzeitigen äußeren Lage der deutschen Musik erwähnt.

Die besprochenen Werke stellen das wesentliche Ergebnis der Kammermusikwoche dar. Es wäre von anderen noch etwa zu erwähnen ein Streichtrio von Friedrich Hoff, ein sprödes, jedoch ungemein ehrliches und stark gefühltes Stück, das Dokument eines reifen Menschen, der es sich schwer macht und mühsam vom Bekenntnis zur Form hinüberfindet, eines, auf den zu merken ist; dann ein begabtes, aber noch ganz unfertiges Quartett von Kurt Weill. Um die Interpretation setzte sich außer Scherchen das auch in Dänemark bekannte Amar-Quartett (mit *Hindemith* an der Bratsche); der vorzügliche Pianist Eduard Erdmann, die Geigerin Alma Moodie, Kapellmeister Merten, Hans Lange, Alfred Höhn, die Wiener Sängerin Winternitz-Dorda und mancher andere ein. Man schied in dem Bewußtsein, daß trotz der drückenden äußeren Bedingungen und der durch kein Programm zu überdeckenden Kulturkrise in der Musik Kräfte am Werke sind, die um neuen Aufbau ringen.

1923

Křeneks Operneinakter in Wiesbaden

Wie schnell nun alles wiederkehrt. Die Barockoper hat ihre 200 Jahre gebraucht, ehe Hofmannsthal und Strauss in der Ariadne mit dem Spiel spielten; Johann Strauß immerhin noch 50, um in Ravels Valse als anmutiges Gespenst zu erscheinen; Ernst Křenek aber nimmt nicht bloß seine Zeit, sondern auch die musikalische Geschichte vor den Zeitraffer, und was gestern ästhetische Realität besaß, zitiert er heute schon unter dem Schutze des Als ob. Der erste der drei neuen Einakter, »Der Diktator«, beschwört den Verismo – oder möchte er ihn gar nicht beschwören, sondern wiederherstellen? Dann wäre er freilich in ein kurioses Quid pro quo geraten, denn nichts ist romantischer als jener südländische Opernglaube von 1900, der die mythischen Entitäten der Oper damit zu retten meinte, daß er sie den Helden und Königen abnahm und samt all ihrem Glanz und Grauen den Kärrnern überließ. Křenek kehrt nun allerdings, o ewige Wiederkehr, von den Kärrnern zu den Königen zurück, aber es sind Könige im Frack, neben dem Sanatorium, und könnten beinahe Mussolini heißen. Beinahe, nicht ganz; dem radikalen Křenek, der die aktuelle große Politik in die Oper werfen möchte, fährt der Verismo von 1900 sehr energisch in die Parade, drängt ihn ab zum vorgeblich allgemein Menschlichen und landet bei privater Erotik. Der Diktator hier diktiert den Frauen bloß und die Passionen um ihn verpuffen strahlend und unverbindlich wie beim weiland Kärrner Alfio. Nur die Musik dazu hörte man vordem ein wenig anders. Es ist diesmal eher ein gedörrter Puccini oder, wenn man will, es ist ein Metallgerippe ins veristische Fleisch getrieben, das nach melodischem Schnitt und Dynamik den Umriß der toten Gestalt noch recht wohl wiedergibt, aber alle Feuchtigkeit tilgt. Man kennt seit dem Jonny Křeneks Kunst, die Musik im Szenischen verschwinden zu lassen; sie waltet konsequenter noch im »Diktator«; aber manchmal ergeben sich dabei sehr fremde und merkwürdige Durchblicke; etwa wie wenn man bei offener Tür im Lift durch ein älteres Haus fährt, in das er spät erst eingelassen wurde. Im Querschnitt enträtselt sich die Architektur des verwinkelten Baues; nur wird das Haus nicht neuer dabei. – Noch eiliger ist die Wiederkehr im zweiten Stück, das es als Märchen ganz unvermittelt auf das allgemein Menschliche abgesehen hat. Der Wiederkehrer ist hier Schreker, dem nicht nur die Requisiten eines imaginären Mittelalters, ein weiser Narr und ein süchtiges Weibtierchen, entlehnt sind, sondern der mit Harfen und Flöten leibhaft und versöhnlich anklingt. Ob das Glück im Winkel einer Innerlichkeit, die Křenek bislang nicht mit gar so großem Respekt behandelte, die aber schon mit der Anita des Jonny sich ankündigte – ob diese sehr private, besinnliche Innerlichkeit, die die Welt nicht verändert und die Brahms schließlich besser konnte, in Křeneks geistige Landschaft recht paßt und ob die Natur als Quelle stillen Glücks konserviert werden sollte, darüber läßt sich streiten. Jedoch das flüchtige Märchen gibt Křenek Anlaß zu hübschen musikalischen Details und nutzbaren Klangerfahrungen, ohne daß die kompositorischen Unkosten dabei allzu groß wären. – Allein »Schwergewicht«, der Sketch von dem Boxer mit dem unanständigen Namen, dem es übel ergeht, ist vollbürtig: in der Roheit des Textes, die disparat und exzentrisch das Bild des veränderten Menschen echter in sich versteckt als was Edles voranging; denn die unschuldig verboxte Studentin könnte ebenso bei Chaplin vorkommen, wie hier endlich die Oper insgesamt vom Groteskfilm echten Antrieb empfängt; in der schönen Courage der Musik, die es eigentlich gar nicht gibt, die alles Niveau zum Teufel jagt, aber aus dem Sturz ins völlig Niedrige eine erstaunliche Schlagkraft heimbringt. Man muß gehört haben, welche grenzenlos demaskierende Gemeinheit etwa dem Klavierklang abgewonnen ist, um recht einzuschätzen, welche neue Möglichkeit der Irritation Křenek aufgerissen hat: das wollte vielleicht die Ecole d'Arcueil, die kein zureichendes Talent dafür hervorbrachte. Vor allem gezähmten Edeljazz verdient diese sprengende Banalität tausendmal den Vorzug, und wenn irgend Kunstmusik mit dem Jazz kommuniziert, dann dort, wo jener zuunterst liegt. – Die Aufführungen unter Rosenstock auf erstaunlich hohem, auch solistisch durchwegs zureichendem Niveau. Die Regieführung Paul Bekkers von überlegener Plastik, ihres Materials ebenso sicher wie ihrer Erkenntnis. Zu erwägen bloß, ob man nicht den

Sketch, sollte er auch vom Komponisten anders gedacht sein, unter Verzicht auf jegliche naturalistische Illusion als Exzentrik-Operette turnen sollte. – Dem Publikum gesellten sich viele Frankfurter, dankbar für die frische Luft, die ihnen entgegenschlug.

1928

Veristisches Ende

Zum Schluß der Spielzeit wurde noch die Cavalleria erneut, bekam ein frisches Bühnenbild und frische Sänger, darunter Herrn Völker mit der schönen Stimme des Turridù. Daß eine Erneuung der Cavalleria nicht allzu viele Horizonte aufzureißen vermag, läßt sich denken. Immerhin konnte man sehen, warum überhaupt die staubige Naturgewalt der blauen Reiseandenken sich nach bald vierzig Jahren noch zeigen kann, anstatt sogleich in Asche zu zerfallen. Die Auswanderer, die sich von Süditalien nach Argentinien begeben und von dort bereichert heimkehren, bauen sich zuhause Villen, weiß wie der Palast der Kirke überm Azur des beständigen Meeres, Tempeln gleich, mit vielen Säulen geschmückt: strahlender Kitsch, wahllos eingesprengt in die Geschichte der Landschaft, an gewalttätiger Barbarei weit noch allen Glanz der Riviera übertreffend. Gleichwohl indessen sind jene Bauten, mit Kartoffelwucher bezahlt und gänzlich scheinhaft, erträglicher als ihre sanfteren Geschwister an der ligurischen Küste: die ewige Drohung des vulkanischen Bodens, was auf ihm ist zu vernichten, so wie sie sich in Formation und Farbe kundgibt, rechtfertigt für den Augenblick den Schein des bestätigt Seienden, den hier die Architektur aus ausgelebten Formen zieht; der Schein wird vom Tod grundiert; für den kurzen Augenblick ihres Bestandes dürfen die Bauten wie Meßbuden alle Embleme der Mythologie ausleihen, die der nahe Tod erweckt; die Vergänglichkeit der Landschaft verewigt die vergängliche Glasur, mit der Menschen sie überziehen. Nicht anders mag es mit der Cavalleria sich verhalten. Die ständige Todesnähe der scheinhaften, über alles Maß unsoliden und dilettantischen, aber vom vulkanischen Drohen der rebellischen Natur selber begleiteten Musik verleiht ihr eine Leuchtkraft, die jedenfalls vom Widerspiel der Kategorien Kultur und Kitsch nicht getilgt werden kann. Sie aber wird evident erst, nachdem der Glaube an die unmittelbare Aktualität des Opernverismo gründlich verging: denn was an der Cavalleria heute noch wirkt, hat mit Geschichte so wenig zu tun wie eben der Kontrast von weißen Häusern und blauem Meer, dem es nichts verschlägt, ob das Weiß echt ist oder nicht. Die Cavalleria ist eine improvisatorische Insel, darauf Mythologie, wie sehr auch entstellt, aus Geschichte sich hebt, vielleicht um im nächsten Augenblick schon darin zu versinken. Sie ist darin inselhaft-singulär; der Bajazzo, mit dem man sie gewohnheitsmäßig heute noch verkuppelt, hält dagegen bloß die grauen neunziger Jahre. – Daß die Protuberanzen der Cavalleria erglühen, muß sie freilich mit mehr Gewalt des Durchbruchs musiziert werden, als es jüngst in Frankfurt geschah. Denn unbelichtet sind ihre Konturen bloß die einer leeren und schlechten Oper.

1928

Berg und Webern

Die Dimension, nach der die Entwicklung des Stiles von Arnold Schönberg verläuft, ist die der Tiefe mehr als die der Breite. Nicht, daß es ihm jemals, wie die Phrase vom abstrakten Programmatiker glauben machen will, an Fülle der ursprünglichen Natursubstanz gemangelt hätte. Im Gegenteil: kein anderer Lebender verfügt über solche Fülle; bei keinem anderen hat die musikalische Evolution so vollständig alle Elemente des kompositorischen Materials, Melos und Harmonik, Kontrapunkt und Formkonstruktion, Setzweise und Instrumentalklang ergriffen wie bei Schönberg. Aber indem alle diese Elemente vom Zentrum aus ergriffen und umgeformt werden, rücken sie zusammen und durchdringen sich wechselfältig in einem Verdichtungsprozeß, der rücksichtslos ausscheidet, was immer an kompositorischen Möglichkeiten am Rande von Schönbergs eigentlicher Stilgeschichte liegt, ohne vollends in ihrem drängenden Fluß sich zu lösen. Unerbittlich schmal ist das Bett dieses Flusses, einer Schlucht gleich, durch die Fläche der musikalischen Produktion gegraben. Jeder dialektischen Stufe seiner Entwicklung entsprechen nur ganz wenige Werke, oft nur ein Werk; wo die Möglichkeit einer ganzen Musik angelegt ist, begnügt er sich, deren Umriß exemplarisch festzulegen und einmal auszuführen, um sogleich die neue technische Frage in Angriff zu nehmen, die daraus erwächst. Pläne ganzer Werke, die weit ausgeführt sind, verschwinden, wenn das Urbild des betreffenden Stückes bereits realisiert ward; darum blieb ein Klavierquintett, vor allem eine zweite große Kammersymphonie unvollendet. Das erteilt den Werken der Schüler von vornherein unvergleichlich viel wichtigere Funktionen zu, als sie etwa denen der Wagner-Epigonen jemals zukam, die dem extensiven und wiederholungsreichen Werke ihres Meisters nichts Neues hinzuzufügen hatten. Bei Schönberg aber werden die Werke der Schüler notwendig zum Schauplatz, auf welchem die Kommunikation seines Werkes mit der Breite der musikalischen Geschichte sich vollzieht. Das besagt einmal ihre strenge Zuordnung zum Werke des Meisters, dem sie nicht eine vage Mannigfaltigkeit des Stiles und der technischen Mittel, sondern den strikten Stand der musikalischen Erkenntnis verdanken; zum anderen die Forderung höchster Selbständigkeit, in der sie allein konkret zu erfüllen vermögen, was Schönberg als Möglichkeit hinstellt und einmal realisiert und was nur dann im Umriß seiner Zeichnung überhaupt sich zu behaupten vermag, wenn eigene Substanz in den Plan der Zeichnung eingeht.

Es ist daher nicht erstaunlich, daß vor solchem doppelten Maßstab: dem der treuesten Schülerschaft und der entschlossenen Selbständigkeit, nur ganz wenige sich zu behaupten vermochten. Während der Pädagoge Schönberg die musikalische Reproduktion in heute kaum erst abzuschätzendem Umfang beeinflußte und eine ganze Dirigentengeneration heranbildete, haben von seinen Schülern ganz wenige nur als Komponisten durchgehalten; den anderen nahm das Vorbild des Meisters, von dem ein Wort kursiert, »er wolle keine Schillings erziehen«, den Mut. Es bleiben vorab Berg und Webern, beide nur etwa ein Jahrzehnt jünger als Schönberg, beide ihm durchs ganze Leben verbunden, beide im strengsten Sinne seine Schüler und autonome Komponisten zugleich. Zählt man aus ihrer Generation allenfalls Horwitz, dann, aus weiterem Umkreis, Jemnitz; von der jüngeren Generation Eisler, neuerlich Zillig und Skalkottas zu, so ist die Zahl der Schönbergschüler, die als Komponisten ernstlich in Betracht kommen, etwa erschöpft. Und sie alle beginnen in engster Kommunikation mit Schönberg; erringen ihre Selbständigkeit nicht, indem sie sich stilistisch von ihm ablösen, sondern indem sie, ohne erst an ihre ›Persönlichkeit‹ zu denken, den Forderungen nachgehen, die ihnen aus der technischen Kommunikation mit dem Meister erwachsen.

Berg und Webern bezeichnen die extremen Pole des Schönbergschen Bereiches. Beide setzen an Einzelwerken des Meisters an, deren Problem-Umkreis sie zu ihrer spezifischen kompositorischen Landschaft erweitern: Berg an der Kammersymphonie, Webern an dem ›aufgelösten‹ Stil von op. 11 bis op. 20; wobei freilich gesagt sein muß, daß die Form der ›kurzen‹ Stücke, wie man ihn im Schönberg des Klavierwerkes op. 19 und den »Herzgewächsen« findet, in reiner Konsequenz wohl von Webern früher ausgebildet ward als von Schönberg selbst; womit übrigens nichts Wesentliches bewiesen wird, da die technische Aufgabe dieses Stiles bereits im letzten Klavierstück aus op. 11 formuliert ist, während umgekehrt auch in Frühwerken von Webern wie dem Doppelkanon »Entflieht auf leichten Kähnen«, der sich noch in der ›umschriebenen‹ Tonalität hält, das Webernsche Pianissimo, das Zarte, Schwebende, monologisch Leise sich findet. Man tut überhaupt gut, um wesentliche Einsicht in Weberns und Bergs Stil zu gewinnen, nicht mit der Frage nach der Selbständigkeit zu beginnen. Denn die Selbständigkeit ist hier nicht an der Oberfläche des Stiles, sondern im verborgensten kompositorischen Gehalt gelegen; die Homogenität des Stiles, die zwischen Schönberg, Berg, Webern waltet, ist nicht sowohl schulmäßige Abhängigkeit als gefordert durch einen Erkenntnisstand, der die radikale Durchformung aller Kompositionselemente vorschreibt und in deren Durchformung die Merkmale des ›Stiles‹ einander annähert. – Berg und Webern bieten beide Kommentare der Schönbergschen Entwicklung, durch die sie in der geschichtlichen Totalität sichergestellt wird: Berg verbindet ihn, nachträglich gleichsam, mit Mahler einerseits und andererseits mit der großen Musikdramatik und legitimiert ihn von dort her; Webern verfolgt den Schönbergschen Subjektivismus, den der Meister vom »Pierrot« an in ironischem Spiel zu lösen beginnt, bis zur letzten Konsequenz, konstituiert, als einziger, im strengsten Sinne einen musikalischen Expressionismus und treibt ihn bis zu dem Punkt, wo er aus sich selbst heraus in neue Objektivität umschlägt. Beider Exkurse aber bleiben nicht an das Werk des Meisters gebunden; in ihrem reinen Vollzug tritt die ursprüngliche Substanz der Ausleger zutage, wie in den großen Kommentaren des philosophischen Schrifttums, etwa des Platon und Aristoteles, in jedem neuen Kommentar das neue und andere Bewußtsein des Kommentators im Material des Textes durchbricht.

Bergs op. 1, die Klaviersonate – die schlicht aus einem Sonatensatz besteht, ohne etwa das mehrsätzige Schema zusammenzufassen – wirkt auf den ersten Blick wie ein Parergon zur Schönbergschen Kammersymphonie. Quartenmelodik und -harmonik; die konstruktive Funktion der Ganztonskala; selbst ein Thema (das ›Überleitungsthema‹) weisen deutlich dorthin; tiefer noch ist der Zusammenhang der inneren Konstruktion des Stückes mit der der

Kammersymphonie; es stellt jeweils kurze ›Modelle‹ auf und gewinnt seine Ausdehnung, indem es kleinste Variationen der Modelle aneinanderschichtet; auf diese Weise wird die Sonatenform mit der Variationsform durchdrungen und das Prinzip der Durchführung gewinnt den vollkommenen Primat in der Sonate. Trotzdem sind hier bereits die Unterschiede deutlich. Nicht bloß in einer gewissen Weichheit der Harmonik, die die Ganztonakkorde oft genug auf große Nonenakkorde bezieht und überhaupt dem Nonenakkord größere Bedeutung zumißt als jemals Schönberg; an Debussy, Skrjabin, selbst Reger mahnend. Diese harmonische Weichheit, die zuweilen offen den erotischen Tristan-Ton annimmt, ist nicht zufällig. Sie wird bedingt durch eine wesentlich chromatische, dominantmäßige Harmonik, die die Selbständigkeit der Nebenstufen nicht so entschlossen durchsetzt wie Schönberg, sondern die neuen Akkorde auf ein leittöniges, Wagnersches Kontinuum bezieht. In den ersten drei Liedern aus op. 2, die minder straff gebaut sind als die Sonate, wird das noch deutlicher. Gewiß hat Bergs Harmonik später vom geheimen Zwang der Tonika und Dominante sich vollends emanzipiert. Aber in ihm kündet ein Wesenhaftes sich an: es könnte Bergs Infinitesimalprinzip heißen; das Prinzip des kleinsten Überganges. Während bei Schönberg, im Prinzip unaufhörlich wechselnder und kontrastierender ›Gestalten‹, von Anbeginn ein Prinzip der Konstruktion ausgebildet ist, das selbst in den Motivverwandlungen und Übergängen der Kammersymphonie herrscht, hat bei Berg das Prinzip des Überganges, des *unmerklichen* Überganges, von Anbeginn den Primat, und die Residuen tonalkadenzierender Harmonik, die seine Musik bis heute enthält, sind bloß Anzeichen dieses Prinzips. Die Einheiten, aus denen seine Musik sich zusammensetzt, sind, ließe sich sagen, unendlich klein und lassen als unendlich kleine sich beliebig ineinander verwandeln; ihre Differenzen sind zu vernachlässigen: so gleicht Bergs Musik einem pflanzenhaft sich entfaltenden Wesen. Ihr Schema ist das des *Organismus;* während bei Schönberg das organische Wesen von Anbeginn von dem Motiv der Konstruktion dialektisch paralysiert wird. Dies ›organische‹ Wesen in Bergs Musik ist es, das ihn mit dem neunzehnten Jahrhundert und der Romantik verbindet; seine Aufgabe stellt sich so, daß es allmählich aufgehellt, tektonisch erfaßt wurde, ohne daß die Natur vertrieben würde, die bei ihm ursprünglich als dunkel, amorph, unbewußt wachsend und traumhaft sich darstellt. All dies ist auch Schönberg nicht fremd; die »Erwartung« hat genug davon, und beide konvergieren hier mit Elementen der Psychoanalyse, die nicht zufällig in Schönbergs und Bergs Stadt gedacht wurde. Aber bei Berg ist all dies weit undialektischer, passiver, fast möchte man sagen: Schubertischer als bei Schönberg und wird darum weniger in heftiger Dynamik überwunden als in fortschreitender Erkenntnis sublimiert. Deren erste Stufe ist das Quartett op. 3. Harmonisch vom Leitton unabhängiger als die Sonate, thematisch aufgelöster und durch unaufhörliches Variieren auch sequenzfrei, entwickelt es das Prinzip des kleinsten Überganges durch kunstvollste Motivteilung ungeahnt: oft werden die Themen bis zu einem einzelnen Ton reduziert, der sie mit der folgenden Motiveinheit verbindet; der thematische ›Rest‹ als Resultat solcher Reduktionen, in jeden Übergang sich einfügend, ist das vornehmste Formmittel; auch der Formbau des Ganzen hält stets wieder in reduzierendem Verfahren wiederholend an gewissen harmonischen Komplexen fest, anstatt wie Schönberg unaufhörlich frische Stufen zu bringen. Wie in den ersten Arbeiten das Halbtonintervall, der Leitton als kleinste Einheit bindet, so bindet hier die Motivpartikel. Die Intention der kleinsten Motiveinheit führt dann in den Stücken für Klarinette und Klavier zu einer Verkleinerung des Formraumes selber: Berg nähert sich scheinbar der Webernschen expressiven Miniatur. Aber nur scheinbar: denn Weberns Miniaturen nehmen ihr Formrecht aus der Einmaligkeit alles Motivischen, während Berg auch in den Klarinettenstücken am Prinzip motivischen Überganges festhält und damit eine Dynamik statuiert, die größere Formen verlangt, weil in ihr das motivische Einzelne niemals den Charakter des Definitiven hat, den Webern ihm zumißt. So kann es nicht überraschen, daß bereits das folgende Werk, die Altenberg-Lieder, mit vorgegebenen Formtypen sich auseinandersetzt: daß Bergs Weg, der einmal mit dem Weberns sich schnitt, nun ganz anderen Verlauf nimmt. In den Altenberg-Liedern steht bereits eine Passacaglia, die Formprinzipien des »Wozzeck« vorwegnimmt. Zugleich erobert sich Berg hier das große Orchester. Die danach entstandenen, Schönberg gewidmeten Drei Orchesterstücke, eines von Bergs Hauptwerken und längst noch nicht nach Gebühr bekannt, zeigen bereits seine volle orchestrale Meisterschaft. In ihnen vollzieht sich Bergs produktiver Zusammenstoß mit Mahler. Mahlers symphonische Ausbreitung, die Konzentration der Blechgruppen, der chorische Reichtum des Holzbläsersatzes sind apperzipiert, auch die rhythmische Prägung der Motive nimmt auf ihn Bezug; all dies aber wird auf eine völlig freizügige, vieltönige Harmonik übertragen und einen polyphonen Stil, dessen Fülle auch bei Schönberg kaum ihresgleichen hat. Dabei bleibt Bergs spezifische Verfahrungsweise, die Konstruktion aus kleinsten Partikeln und in kleinsten Übergängen, streng gewahrt; das Präludium ist bereits als Ganzes krebsgängig angelegt wie später das Adagio des Kammerkonzertes. Das Marschfinale, dessen akkordische Polyphonie ihresgleichen sucht, ist überwältigend schlechthin. Das – zuletzt komponierte – Mittelstück, ein ›Reigen‹ im Sinne Mahlerscher Scherzi, zeigt bereits eine gewisse Auflockerung des Klangbildes, die dann im »Wozzeck« bis zur vollkommenen Transparenz durchgeführt wird. Im »Wozzeck« werden, durch die Macht einer ursprünglichen und zentralen Konzeption, Bergs Formelemente vollends gegeneinander ausgewogen. Die dumpfe, unbewußte und vegetabilische Fülle wird in den Dienst der Darstellung des dumpfen und unbewußten Menschenwesens gezwungen; die Mahlersche Folklore, die mit der freizügigen Atonalität im Kampfe lag, wird, ebenfalls unter dem Diktat der dramatischen Idee, zu einer unterirdischen Traumfolklore, der erst der dissonante Charakter der Harmonik, das abgeblendete Forte des Orchesters ihr wahres Licht verleiht; der psychologische Drang von Bergs Musik und die Strenge ihrer Konstruktion vereinigen sich in der dramatischen Form, darin jeder Moment psychologisch getroffen, einmalig und unwiederholbar sein will, während die Totalität zugleich durchkonstruiert ist: eine Suite, eine strenge Symphonie mit dem gewaltigen Scherzo der Wirtshausszene, eine Folge von fünf ›Inventionen‹, die jeweils ein bestimmtes kompositionstechnisches Moment in den Vordergrund rücken – das macht die musikalische Form des »Wozzeck« aus, der zugleich leitmotivische Zusammenhänge festhält und durch rücksichtslose Kunst des Variierens die Freiheit hat, dem dramatischen Augenblick beliebig zu folgen. Völlig organisch fügen sich Musikformen wie Fuge, Passacaglia, Lied, Marsch ein. Dem Gang des Ganzen nachzugehen ist nicht der Ort. Über das Recht des »Wozzeck« entscheidet dessen

Ton: der Laut des unterdrückten, in sein dunkles Traumreich gebannten Menschen, der, ohne Hoffnung untergehend, zur Veränderung der humanen Existenz aufruft. – Nach der Oper, bis heute schlechtweg dem Meisterstück der dramatischen Produktion der Neuen Musik, kehrt Berg in den Umkreis des Instrumentalen zurück. Im Kammerkonzert werden die konstruktiven Resultate des »Wozzeck« auf eine Spiel-Idee übertragen: Variationen für Klavier und Bläser beginnen, ihnen antwortet das krebsgängig-symmetrische Adagio mit der Geige: beide Sätze kontrapunktiert machen das Rondo-Finale aus. Die gewaltigen Dimensionen sind souverän gemeistert; noch die kühnste Kombinatorik bewahrt sich ihre Durchsichtigkeit, und die expressive Tiefe des »Wozzeck« wird instrumental fruchtbar. Sie wird es mehr noch in der Lyrischen Suite für Streichquartett, dem Intimsten und Dichtesten, was Berg bislang schrieb. Auch sie hat ihre eigene Formidee: die Entfaltung von Extremen. Sie bringt drei Satzpaare: die beiden ersten, Allegretto und Andantino, in lyrischer Zartheit einander noch nahe genug; die folgenden, das flüchtend geflüsterte Allegro und das leidenschaftliche Adagio, kontrastierend gesteigert; die letzten zur Katastrophe getrieben im dämonischen Presto und einem trostlosen Largo, das nach dem letzten Ausbruch ohne Ende verläuft. Der expressiven Konstruktion entspricht die materiale, die ihre Kontraste aus der Zwölftontechnik und freiem Komponieren zieht. Tief bezeichnend für Berg, daß die Zwölftontechnik des letzten Stückes in aller Strenge einem »Tristan«-Zitat Raum läßt, mit dem Berg nochmals den eigenen Ursprung beschwört. An Konzentration und thematischer Substanz übertrifft die Suite selbst den »Wozzeck« und ist der unmittelbarsten Wirkung sicher. – Danach folgt als reines Zwölftonwerk die Baudelaire-Arie »Der Wein«. Eine zweite große Oper ist in Arbeit, abermals nach einem großen literarischen Vorwurf: Wedekinds »Lulu«. Sie ist aus einer einzigen Zwölftonreihe und deren Derivaten entwickelt.

Wie Berg knüpft auch Webern an den früheren Schönberg an. Aber nicht an den Variationskünstler der Kammersymphonie, sondern an den Harmoniker der älteren Vokalmusik mit ihrem Stufenreichtum. Überträgt Berg die Schönbergsche Motivtechnik auf kadenzierende Harmonik, so übernimmt Webern von Schönberg gerade die Umschreibung oder Vermeidung der Kadenz. Bei ihm gibt es darum auch nicht die Bergsche Dynamik, sondern seine Werke gleichen fensterlosen Monaden; nicht zufällig halten sie, zumal die reifen, meist als Grundstärke das Pianissimo fest. Bereits das op. 1, die Passacaglia, ist denn auch ein Meisterstück; der Chor op. 2 sublimiert die Technik von Schönbergs »Friede auf Erden« zum ätherisch schwebenden Klang. Die George-Lieder op. 3, mit einer ganz verborgenen Tonalität im Hintergrund, verhalten sich ähnlich zu Schönbergs George-Liedern; lösen deren Konturen in Arabesken und zeigen im körperlosen Klaviersatz Webern völlig explizit. Der folgende Zyklus, op. 4, ebenfalls nach George, mit dem herrlichen »Welt der gestalten lang lebewohl«, ist etwas materieller: dafür vollzieht sich hier der harmonische Durchbruch und die charakteristische Profilierung der Gesangslinie. Von den Fünf Stücken für Streichquartett, op. 5, reizt das erste zum Vergleich mit Bergs Klaviersonate. Es ist ein Sonatensatz: wie das opus insgesamt streng thematisch konstruiert. Aber während bei Berg die Konstruktion sich darstellt und die Teile bindet, wird sie hier verdeckt; die Variationstechnik von Anbeginn so gehandhabt, daß das Ohr unmittelbar motivische Beziehungen kaum wahrzunehmen vermag, sondern einer ununterbrochen frischen thematischen Produktion gegenübersteht, deren thematische Organisation sich dem Hörer unmerklich abspielt. Darum sind die Dimensionen unvergleichlich kürzer; der ganze Satz zählt nur wenig über 50 Takte, der ›normale‹ Quartettklang ist vollends in seine Extreme: Pizzicati, Flageoletts, col legno-Wirkungen, aufgeteilt und damit vernichtet; die Themen zu Partikeln zerspalten, die aber nun nicht, wie die Bergschen, zur großen Fläche aneinandergeschichtet sind, sondern die jedes für sich einmalig, verbindlich und definitiv bleiben. In den vier folgenden Stücken wird die Form gänzlich zur Miniatur zusammengezogen. Auch sie kennen – wie etwa Schönbergs Orchesterstücke op. 16 – motivische Arbeit, lassen aber keine Außenstruktur der Form im herkömmlichen Sinn mehr zu. Selbst die Liedform findet sich nur in knappster Andeutung. Sie bilden bereits die expressionistische Miniatur aus, der Webern für lange Zeit nun treu blieb. Schon in den Sechs Orchesterstücken op. 6 – mit dem erschütternden Trauermarsch, in dem Webern, auf seine Weise, einmalig mit Mahler zusammentrifft – ist dies deutlich. Die folgende Gruppe von Werken ist ganz athematisch wie Schönbergs »Erwartung«; bleibt in kürzesten Dimensionen; entsubstantialisiert das Material, bis allein der Hauch, der Seufzer übrig ist; Stücke für Violine und Klavier op. 7 noch mit gewissen melodischen Zusammenhängen; in voller Konsequenz, mit der überwältigenden Größe des Kleinsten in den Bagatellen für Streichquartett op. 9 und den Orchesterstükken op. 10, die nur noch in dämmernder Zartheit die disparaten Töne gegeneinander tupfen und Musik gänzlich der einsamen Innerlichkeit monologisch unterstellen; in deren Prägung aber solche Reinheit der Anschauung gewinnen, daß die isolierteste Musik, paradox, übergreifende Gewalt hat. In den Cellostücken op. 11, dem Umschlagspunkt von Weberns Entwicklung, schrumpft die Musik zum Punkt zusammen, verliert ihre zeitliche Ausdehnung. Aus diesem Punkt erhebt sie sich frisch: gestützt aufs dichterische Wort, das einzig von hier sie weiterzuführen vermag. Die Klavierlieder op. 12 zeigen große, manchmal übrigens seltsam einfache Bögen; ihre Einfachheit und Ausdruckskraft schmeckt wie die Süße, die den geschrumpften Früchten der vorangehenden Instrumentalwerke entweicht. In den Kammerliedern op. 14 vollzieht sich die Begegnung Weberns mit dem Dichter Trakl, dem er verwandt ist wie keinem anderen, wenn er auch den Dichter des verlassenen echolosen Selbst übertrifft durch die Stärke der formenden Objektivation, mit der er die Einsamkeit überwindet, indem er sie bis zu Ende gestaltet. Das letzte Lied schließt mit den Worten »Strahlender Arme Erbarmen / umfängt ein brechendes Herz« – nichts könnte den Ton von Weberns Musik wahrer bezeichnen, die in den Abgrund von Trauer sich neigt, im bodenlosen Sturz der Hoffnung gewärtig zu werden. Dies Kierkegaardische Wesen Weberns – Kierkegaardisch trotz seiner Katholizität, wie er denn auch Karl Kraus, dem exemplarisch Einzelnen, Entscheidendes verdankt – bringt nach der Lyrik der Trakl-Lieder, bis heute wohl seiner vollkommensten, eine Gruppe geistlicher Kompositionen hervor, deren Innerlichkeit sie von aller offiziellen sakralen Musik ebensowohl unterscheidet wie der treue Radikalismus des Stiles, der trotz lateinischer Texte ohne jede archaische Neigung, ohne die Fiktion einer singenden Gemeinde, auskommt. Fünf geistliche Lieder für Gesang und fünf Soloinstrumente op. 15 sind das Hauptwerk der Gruppe. – In zwei außerordentlich schwierigen Vokalzyklen: Drei Liedern für Gesang, Es-Klarinette und Gitarre op. 18,

Zwei Chorliedern mit Kammerbegleitung nach Goethe-Texten op. 19, findet der konstruktive Wille Weberns zur Zwölftontechnik. Sie sind schwierig in doppeltem Sinne: für die Ausführung, wegen der großen Intervalle, die die Zwölftontechnik Weberns mit sich bringt; für den Komponisten: weil er die Aufgabe vorfindet, seinen aufgelösten, jeden Haltes an der kompositorischen Oberfläche entratenden Stil, der keine Sequenz, überhaupt keine rhythmische Wiederholung kennt, gegenüber den Ansprüchen der Zwölftontechnik zu behaupten. Es ist ihm gelungen: nur die wissende Analyse, nicht der akustische Eindruck läßt Weberns Zwölftonwerke von den früheren unterscheiden: er hat gleichsam den Sprung zwischen der freizügigen und der zwölftönigen Verfahrungsweise, den Schönbergs Dialektik aufwirft, nachträglich ausgefüllt. Im Augenblick, da er über die Zwölftontechnik frei – frei im Sinne seines persönlichen Ausdrucks – verfügt, kehrt er zur Instrumentalmusik zurück und nun endlich, zum ersten Mal seit dem op. 1, begibt er sich wieder in größere Dimensionen, die ihm die Zwölftontechnik erlaubt, ohne daß der definitive Charakter des motivischen Einzelereignisses darüber geschmälert würde. Das zweisätzige Streichtrio op. 20, eines der Meisterstücke der neuen Musik, gibt in manchem Betracht ein Seitenstück zu Bergs Lyrischer Suite ab. Wie Berg dort Webernsche Zartheit des Klanges, Webernsches Espressivo des Einzelnen errang, so hat Webern eine Fähigkeit zur ausgebreiteten Form gewonnen, die der Bergschen äquivalent ist. So nähern die Meister wie im Ursprung so auf der Höhe ihres kompositorischen Weges sich einander an und erweisen den objektiven Wahrheitsgehalt eines Stiles, der in den Bestimmungen individueller Unterschiede nicht aufgeht. Ein langsamer, in sich beweglicher, zart fließender Satz macht den Beginn; das Finale hat Sonatencharakter und schmilzt endlich das Sonatenschema völlig im Ausdruck der subjektiven Freiheit ein, ohne von seinen Zügen nur den leisesten preiszugeben: Urbild einer aktuellen und bestätigten Sonate schlechthin. Die souveräne Verfügung über das Material führt dann in der »Symphonie« op. 21 zu einer erstaunlichen Vereinfachung des gesamten Stils. Sie ist Symphonie nur in uneigentlichem Sinn: durch den – kleinen – orchestralen Apparat und eine gewisse objektive Haltung des Ganzen, die von Weberns expressionistischer Technik sich abhebt, ohne doch ihrem Ursprung in jener sich zu entfremden.

Der erste Satz ist ein überaus kunstvoller Doppelkanon; der zweite bringt Variationen über ein ganz zartes, lockeres Thema, die sich durch verblüffende Kombinationen verdichten und vereinfachen und sogar indirekt Gruppenwiederholungen zustande bringen. Das ganze Werk erreicht mit den kompliziertesten Mitteln den Eindruck zwingender, natürlich fließender Selbstverständlichkeit. Die Dimensionen bleiben sehr knapp. Ein neues, umfangreiches Werk, ein Quartett in gewählter Kammerbesetzung, kam soeben zum Abschluß.

Dies der Entwicklungsgang der ebenbürtigen Meister. Im strengen Vollzuge ihrer kompositorischen Aufgabe sind Schönbergs Schüler Erben geworden, die erwarben, was sie besitzen, und damit das Erbe weitertreiben zum dunklen, kaum geahnten und dennoch sicheren Ziel aller Musik hin. Bei keinen ist der Vollzug der musikalischen Geschichte in besseren Händen als bei ihnen.

1930

Zum Rundfunkkonzert vom 8. April 1931

Meine Damen und Herren, um zu der Konzertarie »Der Wein« von Alban Berg ins rechte Verhältnis zu kommen, werden Sie gut daran tun, alle besonderen Vorstellungen, die Sie mit dem Wort Arie oder auch Konzertarie verbinden, zunächst preiszugeben und im Titel nicht mehr zu suchen als ein geheimnisvolles Versprechen, das sich vielleicht der genauesten technischen Bekanntschaft, niemals aber der schlichten Wahrnehmung einlöst. Sie haben es nicht mit einer jener Erneuerungen alter Formen zu tun, von denen man Ihnen so viel erzählt; auch nicht mit einer ironischen Stilisierung, wie Sie Ihnen etwa von Zerbinettas Bravourstück aus der Ariadne von Strauss vertraut ist. Was Sie vernehmen werden, das sind zunächst allein drei Orchesterlieder, eingeleitet durch ein längeres orchestrales Vorspiel, durchbrochen, nach dem zweiten Gesang, von einem Zwischenspiel, mit welchem die Musik plötzlich sich umzukehren beginnt, um im letzten Gesang deutlich zum ersten Gesang zurückzufinden. Ein Werk also von kreishafter, zyklischer Form, möchten Sie sagen. Arios wird Sie daran allein Pathos und Schwung berühren, wie sie private Lyrik heute kaum sich zugestehen würde und wie sie erst abgelöst vom privaten Einzelnen, in einer eigenständigen Form sich behaupten mögen. Daher mögen auch die weiten, sehr profilierten Bögen der Melodie rühren, die über das schmale Liedbereich hinausschwingen. Diese Objektivität: dieser eigentümliche Charakter des in sich Gefügten, Strengen, der kompositorischen Willkür Entzogenen hat nun aber nicht den Grund, daß, nach der neuklassischen Manier, die Musik ihres Ausdrucks sich begeben hätte und mechanisch abrollte. Im Gegenteil: wie die Strenge des Gebildes hier von Baudelaires Gedichten aufgerufen wird, in denen kein Trunkener vom Weine redet, sondern der abgeschiedene Dichter dem Weine Inschriften setzt, die er aus dem Weindunst entziffert: so werden Sie die leiseste Regung der Gedichte in der Musik wiederfinden; wo etwa von der welken sonntäglichen Hoffnung der Städter die Rede ist, wie der Wein sie erweckt, dort wird sie im Rhythmus des Tangos und auf dem charakteristischen Instrument des Amüsements, dem Klavier, vernehmbar:

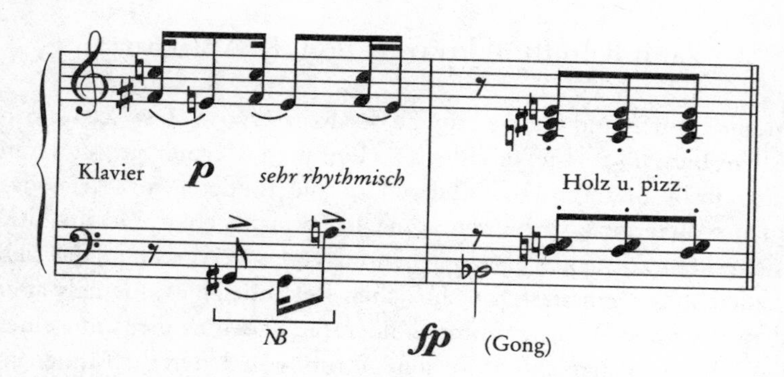

Um später den Schein des Feenhimmels zu treffen, ist ein Klang nicht verschmäht, der dem Scheine des Wortes entspricht: das Glockenspiel. So tief neigt der letzte Komponist der Expression sich ins Wort des ersten Literaten. Zugleich aber hebt er dies Wort rettend und verändernd auf. Darum nennt er sein Werk in Wahrheit Arie. Die Objektivität, die er ihm erwirkt, ist nicht die der klassischen Pose, deren Verführung Baudelaires Wort zu deutlich verrät, als daß der Komponist ihr folgen dürfte. Vielmehr: den Form-Vordergrund der Dichtung zerschlägt er. Dafür stiftet er die Form im kleinsten: in einer *Konstruktion*, die, dem naiven Hörer unmerklich, keine Note zufällig läßt, sondern jeden Ton nach der strengsten, ob auch frei gewählten Regel aus einem Grundmaterial oder, technisch gesprochen, einer ›Reihe‹ entwickelt. Diese strenge und geheime Organisation ist es, die die Arie allem liedhaften Zufall entreißt und ihr jene Notwendigkeit erwirkt, die vordem einmal das sichere Schema der Arie verbürgte. Sie ist es auch, die dies Schema erfüllt, ohne daß es kennbar wird: die paradoxe und erregende Leistung von Bergs Arie – alle Werke Bergs sind solche Leistungen und auf solche Weise paradox – besteht darin, daß hier als Lied und freie Lyrik erscheint, was in Wahrheit, hinter den bunten Kulissen des Orchesterklanges, als Arie und verbindliche Konstruktion gearbeitet ist. Zwischen Lied und Arie waltet, wenn der Vergleich erlaubt ist, hier genau das umgekehrte Verhältnis wie vor hundert Jahren in manchen der großen Vokalkompositionen Schuberts. Schubert wahrt die Form der Arie und ihre kontrastierenden Teile und versteckt in ihr liedhafte, improvisatorisch-augenblickliche Substanz; Berg wahrt die Außenfläche lyrischer Improvisation und verbirgt hinter ihr das alte Wesen Arie, das er rettet, indem er es in den kleinsten Augenblicken der musikalischen Gegenwart zergehen läßt. Das äußere Kennzeichen des ariosen Stils, das Rezitativ, fehlt. Aber deren klassische Teile: Introduktion, Andante, Allegro, sind erhalten, nur streng aus dem Liedsinn der Gedichte entwickelt; schließlich durch Ritornell und Reprise auch nach außen in eine Einheit gebracht, die in der alten Arie mit ihrer primitiven Außenarchitektur von selbst gegeben war, hier aber erst erzeugt werden muß. Orientieren Sie sich an dieser Disposition und suchen Sie sich dem lyrischen Augenblick zu erschließen: dann wird vielleicht das verschwiegene ariose Formwesen aus den Zellen des Gebildes unvermittelt Ihnen aufsteigen.

Im äußersten Gegensatz zu Bergs Arie steht die »Konzert-Musik für Klavier, Blechbläser und Harfen« von Paul Hindemith. Denn bei ihm hat die Rede vom Bezug auf vorklassische Prinzipien ihren exakten Sinn. Gewiß kann auch hier der Ausdruck Konstruktion – wie in jeglicher gestalteten Musik – gebraucht werden. Aber es ist thematische, nicht motivische Konstruktion. Das will sagen: es werden gewisse thematische Komplexe, etwa im Sinne von Fugenthemen, wiederholt, ohne in ihre kleinsten, motivischen Bestandteile aufgelöst zu sein. Die Bewegung eines Satzes ergreift nicht von der Gestalt der Themen in sich Besitz, um sie zu verändern, sondern bildet sich aus dem Verhältnis der verschiedenen Wiederholungen des Themas zueinander. Insofern handelt es sich, um den landläufigen Ausdruck anzuführen, bei Hindemith um ›terrassenmäßige Arbeit‹. Das darf nun nicht bequem mißverstanden werden. Die Wiederholung der thematischen Komplexe geschieht nicht mechanisch. Vielmehr hat Hindemiths Entwicklung als an einer ihrer wichtigsten Aufgaben sich daran orientiert, das mechanische Wiederholungsprinzip des gruppenweisen Satzverlaufes, nämlich die Sequenz, durch ein sinnvolleres zu ersetzen. Dies neue Prinzip ist die Variante. Nicht die eingreifende Variation also, die die thematische Einheit von ihren Zellen, den Motiven aus verändert. Aber auch nicht ein bloßes stufenweises Verschieben der Gruppen. Die

Grundgestalt des Themas bleibt bei Hindemith erhalten. Jedoch im Rahmen dieser thematischen Gestalt geschehen Abwandlungen, die das Bild bloßer Wiederholung verdecken*.

* *Das einzige im Nachlaß Adornos vorhandene Manuskript enthält, am Seitenende, noch die Wörter: »Ein Beispiel: das Thema des ersten Satzes erscheint zunächst in der Baßtuba. Nach den Einleitungstakten wird es vom Klavier aufgenommen, aber so abgeändert, wie es die Spielweise«; die weiteren Seiten mit dem Schluß des Vortrags scheinen nicht erhalten zu sein.*

Berg: Drei Stücke aus der Lyrischen Suite für Streichorchester

Bergs Lyrische Suite ist ursprünglich für Streich*quartett* geschrieben und als kammermusikalisches Werk berühmt geworden. Wenn ein Meister seiner Strenge drei Sätze daraus für Streich*orchester* bearbeitete, so ist darin keinesfalls Autorenlaune zu sehen, sondern das Werk selbst, auf der Grenze zweier Bereiche gelegen, scheint nach zwei verschiedenen Erscheinungsweisen zu verlangen. Einen Hinweis auf seinen formalen Doppelsinn gewährt der Titel: es heißt nicht Streichquartett, sondern eben Lyrische Suite *für* Streichquartett. Das meint: es ist nicht eigentlich aus der Idee des Streichquartetts entsprungen: der Sonate, dargestellt in den Linienzügen von vier Stimmen. Sondern ein lyrisch-dramatischer Vorgang, wurzelnd in Liedmelos und Klangfarbe, ist seiner Intimität wegen den vier Instrumenten anvertraut. So hat denn auch von den sechs Sätzen des Originals keiner Sonatenform, außer dem ersten, der sie in sich negiert. Gerade die klanglich-vertikale, im Innersten homophone und im Ausdruck expansive Wesensart des Stückes will sich bei vier Soloinstrumenten weniger bescheiden als ein strikt ›lineares‹ es vermöchte. Die latente Oper, die in der Suite steckt, verlangt gleichsam ein Orchester zur Begleitung – wirkt doch das ganze Werk wie die geheimnisvolle Begleitung dramatischer Vorgänge, die es verschweigt. Erst im Klang des Streichertuttis schwimmen die Konturen so aufgelöst ineinander, wie die strömende Klangvorstellung erfordern mag, die das Werk beherrscht; erst das Tutti wird zum ›Begleiter‹ eines Verborgenen anstatt zum Hauptereignis; erst es gewährt dem Ausbruch die Gewalt, die zur Katastrophe führt. Das gibt für die von Berg gewählte Bearbeitung der drei Stücke den Grund ab. Sucht man nach historischen Modellen, so ist weniger an Quartette zu denken als an jene lyrisch-symphonische Zwischenform, die Mahler im »Lied von der Erde« gefunden hat und der auch Zemlinskys Lyrische Symphonie angehört, die in Bergs Werk einmal ausdrücklich zitiert wird.

Wie das Gesamtwerk, fächerförmig entfaltet, in der Richtung auf Extreme: Ausbruch und Verhaltenheit, Anmut und Verzweiflung geht, so ist auch das Kompositionsmaterial nach Extremen aufgespalten: teils ganz frei, selbst mit tonalen Einschlägen, teils aufs strengste im Sinne der Schönbergischen Zwölftontechnik disponiert. Die Streichorchesterbearbeitung gibt gewissermaßen den Kern der Konzeption, auf Einleitung und Katastrophe der Quartettfassung verzichtend.

Der erste Satz, Andante amoroso, ist durchaus lieblichen, ja zärtlichen Tones, steigert sich leidenschaftlich und wird dann gleichsam zur träumerischen Zartheit zurückgerufen. Bei aller Knappheit – der Knappheit eines lyrischen Gedichts – handelt es sich um ein ungemein gestaltenreiches und gegliedertes Stück: es verstehen heißt, zumal im Hören die Gliederungen mitvollziehen. Es wäre am ehesten als ein Rondo über drei Themen zu bezeichnen. Das erste, das den lieblichen Grundcharakter angibt, ist, als geschlossene Oberstimmenmelodie exponiert, deutlich zweiteilig gebaut und sehr prägnant:

Beispiel 1: Erstes Thema.

Mit dem neunten Takt scheint eine Wiederholung zu beginnen, die aber, indem sie die Kopfmotive von Vorder- und Nachsatz aneinanderrückt und das letztere fortspinnt, bereits eine Verarbeitung bringt und in absteigende Tonleitern mündet, die während des ganzen Satzes an wichtigen formalen Einschnitten erscheinen. Sie leiten unmittelbar ins zweite Thema. Es tritt etwas energischer auf als das erste und kontrastiert zu dessen Feingliedrigkeit ländlerhaft einfach, im Dreiachteltakt:

Beispiel 2: Zweites Thema.

Munter wird es fortgeführt und erreicht dann eine erste Reprise des Hauptthemas, beginnend mit dessen Nachsatz, dann den Vordersatz nachholend und die erste Verarbeitung zu einem kleinen Rondo-›Gang‹ erweiternd. Ein Ritardando vermittelt den Eintritt des dritten Themas, dessen Beginn durch ein pulsierendes c der Bratschen deutlich wird. In seiner unbewußten Versunkenheit gleichsam vor sich hinspielend, bringt es einen der schönsten Augenblicke des Werkes:

Beispiel 3: die vier Anfangstakte des dritten Themas.

Sein Nachsatz will ganz träumend verschweben: eine Figur der Sologeige bietet das Material, der Klang lockert sich völlig auf. Dann setzt, wie von Beginn, eine zweite Reprise des Hauptthemas ein, die in der Fortsetzung auf ein bislang kaum hervorgetretenes Begleitmotiv von dessen Schluß zurückgreift. Es erzwingt eine Art Durchführung. Sie hat merkbar Ton und rhythmischen Charakter des zweiten Themas, ihr motivisches ›Modell‹ aber ist die Umkehrung des Anfangsmotivs des Hauptthemas, die erst allmählich in das Motivmaterial des zweiten Themas übergeführt wird. Schließlich kommt es zu dessen Reprise, die aber schon nach vier Takten (»subito poco meno mosso«) vom dritten Thema pianissimo unterbrochen wird. Nochmals setzt das zweite Thema an; nochmals erscheint unvermittelt das dritte mit seiner charakteristischen Grundharmonie, und ein Kontrapunkt der Bratschen meldet zugleich vernehmlich das erste an. Aber starr werden die Motive des zweiten Themas festgehalten, selbst vom traumhaften Nachsatz des dritten Themas nicht mehr zu beschwichtigen. Das zweite Thema scheint das Feld zu behaupten, da ereignet sich ein seltsamer Augenblick des Durchbruchs in dem Satz. Während die Celli bei ihrem Ländlermotiv insistieren; während das pulsierende c aus dem dritten Thema fast drohend erstarrt, erscheint hoch über den anderen Streichern, wie aus weitester Ferne und erst allmählich durchdringend, eine Melodie der gedämpften Geigen, in weitem Bogen. Sie aber ist nichts anderes als die Vergrößerung des Nachsatzes des Hauptthemas und der Beginn von dessen letzter Reprise. Während das drohende c in stets tiefere Regionen absinkt, erscheint der Beginn des Hauptthemas in der Grundgestalt. Ein Auffahren nochmals – motivisch aus dem Beginn des Hauptthemas; dann bereitet die rasch absteigende Skala, in Akkorden bewegt, das Ende: das tiefe c, zum letzten Male, doch ungemildert wiederholt.

Der zweite Satz, Allegro misterioso, bietet zum ersten den äußersten Gegensatz, nicht bloß im Tempo, sondern der Art der Konzeption nach: er ist nicht sowohl Spiel verschlungener Themen, als vielmehr ein atemloses *Klanggedicht*. Die Vorstellung erstickten, verzaubert fremden Klanges liegt ihm zugrunde, eines Klanges, der meist sul ponticelli und col legno, stets mit Dämpfer hervorgebracht wird und kaum mehr als der von Streichern zu erkennen ist. Wer poetische Assoziationen liebt, mag bei dem Stück an eine verzweifelt leidenschaftliche und zugleich unterdrückt geflüsterte Szene denken, die einmal auszubrechen wagt, um dann wieder ins fiebernde Flüstern zurückzufliehen. Der Form nach nähert sich der Satz dem Scherzotyp. Der eigentliche Scherzoteil ist ganz in Rascheln, immer fliegender und hastiger, aufgelöst und gibt kaum eine melodische Gestalt dem Ohr frei. Das »Trio estatico« bringt den Ausbruch:

Beispiel 4: Takt 69 bis 73

– eine Melodie in stürmisch weiten Intervallen. Die Wiederholung des Scherzoteiles versetzt diesen in den ›Krebs‹: kehrt mit höchster Kunst dessen zeitlichen Verlauf getreu um; beginnend mit dem letzten Ton und endend mit dem ersten; nur ein Mittelteil ist fortgelassen. Als Ganzes steht das virtuose Stück nach Formidee und Ton dem Film-Zwischenspiel der jüngst in den BBC-Konzerten aufgeführten Lulu-Suite äußerst nahe.

Der dritte Satz endlich, Adagio appassionato, konzentriert den *Ausdrucksgehalt* des gesamten Werkes und legt frei, was bislang verschwiegen oder geflüstert war. Er bedeutet eben als solche Ausdruckskonzentration gewissermaßen die *Durchführung* der ganzen Suite: auch formal. Er ist dicht gedrängt und ganz einheitlich wie eine Durchführung. Seine eigene thematische Substanz wird von einem einzigen Thema gebildet, das aus einer mahlenden Bewegung heftig ansteigt. Anstatt kontrastierender Themen werden entweder solche aus früheren Sätzen, zitatähnlich, oder freie Weiterbildungen des Hauptthemas gebracht; die Form wird artikuliert durch Wiedereintritte des mahlenden Motivs vom Beginn des Hauptthemas. Es lautet:

Beispiel 5: Takt 1 bis 7

Eine kurze Fortsetzung des im Hauptthema enthaltenen Triolenmotivs mündet in einen ersten ›Ausbruch‹, der nichts anderes ist als die Triomelodie des zweiten Stückes (s. Beispiel 4). Dann werden die drei Schlußtakte des Hauptthemas weiter steigernd ›durchgeführt‹, bis rondoartig, abklingend, das Mahlmotiv und der Beginn des Hauptthemas über flutenden (tonalen!) Harmonien wiedererscheint. Die anschließende Verarbeitung wird unter Ausnutzung der zitierten Triomelodie weitergetrieben, und unvermerkt verwandelt das Triolenmotiv des Hauptthemas sich in das Hauptthema des *ersten* Satzes, dessen Nachsatzmotiv wörtlich folgt. Das erwähnte Zitat aus Zemlinskys Lyrischer Symphonie führt zum Höhepunkt im dreifachen Forte, über einem synkopierten es der Bässe, das an jenes c des ersten Satzes mahnt. Bald ein zweiter Ausbruch, diesmal von Celli und Bässen, mit einem scheinbar *neuen* Motiv, das den Rest des Satzes beherrscht und schließlich als aus den Grundintervallen der ganzen Suite durch Transposition gewonnen sich enthüllt. Ganz verhalten danach das Pianissimo einer Molto tranquillo-Episode; dann dritter Einsatz des Mahlmotivs, doch ohne mehr ins Hauptthema zu münden; abreißend in heftigen dramatischen Akzenten. Endlich beginnt die Sologeige, flautando, mit dem ›neuen‹ Motiv die Coda. Es setzt sich fort durch Vergrößerung der bei der letzten Reprise ausgesparten Teile des Hauptthemas. Pianissimo, doch nicht aufgelöst, sondern dichten Klanges, gleichsam mit fest geschlossenen Lippen, endet das Werk.

1934

Berg-Gedenkkonzert im Londoner Rundfunk

Der englische Rundfunk hat über den Londoner Nationalsender ein Konzert zum Gedächtnis an Alban Berg verbreitet, der in England als einer der repräsentativen Komponisten der Gegenwart längst durchgesetzt ist. Es stand unter der Leitung seines Freundes Anton Webern, der, ebenbürtiger Komponist aus der gleichen Region, auch als Dirigent wie kein zweiter zur Darstellung von Bergs Musik legitimiert ist. Er brachte zunächst zwei Sätze aus der Lyrischen Suite für Streichquartett in der chorischen Bearbeitung: das Andante amoroso und das im Tuttiklang besonders eindringliche, von Webern leidenschaftlich beschworene Adagio appassionato. Das Hauptstück des Abends war Bergs letztes Werk, das Violinkonzert. Es ist, wie man weiß, als Requiem für ein junges Mädchen geschrieben und voll jener geheimnisvoll-gegenständlichen Beziehungen, in welchen Berg den Begriff der Tondichtung so bezwingend neu formuliert und vergeistigt hat. Zwei Teile: jeder abermals in zwei Sätze unterteilt. Ein Andante von schlankester Fügung stimmt ein: es folgt ein Scherzo, das mit Charakteren der österreichischen Volksmusik – der Berg hier eindringlicher nachfragt als selbst im »Wozzeck« der Folklore – aufs tiefsinnigste spielt. Zwei Trios: das erste drohend schon ausbrechend, das zweite in seliger Ländlerruhe: danach Reprise des ersten Trios und dann des Scherzos, in das gegen Ende ein Kärntner Lied kunstvoll verwoben wird. Ganz kurz gefaßte Coda, meisterlich in den Schluß gedrängt.

Das Allegro, mit dem der zweite Teil beginnt, ist eine durchkomponierte und reich begleitete Kadenz. Sie dialogisiert die stumme Handlung zwischen übermächtigem Eingriff und zarter Regung der Seele dawider: beginnend und endend mit furchtbaren Ausbrüchen. Der letzte aber wird mit der bestätigten Gewalt des großen Spätwerkes im Entschluß angenommen: der Bachische Choral »Es ist genug«, unaufhaltsam vorbereitet durchs ganze Allegro, antwortet fast dem letzten Schlag und wird, allegorisch geleitet von der

Sologeige, in der Variationstechnik des Choralvorspiels durchgeführt, nochmals durchtönt vom Kärntner Lied, in einer Traurigkeit, an die Worte nicht heranreichen, um im Dreiklang mit hinzugefügter Sext zu verschwinden.

Bergs Neigung, tonartliche und zwölftönige Komplexe konstruktiv miteinander zu durchdringen, ist im Konzert zur reinsten Konsequenz geführt. Es hat die Einfachheit der Eile eines, der weiß, daß er keine Zeit mehr zu verlieren hat zu sagen, was gesagt sein muß: aber auch die Einfachheit der vollsten, ihrer selbst mächtigsten Meisterschaft. Der Abschied aber, von dem die Musik tönt, scheint der von Welt, Traum und Kindheit selber. Seit Mahlers letzten Werken ist keine Musik so menschlich beredt gewesen wie diese.

Anton Webern diente ihr mit inbrünstigem Gelingen. Der Geiger Louis Krasner, für den das Konzert geschrieben ist, war dem schwierigen Solopart musikalisch und technisch der vollkommenste, der überzeugende Anwalt. Das Publikum zeigte der Größe des Anlasses sich bewußt.

1936

Fußnote zu Sibelius und Hamsun*

Die gleiche Tendenz läßt sich mit technischer Strenge an den Symphonien Jan Sibelius' feststellen, die ihrer Beschaffenheit nach wie in ihrer Wirkung zu Hamsun gehören. Es ist nicht nur an die vage und dabei in den koloristischen Mitteln zurückgebliebene »panische« Naturstimmung zu denken, sondern an die kompositorischen Verfahrungsweisen selber. Diese Symphonik kennt keine musikalische Entwicklung. Sie schichtet sich aus wahllosen und zufälligen Wiederholungen eines an sich trivialen Motivmaterials. Der Schein der Originalität, der sich dabei ergibt, ist lediglich der Sinnlosigkeit zuzuschreiben, in welcher die Motive aneinandergerückt werden, ohne daß ihr Zusammenhang anders garantiert wäre als durch den abstrakten Zeitverlauf. Die Dunkelheit, Produkt des technischen Ungeschicks, täuscht eine Tiefe vor, die nicht existiert. Die konstruktiv undurchsichtigen Wiederholungen behaupten einen ewigen Rhythmus der Natur, den auch der Mangel an symphonischem Zeitbewußtsein ausdrückt; die Nichtigkeit der melodischen Monade, die in unartikuliertes Tönen übergeführt wird, entspricht der Menschenverachtung, welche die Hamsunschen Individuen der Allnatur ausliefert. Dabei unterscheidet sich Sibelius so gut wie Hamsun von impressionistischen Tendenzen dadurch, daß die Allnatur aus den erstarrten Restbeständen der traditionell bürgerlichen Kunst präpariert, nicht etwa von der protestierenden Subjektivität ursprünglich angeschaut wird.

* *Adorno schrieb den kurzen Text aus Anlaß von Leo Löwenthals Aufsatz »Knut Hamsun. Zur Vorgeschichte der autoritären Ideologie« (vgl. Zeitschrift für Sozialforschung 6 [1937], S. 295 ff.); er wurde als Anmerkung zu dem folgenden Satz Löwenthals abgedruckt: »Wenn von Lesern und Kritikern [scil. Knut Hamsuns] die Kärglichkeit des kulturellen Inventars und die Schattenhaftigkeit der von ihm gestalteten Menschen als Zeichen besonderer Keuschheit, reifer Herbe, lebensandächtiger Scheu und ›epischer Größe‹ verstanden wird, so drückt sich in solcher Lobrede auf den Schriftsteller eine müde Resignation, ein sozialer Defaitismus aus.« (a. a. O., S. 338)*

Ernst Křenek, Über neue Musik. Wien: Verlag der Ringbuchhandlung 1937.

Die Anzeige der mit Musik technisch befaßten Schrift rechtfertigt sich nicht darum bloß, weil sie ein sozialtheoretisches Kapitel enthält, sondern vorab weil ihre Methode unvergleichlich viel tiefer in gesellschaftliche Zusammenhänge zu leiten vermag als etwa die üblich stilhistorische und ›zuordnende‹; weil, wie Křenek sehr stringent formuliert, »alles, was über Musik überhaupt gewußt werden kann, durch bloße, aber genaue und deutende Untersuchung ihrer technischen Befunde, und nur durch diese, mit wirklicher Sicherheit in Erfahrung gebracht werden kann« (S. 96). Die Publikation ist nicht nur eine der aufschlußreichsten und verantwortungsvollsten zur Apologie der eigentlich ›neuen‹ Musik, die Křenek mit Recht heute einzig von der Wiener Schule Schönbergs repräsentiert sieht, sondern ihre Insistenz bei technischen Problemen liefert in der Tat erstmals entscheidende Beiträge zu ihrer Deutung und gerade zur gesellschaftlichen Deutung, die bislang über die dürftige Konstatierung von ihrer ›Isoliertheit‹ nicht hinausgelangt war und an diese Isolierung meist das billige Verdikt eines Kollektivismus anschließen zu dürfen glaubte, der dem kollektiven Gehalt des isoliert Erscheinenden nicht weiter nachfragt. Von Křeneks Thesen seien einige wiedergegeben: mit allem Nachdruck wird, entgegen dem seit Schopenhauer fast unbestritten herrschenden Irrationalismus der Musikästhetik, dabei beharrt, daß »die Musik selbst eine Form des Denkens ist« (S. 19), und der Begriff der musikalischen Intuition wird völlig eingeschränkt; er soll »keineswegs den musikalischen Schaffensprozeß als das mirakulöse Herausspringen eines fertigen Musikstückes aus dem Haupt seines Urhebers charakterisieren, sondern vielmehr zum Ausdruck bringen, daß das Mittel des musikalischen Schaffensprozesses ein begrifflich nicht direkt Faßbares, d.h. den Mitteln der Wortsprache primär Unzugängliches ist« (ibd.). In »Grundideen einer neuen

Musikästhetik« versucht Křenek etwas wie eine Kategorienlehre dieses musikalischen Denkens, und dem gewissermaßen transzendentalen Entwurf soll sich die tonale Musik als Spezialfall einfügen, der seine historische Dialektik in sich trägt und auf seinen Untergang drängt. Atonalität und Zwölftontechnik werden gesehen als die einzig mögliche Anwendungsweise jenes Schematismus, dessen von »Artikulation« und »Relation«, auf das historisch veränderte Material der Musik: ihre historische und ›systematische‹ Rechtfertigung fällt für Křenek, der Intention nach, zusammen. Zu den fruchtbarsten gesellschaftlichen Einsichten gelangt Křenek dort, wo er die Notwendigkeit der im dialektischen Selbstbewußtsein vorgeschrittenen Musik mit den Versuchen konfrontiert, dem Zwang des in Musik sich selber denkenden Gedankens irrationalistisch auszuweichen; Versuchen, die allemal zugleich als Veranstaltungen verstanden werden, den gesellschaftlichen Widersprüchen regressiv sich zu entziehen. Besonders eindringlich wird die Kritik, wenn die Forderung an die Kunst, sie habe »Genuß« zu bieten, in ihrer gegenwärtigen Gestalt als bloßes Komplement des Leidens unter der kapitalistischen Entfremdung enthüllt wird: »Indessen, so überzeugt die Menschen davon sind, daß die negative Seite des Lebens, wo Arbeit und Qual gleichgesetzt sind, nicht in Ordnung sei und daß dieser Zustand einer Änderung bedürfe, so wenig sind sie sich im Klaren darüber, daß die andere Seite der Antithese, die auf den Genuß abgestellt ist, infolgedessen ebensowenig in Ordnung ist« (S. 93). Zum echten Gehalt der neuen Musik wird ihm – in einer freilich rasch unter die Unvollkommenheit des Irdischen subsumierten Welt – die »eschatologische Trauer« (S. 94). An ihrem Maß aber, nämlich dem Maß der Haltung von Karl Kraus, wird alle Musik, die nicht die Schönbergische Konsequenz zieht, mag sie sich neoklassisch, neusachlich, surrealistisch oder bloß noch musikantisch gebärden, als konformistisch kenntlich. Mit besonderer Schärfe ist ihr Zusammenhang mit dem totalitären Denken gesehen. »Das, was an der Anti-Espressivo-Musik des Neoklassizismus so ›modern‹, so wie ein neuer Inhalt aussieht, ist in Wirklichkeit die Inhaltsarmut, die Verschweigung des Aussprechbaren. Die Anpassung an die gesellschaftliche Realität besteht darin, daß über jene Inhalte, welche den Genußansprüchen der Gesellschaft nicht entgegenkommen und die aus der Isoliertheit der wirklich neuen Musik so sprechend hervortreten wie aus ihrer Konstruktion, geschwiegen wird; statt dessen werden Masken präpariert, die das feinere Unterhaltungsbedürfnis befriedigen sollen. ... Wird hier, im Neoklassizismus, vorwiegend die Fiktion gepflegt, als sei die Gesellschaft noch immer so wie damals, als die echte klassische Musik entstand ..., so lebt die neusachliche Musik mehr von der Fiktion, als sei in der Gesellschaft schon irgend eine nicht näher definierbare Veränderung vollzogen, die die Möglichkeit neuer Unmittelbarkeit geschaffen habe« (S. 96f.). Die Kritik der falschen und regressiven Unmittelbarkeit inmitten der arbeitsteiligen Gesellschaft wird mit besonderem Nachdruck an der kollektivistischen Jugendmusikbewegung und ihrer »Blockflötenkultur« durchgeführt. »War es früher«, beim heute so geschmähten Musikunterricht, »notwendig, den Geist auf die Noten und den Körper darauf zu konzentrieren, daß die Finger so funktionierten, wie es der Geist von ihnen verlangte, so gilt es jetzt, mehr auf die Kommandos eines Musikführers zu achten, der die tönenden Manifestationen der Gruppe regelt ... Es gehört zu den unerforschlichen Eigentümlichkeiten des geistigen Verfalls, in dem wir leben, daß Menschen den ganzen zivilisatorischen Fortschritt – den einzigen, der wirklich unbestreitbar ist – lieber aufgeben und auf alles, was man mit seiner Hilfe erreichen könnte, verzichten, statt ihn zu vernünftigen Zwecken zu benützen« (S. 99f.). Es ist das Echtheitssiegel solcher technologischen Einsichten, daß ihre Schlagkraft über den technologischen Bezirk weit hinausreicht, dem sie sich doch verdankt.

Kritik wäre vorab an den musikästhetischen Entwurf anzuschließen, der in sich statisch verharrt und nur rahmenhaft der Dialektik ihren Raum läßt. Der Form-Inhalt-Dualismus der traditionellen idealistischen Ästhetik wird von diesem Entwurf nicht kritisch betroffen, und darum bleibt auf der einen Seite die Bestimmung des ›Inhalts‹ der neuen Musik bloß negativ, nämlich ihre gesellschaftlich vorgezeichnete Entfremdung wird selber zum Inhalt und eine existential getönte ›Wahrhaftigkeit‹ zu deren Medium gemacht. Andererseits ist das Erbe der Formalästhetik wirksam in der Behauptung der ›Autonomie‹ der Musik und der Orientierung der Analyse am sogenannten ›Problem der Form‹, das seinerseits nicht in seiner Dialektik mit Sachgehalten verfolgt wird. Es wäre aber das entscheidende Anliegen, gerade die Last jener Begriffe in Bewegung zu setzen. Das könnte gelingen wohl einzig im Kleinsten. Křenek sieht etwa den Schönberg der ›expressionistischen‹ Periode in Einheit mit der Romantik vermöge des Prinzips des Espressivo, dessen quantitative Steigerung die neuen Mittel produziere. Es wäre aber zu fragen, ob das expressionistische Ausdrucksmoment überhaupt auf die romantische Expression reduktibel sei; ob zwischen beiden nicht der Unterschied von protokollarischer Kundgabe und Fiktion liege; ob nicht Schönbergs Kampf gegen das musikalische Ornament, das innerste Motiv der Atonalität, nicht aus einem prinzipiell veränderten Inhalt seiner Musik hervorgehe, der, vergleichsweise, zum romantischen steht wie Freud zum psychologischen Roman des neunzehnten Jahrhunderts. Kandinsky hat einmal Schönbergs Bilder »Gehirnakte« genannt: das und nicht das Espressivo bezeichnet die Schicht, in der Schönbergs Ausdruck entspringt. Damit zerfällt freilich die Annahme einer ungebrochenen geistesgeschichtlichen Einheit von Wagner bis Schönberg, wie sie die Musikhistoriker mit Vorliebe predigen; dafür aber wird der spezifische Ausdrucks-Sinn an seinem Ursprung selber verständlich, der später im Material sich niederschlägt, in der Formensprache der neuen Musik sich gleichsam sedimentiert. Von diesem Gehalt hat Křenek alle Erfahrung des produktiven Künstlers: der Charakter der funktionalen Durchorganisation der neuen Musik – Abbild einer planvollen und erhellten Gesellschaft – entgeht ihm so wenig wie ihr tief dialektisches Verhältnis zur Zeit: »In dem Widerspruch gegen den Zeitablauf, der in der Idee der Rückläufigkeit seinen Ausdruck findet, liegt ein charakteristisches inhaltliches Moment der neuen Musik beschlossen ...: ihre pathetische Dialektik, die aus dem einsamen Kampf des Individuums gegen das rettungslose Vergehen im Nichts der forteilenden Zeit resultiert« (S. 88). Solche Erfahrungen aber zum Sprechen zu bringen, bedürfte es nicht weniger als einer ausgebildeten dialektischen Theorie der Kunst. Bei Křenek behält das ›einsame Individuum‹ das letzte Wort, und die Treue, die ihm Erkenntnis hält, fruchtet mehr als aller eilige Kollektivismus; aber das Individuum ist selber vordergründig, durchlässig auf die Gesellschaft, und seine Gehalte wären erkennbar als mehr denn die Tautologie seiner Einsamkeit im gleichen Augenblick, in dem es als monadologische Figur der Gesellschaft dechiffriert würde.

1938

Nachtrag zu den »Minima Moralia«

Beim Abdruck der »Minima Moralia« in Band 4 der »Gesammelten Schriften« ist durch ein bedauerliches Versehen in dem Text »Weit vom Schuß« eine längere Passage ausgelassen worden (vgl. Gesammelte Schriften, Bd. 4, 1. Aufl., Frankfurt a. M. 1980, S. 61). Im folgenden wird »Weit vom Schuß« vollständig abgedruckt.

Weit vom Schuß. – Bei den Meldungen über Luftangriffe fehlen selten die Namen der Firmen, welche die Flugzeuge hergestellt haben: Focke-Wulff, Heinkel, Lancaster erscheinen dort, wo früher einmal von Kürassieren, Ulanen und Husaren die Rede war. Der Mechanismus der Reproduktion des Lebens, seiner Beherrschung und seiner Vernichtung ist unmittelbar der gleiche, und demgemäß werden Industrie, Staat und Reklame fusioniert. Die alte Übertreibung skeptischer Liberaler, der Krieg sei ein Geschäft, hat sich erfüllt: die Staatsmacht hat selbst den Schein der Unabhängigkeit vom partikularen Profitinteresse aufgegeben und stellt sich wie stets schon real, nun auch ideologisch in dessen Dienst. Jede lobende Erwähnung der Hauptfirma in der Städtezerstörung hilft ihr den guten Namen machen, um dessentwillen ihr dann die besten Aufträge beim Wiederaufbau zufallen.

Wie der Dreißigjährige, so zerfällt auch dieser Krieg, an dessen Anfang sich schon keiner mehr erinnern kann, wenn er zu Ende sein wird, in diskontinuierliche, durch leere Pausen getrennte Feldzüge, den polnischen, den norwegischen, den französischen, den russischen, den tunesischen, die Invasion. Sein Rhythmus, der Wechsel stoßweiser Aktion und völligen Stillstands aus Mangel an geographisch erreichbaren Feinden, hat selber etwas von dem mechanischen, der die Art der Kriegsmittel im einzelnen charakterisiert und der wohl auch die vorliberale Form des Feldzugs nochmals heraufbeschworen hat. Dieser mechanische Rhythmus aber bestimmt völlig das menschliche Verhalten zum Krieg, nicht nur in der Disproportion zwischen der individuellen Körperkraft und der Energie der Motoren, sondern bis in die geheimsten Zellen der Erlebnisweisen hinein. Schon das vorige Mal machte die Unangemessenheit des Leibes an die Materialschlacht eigentliche Erfahrung unmöglich. Keiner hätte davon erzählen können, wie noch von den Schlachten des Artilleriegenerals Bonaparte erzählt werden konnte. Das lange Intervall zwischen den Kriegsmemoiren und dem Friedensschluß ist nicht zufällig: es legt Zeugnis ab von der mühsamen Rekonstruktion der Erinnerung, der in all jenen Büchern etwas Ohnmächtiges und selbst Unechtes gesellt bleibt, gleichgültig, durch welche Schrecken die Berichtenden hindurchgingen. Der Zweite Krieg aber ist der Erfahrung schon so völlig entzogen wie der Gang einer Maschine den Regungen des Körpers, der erst in Krankheitszuständen jenem sich anähnelt. Sowenig der Krieg Kontinuität, Geschichte, das »epische« Element enthält, sondern gewissermaßen in jeder Phase von vorn anfängt, sowenig wird er ein stetiges und unbewußt aufbewahrtes Erinnerungsbild hinterlassen. Überall, mit jeder Explosion, hat er den Reizschutz durchbrochen, unter dem Erfahrung, die Dauer zwischen heilsamem Vergessen und heilsamem Erinnern sich bildet. Das Leben hat sich in eine zeitlose Folge von Schocks verwandelt, zwischen denen Löcher, paralysierte Zwischenräume klaffen. Nichts aber ist vielleicht verhängnisvoller für die Zukunft, als daß im wörtlichen Sinn bald keiner mehr wird daran denken können, denn jedes Trauma, jeder unbewältigte Schock der Zurückkehrenden ist ein Ferment kommender Destruktion. – Karl Kraus tat recht daran, sein Stück »Die letzten Tage der Menschheit« zu nennen. Was heute geschieht, müßte »Nach Weltuntergang« heißen.

Die vollständige Verdeckung des Krieges durch Information, Propaganda, Kommentar, die Filmoperateure in den ersten Tanks und der Heldentod von Kriegsberichterstattern, die Maische aus manipuliert-aufgeklärter öffentlicher Meinung und bewußtlosem Handeln, all das ist ein anderer Ausdruck für die verdorrte Erfahrung, das Vakuum zwischen den Menschen und ihrem Verhängnis, in dem das Verhängnis recht eigentlich besteht. Der verdinglichte, erstarrte Abguß der Ereignisse substituiert gleichsam diese selber.

Die Menschen werden zu Schauspielern eines Monstre-Documentairefilms herabgesetzt, der keine Zuschauer mehr kennt, weil noch der letzte auf der Leinwand mittun muß. Eben dies Moment liegt der vielgescholtenen Rede vom phony war zugrunde. Sie entspringt gewiß aus der faschistischen Stimmung, die Realität des Grauens als »bloße Propaganda« von sich zu weisen, damit das Grauen einspruchslos sich vollziehe. Aber wie alle Tendenzen des Faschismus hat auch diese ihren Ursprung in Elementen der Realität, die sich nur eben gerade kraft jener faschistischen Haltung durchsetzen, die hämisch auf sie hindeutet. Der Krieg ist wirklich phony, aber seine phonyness schrecklicher als aller Schrecken, und die sich darüber mokieren, tragen vorab zum Unheil bei.

Hätte Hegels Geschichtsphilosophie diese Zeit eingeschlossen, so hätten Hitlers Robotbomben, neben dem frühen Tod Alexanders und ähnlichen Bildern, ihre Stelle gefunden unter den ausgewählten empirischen Tatsachen, in denen der Stand des Weltgeists unmittelbar symbolisch sich ausdrückt. Wie der Faschismus selber sind die Robots lanciert zugleich und subjektlos. Wie jener vereinen sie die äußerste technische Perfektion mit vollkommener Blindheit. Wie jener erregen sie das tödlichste Entsetzen und sind ganz vergeblich. – »Ich habe den Weltgeist gesehen«, nicht zu Pferde, aber auf Flügeln und ohne Kopf, und das widerlegt zugleich Hegels Geschichtsphilosophie.

Der Gedanke, daß nach diesem Krieg das Leben »normal« weitergehen oder gar die Kultur »wiederaufgebaut« werden könnte – als wäre nicht der Wiederaufbau von Kultur allein schon deren Negation –, ist idiotisch. Millionen Juden sind ermordet worden, und das soll ein Zwischenspiel sein und nicht die Katastrophe selbst. Worauf wartet diese Kultur eigentlich noch? Und selbst wenn Ungezählten Wartezeit bleibt, könnte man sich vorstellen, daß das, was in Europa geschah, keine Konsequenz hat, daß nicht die Quantität der Opfer in eine neue Qualität der gesamten Gesellschaft, die Barbarei, umschlägt? Solange es Zug um Zug weitergeht, ist die Katastrophe perpetuiert. Man muß nur an die Rache für die Ermordeten denken. Werden ebenso viele von den anderen umgebracht, so wied das Grauen zur Einrichtung und das vorkapitalistische

Schema der Blutrache, das seit undenklichen Zeiten bloß noch in abgelegenen Gebirgsgegenden waltete, erweitert wieder eingeführt, mit ganzen Nationen als subjektlosem Subjekt. Werden jedoch die Toten nicht gerächt und Gnade geübt, so hat der ungestrafte Faschismus trotz allem seinen Sieg weg, und nachdem er einmal zeigte, wie leicht es geht, wird es an anderen Stellen sich fortsetzen. Die Logik der Geschichte ist so destruktiv wie die Menschen, die sie zeitigt: wo immer ihre Schwerkraft hintendiert, reproduziert sie das Äquivalent des vergangenen Unheils. Normal ist der Tod.

Auf die Frage, was man mit dem geschlagenen Deutschland anfangen soll, wüßte ich nur zweierlei zu antworten. Einmal: ich möchte um keinen Preis, unter gar keinen Bedingungen Henker sein oder Rechtstitel für Henker liefern. Dann: ich möchte keinem, und gar mit der Apparatur des Gesetzes, in den Arm fallen, der sich für Geschehenes rächt. Das ist eine durch und durch unbefriedigende, widerspruchsvolle und der Verallgemeinerung ebenso wie der Praxis spottende Antwort. Aber vielleicht liegt der Fehler schon bei der Frage und nicht erst bei mir.

Wochenschau im Kino: die Invasion der Marianas, darunter Guam. Der Eindruck ist nicht der von Kämpfen, sondern der mit unermeßlich gesteigerter Vehemenz vorgenommener mechanischer Straßen- und Sprengarbeiten, auch von »Ausräuchern«, Insektenvertilgung im tellurischen Maßstab. Operationen werden durchgeführt, bis kein Gras mehr wächst. Der Feind fungiert als Patient und Leiche. Wie die Juden unterm Faschismus gibt er nur noch das Objekt technisch-administrativer Maßnahmen ab, und wenn er sich zur Wehr setzt, hat seine Gegenaktion sogleich denselben Charakter. Dabei das Satanische, daß in gewisser Weise mehr Initiative beansprucht wird als im Krieg alten Stils, daß es gleichsam die ganze Energie des Subjekts kostet, die Subjektlosigkeit herbeizuführen. Die vollendete Inhumanität ist die Verwirklichung von Edward Greys humanem Traum, dem Krieg ohne Haß.

Herbst 1944

Editorisches Nachwort

Der letzte Band der »Gesammelten Schriften« hat den Charakter einer Nachlese: er enthält vor allem Texte, die sich den vorangehenden Bänden der Ausgabe nur gewaltsam hätten einfügen lassen; in einigen wenigen Fällen auch Arbeiten, die dem Herausgeber erst zugänglich wurden, als die Bände, in welche sie jeweils gehört hätten, bereits erschienen waren. Die Mehrzahl der abgedruckten Texte mag man als Nebenarbeiten charakterisieren: von unterschiedlichem Gewicht und Umfang, dabei von der denkbar größten thematischen Spannung. Die Anordnung des Bandes folgt, wie bereits die der Ausgabe als ganzer, den Arbeitsbereichen Adornos. Am Anfang stehen philosophische Texte, gefolgt von solchen zur Soziologie im weiteren, Adornoschen Sinn, der Pädagogik und Politik einbegreift. Eine dritte Gruppe sammelt unter dem Titel »Aesthetica« kürzere, meist materiale Arbeiten zur Literatur und bildenden Kunst. Eigene literarische Texte – teils polemischen Impulses, teils den Denkbildern Benjamins verwandt – finden sich als »Miscellanea« zusammengestellt. Eine fünfte Gruppe schließlich enthält Arbeiten, die Adorno in seinen Funktionen als Direktor des Instituts für Sozialforschung und als Präsident der Deutschen Gesellschaft für Soziologie verfaßte – ein Vorgriff, wenn man will, auf seine ›Amtlichen Schriften‹. Wie die Arbeiten des Bandes ihrer Entstehung nach den gesamten Zeitraum der Adornoschen Produktion umfassen – den frühesten Aufsatz schrieb der Sechzehnjährige für die Zeitung seiner Schule; der späteste datiert von 1969, wenige Wochen vor dem Tod des Autors –, so bedienen sie sich der verschiedensten literarischen Formen. Neben Aufsätzen und Abhandlungen finden sich zahlreiche Gelegenheitsarbeiten: Vorträge und Rezensionen, Geburtstagsartikel und Nekrologe, Vorreden und Nachworte zu Büchern befreundeter Autoren oder denen der Schüler und Mitarbeiter.

Innerhalb der einzelnen Gruppen des Bandes – bei der »Gesellschaft, Unterricht, Politik« betitelten Gruppe innerhalb der Arbeiten zu den drei Topoi – wird bei der Anordnung der Texte im wesentlichen der Entstehungschronologie gefolgt. Jedoch sind die Buchrezensionen jeweils den anderen literarischen Formen nachgestellt worden. Außerdem wurde Zusammengehöriges – wie etwa die Texte über Horkheimer oder Benjamin – zusammengelassen, auch wenn die Arbeiten in weit auseinander liegenden Zeiten entstanden sind. – Zu den Druckvorlagen ist im einzelnen anzumerken:

Theorien und Theoretiker

Neue wertfreie Soziologie, als korrigierter Fahnenabzug der Zeitschrift für Sozialforschung überliefert, dort aber nicht erschienen.

Zur Philosophie Husserls, unveröffentlicht.

Husserl and the Problem of Idealism, in: The Journal of Philosophy (New York), Vol. 37, No. 1 (January 4, 1940), S. 5-18.

»Kulturanthropologie«, unveröffentlicht.

Wird Spengler recht behalten?, in: Frankfurter Hefte 10 (1955), S. 841-846 (Heft 12, Dezember).

Max Horkheimer, in: Frankfurter Allgemeine Zeitung, 12. 2. 1955 (Nr. 36), S. 2.

Radiorede über Max Horkheimer, ungedruckt.

Offener Brief an Max Horkheimer, in: Die Zeit, 12. 2. 1965 (Jg. 20, Nr. 7), S. 32.

Gratulor, in: Frankfurter Rundschau, 13. 2. 1965 (Jg. 21, Nr. 37), S. III.

Eine unterdrückte Vorrede, unveröffentlicht.

Zu Benjamins Gedächtnis, in: Aufbau (New York), 18. 10. 1940 (Vol. 6, No. 42), S. 7.

Nachwort zur »Berliner Kindheit um Neunzehnhundert«, in: Walter Benjamin, Berliner Kindheit um Neunzehnhundert, Frankfurt a. M. 1950, S. 176-180.

Erinnerungen, in: Der Monat 216, Jg. 18, S. 35-38 (September 1966).

Vorrede zu Rolf Tiedemanns »Studien zur Philosophie Walter Benjamins«, in: Rolf Tiedemann, Studien zur Philosophie Walter Benjamins. Mit einer Vorrede von Theodor W. Adorno, Frankfurt a. M. 1965 (Frankfurter Beiträge zur Soziologie. Bd. 16), S. VII-X.

Interimsbescheid, in: Frankfurter Rundschau, 6. 3. 1968 (Jg. 24, Nr. 9), S. 12.

A l'écart de tous les courants, nach einem Typoskript im Nachlaß; Erstdruck: Theodor W. Adorno, Über Walter Benjamin. Hrsg. von Rolf Tiedemann, Frankfurt a.M. 1970, S. 96-99. – Zu Adornos Lebzeiten nur in der französischen Übersetzung von Pierre Missac erschienen (Le Monde, 31. 5. 1969, Supplément au No. 7582, S. IV).

Für Ernst Bloch, in: Aufbau (New York), 27. 11. 1942 (Vol. 8, No. 48), S. 15, 17-18.

Nach Kracauers Tod, in: Die nicht mehr schönen Künste. Grenzphänomene des Ästhetischen. Hrsg. von Hans Robert Jauß, München 1968, S. 6f.; frühere Fassung u.d.T. *Siegfried Kracauer tot* in: Frankfurter Allgemeine Zeitung, 1. 12. 1966 (Nr. 279), S. 20.

Oswald Spengler, Der Mensch und die Technik, in: Zeitschrift für Sozialforschung 1 (1932), S. 149-151 (Heft 1/2).

Alfred Kleinberg, Die europäische Kultur der Neuzeit, in: Zeitschrift für Sozialforschung 1 (1932), S. 211-213 (Heft 1/2).

Herbert Marcuse, Hegels Ontologie und die Grundlegung einer Theorie der Geschichtlichkeit, in: Zeitschrift für Sozialforschung 1 (1932), S. 409f. (Heft 3).

Bernhard Groethuysen, Die Entstehung der bürgerlichen Welt- und Lebensanschauung in Frankreich, in: Zeitschrift für Rechtsphilosophie in Lehre und Praxis 6 (1932-1934), Heft 2 (1. 12. '32), S. 95-99.

Hans Driesch, Philosophische Gegenwartsfragen, in: Zeitschrift für Sozialforschung 2 (1933), S. 106f. (Heft 1).

Theodor Steinbüchel, Das Grundproblem der Hegelschen Philosophie, in: Zeitschrift für Sozialforschung 2 (1933), S. 107f. (Heft 1).

Nicolai Hartmann, Das Problem des geistigen Seins, u.a. [*Sammelbesprechung*], in: Zeitschrift für Sozialforschung 2 (1933), S. 110f. (Heft 1).

Walter Ehrenstein, Einführung in die Gestaltpsychologie, unveröffentlicht; nach einem Typoskript im Nachlaß Max Horkheimers, Frankfurter Stadt- und Universitätsbibliothek.

Philosophy and History, in: Zeitschrift für Sozialforschung 6 (1937), S. 657-661 (Heft 3).

Roger Caillois, La Mante religieuse, in: Zeitschrift für Sozialforschung 7 (1938), S. 410f. (Heft 3).

Erich Rothacker, Die Schichten der Persönlichkeit, in: Zeitschrift für Sozialforschung 7 (1938), S. 423 (Heft 3).

Jean Wahl, Etudes Kierkegaardiennes, u. a. [*Sammelbesprechung*], in: Zeitschrift für Sozialforschung 8 (1939/40), S. 232-235 (Heft 1/2; Januar '40).

Wilhelm Grebe, Der tätige Mensch, in: Zeitschrift für Sozialforschung 8 (1939/40), S. 235 f. (Heft 1/2; Januar '40).

G. P. Adams u. a., Knowledge and Society, unveröffentlicht.

Maximilian Beck, Psychologie, unveröffentlicht.

Richmond Laurin Hawkins, Positivism in the United States 1853-1861, als korrigierter Fahnenabzug der Zeitschrift für Sozialforschung erhalten, dort aber nicht erschienen.

Heinrich Rickert, Unmittelbarkeit und Sinndeutung, als korrigierter Fahnenabzug der Zeitschrift für Sozialforschung erhalten; erschienen nur in englischer Übersetzung (in: Studies in Philosophy and Social Science 9 [1941], S. 479-482).

Ad Lukács, unveröffentlicht.

Fällige Revision, in: Süddeutsche Zeitung, 11. 10. 1967 (Jg. 23, Nr. 243), Beilage, S. 4.

Zu Ulrich Sonnemanns »Negativer Anthropologie«, in: Spektrum des Geistes 70 (19. Jahrgang des Literaturkalenders). Hrsg. von Hartfried Voss, Ebenhausen 1969, S. 108.

Gesellschaft, Unterricht, Politik

Democratic Leadership and Mass Manipulation, in: Studies in Leadership. Leadership and Democratic Action. Ed. by Alvin W. Gouldner, New York 1950, S. 418-438.

Individuum und Staat, unveröffentlicht.

Öffentliche Meinung und Meinungsforschung, unveröffentlicht.

Zum Problem der Familie, unveröffentlicht. – Eine modifizierte Fassung wurde später in die »Soziologischen Exkurse« übernommen.

Über Technik und Humanismus, in: Deutsche Universitätszeitung 8 (1953), Heft 23 (7. 12. '53), S. 7-9.

Zum Studium der Philosophie, in: Diskus. Frankfurter Studentenzeitung. Jg. 5 (1955), Heft 2, Beilage, S. 81-83.

Aktualität der Erwachsenenbildung, in: Die Zeit, 11. 10. 1956 (Jg. 11, Nr. 41), S. 4.

Zur Demokratisierung der deutschen Universitäten, unveröffentlicht.

Der Schwarzseher antwortet, in: Deutsche Universitätszeitung 9 (1954), Heft 2 (25. 1. '54), S. 17.

Kann das Publikum wollen?, in: Vierzehn Mutmaßungen über das Fernsehen. Beiträge zu einem aktuellen Thema. Hrsg. von Anne Rose Katz, München 1963 (dtv. Bd. 190), S. 55-60; Wiederabdruck u.d.T. *Hat das Publikum eine Meinung?* in: Süddeutsche Zeitung, 9. 4. 1963 (Jg. 19, Nr. 85), S. 14.

Gleason L. Archer, History of Radio to 1926, Fahnenabzug der Zeitschrift für Sozialforschung, dort aber nicht erschienen.

Broadcasting and the Public, Fahnenabzug der Zeitschrift für Sozialforschung, dort aber nicht erschienen.

Fragen an die intellektuelle Emigration, unveröffentlicht; nach einem Typoskript im Nachlaß Max Horkheimers, Frankfurter Stadt- und Universitätsbibliothek.

Zur Bekämpfung des Antisemitismus heute, in: Erziehung vorurteilsfreier Menschen. Erste Europäische Pädagogenkonferenz vom 30. Oktober bis 3. November 1962 in Wiesbaden. Hrsg. vom Deutschen Koordinierungsrat der Gesellschaften für Christlich-Jüdische Zusammenarbeit, Frankfurt a.M. 1963, S. 15-31; Wiederabdruck in: Das Argument 29, Jg. 6 (1964), S. 88-104 (Heft 2).

Rodolphe Lœwenstein, Psychanalyse de l'Antisémitisme, unveröffentlicht.

Otto Büsch und Peter Furth, Rechtsradikalismus im Nachkriegsdeutschland, in: Kölner Zeitschrift für Soziologie und Sozialpsychologie 10 (1958), S. 159-161 (Heft 1).

Die UdSSR und der Frieden, unveröffentlicht.

Auf die Frage: Warum sind Sie zurückgekehrt, in: Deutsche Post. Organ der deutschen Postgewerkschaft, 20. 12. 1962 (Jg. 14, Nr. 24), S. 656.

Gegen die Notstandsgesetze, Ansprache, gehalten am 28. 5. 1968 in Frankfurt a.M. auf der Veranstaltung »Demokratie im Notstand«; posthumer Erstdruck: Theodor W. Adorno, Kritik. Kleine Schriften zur Gesellschaft. Hrsg. von Rolf Tiedemann, Frankfurt a.M. 1971, S. 143f.

Kritische Theorie und Protestbewegung, in: Süddeutsche Zeitung, 26./27. 4. 1969 (Jg. 25, Nr. 100), S. 10.

»Keine Angst vor dem Elfenbeinturm«, in: Der Spiegel, 5. 5. 1969 (Jg. 23, Nr. 19), S. 204, 206, 208f.

Aesthetica

What National Socialism Has Done to the Arts und *The Musical Climate for Fascism in Germany*, beide Fassungen unveröffentlicht.

Toward a Reappraisal of Heine, unveröffentlicht.

Die auferstandene Kultur, in: Frankfurter Hefte 5 (1950), S. 469-477 (Heft 5, Mai).

Hermann Grab, in: Die Neue Rundschau 60 (1949), S. 594 (Heft 4).

Imaginäre Begrüßung Thomas Manns, unveröffentlicht; nach einem Typoskript im Nachlaß Max Horkheimers, Frankfurter Stadt- und Universitätsbibliothek.

Heinz Krüger zum Gedächtnis, in: Frankfurter Rundschau, 9. 1. 1956 (Jg. 12, Nr. 7), S. 3.

Zur Einführung in Heinz Krügers »Studien über den Aphorismus als literarische Form«, in: Heinz Krüger, Studien über den Aphorismus als literarische Form, Diss. Frankfurt a. M. 1957, S. 7-8.

Scholem spricht in den »Loeb Lectures«, in: Frankfurter Allgemeine Zeitung, 4. 7. 1957 (Nr. 151), S. 9.

Gruß an Gershom G. Scholem, in: Neue Zürcher Zeitung, 2. 12. 1967 (Jg. 188, Nr. 331), Fernausg., Bl. 19v.

Dank an Peter Suhrkamp, in: Frankfurter Allgemeine Zeitung, 9. 4. 1959 (Nr. 82), S. 12; Wiederabdruck: In memoriam Peter Suhrkamp. Hrsg. von Siegfried Unseld, Frankfurt a. M. 1959 [Privatdruck], S. 11-18.

Zum 11. Oktober 1959, unveröffentlicht.

Über H. G. Adler, nach einem Typoskript im Nachlaß; Abdruck nicht ermittelt.

Gegen den Muff, in: Braunschweiger Zeitung, 8. 12. 1965.

Gleichwohl, in: Süddeutsche Zeitung, 27./28. 8. 1966 (Jg. 22, Nr. 205), S. 12.

Zu Ludwig von Fickers Aufsätzen und Reden, in: Nachrichten aus dem Kösel-Verlag. Folge 26, München 1967, S. 6f.

Keine Würdigung, in: In Sachen Böll. Ansichten und Aussichten. Hrsg. von Marcel Reich-Ranicki, Köln, Berlin 1968, S. 9f.

Othmar H. Sterzinger, Grundlinien der Kunstpsychologie, in: Zeitschrift für Sozialforschung 7 (1938), S. 426f. (Heft 3).

Donald Brinkmann, Natur und Kunst, korrigierter Fahnenabzug der Zeitschrift für Sozialforschung, dort aber nicht erschienen.

Physiognomik der Stimme, in: Frankfurter Allgemeine Zeitung, 6. 4. 1957 (Nr. 82), Literaturblatt.

Karl Korn, Die Sprache in der verwalteten Welt, in: Neue Deutsche Hefte, Heft 60, Juli 1959, S. 311-315.

Abstrakt oder konkav?, in: Frankfurter Zeitung, 6. 3. 1932 (Jg. 76, Nr. 176/177), S. 3.

Auf die Frage: Mögen Sie Picasso, in: Frankfurter Allgemeine Zeitung, 21. 10. 1961 (Nr. 245), Beilage.

Zu Arbeiten von Hans Glauber, in: Aus der mechanischen Stadt. Bilder und Lithographien von Hans Glauber. Galerie nächst St. Stephan, Wien, Katalog zur Ausstellung 22.-30. 11. 1967; eine Übersetzung ins Italienische erschien bereits in einem Ausstellungskatalog Roma 1965.

Von der Musik her, in: Um Wotruba. Schriften zum Werk. Hrsg. von Otto Breicha, Wien u.a. 1967, S. 220-222.

MISCELLANEA

Notiz über Namen, in: Frankfurter Zeitung, 7. 8. 1930 (Jg. 75, Nr. 583), S. 1.

Wiener Memorial, unveröffentlicht.

Worte ohne Lieder, in: Frankfurter Zeitung, 14. 7. 1931 (Jg. 75, Nr. 515), S. 1f.

An Stelle eines Tagebuches, unveröffentlicht.

Karlsbader Souvenirs, unveröffentlicht.

Im Flug erhascht, in: Frankfurter Rundschau, 9./10. 1. 1954 (Jg. 10, Nr. 7), S. 13 u.d.T. *So ergeht es dem, der heute zum ersten Male fliegt*, der von der Redaktion eingesetzt wurde.

Kleiner Dank an Wien, in: Kontinente (Wien) 8 (1954/55), Heft 8, S. 31f.

Beitrag zur Geistesgeschichte, in: Frankfurter Zeitung, 6. 6. 1930 (Jg. 74, Nr. 418), S. 2.

»Was lieben Sie eigentlich an Ihrem Mann?«, in: Neue Blätter für den Sozialismus, Jg. 2, Heft 1, Januar 1931, S. 42-44.

Fütterung der Toten, unveröffentlicht.

Der Ur, in: Frankfurter Zeitung, 6. 7. 1932 (Jg. 76, Nr. 496-497), S. 2.

Zerrbild, in: Frankfurter Zeitung, 31. 8. 1932 (Jg. 77, Nr. 648/649), S. 3.

Fast zu ernst, in: Die Neue Zeitung, 31. 12. 1951 (Jg. 7, Nr. 307), S. 17.

Uromi, in: Süddeutsche Zeitung, 11. 5. 1967 (Jg. 23, Nr. 112), S. 12.

Traumprotokolle, nach einem Typoskript im Nachlaß, das Adorno für ein geplantes, aber nicht erschienenes Buch des Suhrkamp Verlags zusammenstellte. – Die Träume vom 30. 12. 1940, 1. 2. 1942 und 22. 5. 1942 erschienen u. d. T. *Träume in Amerika. Drei Protokolle* in: Aufbau (New York), 2. 10. 1942 (Vol. 8, No. 40), S. 17.

Der Fischer Spadaro, unveröffentlicht.

Kein Abenteuer, nach einem Typoskript im Nachlaß; Erstdruck: Dossier des Suhrkamp Verlags zu Theodor W. Adorno, Gesammelte Schriften, Frankfurt 1978, s. p.

Adorno und Carl Dreyfus: Lesestücke, unter dem Pseudonym *Castor Zwieback* in: Akzente 10 (1963), S. 405-415 (Heft 3, Juni '63). Die Stücke *Gegenbesuch, Sitzung, Die Pendelwagen* und *Begegnung* erschienen, in dieser Reihenfolge, bereits als *Castor Zwieback, Surrealistische Lesestücke* in: Frankfurter Zeitung, 17. 11. 1931 (Jg. 76, Nr. 856/857), S. 1.

Institut für Sozialforschung und Deutsche Gesellschaft für Soziologie

Eine Stätte der Forschung, in: Aufbau (New York), 10. 1. 1941 (Vol. 7, No. 2), S. 7f.

Einführungen in die Darmstädter Gemeindestudie, S. 605-607: Herbert Kötter, Struktur und Funktion von Landgemeinden im Einflußbereich einer deutschen Mittelstadt, Darmstadt 1952, S. Vf.; S. 607-614: Karl-Guenther Grüneisen, Landbevölkerung im Kraftfeld der Stadt, Darmstadt 1952, S. V-X; S. 614-618: Gerhard Teiwes, Der Nebenerwerbslandwirt und seine Familie im Schnittpunkt ländlicher und städtischer Lebensform, Darmstadt 1952, S. V-VIII; S. 618-629: Gerhard Baumert, Jugend der Nachkriegszeit. Lebensverhältnisse und Reaktionsweisen, Darmstadt 1952, S. V-X und Irma Kuhr, Schule und Jugend in einer ausgebombten Stadt; Giselheid Koepnick, Mädchen einer Oberprima. Eine Gruppenstudie, Darmstadt 1952, S. V-XII; S. 629-634: Gerhard Baumert unter Mitwirkung von Edith Hünniger, Deutsche Familien nach dem Kriege, Darmstadt 1954, S. V-IX; S. 634-639: Klaus A. Lindemann, Behörde und Bürger. Das Verhältnis zwischen Verwaltung und Bevölkerung in einer deutschen Mittelstadt, Darmstadt 1952, S. V-VIII.

Vorworte, Vorreden und Vorbemerkungen zu den »Frankfurter Beiträgen zur Soziologie«, S. 640-642: Sociologica. Aufsätze, Max Horkheimer zum sechzigsten Geburtstag gewidmet, Frankfurt a. M. 1955, S.

9f.; S. 642f.: Betriebsklima. Eine industriesoziologische Untersuchung aus dem Ruhrgebiet, Frankfurt a.M. 1955, S. 7f.; S. 644-646: Soziologische Exkurse. Nach Vorträgen und Diskussionen, Frankfurt a.M. 1956, S. 7f.; S. 646-649: Freud in der Gegenwart. Ein Vortragszyklus der Universitäten Frankfurt und Heidelberg zum hundertsten Geburtstag, Frankfurt a.M. 1957, S. IX-XII; S. 650-653: Paul W. Massing, Vorgeschichte des politischen Antisemitismus, Frankfurt a.M. 1959, S. V-VIII; S. 654f.: Alfred Schmidt, Der Begriff der Natur in der Lehre von Marx, Frankfurt a.M. 1962, S. 7f.; S. 655-658: Peter von Haselberg, Funktionalismus und Irrationalität. Studien über Thorstein Veblens »Theory of the Leisure Class«, Frankfurt a.M. 1962, S. 5-7; S. 658-660: Oskar Negt, Strukturbeziehungen zwischen den Gesellschaftslehren Comtes und Hegels, Frankfurt a.M. 1964, S. 7f.; S. 661-664: Heribert Adam, Studentenschaft und Hochschule. Möglichkeiten und Grenzen studentischer Politik, Frankfurt a.M. 1965, S. VII-X; S. 664-666: Adalbert Rang, Der politische Pestalozzi, Frankfurt a.M. 1967, S. 7f.; S. 666-668: Regina Schmidt, Egon Becker, Reaktionen auf politische Vorgänge. Drei Meinungsstudien aus der Bundesrepublik, Frankfurt a.M. 1967, S. 7-9; S. 668-671: Joachim Bergmann, Die Theorie des sozialen Systems von Talcott Parsons. Eine kritische Analyse, Frankfurt a.M. 1967, S. 7-9; S. 671-673: Manfred Teschner, Politik und Gesellschaft im Unterricht. Eine soziologische Analyse der politischen Bildung an hessischen Gymnasien, Frankfurt a.M. 1968, S. 7-9.

»Betriebsklima« und Entfremdung, unveröffentlicht.

Vorwort zum Forschungsbericht über »Universität und Gesellschaft«, in: Universität und Gesellschaft. Eine Erhebung des Instituts für Sozialforschung unter Mitwirkung des Instituts für vergleichende Sozialwissenschaften. Forschungsbericht [hektographiert]. Teil I: Studentenbefragung; Teil III: Expertenbefragung, Frankfurt a.M. 1953 [recte: 1956], S. I-V.

Adorno und Christoph Oehler: Die Abhängigkeit des Ausbildungszieles von den Studienerwartungen der Studenten, in: Universität und moderne Gesellschaft. Referate und Diskussionsbeiträge zu dem im Sommer 1957 vom Chicago-Ausschuß der Johann Wolfgang Goethe-Universität in Frankfurt am Main veranstalteten Seminar. Hrsg. von Chauncy D. Harris und Max Horkheimer, Frankfurt a.M. 1959 [Privatdruck], S. 82-87.

Vorwort zur deutschen Übertragung der »Quatre Mouvements« von Charles Fourier, in: Charles Fourier, Theorie der vier Bewegungen und der allgemeinen Bestimmungen. Hrsg. von Theodor W. Adorno. Eingeleitet von Elisabeth Lenk. Deutsche Übertragung von Gertrud von Holzhausen, Frankfurt a.M. 1966, S. 5f.

Franz Neumann zum Gedächtnis, nach einem Typoskript im Nachlaß; Erstdruck: Alfons Söllner, Neumann zur Einführung. Mit einem Beitrag von Theodor W. Adorno, Hannover 1982, S. 98-101.

Rede beim Empfang anläßlich des 15. Deutschen Soziologentages, in: Max Weber und die Soziologie heute. Hrsg. von Otto Stammer, Tübingen 1965 (Verhandlungen des 15. Deutschen Soziologentages), S. 99-102.

Worte zum Gedenken an Theodor Heuss, in: Max Weber und die Soziologie heute, a. a. O., S. 157-160.

Im Anhang zu Band 20 finden sich Texte von sehr disparatem Charakter vereinigt. Als »Juvenilia« werden zwei Aufsätze des Schülers abgedruckt, von denen der eine teilweise bereits veröffentlicht war, während der andere – Adornos Abiturs-Aufsatz – schon Gegenstand sekundärliterarischer Bemühungen geworden ist. Die »Umfragen« und »Leserbriefe« erweitern die Physiognomie des Schriftstellers Adorno um Züge, die am Rande liegen mögen, aber gleichwohl charakteristisch sind: sie erweisen ihn als den zumal in Deutschland längst ausgestorbenen homme de lettres, der Adorno stets auch war. Die zwei »Verworfenen Schriften« sind solche, deren Neudruck Adorno untersagt hat (vgl. Gesammelte Schriften, Bd. 11, 2. Aufl., Frankfurt a.M. 1984, S. 707f., und a. a. O., Bd. 19, Frankfurt a.M. 1984, S. 639f.), die der Herausgeber jedoch nach langem Zögern glaubt, einer posthumen Gesamtausgabe nicht vorenthalten zu sollen. Von dem kleinen Text über Herbert Marcuse, den Adorno auf Wunsch des Verlegers Giulio Einaudi für dessen Verlagszeitschrift schrieb, konnte das deutschsprachige Original bislang nicht gefunden werden; er erscheint deshalb in einer wortgetreuen Rückübersetzung aus dem Italienischen.

1. Juvenilia

Zur Psychologie des Verhältnisses von Lehrer und Schüler, [S. 715-725:] in: Frankfurter Schüler-Zeitung, Jg. 1, Nr. 1, Oktober 1919, S. 2-6; [S. 725-728:] unveröffentlicht.

Die Natur, eine Quelle der Erhebung, Belehrung und Erholung. Abituriums-Aufsatz, unveröffentlicht.

2. Umfragen

»Meine stärksten Eindrücke 1953«, in: Die Neue Zeitung, 25. 12. 1953 (Jg. 9, Nr. 300/301), S. 21; *»Die zehn größten Romane der deutschen Literatur?«*, in: Der Tagesspiegel, 25. 12. 1956 (Nr. 3437), S. 5; *Umfrage über die Todesstrafe*, in: Dokumentation über die Todesstrafe. Mit einer rechtsvergleichenden Darstellung des Problems der Todesstrafe von Armand Mergen, Darmstadt u. a. 1963, S. 13 f.; *»Welches Buch beeindruckte Sie in den letzten 12 Monaten?«*, in: Frankfurter Neue Presse, 21. 9. 1966 (Jg. 21, Nr. 219), S. 3; *»Drei Fragen in der Silvesternacht 1966«*, in: Süddeutsche Zeitung, 31. 12. 1966/1. 1. 1967 (Jg. 22, Nr. 313), S. 2; *»Händedruck – Symbol des guten Willens«*, in: Frankfurter Neue Presse, 24. 2. 1967 (Jg. 22, Nr. 47), S. 3; *»Wohin steuern unsere Universitäten?«*, in: Frankfurter Allgemeine Zeitung, 30. 11. 1967 (Nr. 278), S. 20.

3. Leserbriefe

Vgl. die Drucknachweise im Text, S. 740-745.

4. Verworfene Schriften

Zur Krisis der Musikkritik, in: »23« Eine Wiener Musikzeitschrift, Nr. 20/21, 25. 3. 1935, S. 5-15.

Reinhold Zickel, in: Akzente 5 (1958), S. 273-281 (Heft 3); Wiederabdruck: Fünfzig Jahre Freiherr-vom-Stein-Schule, Gymnasium für Jungen, Frankfurt a. M. 1909-1959. O. O., o. J. [Privatdruck], S. 25-30; die vorliegende, bisher unveröffentlichte Fassung entstand 1960.

5. Rückübersetzung

Über Herbert Marcuse, u. d. T. *Una lettera* in italienischer Sprache in: Libri nuovi. Bimestrale Einaudi di informazione libraria e culturale. Anno 1, numero 1, Giugno 1968.

Am Schluß des Bandes sind eine Reihe von Nachträgen zu den Bänden 18 und 19 der »Gesammelten Schriften« zusammengestellt worden: Arbeiten, die erst nach Redaktionsschluß dieser Bände dem Herausgeber bekannt oder zugänglich geworden sind. Von dem Aufsatz »Berg und Webern« konnte in Band 18 nur eine Übersetzung ins Englische, von der Konzert-Einleitung »Berg: Drei Stücke aus der Lyrischen Suite für Streichorchester« nur ein Fragment und von der Křenek-Rezension in Band 19 nur eine gekürzte

Version abgedruckt werden; im vorliegenden Band findet der Leser die originalen und vollständigen Fassungen.

Kammermusikwoche in Frankfurt am Main, unveröffentlicht.

Křeneks Operneinakter in Wiesbaden, in: Neue Musik-Zeitung 49 (1928), S. 705 f. (Heft 22).

Veristisches Ende, unveröffentlicht.

Berg und Webern, nach einem Typoskript im Nachlaß Alban Bergs, Österreichische Nationalbibliothek, Musiksammlung; Erstdruck: Österreichische Musikzeitschrift, Jg. 39, Heft 6, Juni 1984, S. 290-295.

Zum Rundfunkkonzert vom 8. April 1931, unveröffentlicht.

Berg: Drei Stücke aus der Lyrischen Suite für Streichorchester, als Ganzes unveröffentlicht.

Berg-Gedenkkonzert im Londoner Rundfunk, nach einem Typoskript im Nachlaß Alban Bergs, Österreichische Nationalbibliothek, Musiksammlung.

Fußnote zu Sibelius und Hamsun, in: Zeitschrift für Sozialforschung 6 (1937), S. 338 (Heft 2).

Ernst Křenek, Über neue Musik, nach einem Typoskript aus dem Besitz Ernst Křeneks, Österreichische Nationalbibliothek, Musiksammlung; Erstdruck u.d.T. *Zu Křeneks Buch »Über neue Musik«* in: Musik-Konzepte 39/40: Ernst Křenek, München 1984, S. 125-128.

Nachtrag zu den »Minima Moralia«, in: Theodor W. Adorno, Minima Moralia. Reflexionen aus dem beschädigten Leben, 7.-9. Tsd., Frankfurt a.M. 1964, S. 62-66.

Die Textherstellung folgt ähnlichen Prinzipien wie in den Bänden 18 und 19. Für gedruckte Arbeiten wurden – soweit erhalten – die von Adorno handschriftlich korrigierten Abdrucke sowie die Typoskripte in seinem Nachlaß herangezogen und zur Revision benutzt. Veränderungen, Kürzungen und Entstellungen, welche Zeitungs- und Zeitschriftenredaktionen nicht selten an Arbeiten des vorliegenden Bandes vornahmen, sind rückgängig gemacht worden, soweit sie sich identifizieren ließen. Druckfehler und Irrtümer, vor allem falsche Schreibungen von Eigennamen, wurden korrigiert. Darüber hinaus war es erforderlich, Orthographie und Interpunktion der höchst unterschiedlichen Vorlagen in gewissem Maß zu vereinheitlichen; dabei sind Adornosche Eigentümlichkeiten jedoch bewahrt worden. Vom Herausgeber hinzugefügte Anmerkungen wurden in Kursivschrift gesetzt.

*

Mit dem Erscheinen des vorliegenden Bandes gelangen Adornos »Gesammelte Schriften« zum Abschluß. Die Ausgabe, deren erster Band 1970, ein Jahr nach dem Tod des Autors, erschienen ist, vereinigt in 20 Bänden, auf mehr als 10000 Druckseiten, Adornos abgeschlossene Schriften. Formales Kriterium für die Aufnahme eines Textes war, ob er, nach dem Maßstab von Adornos authentischen Arbeiten, durchformuliert ist. Daraus folgte, daß einerseits jeder Text, den Adorno irgendwann einmal hatte drucken lassen, aufzunehmen war, während Fragment gebliebene Arbeiten, improvisierte Vorträge, die akademischen Vorlesungen sowie Gespräche und Diskussionen ausgeschlossen blieben. Allerdings glaubte der Herausgeber sich berechtigt, von diesen Regeln immer wieder auch Ausnahmen zu machen. So wurden eine Reihe frei gehaltener Vorträge ebenso abgedruckt wie einige Gespräche und Interviews – nicht so sehr weil Adorno die Nachschriften durchgesehen und mehr oder weniger überarbeitet hatte, als um des sachlichen Gewichts dieser Arbeiten willen. – Adorno hat seit 1937 die Erstfassungen aller seiner Arbeiten ins Stenogramm diktiert und die Transkriptionen der Diktate sodann handschriftlich überarbeitet. Unter den nicht vom Autor selber veröffentlichten Texten begegnen gelegentlich Grenzfälle, bei denen man streiten kann, ob der erreichte Grad der Durchformulierung bereits mit der Publikationsreife zusammenfällt. Hier mußte der Herausgeber seinem Urteil folgen, das sich freilich häufig auf die Kenntnis des Adornoschen über die eigenen Arbeiten stützen konnte.
In Textdarbietung und -gestaltung halten die »Gesammelten Schriften« sich soweit wie möglich an die Anordnungen und Wünsche des Autors. Von ihm zu Büchern vereinigte Essays sind als Bücher erhalten geblieben: stets bilden Adornosche Essaysammlungen eigene literarische Formen. Vom Herausgeber zusammengestellte

Bände und Bandteile bevorzugen eine Gruppierung nach sachlichen und thematischen Gesichtspunkten, nur in Ausnahmefällen wurde auf die Entstehungschronologie zurückgegriffen. Die von Adorno englisch geschriebenen Arbeiten werden in der Originalsprache veröffentlicht, es sei denn, der Autor selber hätte deutsche Übersetzungen angefertigt. Unbedingt wollte Adorno die jeweils letzte Form, die er einem Text gegeben hatte, respektiert wissen; er wünschte keine Edition, welche überholte Versionen von Arbeiten zu rekonstruieren erlauben würde. An diese Weisung fühlte der Herausgeber sich gebunden, auch wenn er dadurch mit den Bedürfnissen philologischer Forschung in einen gewissen Konflikt geriet. Wissenschaftler, die den oft eingreifenden und manchmal mehrmaligen Umarbeitungen nachzugehen wünschen, die zu Adornos Lebzeiten wiederholt publizierte Texte durchgemacht haben, hätten vorerst auf die Originaldrucke zu rekurrieren, die in editorischen Nachbemerkungen detailliert nachgewiesen sind. Freilich ist auch gegen die Regel, ›überholte‹ Fassungen unberücksichtigt zu lassen, gelegentlich verstoßen worden, wenn inhaltliche Gründe dies geboten erscheinen ließen. So etwa im vorliegenden Band 20 gleich mit den beiden ersten Arbeiten: »Neue wertfreie Soziologie« bildet eine frühe Version des Mannheim-Aufsatzes aus den »Prismen« (vgl. Gesammelte Schriften, Bd. 10.1, Frankfurt a.M. 1977, S. 31 ff.); »Zur Philosophie Husserls« wurde später zu dem letzten, »Das Wesen und das reine Ich« überschriebenen Kapitel der »Metakritik der Erkenntnistheorie« umgearbeitet (vgl. Gesammelte Schriften, Bd. 5, 2. Aufl., Frankfurt a.M. 1975, S. 190ff.). Für die Aufnahme der frühen Fassungen in die Ausgabe sprach nicht nur, daß es in beiden Fällen eher um zwei verschiedene Arbeiten als um zwei Versionen einer Arbeit sich handelt; die Fassungen von 1937 und 1938, die eine erhebliche Rolle in der internen Diskussion des Instituts für Sozialforschung gespielt haben, sind aus mittlerweile obsolet gewordenen Gründen damals unveröffentlicht geblieben. Zudem sind diese zwei Arbeiten das fast einzige direkte Zeugnis für Adornos Befassung mit Philosophie im engeren Sinn während des Zeitraums, der das Erscheinen der »Dialektik der Aufklärung« von dem des Kierkegaardbuches trennt. Schließlich: über eine noch ältere, anscheinend verschollene Fassung des Mannheim-Aufsatzes schrieb Adorno an Walter Benjamin, sie stelle »die schärfste marxistische Arbeit« dar, »die ich bisher unternahm«; doch wohl ein Grund, wenigstens die früheste erhaltene Fassung zu publizieren.

Die Texte werden jeweils in der letzten, zu Adornos Lebzeiten veröffentlichten Form abgedruckt. Wo immer sie von dieser Form abweichen – was nicht selten der Fall ist –, sind Änderungen und Korrekturen berücksichtigt worden, die Adorno in seinen Handexemplaren vorgenommen und von denen er oft ausdrücklich angeordnet hat, sie »wären bei einer Neuauflage zu berücksichtigen« – so etwa eine Eintragung auf dem Vorsatzblatt des Handexemplars der Berg-Monographie. Weiter sind selbstverständlich Druckfehler – bei den in der Ausgabe zum erstenmal publizierten Arbeiten: Schreibfehler – und seltene offenkundige Irrtümer stillschweigend berichtigt sowie nach Möglichkeit die Zitate und Verweise kontrolliert worden. Zu einer Vereinheitlichung der Adornoschen Zitation, gar zu einer Umstellung der Zitation auf neuere Ausgaben, wie sie gelegentlich von der Kritik gefordert wird, glaubte der Herausgeber sich nicht berechtigt. So zweifellos derartige Editionshilfen manchem Benutzer der Ausgabe Arbeit abnehmen würden, so unzweifelhaft gehört es zu den Impulsen des Adornoschen Denkens, seine Arbeiten positivistischer ›Benutzbarkeit‹, ihrer Integration in den verabscheuten akademischen Betrieb zu entziehen. Hinzu kommt, daß Adorno idiosynkratisch darauf beharrte, etwa Kant und Hegel meist nach philologisch längst überholten Ausgaben zu zitieren, mit denen er selber seit seiner Jugend gearbeitet hatte. Auch weigerte er sich, Anmerkungen einheitlich entweder als Fußnoten zu bringen oder sie am Schluß einer Arbeit zusammenzufassen; noch darin drückt ein dem Adornoschen Denken Wesentliches sich aus: seine Kritik am Zwangscharakter von Einheit und System. So mag manche Arbeiten Adornos eine leise antiquarische Aura umgeben, die auf den ersten Blick dem Penchant Benjamins fürs Antiquarische recht verwandt erscheint. In der Tat jedoch besitzt dies Antiquarische in Adornos Schriften einen völlig anderen Stellenwert als bei Benjamin: kontrapunktiert es doch der Radikalität des Adornoschen Denkens, um dieser nur desto stärker zum Ausdruck zu verhelfen. An Adornos Schriften jene Aura tilgen, bedeutete zugleich, etwas von der Substanz der Philosophie Adornos anzutasten. – Der Herausgeber hätte nichts dagegen einzuwenden, wollte man den »Gesammelten Schriften« ein Paradoxes attestieren: sie versuchen so etwas wie eine Ausgabe letzter Hand zu sein, die gleichwohl erst posthum erscheint; sie streben an, kritisch revidierte Texte vorzulegen, ohne die Ausgabe mit einem philologischen Apparat zu belasten. Die kritische Revision der Texte konnte indessen nur unterschiedlich weit vorangetrieben werden. So viele Jahre der Abschluß der Ausgabe beanspruchte: die Zeit, welche der Herausgeber an sie zu wenden vermochte, war nicht unbegrenzt. Auch stand der literarische Nachlaß Adornos nicht von Anfang an vollständig zur Verfügung; und als er dem Herausgeber nach und nach zugänglich geworden war, zwangen äußere Gründe dazu, ihn an nicht weniger als fünf verschiedenen Orten aufzubewahren. Allererst der vorliegende – letzte – Band der Ausgabe konnte unter völlig veränderten, endlich sachgerechten Umständen erarbeitet werden.

Der Herausgeber wurde bei den Editionsarbeiten, außer von Gretel Adorno, Susan Buck-Morss und Klaus Schultz, von Hermann Schweppenhäuser nachdrücklich unterstützt, mit dem er immer wieder Fragen der Anordnung, Datierung und Textrevision diskutierte; daß die »Gesammelten Schriften« die gedruckten Arbeiten Adornos, wenn nicht vollständig, so doch so gut wie vollständig umfassen dürften, ist vor allem Klaus Schultz zu danken, der Jahre auf die Sammlung der Erstdrucke verwandte und seine Sammlung großmütig zur Verfügung stellte; auf einzelne Texte, die ihm sonst entgangen wären, wurde der Herausgeber auch durch Rainer Riehn, Gunzelin Schmid Noerr und Rudolf Stephan hingewiesen; Hertha Georg hat entscheidend bei den Schreib- und Korrekturarbeiten geholfen – allen Genannten möchte der Herausgeber auch an dieser Stelle herzlich danken.

*

Der letzte Band der »Gesammelten Schriften« bildet zugleich die erste Edition des Theodor W. Adorno Archivs.

Das Theodor W. Adorno Archiv wurde Anfang 1985 von der Hamburger Stiftung zur Förderung von Wissenschaft und Kultur errichtet, die seit Ende 1984 Eigentümerin des Gesamtnachlasses von Adorno ist. Aufgabe des Archivs ist es, den literarischen und musi-

kalischen Nachlaß Adornos zu verwalten und seine Werke weiterhin zu edieren. Beabsichtigt ist zunächst, die in den »Gesammelten Schriften« nicht enthaltenen Arbeiten in einer umfangreichen Ausgabe »Editionen des Theodor W. Adorno Archivs« herauszugeben; später wird das Archiv die verbindliche historisch-kritische Gesamtausgabe Adornos zu erarbeiten haben.
Der Plan der »Editionen des Theodor W. Adorno Archivs« – der im folgenden mit allen Vorbehalten des Vorläufigen mitgeteilt wird – sieht sieben Abteilungen mit meistens mehreren Bänden vor.

Abteilung I: Fragment gebliebene Schriften

Band 1: Beethoven. Philosophie der Musik
Band 2: Theorie der musikalischen Reproduktion
Band 3: Current of Music. Elements of a Radio Theory

Abteilung II: Philosophische Tagebücher

ca. 5 Bände

Abteilung III: Poetische Versuche

1 Band

Abteilung IV: Vorlesungen

Band 1: Erkenntnistheorie (1957/58)
Band 2: Einführung in die Dialektik (1958)
Band 3: Ästhetik (1958/59)
Band 4: Kants »Kritik der reinen Vernunft« (1959)
Band 5: Einleitung in die Philosophie (1959/60)
Band 6: Philosophie und Soziologie (1960)
Band 7: Ontologie und Dialektik (1960/61)
Band 8: Ästhetik (1961/62)
Band 9: Philosophische Terminologie (1962/63)
Band 10: Probleme der Moralphilosophie (1963)
Band 11: Fragen der Dialektik (1963/64)
Band 12: Philosophische Elemente einer Theorie der Gesellschaft (1964)
Band 13: Zur Lehre von der Geschichte und der Freiheit (1964/65)
Band 14: Metaphysik. Begriff und Probleme (1965)
Band 15: Einleitung in die Soziologie (1968)
Band 16: Stichworte und Stenogramm-Fragmente zu nicht erhaltenen Vorlesungen

Abteilung V: Improvisierte Vorträge
ca. 2 Bände

Abteilung VI: Gespräche, Diskussionen, Interviews
ca. 3 Bände

Abteilung VII: Briefwechsel, Briefe

Im Rahmen der letzten Abteilung soll versucht werden, die wichtigeren Korrespondenzen Adornos als Brief*wechsel* zu edieren. Im übrigen wird man sich sinnvollerweise auf eine Auswahl der theoretisch relevanten Briefe Adornos beschränken.
Zur Zeit arbeitet das Archiv an der Edition der Beethoven-Fragmente sowie der »Einleitung in die Soziologie«, Adornos letzter Vorlesung. Außerdem wird die Veröffentlichung der Briefwechsel mit Walter Benjamin und Alban Berg vorbereitet; den letzteren werden Rudolf Stephan und das Theodor W. Adorno Archiv gemeinsam herausgeben.

Juni 1986 Rolf Tiedemann

Gesamtinhaltsverzeichnis

Bei Buchrezensionen und Kompositionskritiken ohne selbständigen Titel wird dieser durch die bibliographischen Daten des rezensierten Buches oder der besprochenen Komposition ersetzt.
Im *Alphabetischen Inhaltsverzeichnis* ist gegebenenfalls von jedem Buch, das Adorno besprochen, und jeder Komposition, die er kritisiert hat, auf die Hauptverzeichnung verwiesen worden, d.h. entweder auf den selbständigen Rezensionstitel oder, bei Sammelbesprechungen, auf Autor und Titel der an erster Stelle besprochenen Arbeit.
In der alphabetischen Reihenfolge sind bestimmte und unbestimmte Artikel sowie Vornamen, soweit ein Titel mit ihnen beginnt, unbeachtet geblieben. – Die Umlaute ä, ö und ü werden wie ae, oe und ue behandelt.

Inhaltsverzeichnis Band 1-20

Band 1

Band 2

Band 3

Band 4

Band 5

Band 6

Band 7

Band 8

Soziologische Schriften I

Band 9·1

Band 9·2

Band 10·1

Band 10·2

Band 11

Band 12

Band 13

Band 14

Band 15

Band 16

Band 17

Band 18

III. Komponisten und Kompositionen

Band 19

Band 20·1

Band 20·2

Alphabetisches Inhaltsverzeichnis